TESS GERRITSEN

Die Chirurgin

Buch

In der stickigen Hitze des Bostoner Sommers schlägt ein perfider Killer zu, der wegen seiner brutalen aber präzisen Vorgehensweise von der Presse »der Chirurg« genannt wird. Die einzige Spur führt Detective Thomas Moore und Inspector Jane Rizzoli in das Bostoner Pilgrims-Hospital, zu der Chirurgin Catherine Cordell. Catherine will nichts mit den Ermittlungen zu tun haben, obwohl sie zwei Jahre zuvor das Opfer eines Angriffs war, bei dem der Täter exakt nach der gleichen Methode vorging. Doch dieser Mann ist tot – von der jungen Chirurgin in Notwehr erschossen, weshalb ein Zusammenhang unmöglich ist. Wer auch immer hinter diesen Morden steckt, er treibt ein gerissenes Spiel. Und immer stärker drängt sich ein schrecklicher Verdacht auf: Die Bostoner Morde sind nur ein Vorspiel für den »Chirurgen«. Sein eigentliches Ziel ist Dr. Catherine Cordell…

Autorin

Tess Gerritsen war erfolgreiche Internistin, bevor ihr mit dem Thriller »Kalte Herzen« der internationale Durchbruch gelang. Seither hat sie fünf weitere Medizinthriller geschrieben, die alle fulminante Bestseller waren. Die Autorin lebt mit ihrem Mann, dem Artz Jacob Gerritsen, und ihren beiden Söhnen in Camden, Maine.

Von Tesse Gerritsen außerdem lieferbar:

Kalte Herzen (43485) – Gute Nacht, Peggy Sue (35136) – Trügerische Ruhe (35218) – Roter Engel (35285) – In der Schwebe (35337)

Tess Gerritsen

Die Chirurgin

Roman

Aus dem Amerikanischen
von Andreas Jäger

BLANVALET

Die amerikanische Originalausgabe erschien 2001 unter dem Titel
»The Surgeon« bei Ballantine Books, New York,
a division of Random House Inc.

Umwelthinweis
Alle bedruckten Materialien dieses Taschenbuches
sind chlorfrei und umweltschonend.

Blanvalet Taschenbücher erscheinen
im Goldmann Verlag, einen Unternehmen
der Verlagsgruppe Random House GmbH.

7. Auflage
Taschenbuchausgabe Juni 2004

Umschlaggestaltung: Design Team München
Umschlagmotiv: Caravaggio
Satz: Uhl + Massopust, Aalen
Druck: GGP Media GmbH, Pößneck
Verlagsnummer: 36067
LW · Herstellung: Heidrun Nawrot
Made in Germany
ISBN 3-442-36067-6
www.blanvalet-verlag.de

Prolog

Heute werden sie ihre Leiche finden.

Ich weiß, wie es sich abspielen wird. Ich sehe sie ganz lebhaft vor mir, die Folge von Ereignissen, die zu der Entdeckung führen wird. Gegen neun Uhr werden diese hochnäsigen Damen vom Reisebüro Kendall and Lord an ihren Schreibtischen sitzen, mit ihren elegant manikürten Fingern auf Computertastaturen tippen und eine Mittelmeerkreuzfahrt für Mrs. Smith buchen oder einen Skiurlaub in Klosters für Mr. Jones. Und für Mr. und Mrs. Brown dieses Jahr mal etwas Neues, etwas Exotisches, vielleicht Chiang Mai oder Madagaskar. Nur nichts allzu Ungemütliches – o nein, Abenteuer müssen schließlich vor allem komfortabel sein. Das ist das Motto von Kendall and Lord: »Komfort-Abenteuer«. Das Geschäft geht gut, und das Telefon klingelt oft.

Es wird nicht lange dauern, bis die Damen merken, dass Diana nicht an ihrem Platz ist.

Eine von ihnen wird in Dianas Wohnung in der Back Bay anrufen, aber das Telefon wird läuten, ohne dass sich jemand meldet. Vielleicht ist Diana unter der Dusche und kann es nicht hören. Oder sie ist einfach ein bisschen spät dran und gerade auf dem Weg zur Arbeit. Ein Dutzend vollkommen harmlose Erklärungen werden der Anruferin durch den Kopf gehen. Aber je später es wird und je mehr Anrufe unbeantwortet bleiben, desto stärker werden sich ihr andere, beunruhigendere Möglichkeiten aufdrängen.

Ich gehe davon aus, dass der Mann von der Hausverwaltung Dianas Kollegin in die Wohnung lassen wird. Ich sehe ihn vor mir, wie er nervös mit seinen Schlüsseln klimpert und fragt: »Sie ist also Ihre Freundin, ja? Und Sie sind sicher, dass sie nichts dagegen hat? Ich werde ihr nämlich sagen müssen, dass ich Sie reingelassen habe.«

Die beiden betreten die Wohnung, und Dianas Kollegin ruft: »Diana? Bist du zu Hause?« Sie gehen den Flur entlang, vorbei an den elegant gerahmten Reiseplakaten; der Verwalter immer einen Schritt hinter ihr. Er passt auf, dass sie nichts klaut.

Dann wirft er einen Blick ins Schlafzimmer. Er sieht Diana Sterling, und jetzt verschwendet er keinen Gedanken mehr an etwas so Belangloses wie Diebstahl. Er will nur so schnell wie möglich aus der Wohnung raus, bevor es ihm hochkommt.

Ich wäre gerne da, wenn die Polizei eintrifft, aber ich bin nicht dumm. Ich weiß, dass sie jedes Auto, das im Schritttempo vorbeifährt, genau unter die Lupe nehmen werden, jedes Gesicht, das sie aus der Schar von Schaulustigen auf der Straße anstarrt. Sie wissen, wie sehr es mich danach drängt, zum Tatort zurückzukehren. Selbst jetzt, da ich im Starbuck's sitze und zusehe, wie es draußen allmählich heller wird, spüre ich, wie mich dieses Zimmer zurückruft. Aber ich bin wie Odysseus, sicher an den Mast meines Schiffs gefesselt, während ich mich nach dem Gesang der Sirenen verzehre. Ich werde nicht zulassen, dass mein Schiff an den Felsen zerschellt. Diesen Fehler werde ich nicht machen.

Stattdessen sitze ich hier und trinke meinen Kaffee, während draußen die Stadt Boston zum Leben erwacht. Ich rühre drei Teelöffel Zucker in meine Tasse; ich trinke meinen Kaffee nun mal gerne süß. Ich will, dass alles genau so ist – einfach vollkommen.

In der Ferne heult eine Sirene; sie ruft mich. Ich fühle mich wie Odysseus, der sich gegen seine Fesseln sträubt. Doch sie lassen sich nicht zerreißen.

Heute werden sie ihre Leiche finden.

Und sie werden wissen, dass wir wieder da sind.

1

Ein Jahr später

Detective Thomas Moore hasste den Geruch von Latex. Während er sich die Handschuhe überstreifte und dabei ein Wölkchen von Talkumpuder aufwirbelte, verspürte er den gewohnten Anflug von Übelkeit angesichts dessen, was ihm bevorstand. Dieser Gummigeruch war mit den unerfreulichsten Aspekten seines Jobs verknüpft, und wie ein Pawlowscher Hund, der aufs Stichwort Speichel absondert, hatte er gelernt, den Geruch mit Blut und Körperflüssigkeiten in Verbindung zu bringen. Ein olfaktorisches Alarmsignal.

Und so war er bereits gewappnet, als er vor der Tür des Autopsiesaales stand. Er war direkt aus der prallen Hitze hereingekommen, und schon fühlte sich der Schweiß auf seiner Haut kühl an. Es war der zwölfte Juli, ein schwülwarmer, dunstiger Freitagnachmittag. In ganz Boston arbeiteten die Klimaanlagen auf Hochtouren, und die Nerven der Menschen lagen blank. Auf der Tobin Bridge würde sich schon ein Stau gebildet haben, weil alles sich nach Norden in die kühlen Wälder von Maine flüchtete. Aber Moore würde nicht zu den Flüchtenden gehören. Er war aus dem Urlaub zurückgerufen worden, um sich einem entsetzlichen Anblick zu stellen, den er sich gerne erspart hätte.

Er trug bereits die OP-Kleidung, die er sich vom Wäschewagen des Leichenschauhauses genommen hatte. Jetzt setzte er sich noch eine Papierhaube auf, die verirrte Haare auffangen sollte, und zog Überschuhe aus Papier an, denn er hatte gesehen, was manchmal von den Tischen auf den Boden tropfte und klatschte. Blut, Gewebefetzen. Er war alles andere als ein Sauberkeitsfanatiker, aber er legte keinen Wert darauf, irgendwelche Souvenirs aus dem Autopsiesaal an seinen Schuhen nach Hause zu tragen. Vor der Tür hielt er noch ein paar Sekunden inne und holte tief Luft. Dann betrat er den Raum, bereit, die Tortur über sich ergehen zu lassen.

Die verhüllte Leiche lag auf dem Seziertisch – der Figur nach zu urteilen eine Frau. Moore vermied es, das Opfer allzu eingehend zu betrachten, und konzentrierte sich stattdessen auf die lebenden Menschen im Saal. Dr. Ashford Tierney, der amtliche Leichenbeschauer, und ein Mitarbeiter des Leichenschauhauses waren damit beschäftigt, die Instrumente auf einem Tablettwagen zu arrangieren. Auf der anderen Seite des Tisches stand Jane Rizzoli, die wie er bei der Bostoner Mordkommission arbeitete. Rizzoli war dreiunddreißig Jahre alt, eine kleine Frau mit scharf geschnittenen Zügen. Ihre widerspenstigen Locken waren von der Papierkappe verdeckt, und ohne den mildernden Effekt ihrer schwarzen Haare schien ihr Gesicht nur aus harten Kanten zu bestehen. Der Blick ihrer dunklen Augen war forschend und intensiv. Sie war vor sechs Monaten vom Rauschgift- und Sittendezernat in die Mordkommission versetzt worden. Dort war sie die einzige Frau, und trotz der Kürze der Zeit hatte es bereits Probleme zwischen ihr und einem anderen Detective gegeben, Vorwürfe wegen sexueller Belästigung, die durch Gegenvorwürfe wegen unausgesetzter Gehässigkeit gekontert wurden. Moore war sich nicht sicher, ob er Rizzoli mochte oder sie ihn. Bisher hatte sich ihr Umgang miteinander strikt auf die dienstliche Ebene beschränkt, und er hatte den Eindruck, dass ihr das ganz recht war.

Neben Rizzoli stand ihr Partner Barry Frost, ein Polizist mit einem unerschütterlich heiteren Gemüt, dessen nichts sagendes, bartloses Gesicht ihn wesentlich jünger wirken ließ als seine dreißig Jahre. Frost arbeitete nun schon seit zwei Monaten mit Rizzoli zusammen, ohne dass es irgendwelche Beschwerden gegeben hätte; er war der einzige Mann im ganzen Dezernat, der ihre üblen Launen mit Gelassenheit ertragen konnte.

Als Moore auf den Tisch zutrat, sagte Rizzoli: »Wir haben uns schon gefragt, wann Sie auftauchen würden.«

»Ich war schon auf dem Maine Turnpike nach Norden unterwegs, als Sie mich angepiepst haben.«

»Wir warten hier schon seit fünf.«

»Und ich wollte gerade mit der inneren Besichtigung beginnen«, warf Dr. Tierney ein. »Ich würde daher sagen, dass Detective Moore gerade rechtzeitig eingetroffen ist.« Ein Mann sprang für den anderen in die Bresche. Dr. Tierney schlug die Tür des Metallschranks mit einem Knall zu, der im Saal widerhallte. Es kam nicht oft vor, dass er seinen Unmut so offen erkennen ließ. Er stammte aus Georgia; ein vornehmer Südstaaten-Gentleman, der davon überzeugt war, dass Damen sich wie Damen zu benehmen hatten. Es bereitete ihm kein Vergnügen, mit der kratzbürstigen Jane Rizzoli zusammenzuarbeiten.

Der Assistent rollte den Tablettwagen mit den Instrumenten an den Tisch heran. Für einen Moment trafen sich seine und Moores Blicke; er schien sagen zu wollen: *Was für eine Schreckschraube!*

»Tut mir Leid wegen Ihrer Angeltour«, sagte Tierney zu Moore. »Sieht so aus, als wäre Ihr Urlaub gestrichen.«

»Sind Sie sicher, dass es wieder unser Freund ist?«

Anstelle einer Antwort schlug Tierney das Tuch zurück, mit dem die Leiche zugedeckt war. »Ihr Name ist Elena Ortiz.«

Moore war auf den Anblick gefasst gewesen, doch als er jetzt das Opfer zum ersten Mal erblickte, traf es ihn wie ein Schlag in die Magengrube. Die schwarzen Haare der Frau waren mit Blut verklebt und standen wie Stacheln von ihrem Kopf ab; das Gesicht hatte die Farbe blau geäderten

Marmors. Ihre Lippen waren leicht geöffnet, wie mitten in einem Wort erstarrt. Das Blut war bereits vom Körper abgewaschen worden, und ihre Wunden klafften als violette Risse in der grauen Leinwand der Haut. Es gab zwei sichtbare Wunden. Die eine war ein tiefer Einschnitt im Hals, der die linke Halsschlagader durchtrennt und den Knorpel des Kehlkopfs freigelegt hatte. Der Gnadenstoß. Der zweite Schnitt war im Unterbauchbereich. Diese Verletzung war ihr nicht mit der Absicht zugefügt worden, sie zu töten. Sie hatte einem ganz anderen Zweck gedient.

Moore schluckte krampfhaft. »Jetzt verstehe ich, weshalb Sie mich aus dem Urlaub zurückgeholt haben.«

»Ich leite die Ermittlungen in diesem Fall«, sagte Rizzoli.

Er hörte den warnenden Unterton aus ihrer Bemerkung heraus: Sie verteidigte ihr Territorium. Er begriff, was die Ursache war – die Spötteleien und skeptischen Kommentare, denen weibliche Kriminalbeamte unentwegt ausgesetzt waren, konnten sie mit der Zeit sehr dünnhäutig werden lassen. In Wirklichkeit hatte er gar nicht die Absicht, mit ihr in Konkurrenz zu treten. Sie würden gemeinsam an diesem Fall arbeiten müssen, und es war noch viel zu früh für irgendwelche Positionskämpfe.

Er achtete sorgfältig darauf, nicht zu respektlos zu klingen. »Würden Sie mich bitte über die Umstände der Tat ins Bild setzen?«

Rizzoli nickte knapp. »Das Opfer wurde heute Morgen um neun Uhr in ihrer Wohnung in der Worcester Street gefunden. Das ist im South End. Sie fängt gewöhnlich gegen sechs Uhr morgens mit der Arbeit an, in einem Blumenladen ganz in der Nähe ihrer Wohnung. Er heißt ›Celebration Florists‹. Es ist ein Familienbetrieb, gehört ihren Eltern. Als sie nicht auftauchte, begannen sie sich Sorgen zu machen. Ihr Bruder ging nach ihr sehen und fand sie im Schlafzimmer. Dr. Tierney schätzt, dass der Tod zwischen Mitternacht und vier Uhr früh eingetreten ist. Nach Aussage der

Eltern hatte sie zur Zeit keinen festen Freund, und in ihrem Wohnblock kann sich niemand erinnern, je Herrenbesuch bei ihr gesehen zu haben. Sie ist bloß ein braves, fleißiges katholisches Mädchen.«

Moore betrachtete die Handgelenke des Opfers. »Sie war gefesselt.«

»Ja. Klebeband an Hand- und Fußgelenken. Sie wurde nackt aufgefunden. Sie trug nur einige Schmuckstücke.«

»Welche?«

»Eine Halskette. Einen Ring. Ohrstecker. Die Schmuckschatulle in ihrem Schlafzimmer war unberührt. Raub war nicht das Motiv.«

Moores Blick fiel auf den Bluterguss, der sich als horizontaler Streifen über den Hüftbereich des Opfers zog. »Sie war auch am Rumpf gefesselt.«

»Klebeband über Hüften und Oberschenkel. Und über den Mund.«

Moore atmete tief aus. »Mein Gott.« Er starrte Elena Ortiz an, und plötzlich blitzte das verstörende Bild einer anderen jungen Frau vor seinem inneren Auge auf. Eine andere Leiche – eine Blondine mit fleischig-roten Schnittwunden an Hals und Unterleib.

»Diana Sterling«, murmelte er.

»Ich habe Sterlings Autopsiebericht schon raussuchen lassen«, sagte Tierney. »Falls Sie noch mal einen Blick darauf werfen wollen.«

Aber das war nicht nötig. Der Fall Sterling, bei dem Moore die Ermittlungen geleitet hatte, war ihm noch immer sehr präsent.

Vor einem Jahr war Diana Sterling, eine Angestellte des Reisebüros Kendall and Lord, nackt und mit Klebeband an ihr Bett gefesselt aufgefunden worden. Man hatte ihr die Kehle und den Unterleib aufgeschlitzt. Der Mord war nie aufgeklärt worden.

Dr. Tierney richtete die Untersuchungsleuchte auf Elena

Ortiz' Abdomen. Das Blut hatte man zuvor bereits abgespült, und die Wundränder waren blassrosa.

»Irgendwelche verwertbaren Spuren?«

»Wir haben ein paar Fasern sichergestellt. Und am Rand der Schnittwunde klebte ein Haar.«

Moore sah auf, plötzlich interessiert. »Vom Opfer?«

»Viel kürzer. Und hellbraun.«

Elena Ortiz hatte schwarzes Haar.

Rizzoli sagte: »Wir haben bereits Haarproben von allen Personen angefordert, die mit der Leiche in Berührung gekommen sind.«

Tierney lenkte ihre Aufmerksamkeit auf die Wunde. »Was wir hier sehen, ist ein Transversalschnitt. Die Chirurgen sprechen von einer Maylard-Inzision. Die Bauchdecke wurde Schicht für Schicht durchschnitten. Zuerst die Haut, dann die Oberflächenfaszie, dann der Muskel und schließlich das Bauchfell.«

»Wie bei Sterling«, sagte Moore.

»Ja. Wie bei Sterling. Aber es gibt Unterschiede.«

»Welche Unterschiede?«

»Bei Diana Sterling wies der Einschnitt einige Zacken auf, die auf ein Zögern oder Unsicherheit hindeuteten. Davon ist hier nichts zu erkennen. Sehen Sie, wie sauber die Haut hier durchschnitten worden ist? Es gibt keinerlei Zacken. Er wusste genau, was er zu tun hatte.« Tierney sah Moore direkt in die Augen. »Unser unbekannter Täter hat dazugelernt. Er hat seine Technik verbessert.«

»Falls es sich um denselben unbekannten Täter handelt«, bemerkte Rizzoli.

»Es gibt noch weitere Übereinstimmungen. Sehen Sie die rechtwinklige Form des Wundrands an diesem Ende? Das ist ein Hinweis darauf, dass er von rechts nach links geschnitten hat. Wie bei Sterling. Die Klinge, mit der ihr diese Wunde beigebracht wurde, ist einschneidig und glatt. Wie die bei Sterling verwendete.«

»Ein Skalpell?«

»Die Details passen auf ein Skalpell. Der saubere Schnitt verrät mir, dass die Klinge sich in der Wunde nicht gedreht hat. Das Opfer war entweder bewusstlos oder so fest angebunden, dass es sich nicht rühren oder Widerstand leisten konnte. Es war ihr nicht möglich, die Klinge von ihrer geraden Schnittlinie abzubringen.«

Barry Frost sah aus, als wolle er sich jeden Moment übergeben. »O Mann, sagen Sie mir bitte, dass sie schon tot war, als er das getan hat.«

»Ich fürchte, dass dies keine postmortale Verletzung ist.« Nur Tierneys grüne Augen waren über seiner OP-Maske zu sehen, und sie blickten zornig.

»Gab es prämortale Blutungen?«, fragte Moore.

»In der Beckenhöhle hatte sich Blut angesammelt. Das bedeutet, dass ihr Herz noch gearbeitet hat. Sie war noch am Leben, als diese... Operation durchgeführt wurde.«

Moore betrachtete die Handgelenke mit den ringförmigen Blutergüssen. Ähnliche Male fanden sich um beide Fußgelenke herum, und ein Streifen von Petechien – punktförmigen Hautblutungen – zog sich über ihre Hüften. Elena Ortiz hatte sich gegen ihre Fesseln gesträubt.

»Es gibt noch weitere Anzeichen dafür, dass sie am Leben war, während ihr der Schnitt beigebracht wurde«, sagte Tierney. »Legen Sie Ihre Hand in die Wunde, Thomas. Ich glaube, Sie wissen schon, was Sie da finden werden.«

Widerstrebend steckte Moore seine behandschuhte Hand in die Wunde. Das Fleisch fühlte sich kalt an; es war mehrere Stunden im Kühlraum aufbewahrt worden. Es erinnerte ihn an das Gefühl, wenn man in einen Truthahn hineingreift und nach dem Beutel mit den Innereien tastet. Er schob die Hand bis zum Handgelenk hinein und befühlte mit den Fingern die Ränder der Wunde. Dieses Wühlen im intimsten Teil der weiblichen Anatomie war eine Verletzung der Schamgrenze. Er vermied es, Elena Ortiz ins Gesicht zu sehen. Nur so konnte er ihre sterblichen Überreste mit dem notwendigen Abstand betrachten, nur so konnte er sich auf die kalten technischen Details dessen konzentrieren, was ihrem Körper angetan worden war.

»Der Uterus fehlt.« Moore sah Tierney an.

Der Gerichtsmediziner nickte. »Er ist entfernt worden.«

Moore zog seine Hand aus der Leiche heraus und starrte auf die Wunde, die wie ein offener Mund klaffte. Jetzt steckte Rizzoli die Hand hinein und mühte sich, mit ihren kurzen Fingern die Höhlung zu erforschen.

»Sonst ist nichts entfernt worden?«, fragte sie.

»Nur die Gebärmutter«, sagte Tierney. »Er hat die Blase und den Darm nicht angerührt.«

»Was ist das für ein Ding, das ich hier tasten kann? Dieser harte kleine Knoten auf der linken Seite?«, fragte sie.

»Das ist Nahtmaterial. Er hat es benutzt, um die Blutgefäße abzubinden.«

Rizzoli hob verblüfft die Augen. »Das ist also ein *chirurgischer* Knoten?«

»Einfaches Katgut, Stärke zwo-null?«, tippte Moore und sah Tierney fragend an.

Tierney nickte. »Das gleiche Nahtmaterial, das wir bei Diana Sterling gefunden haben.«

»Katgut, Stärke zwo-null?«, fragte Frost mit schwacher Stimme. Er hatte sich vom Seziertisch zurückgezogen und stand jetzt in einer Ecke, bereit, sich nötigenfalls auf das Waschbecken zu stürzen. »Ist das so was wie ein Markenname?«

»Kein Markenname«, erwiderte Tierney. »Katgut ist ein chirurgischer Faden, der aus Rinder- oder Schafsdarm gewonnen wird.«

»Und warum nennt man es dann Katgut?«, fragte Rizzoli.

»Das geht auf das Mittelalter zurück, als man für Musikinstrumente Saiten aus Darm, also *gut*, benutzte. Die Musiker bezeichneten ihre Instrumente als *kit*, und die Saiten nannte man daher *kitgut*. Daraus wurde im Lauf der Zeit *catgut* oder Katgut. In der Chirurgie verwendet man dieses Material zum Zusammennähen tiefer Schichten von Bindegewebe. Der Körper löst den Faden nach einer gewissen Zeit auf und absorbiert das Material.«

»Und wo würde er sich dieses Katgut besorgen?« Rizzoli sah Moore an. »Haben Sie im Fall Sterling eine Quelle ermittelt?«

»Es ist nahezu unmöglich, eine bestimmte Quelle zu identifizieren«, antwortete Moore. »Katgut wird von einem Dutzend verschiedener Firmen hergestellt, von denen die meisten in Asien angesiedelt sind, zum Beispiel in Indien. Es wird immer noch in diversen ausländischen Krankenhäusern verwendet.«

»Nur in ausländischen?«

»Es gibt heute bessere Alternativen«, erklärte Tierney. »Katgut hat weder die Reißfestigkeit noch die Haltbarkeit synthetischer Nahtmaterialien. Ich bezweifle, dass es derzeit noch von vielen amerikanischen Chirurgen benutzt wird.«

»Warum sollte unser unbekannter Täter so etwas denn überhaupt benutzen?«

»Um freie Sicht zu haben. Um die Blutung lange genug unter Kontrolle zu halten, sodass er sehen kann, was er tut. Unser Unbekannter ist ein sehr ordentlicher Mann.«

Rizzoli zog ihre Hand aus der Wunde. An der Innenfläche ihres Handschuhs war ein kleiner Blutstropfen hängen geblieben; er sah aus wie eine leuchtend rote Perle. »Wie geschickt ist er? Haben wir es mit einem Arzt zu tun? Oder mit einem Metzger?«

»Er hat eindeutig anatomische Vorkenntnisse«, sagte Tierney. »Ich habe keinen Zweifel, dass er so etwas schon einmal gemacht hat.«

Moore trat einen Schritt vom Tisch zurück. Ihn schauderte bei dem Gedanken an das, was Elena Ortiz durchgemacht haben musste, doch es gelang ihm nicht, die Bilder zu verdrängen. Was der Täter zurückgelassen hatte, lag direkt vor ihm und starrte mit weit aufgerissenen Augen ins Leere.

Das Klappern der Instrumente auf dem Tablettwagen schreckte ihn auf und ließ ihn herumfahren. Der Assistent hatte den Wagen zu Dr. Tierney gerollt, der nur den Y-Schnitt ansetzen würde. Jetzt beugte der Assistent sich vor und spähte in die Bauchwunde.

»Was passiert eigentlich damit?«, fragte er. »Wenn er den Uterus rausgerissen hat, was stellt er dann damit an?«

»Das wissen wir nicht«, antwortete Tierney. »Die Organe hat man nie gefunden.«

2

Moore stand auf einem Gehsteig in dem Viertel von South End, wo Elena Ortiz gewohnt hatte. Früher einmal war dies eine Straße voller abgetakelter Pensionen gewesen, ein schäbiges Vorstadtviertel, durch die Eisenbahnschienen von der attraktiveren Nordhälfte Bostons abgeschnitten. Aber eine wachsende Großstadt ist ein gefräßiges Ungetüm, ständig auf der Suche nach neuem Bauland, und Bahnschienen sind kein Hindernis für die begierigen Blicke von Bauunternehmern. Eine neue Generation von Bostonern hatte das South End entdeckt, und die alten Pensionen wurden nach und nach in Apartments umgewandelt.

Elena Ortiz hatte in einem solchen Haus gewohnt. Die Aussicht von ihrer Wohnung im ersten Stock war zwar keineswegs berauschend – durch die Fenster erblickte man einen Waschsalon auf der anderen Straßenseite –, doch das Haus bot einen Luxus, den man in Boston sonst nur selten geboten bekam: Anwohnerparkplätze, die in der angrenzenden Seitenstraße auf engstem Raum eingerichtet worden waren.

Moore bog jetzt in diese Seitenstraße ein und ließ den Blick über die Fenster der Wohnungen schweifen. Er fragte sich, wer in diesem Moment wohl auf ihn herabblickte. Nichts rührte sich hinter den Scheiben. Die Mieter, deren Wohnungen auf diese Gasse hinausgingen, waren alle bereits vernommen worden; keiner hatte irgendwelche brauchbaren Hinweise geliefert.

Er blieb unter Elena Ortiz' Badezimmerfenster stehen und starrte die Feuerleiter an, die zu dem Fenster hochführte. Die Leiter war hochgezogen und in dieser Position verriegelt. In der Nacht, als Elena Ortiz ermordet worden war, hatte der Wagen eines Anwohners direkt unter der Feuerleiter geparkt. Später hatte man Abdrücke von Schuhen der Größe 42 auf dem Dach des Autos gefunden. Der unbekannte Täter hatte es benutzt, um die Feuerleiter zu erreichen.

Er sah, dass das Badezimmerfenster geschlossen war. In der Mordnacht war es nicht verriegelt gewesen.

Er trat wieder aus der Seitenstraße heraus, bog um die Ecke und betrat das Gebäude durch den Vordereingang.

Schlaffe Luftschlangen von gelbem Absperrband umflatterten Elena Ortiz' Wohnungstür. Er schloss auf, und das Fingerabdruck-Pulver blieb wie Ruß an seinen Händen kleben. Das lose Band glitt über seine Schulter, als er in die Wohnung trat.

Das Wohnzimmer sah noch so aus, wie er es von seinem Rundgang mit Rizzoli am Vortag in Erinnerung hatte. Es war ein unerfreulicher Termin gewesen; er hatte gespürt, wie ihre Rivalität unter der Oberfläche brodelte. Im Fall Ortiz hatte Rizzoli von Anfang an die Leitung gehabt, aber sie war so unsicher, dass sie sich bedroht fühlte, sobald irgendjemand ihre Autorität in Frage stellte, insbesondere wenn dieser Jemand ein älterer männlicher Kollege war. Obwohl sie nun zum selben Team gehörten, einem Team, das sich inzwischen auf fünf Beamte vergrößert hatte, kam sich Moore wie ein Eindringling in ihrem Revier vor, dabei hatte er peinlich darauf geachtet, seine Anregungen so diplomatisch wie möglich zu formulieren. Er hatte keine Lust, sich auf einen Kampf der Egos einzulassen, und dennoch war es zum Kampf gekommen. Gestern hatte er sich bemüht, seine Aufmerksamkeit auf den Tatort zu richten, doch ihr unterschwelliger Groll hatte die Seifenblase seiner Konzentration immer wieder zum Platzen gebracht.

Erst jetzt, da er allein war, konnte er seine ganze Aufmerksamkeit der Wohnung widmen, in der Elena Ortiz gestorben war. Im Wohnzimmer erblickte er eine Ansammlung nicht zueinander passender Möbel, die um einen Beistelltisch aus Korbgeflecht arrangiert waren. In der Ecke ein PC, am Boden ein beigefarbener Teppich mit einem Muster aus Ranken und rosafarbenen Blüten. Laut Rizzoli war seit dem Mord nichts bewegt oder verändert worden. Das Tageslicht, das durch die Fenster fiel, schwand zusehends, doch er schaltete kein Licht ein. Lange stand er da, ohne auch nur den Kopf zu bewegen, und wartete, bis vollkommene Stille sich auf den Raum herabgesenkt hatte. Er hatte vorher noch keine Gelegenheit gehabt, den Tatort allein aufzusuchen; es war also das erste Mal, dass er ohne die Ablenkung durch die Stimmen und Gesichter der Lebenden in diesem Zimmer stand. Er malte sich aus, wie die Luftmoleküle, die sein Eintreten durcheinander gewirbelt hatte, sich allmählich beruhigten und langsamer dahintrieben. Er wollte, dass das Zimmer zu ihm sprach.

Er spürte nichts. Kein Gefühl der Gegenwart des Bösen, kein Nachbeben der Schrecken, die sich hier abgespielt hatten.

Der Täter war nicht durch die Tür hereingekommen. Und er war auch nicht in seinem neu eroberten Königreich des Todes umherspaziert. Er hatte all seine Zeit, all seine Aufmerksamkeit auf das Schlafzimmer verwandt.

Moore ging langsam an der winzigen Küche vorbei und weiter den Flur entlang. Er spürte, wie sich seine Nackenhaare aufstellten. An der ersten Tür blieb er stehen und warf einen Blick ins Badezimmer. Er schaltete das Licht ein.

Es ist warm in dieser Donnerstagnacht. Es ist so warm, dass die Leute in der ganzen Stadt die Fenster offen lassen, um nur ja jede verirrte Brise, jeden kühlen Lufthauch einzufangen. Du kauerst auf der Feuerleiter; du schwitzt in deinen dunklen Kleidern und starrst in dieses Badezimmer. Es ist kein Laut zu hören; die Frau liegt im Bett und schläft. Wegen ihres Jobs im Blumenladen muss sie früh aufstehen, und zu dieser Stunde erreicht ihr Schlafzyklus seine tiefste Phase, in der kaum irgendetwas sie aufwecken kann.

Sie hört nicht das Kratzen des Spachtels, mit dem du das Fliegengitter aushebelst.

Moore betrachtete die Tapete, die mit winzigen Rosenknospen verziert war. Ein feminines Muster; ein Mann würde so etwas nie aussuchen. Dies war in jeder Beziehung das Badezimmer einer Frau, von dem Shampoo mit Erdbeerduft über die Schachtel Tampons unter dem Waschbecken bis hin zu dem mit Kosmetika vollgestopften Medizinschränkchen. Sie war eins von diesen Mädchen, die auf aquamarinfarbenen Lidschatten stehen.

Du steigst durch das Fenster ein, wobei Fasern von deinem marineblauen Hemd am Rahmen hängen bleiben. Polyester. Deine Sportschuhe, Größe 42, hinterlassen Abdrücke auf dem weißen Linoleumfußboden. Es finden sich Spuren von Sand, vermischt mit Gipskristallen. Eine typische Mischung, wie man sie sich auf den Straßen von Boston einfängt.

Vielleicht hältst du kurz inne und lauschst in der Dunkelheit. Atmest die süße, fremde Atmosphäre der Weiblichkeit ein. Oder vielleicht verschwendest du auch keine Zeit und wendest dich gleich deinem Ziel zu.

Dem Schlafzimmer.

Die Luft schien schlechter, stickiger zu werden, während er den Fußspuren des Eindringlings folgte. Es war mehr als nur ein eingebildetes Gefühl der Bedrohung; es war der Geruch.

Er erreichte die Schlafzimmertür. Inzwischen waren seine Nackenhaare starr aufgerichtet. Er wusste bereits, welcher Anblick ihn in dem Zimmer erwartete; er glaubte darauf vorbereitet zu sein. Doch als er das Licht einschaltete, überwältigte ihn das Entsetzen von neuem, wie an dem Tag, als er dieses Zimmer zum ersten Mal gesehen hatte.

Das Blut war jetzt über zwei Tage alt. Der Reinigungstrupp war noch nicht da gewesen. Aber selbst mit ihren chemischen Reinigern, ihren Dampfstrahlern und ihren Eimern voller weißer Farbe würden sie das, was hier geschehen war, niemals völlig auslöschen können, denn die Luft selbst war für immer durchtränkt von diesem Grauen.

Du trittst durch die Tür in dieses Zimmer. Die Vorhänge sind dünn, bloß ungefütterte Baumwollbahnen, und das Licht der Straßenlaternen dringt durch den Stoff und fällt auf das Bett. Auf die schlafende Frau. Gewiss wirst du noch einen Augenblick verweilen und sie eingehend betrachten. Die Vorfreude auf die Aufgabe genießen, die vor dir liegt. Denn für dich ist es ein Vergnügen, nicht wahr? Deine Erregung wächst und wächst. Das prickelnde Gefühl strömt wie eine Droge durch deine Adern, erweckt jeden einzelnen Nerv zum Leben, bis selbst deine Fingerspitzen vor ungeduldiger Erwartung pulsieren.

Elena Ortiz war keine Zeit zum Schreien geblieben. Und wenn sie doch geschrien hatte, dann hatte sie niemand gehört. Weder die Familie nebenan noch das Paar in der Wohnung unter ihr.

Der Eindringling hatte sein Werkzeug mitgebracht. Klebeband. Einen in Chloroform getränkten Lappen. Eine Sammlung chirurgischer Instrumente. Er war bestens vorbereitet.

Die Tortur dürfte sich weit über eine Stunde hingezogen haben. Elena Ortiz war zumindest einen Teil dieser Zeit bei Bewusstsein. Sie hatte Hautabschürfungen an Hand- und Fußgelenken, was darauf hindeutete, dass sie sich gewehrt hatte. In ihrer Panik, in ihrer Todesangst hatte sie ihre Blase entleert, und der Urin hatte die Matratze getränkt und sich mit ihrem Blut vermischt. Es war eine komplizierte Operation, und er hatte sich Zeit genommen, um alles richtig zu machen und sich nur das zu nehmen, was er wollte, weiter nichts.

Er hatte sie nicht vergewaltigt; vielleicht war er dazu nicht in der Lage.

Als er mit seiner furchtbaren Exzision fertig war, lebte sie immer noch. Die Wunde in ihrem Becken blutete weiter, das Herz pumpte. Wie lange? Dr. Tierneys Schätzung zufolge wenigstens eine halbe Stunde. Dreißig Minuten, die Elena Ortiz wie eine Ewigkeit vorgekommen sein mussten.

Was hast du während dieser Zeit gemacht? Deine Instrumente verstaut? Deine Trophäe eingepackt? Oder hast du nur dagestanden und den Anblick genossen?

Der letzte Akt vollzog sich schnell und mit kühler Effizienz. Elena Ortiz' Peiniger hatte sich genommen, was er wollte, und nun war es an der Zeit, das Unternehmen zum Abschluss zu bringen. Er war ans Kopfende des Betts getreten. Mit der linken Hand hatte er in ihre Haare gegriffen und ihren Kopf ruckartig nach hinten gezogen; so heftig, dass er über zwei Dutzend Haare ausgerissen hatte. Man hatte sie später auf dem Kopfkissen und dem Fußboden verstreut gefunden. Die Blutflecken kündeten von der letzten Untat. Nachdem er dafür gesorgt hatte, dass sie den Kopf nicht mehr bewegen konnte und ihr Hals ungeschützt dalag, hatte er einen einzigen tiefen Schnitt vollführt, der vom linken Ansatz des Unterkiefers nach rechts quer durch die Kehle führte. Er hatte die linke Halsschlagader und die Luftröhre durchtrennt. An der Wand links vom Bett waren dichte Haufen kleiner, kreisförmiger Tropfen zu sehen, die nach unten flossen – charakteristisch für Blut, das aus Arterien spritzte, wie auch für die Ausatmung von Blut durch die Luftröhre. Kopfkissen und Betttücher waren von dem herabgeflossenen Blut durchtränkt. Mehrere verstreute Spritzer, die von der Ausholbewegung des Täters mit der Klinge des Skalpells stammten, hatten das Fensterbrett benetzt.

Elena Ortiz hatte noch lange genug gelebt, um ihr eigenes Blut aus ihrem Hals spritzen und wie eine rote Maschinengewehrsalve an die Wand klatschen zu sehen. Sie hatte lange genug gelebt, um durch ihre durchtrennte Luftröhre Blut einzuatmen, es in ihren Lungen gurgeln zu hören und es krampfartig in Schwallen hellroten Schleims auszuhusten.

Sie hatte lange genug gelebt, um zu wissen, dass sie sterben würde.

Und als es vollbracht war, als ihr Todeskampf vorüber war, da hast du uns eine Visitenkarte hinterlassen. Du hast das Nachthemd des Opfers sorgfältig zusammengefaltet und auf der Kommode liegen lassen. Warum? Ist das irgendeine perverse Geste des Respekts gegenüber der Frau, die du gerade abgeschlachtet hast? Oder ist es deine Art, uns zu verhöhnen? Deine Art, uns mitzuteilen, dass du alles im Griff hast?

Moore kehrte ins Wohnzimmer zurück und ließ sich auf einen Sessel sinken. Es war heiß und stickig in der Wohnung, und dennoch zitterte er. Er wusste nicht, ob der kalte Schauder physische oder psychische Gründe hatte. Die Oberschenkel und die Schultern taten ihm weh, also hatte er sich vielleicht bloß einen Virus eingefangen. Eine Sommergrippe – die schlimmste von allen. Er dachte an all die Orte, wo er in diesem Moment lieber gewesen wäre. Er hätte mit seinem Boot auf einem See in Maine treiben können und seine Angelschnur durch die Luft pfeifen lassen. Oder am Ufer stehen und zusehen, wie der Nebel heranwallte. Egal wo – nur nicht an diesem Ort des Todes.

Das Zirpen seines Piepsers schreckte ihn auf. Er schaltete ihn ab und merkte, dass sein Herz heftig klopfte. Er wartete, bis er sich einigermaßen beruhigt hatte, bevor er nach seinem Handy griff und die Nummer eintippte.

»Rizzoli«, antwortete sie nach dem ersten Klingeln; eine Begrüßung von der Direktheit einer Pistolenkugel.

»Sie haben mich angepiepst.«

»Sie haben mir nicht erzählt, dass Sie einen Treffer im VICAP hatten«, sagte sie.

»Was für einen Treffer?«

»Bezüglich Diana Sterling. Ich sehe mir gerade ihre Akte an.«

VICAP, das Programm zur Ergreifung von Gewaltverbrechern, war eine nationale Datenbank, in der Informationen über Fälle von Mord, Totschlag und schwerer Körperverletzung aus dem ganzen Land zusammengetragen wurden. Viele Mörder gingen immer wieder nach demselben Muster vor, und mit Hilfe dieser Daten war es den Ermittlern möglich, Verbrechen, die von einem bestimmten Täter begangen wurden, miteinander in Verbindung zu bringen. Rein routinemäßig hatten Moore und sein damaliger Partner Rusty Spivack eine Suche auf VICAP gestartet.

»Wir haben keinerlei Übereinstimmungen in New England bekommen«, sagte Moore. »Wir haben sämtliche Tötungsdelikte durchlaufen lassen, bei denen Verstümmelung, nächtlicher Einbruch und Fesselung mit Klebeband im Spiel waren. Nichts, was auf Sterlings Profil gepasst hätte.«

»Und was ist mit der Mordserie in Georgia? Vor drei Jahren, mit vier Opfern. Eins in Atlanta, drei in Savannah. Alle waren in VICAP gespeichert.«

»Ich habe diese Fälle überprüft. Der Täter ist nicht unser Unbekannter.«

»Hören Sie sich das an, Moore. Dora Ciccone, zweiundzwanzig, Studentin an der Emory University. Opfer wurde zunächst mit Rohypnol bewusstlos gemacht und dann mit einer Nylonschnur ans Bett gefesselt ...«

»Unser Bursche hier benutzt Chloroform und Klebeband.«

»Er hat ihr den Bauch aufgeschlitzt. Ihr die Gebärmutter herausgeschnitten. Und ihr dann den Gnadenstoß versetzt – mit einem einzigen Schnitt durch die Kehle. Und schließlich – hören Sie gut zu – hat er ihr Nachthemd zusammengefaltet und auf einem Stuhl neben dem Bett zurückgelassen. Ich sage Ihnen, das passt einfach alles zu gut.«

»Die Fälle in Georgia sind abgeschlossen«, sagte Moore. »Schon seit zwei Jahren. Dieser Täter lebt nicht mehr.«

»Und wenn die Kripo von Savannah die Sache nun verbockt hat? Wenn der Kerl gar nicht ihr Mörder war?«

»Sie hatten DNS als Beweis. Fasern, Haare. Und es gab auch noch eine Zeugin. Ein Opfer, das überlebt hatte.«

»Ach ja. Die Überlebende. Das Opfer Nummer fünf.« Rizzolis Stimme hatte einen seltsam spöttischen Unterton.

»Sie hat die Identität des Täters bestätigt«, sagte Moore.

»Und sie hat ihn praktischerweise auch gleich erschossen.«

»Na und – wollen Sie vielleicht seinen Geist verhaften?«

»Haben Sie sich jemals mit diesem überlebenden Opfer unterhalten?«, fragte Rizzoli.

»Nein.«

»Warum nicht?«

»Was hätte das für einen Sinn?«

»Sie hätten dabei immerhin einiges Interessantes herausfinden können. Wie zum Beispiel die Tatsache, dass sie kurz nach dem Überfall von Savannah weggegangen ist. Und raten Sie mal, wo sie heute lebt?«

Durch das Rauschen des Handys hindurch konnte er das Geräusch seines eigenen Pulses hören. »In Boston?«, fragte er leise.

»Und Sie werden es nicht für möglich halten, womit sie ihren Lebensunterhalt verdient.«

3

Dr. Catherine Cordell sprintete den Krankenhauskorridor entlang. Die Sohlen ihrer Sportschuhe quietschten auf dem Linoleum. Dann stürmte sie durch die Doppeltür in die Notaufnahme.

Eine Krankenschwester rief ihr zu: »Sie sind im Schockraum 2, Dr. Cordell!«

»Bin schon da«, erwiderte Catherine, während sie auf den Behandlungsraum zuschoss.

Aus einem halben Dutzend Gesichtern sprach die Erleichterung, als sie eintrat. Mit einem Blick erfasste sie die Situation, sah das Durcheinander von blitzenden Instrumenten auf einem Tablett, die Infusionsständer mit Beuteln voller Ringer-Laktatlösung wie reife Früchte an stählernen Bäumen, den mit blutverschmiertem Verbandmull und aufgerissenen Verpackungen übersäten Fußboden. Über den Herzmonitor zuckte ein schneller Sinusrhythmus – das elektrische Muster eines Herzens, das sich im Wettlauf mit dem Tod befand.

»Was liegt an?«, fragte sie, während das Personal zur Seite trat, um sie vorbeizulassen.

Ron Littman, der leitende Assistenzarzt der Chirurgie, erstattete ihr blitzschnell Bericht. »Unbekannter Fußgänger, Unfall mit Fahrerflucht. Wurde bewusstlos in die Notaufnahme gebracht. Pupillen sind seitengleich und reagieren, Lungen sind frei, Abdomen jedoch aufgetrieben. Keine Darmgeräusche. Blutdruck auf sechzig zu null gesunken. Ich habe ihn punktiert; er hat Blut in der Bauchhöhle. Wir haben einen zentralen Zugang gelegt, Ringerlösung im Schuss, aber wir kriegen seinen Blutdruck nicht in den Griff.«

»Haben Sie Null-Negativ-Blut und frisch gefrorenes Plasma angefordert?«

»Sollte jeden Augenblick hier sein.«

Der Mann auf dem OP-Tisch war nackt; jedes intime Detail war erbarmungslos ihren Blicken ausgesetzt. Er schien zwischen sechzig und siebzig Jahre alt zu sein; man hatte ihn bereits intubiert und an den Respirator angeschlossen. Schlaffe Muskeln bildeten Falten auf dürren Gliedmaßen, und die Rippen zeichneten sich wie gebogene Klingen ab. Eine vorgängige chronische Erkrankung, vermutete sie; sie hätte als Erstes auf Krebs getippt. Der rechte Arm und die rechte Hüfte wiesen Abschürfungen vom Schleifen über den Asphalt auf. Unterhalb der rechten Brustwarze bildete ein Bluterguss einen dunkelroten Kontinent auf dem weißen Pergament der Haut. Penetrierende Verletzungen waren nicht zu erkennen.

Catherine setzte ihr Stethoskop auf, um zu überprüfen, was der Assistenzarzt ihr soeben gesagt hatte. Im Bauchraum hörte sie keinerlei Geräusche. Kein Grummeln, kein Glucksen. Die Totenstille eines traumatisierten Darms. Sie setzte die Membran des Stethoskops auf die Brust, horchte auf die Atemgeräusche und vergewisserte sich so, dass der Endotrachealtubus richtig saß und beide Lungen mit Luft versorgt wurden. Das Herz hämmerte wie eine Faust gegen die Brustwand. Ihre Untersuchung nahm nur wenige Sekunden in Anspruch, und doch hatte sie das Gefühl, dass sie sich wie in Zeitlupe bewegte, dass um sie herum das ganze Personal wie erstarrt dastand und nur auf ihren nächsten Schritt wartete.

Eine Schwester rief: »Systolischer kaum noch tastbar, liegt bei fünfzig!«

Die Zeit verrann rasend schnell.

»Bringen Sie mir Kittel und Handschuhe«, sagte Catherine. »Und bereiten Sie eine Laparotomie vor.«

»Sollten wir ihn nicht in den OP bringen?«, fragte Littman.

»Alle Säle sind belegt. Wir dürfen keine Zeit verlieren.« Irgendjemand warf ihr eine Papierhaube zu. Rasch steckte sie ihre schulterlangen roten Haare darunter und band sich eine Maske um. Eine OP-Schwester hielt schon einen sterilen Kittel bereit. Catherine zog ihn an und streifte sich Handschuhe über. Sie hatte keine Zeit, sich die Hände zu waschen, keine Zeit, es sich noch einmal zu überlegen. Sie war verantwortlich, und der namenlose Patient drohte ihr unter den Händen wegzusterben.

Flugs wurden die Brust und das Becken des Patienten mit sterilen Tüchern abgedeckt. Sie schnappte sich ein paar Gefäßklemmen vom Tablett und sicherte damit schnell die Tücher, indem sie die Stahlzinken mit einem satten Klicken zusammenpresste.

»Wo bleibt denn das Blut?«, rief sie.

»Ich frage gerade im Labor nach«, antwortete eine Schwester.

»Ron, Sie sind erster Assistent«, sagte Catherine zu Littman. Sie ließ den Blick durch den Raum schweifen und fixierte einen blässlich aussehenden jungen Mann, der in der Nähe der Tür stand. Auf seinem Namensschild stand *Jeremy Barrows, Medizinstudent.* »Sie«, sagte sie zu ihm. »Sie sind zweiter Assistent.«

In den Augen des jungen Mannes blitzte Panik auf. »Aber – ich bin erst im zweiten Jahr. Ich bin doch nur hier, um ...«

»Können wir noch einen weiteren chirurgischen Assistenzarzt bekommen?«

Littman schüttelte den Kopf. »Die sind alle im Einsatz. In der 1 haben sie eine Kopfverletzung, und drüben auf der anderen Seite hat es einen Herzalarm gegeben.«

»Gut.« Sie sah wieder den Studenten an. »Barrows, Sie sind der Glückliche. Schwester, holen Sie ihm einen Kittel und Handschuhe.«

»Was muss ich denn tun? Ich habe nämlich wirklich keine Ahnung ...«

»Wollen Sie nun Arzt werden oder nicht? Also ziehen Sie schon die Handschuhe an!«

Er wurde knallrot und wandte sich ab, um den Kittel überzuziehen. Der Junge hatte Schiss, aber ein ängstlicher Student wie Barrows war Catherine in vielerlei Hinsicht lieber als ein arroganter. Sie hatte es schon zu oft erlebt, dass das übersteigerte Selbstvertrauen eines Arztes einem Patienten das Leben gekostet hatte.

Die Sprechanlage begann zu rauschen und zu knacken, und eine Stimme sagte: »Hallo, Schockraum 2? Hier Labor. Ich habe einen Hämatokrit für den unbekannten Patienten. Er liegt bei fünfzehn.«

Er verblutet uns, dachte Catherine. »Wir brauchen das Blut augenblicklich!«

»Ist schon unterwegs.«

Catherine nahm das Skalpell. Der schwere Griff fühlte sich angenehm an, die stählerne Klinge war wie eine Verlängerung ihrer eigenen Hand, ihres eigenen Fleisches. Sie holte noch einmal kurz Luft und sog den Geruch von Alkohol und Talkumpuder ein. Dann presste sie die Klinge auf die Haut und vollführte den Schnitt, schnurgerade entlang der Längsachse des Abdomens.

Das Skalpell zeichnete einen blutroten Strich auf die weiße Haut.

»Absaugen und Laparotomiekompressen vorbereiten«, sagte sie. »Die Bauchhöhle ist voller Blut.«

»Blutdruck kaum noch tastbar, liegt bei fünfzig.«

»Das Null-Negativ und das frisch gefrorene Plasma sind da! Ich hänge es auf.«

»Jemand muss den Rhythmus im Auge behalten. Wie sieht er im Moment aus?«, fragte Catherine.

»Sinustachykardie. Puls auf hundertfünfzig gestiegen.«

Sie durchschnitt die Haut und das subkutane Fettgewebe und ignorierte die Blutung aus der Bauchdecke. Mit solchen Kleinigkeiten konnte sie sich jetzt nicht abgeben; die bedrohliche Blutung kam aus dem Inneren des Abdomens, und sie musste gestillt werden. Die wahrscheinlichste Ursache war eine Ruptur der Milz oder der Leber.

Das Bauchfell wölbte sich unter dem Druck des Blutes.

»Das wird jetzt eine ziemliche Sauerei«, warnte sie die anderen, während sie die Klinge ansetzte. Obwohl sie auf den Schwall gefasst war, ließ der erste Schnitt in das Bauchfell eine derart explosive Fontäne hervorschießen, dass sie einen Anflug von Panik verspürte. Das Blut bespritzte die Tücher und triefte zu Boden. Es klatschte auf ihren Kittel und durchtränkte ihre Ärmel, als wäre sie in ein warmes, nach Kupfer riechendes Bad gestiegen. Und immer noch quoll es in einem samtigen Strom hervor.

Sie setzte Wundspreizer ein und erweiterte die Wundöffnung, um ein größeres Arbeitsfeld zu bekommen. Littman führte den Absaugkatheter ein. Das Blut floss gluckernd in die Röhre und sprudelte als leuchtend roter Strom in den Glasbehälter.

»Mehr Kompressen!«, schrie Catherine, um das Heulen der Absaugvorrichtung zu übertönen. Sie hatte schon ein halbes Dutzend der saugfähigen Kissen in die Wunde gestopft und zugesehen, wie sie sich auf wundersame Weise rot verfärbt hatten. Innerhalb von Sekunden waren sie vollgesogen. Sie zog sie heraus und setzte frische ein, die sie auf alle vier Quadranten verteilte.

Eine Schwester meldete: »Ich sehe Extrasystolen auf dem Schirm!«

»Mist, ich habe schon zwei Liter abgesaugt«, sagte Littman.

Catherine sah rasch nach oben und stellte fest, dass aus zwei Beuteln Null-Negativ-Blut und frisch gefrorenes Plasma rapide in die Infusionsschläuche tropfte. Es war, als ob man Blut in ein Sieb gösse. Rein in die Venen, raus aus der Wunde. Es gelang ihnen nicht, Schritt zu halten. Sie konnte keine Gefäße abklemmen, die in einem See von Blut versunken waren; sie konnte nicht blind operieren.

Sie nahm die schweren, triefenden Kompressen heraus und ersetzte sie durch neue. Für wenige, kostbare Sekunden konnte sie sich orientieren. Das Blut sickerte aus der Leber, aber es war auf den ersten Blick keine Verletzung zu erkennen. Vielmehr schien es, als trete das Blut aus der gesamten Oberfläche des Organs aus.

»Ich verliere seinen Blutdruck!«, rief eine der Schwestern.

»Klemme!«, befahl Catherine, und sofort wurde ihr das Instrument in die Hand gedrückt. »Ich versuche es mit einem Pringle-Manöver. Barrows, tun Sie noch mehr Kompressen hinein!«

Der aufgeschreckte Medizinstudent griff nach dem Tablett und stieß dabei den ganzen Stapel Laparotomie-Kompressen um. Entsetzt sah er zu, wie sie zu Boden kullerten.

Eine Schwester riss eine neue Packung auf. »Die gehören in den Patienten und nicht auf den Fußboden!«, fuhr sie ihn an. Und dann trafen sich ihre und Catherines Blicke; ein und derselbe Gedanke spiegelte sich in den Augen beider Frauen.

Und der soll mal Arzt werden?

»Wo soll ich sie denn hintun?«, fragte Barrows.

»Sie sollen mir einfach freie Sicht verschaffen; ich kann bei dem ganzen Blut nichts erkennen.«

Sie gab ihm ein paar Sekunden, um die Kompressen in die Wunde einzusetzen, dann griff sie hinein und zerriss das kleine Bauchnetz. Indem sie die Klemme von der linken Seite her führte, konnte sie die Leberpforte identifizieren, durch welche die Leberarterie und die Pfortader führten. Es war nur eine provisorische Lösung, doch wenn es ihr gelang, den Blutstrom an dieser Stelle zu unterbinden, dann würde sie vielleicht den gefährlichen Blutverlust unter Kontrolle bekommen. Damit hätten sie wertvolle Zeit gewonnen, um den Blutdruck zu stabilisieren und mehr Blut und Plasma in den Kreislauf pumpen zu können.

Sie presste die Klemme zusammen und unterband so den Blutstrom aus den Lebergefäßen.

Zu ihrer Bestürzung floss das Blut unvermindert weiter aus der Wunde.

»Sind Sie sicher, dass Sie die Leberpforte erwischt haben?«, meinte Littman.

»Ich *weiß* es. Und ich weiß, dass es nicht aus dem Retroperitoneum kommt.«

»Vielleicht die Lebervene?«

Sie nahm zwei Kompressen vom Tablett. Dieses nächste Manöver war ein letzter Ausweg. Sie legte die Kompressen auf die Oberfläche der Leber und begann das Organ mit beiden Händen zusammenzudrücken.

»Was macht sie da?«, fragte Barrows.

»Leberkompressionen«, antwortete Littman. »Manchmal kann man damit die Ränder von verborgenen Risswunden schließen. Das verzögert das Ausbluten.«

Jeder Muskel in ihren Schultern und Armen spannte sich an, so angestrengt war sie bemüht, den Druck aufrechtzuerhalten, sich der Flut entgegenzustemmen.

»Es läuft noch immer in die Bauchhöhle«, beobachtete Littman. »Das funktioniert nicht.«

Sie starrte in die Wunde und sah, wie die Blutlache sich stetig erneuerte. *Wo zum Teufel kommt es nur her?*, dachte sie. Und plötzlich bemerkte sie, dass auch aus anderen Stellen permanent Blut sickerte. Nicht nur aus der Leber, sondern auch aus der Bauchdecke, aus dem Dünndarm. Aus den Schnitträndern in der Haut.

Sie warf einen Blick auf den linken Arm des Patienten, der unter den sterilen Tüchern herausschaute. Der Verbandmull auf dem intravenösen Zugang war blutgetränkt.

»Ich brauche sofort sechs Einheiten Thrombozyten und Plasma«, ordnete sie an. »Und legen Sie eine Heparininfusion. Zehntausend Einheiten i.v. sofort, danach tausend Einheiten pro Stunde.«

»Heparin?«, fragte Barrows perplex. »Aber er droht zu verbluten …«

»Es handelt sich um DIC«, erklärte Catherine. »Er braucht Antigerinnungsmittel.«

Littman starrte sie entgeistert an. »Wir haben die Laborergebnisse noch nicht. Woher wissen Sie, dass es DIC ist?«

»Bis wir die Gerinnungswerte haben, ist es zu spät. Wir müssen *jetzt* handeln.« Sie nickte der Schwester zu. »Her damit.«

Die Schwester senkte die Nadel in die Öffnung des Infusionsschlauchs. Die Gabe von Heparin war ein verzweifeltes Glücksspiel. Wenn Catherines Diagnose korrekt war und der Patient an DIC litt – disseminierter intravasaler Koagulopathie – dann bildeten sich überall in seinem Blut gewaltige Mengen von Thromben, wie ein mikroskopisch kleiner Hagelsturm, und verbrauchten alle seine kostbaren Gerinnungsfaktoren und Blutplättchen. Ein schweres Trauma oder eine zugrunde liegende Krebserkrankung oder Infektion konnte eine unkontrollierte Massenproduktion von Thromben auslösen. Weil durch DIC Gerinnungsfaktoren und Blutplättchen aufgebraucht wurden, die beide zur Blutgerinnung notwendig waren, begann der Patient auszubluten. Um der DIC Einhalt zu gebieten, mussten sie Heparin verabreichen, einen Gerinnungshemmer. Es war eine seltsam paradoxe Behandlungsmethode. Es war auch äußerst riskant. Wenn Catherines Diagnose falsch wäre, würde das Heparin die Blutung noch verschlimmern.

Als ob es noch schlimmer werden könnte. Ihr Rücken schmerzte, und ihre Arme zitterten vor Anstrengung, während sie versuchte, den Druck auf die Leber aufrechtzuerhalten. Ein Schweißtropfen glitt ihr über die Wange und sickerte in ihre Maske.

Das Labor meldete sich wieder über die Sprechanlage. »Schockraum 2, ich habe die Werte für den unbekannten Patienten.«

»Schießen Sie los«, sagte die Schwester.

»Die Thrombozyten sind auf tausend runter. Die Prothrombinzeit ist sehr hoch, bei dreißig. Außerdem hat er Fibrinabbauprodukte. Sieht aus, als hätte Ihr Patient einen ausgewachsenen Fall von DIC.«

Catherine entging nicht Barrows' erstaunter Blick. *Medizinstudenten sind so leicht zu beeindrucken.*

»Kammertachykardie! Er wird tachykard!«

Catherines Blick schoss zum Monitor. Ein Sägezahnmuster jagte über den Schirm hinweg. »Blutdruck?«

»Nein. Ich habe ihn verloren.«

»Wiederbelebung starten. Littman, Sie sind für die Koordination verantwortlich.«

Das Chaos zog sich wie ein Gewittersturm zusammen; mit immer größerer Gewalt wirbelte es um sie herum. Ein Kurier kam mit frisch gefrorenem Plasma und Blutplättchen hereingestürmt. Catherine hörte, wie Littman mit lauter Stimme Herzmedikamente orderte, und sie sah, wie eine Schwester beide Hände auf das Brustbein des Patienten legte und zu pumpen begann. Ihr Kopf hob und senkte sich rhythmisch wie bei einem mechanisch pickenden Aufziehvogel. Mit jeder Herzkompresse versorgten sie das Gehirn mit Blut und hielten es am Leben. Aber sie verstärkten auch die Blutungen.

Catherine starrte in die Bauchhöhle des Patienten herab. Immer noch drückte sie die Leber zusammen, immer noch stemmte sie sich gegen die Flutwelle der Blutung. Bildete sie es sich nur ein, oder war es tatsächlich so, dass sich der Blutstrom, der wie ein Bündel glänzender Schnüre durch ihre Finger geronnen war, sich zu verlangsamen begann?

»Schocken wir ihn«, sagte Littman. »Einhundert Joule …«

»Nein, warten Sie. Sein Rhythmus ist wieder da!«

Catherine sah auf den Monitor. Sinustachykardie! Das Herz pumpte wieder, doch das bedeutete auch mehr Blut in den Arterien.

»Haben wir eine normale Durchblutung?«, rief sie. »Was macht der Blutdruck?«

»Blutdruck ist bei ... neunzig zu vierzig. *Ja*!«

»Rhythmus stabil. Weiterhin Sinustachykardie.«

Catherine blickte in die offene Bauchhöhle. Die Blutung war bis auf ein kaum wahrnehmbares Sickern versiegt. Sie stand da und hielt die Leber in beiden Händen, während sie auf das regelmäßige Piepsen des Monitors lauschte. Musik in ihren Ohren.

»Leute«, sagte sie. »Ich glaube, wir haben ihn durchgebracht.«

Catherine streifte ihren blutigen Kittel und die Handschuhe ab und verließ hinter der Fahrtrage mit dem unbekannten Patienten den Schockraum 2. Die Muskeln in ihren Schultern zuckten und zitterten vor Überanstrengung, doch es war ein gutes Gefühl. Die Erschöpfung nach dem Sieg. Die Schwestern schoben die Fahrtrage in den Lift, um den Patienten auf die chirurgische Intensivstation zu bringen. Catherine wollte ihnen eben folgen, als sie hörte, wie jemand ihren Namen rief.

Sie drehte sich um und sah einen Mann und eine Frau auf sie zukommen. Die Frau war klein und sah grimmig drein; eine Brünette mit kohlschwarzen Augen und einem Blick wie ein Laserstrahl. Sie trug ein strenges blaues Kostüm, das ihr ein beinahe militärisches Aussehen verlieh. Ihr viel größerer Begleiter ließ sie noch kleiner wirken. Er war Mitte vierzig und hatte dunkles Haar mit silbrigen Strähnen. Sein immer noch auffallend hübsches Gesicht durchfurchten tiefe Falten, die ihn ausgesprochen ernsthaft wirken ließen. Doch es waren die Augen, die Catherines Aufmerksamkeit auf sich zogen. Sie waren von einem weichen Grau und unergründlich.

»Dr. Cordell?«, fragte er.

»Ja.«

»Ich bin Detective Thomas Moore, und das ist Detective Rizzoli. Wir sind von der Mordkommission.« Er hielt seine

Dienstmarke hoch, doch es hätte ebenso gut ein Imitat aus Plastik sein können. Sie sah kaum hin; Moore selbst nahm ihre ganze Aufmerksamkeit in Anspruch.

»Können wir uns irgendwo in Ruhe unterhalten?«, fragte er.

Sie warf den Schwestern einen Blick zu, die im Fahrstuhl mit dem unbekannten Patienten warteten. »Gehen Sie schon mal vor«, rief sie ihnen zu. »Dr. Littman wird die Verordnung schreiben.«

Erst nachdem die Fahrstuhltür sich geschlossen hatte, wandte sie sich an Detective Moore. »Geht es um den Unfall mit Fahrerflucht, der eben reingekommen ist? Es sieht nämlich so aus, als würde er durchkommen.«

»Wir sind nicht wegen eines Patienten hier.«

»Sie sagten doch, Sie seien von der Mordkommission?«

»Ja.« Es war sein ruhiger Tonfall, der sie beunruhigte. Ein sanfter Hinweis darauf, dass sie sich auf schlechte Nachrichten gefasst machen musste.

»Ist es – o Gott, ich hoffe, es geht nicht um jemanden, den ich kenne.«

»Es geht um Andrew Capra. Und um das, was Ihnen in Savannah zugestoßen ist.«

Einen Moment lang brachte sie keinen Ton heraus. Ihre Beine fühlten sich plötzlich taub an, und sie streckte eine Hand nach der Wand hinter ihr aus, als habe sie Angst, das Gleichgewicht zu verlieren.

»Dr. Cordell?«, sagte Moore, der plötzlich besorgt klang. »Geht es Ihnen nicht gut?«

»Ich glaube ... ich glaube, wir sollten uns in meinem Büro unterhalten«, flüsterte sie. Abrupt wandte sie sich um und ging auf den Ausgang der Notaufnahme zu. Sie sah nicht nach, ob die Beamten ihr folgten, sondern strebte weiter auf ihr Büro im angrenzenden Klinikgebäude zu, das ihre Zuflucht war. Sie hörte ihre Schritte unmittelbar hinter sich, während sie durch die Gänge des ausgedehnten Gebäudekomplexes steuerte, der sich Pilgrim Medical Center nannte.

Was Ihnen in Savannah zugestoßen ist.

Sie wollte nicht darüber reden. Sie hatte gehofft, niemals wieder mit irgendjemandem über Savannah sprechen zu müssen. Aber diese Leute waren Polizisten, und ihren Fragen konnte sie sich nicht entziehen.

Endlich erreichten sie eine Büroflucht, an deren Eingang zu lesen war:

Dr. med. Peter Falco
Dr. med. Catherine Cordell
Allgemeine Chirurgie und Gefäßchirurgie

Sie betrat das vordere Büro. Die Sekretärin blickte auf und begrüßte sie mit einem automatischen Lächeln, das jedoch auf ihren Lippen erstarrte, als sie Catherines aschfahles Gesicht sah und die beiden Fremden bemerkte, die nach ihr eingetreten waren.

»Dr. Cordell? Ist irgendetwas nicht in Ordnung?«

»Wir sind in meinem Büro, Helen. Bitte stellen Sie keine Gespräche durch.«

»Ihr erster Patient kommt um zehn. Mr. Tsang, Nachuntersuchung wegen Milzexstirpation …«

»Streichen Sie den Termin.«

»Aber er kommt extra von Newbury hergefahren. Er ist wahrscheinlich schon unterwegs.«

»Also gut, dann soll er warten. Aber stellen Sie bitte keine Anrufe durch.«

Ohne sich um Helens fragenden Blick zu kümmern, steuerte Catherine schnurstracks ihr Büro an. Moore und Rizzoli folgten ihr auf dem Fuß. Sofort griff sie nach ihrem weißen Laborkittel, doch er hing nicht am Türhaken, wo sie ihn immer aufzuhängen pflegte. Es war nur ein kleines Ärgernis, doch sie war bereits dermaßen aufgewühlt, dass ihr diese

Kleinigkeit fast schon zu viel war. Sie sah sich suchend in dem Zimmer um, als hinge ihr Leben von diesem Kittel ab. Schließlich erblickte sie ihn; er hing über dem Aktenschrank. Sie verspürte eine irrationale Erleichterung, als sie danach griff, und zog sich hinter ihren Schreibtisch zurück. Dort, verbarrikadiert hinter der glänzenden Rosenholzplatte, fühlte sie sich sicherer. Hier hatte sie das Gefühl, Herrin der Lage zu sein.

In dem Büro herrschte eine strenge Ordnung, wie auch in allen anderen Bereichen ihres Lebens. Für Nachlässigkeit hatte sie nur wenig Verständnis, und ihre Akten waren fein säuberlich in zwei Stapeln auf ihrem Schreibtisch aufgeschichtet. Ihre Bücher standen alphabetisch nach Autoren geordnet im Regal. Der Computer summte leise vor sich hin, während der Bildschirmschoner geometrische Muster auf dem Monitor tanzen ließ. Catherine zog den Laborkittel über das blutbefleckte Oberteil ihres OP-Anzugs. Die zusätzliche Uniformschicht schien wie ein weiterer Schutzschild, eine weitere Barriere, die sie gegen die wirren und gefährlichen Launen des Lebens abschirmte.

Von ihrem Platz hinter dem Schreibtisch aus beobachtete sie, wie Moore und Rizzoli sich im Büro umsahen und zweifellos die Frau, die dort arbeitete, zu taxieren suchten. War es ein automatischer Reflex von Polizisten, dieser prüfende Blick, dieses Abschätzen der Persönlichkeit des Gegenübers? Catherine fühlte sich plötzlich schutzlos und verwundbar.

»Ich verstehe, dass es für Sie sehr unangenehm sein muss, an dieses Thema erinnert zu werden«, sagte Moore, während er Platz nahm.

»Sie ahnen ja nicht, wie unangenehm. Das ist zwei Jahre her. Wieso interessieren Sie sich jetzt dafür?«

»Im Zusammenhang mit zwei ungelösten Mordfällen hier in Boston.«

Catherine runzelte die Stirn. »Aber ich wurde in Savannah überfallen.«

»Ja, das wissen wir. Es gibt eine landesweite Verbrechens-Datenbank namens VICAP. Als wir in VICAP nach Verbrechen suchten, die Ähnlichkeiten mit unseren Mordfällen hier aufweisen, stießen wir auf den Namen Andrew Capra.«

Catherine schwieg einen Augenblick, während sie diese Information verarbeitete und dann all ihren Mut zusammennahm, um die nächste logische Frage zu stellen. Es gelang ihr, sie mit ruhiger Stimme auszusprechen: »Was sind die Ähnlichkeiten, von denen Sie sprachen?«

»Die Art, wie die Frauen betäubt und gefesselt wurden. Das Instrument, das zum Schneiden benutzt wurde. Die…« Moore hielt inne, es fiel ihm nicht leicht, eine taktvolle Formulierung zu finden. »Die besondere Art der Verstümmelung«, vollendete er leise.

Catherine musste sich mit beiden Händen an der Schreibtischplatte festhalten, um gegen die plötzliche Welle von Übelkeit anzukämpfen, die sie überkam. Ihr Blick fiel auf die Akten, die so sorgfältig gestapelt vor ihr lagen. Am Ärmel ihres Laborkittels entdeckte sie einen blauen Tintenfleck. *Ganz gleich, wie sehr du dich bemühst, in deinem Leben für Ordnung zu sorgen; ganz gleich, wie sehr du auf der Hut bist vor Fehlern und Unvollkommenheiten – immer lauert im Verborgenen irgendein Fleck, ein Makel, und wartet nur darauf, dir eine böse Überraschung zu bereiten.*

»Erzählen Sie mir von ihnen«, sagte sie. »Von den zwei Frauen.«

»Es ist uns nicht gestattet, allzu viele Details preiszugeben.«

»Was *dürfen* Sie mir denn verraten?«

»Nicht mehr als das, was in der Sonntagsausgabe des *Globe* stand.«

Sie brauchte einige Sekunden, um das soeben Gehörte zu verarbeiten. »Diese Bostoner Morde – wurden also *vor kurzem* verübt?«

»Der letzte am frühen Freitagmorgen.«

»Also hat das Ganze nichts mit Andrew Capra zu tun! Und auch nicht mit mir.«

»Es gibt auffallende Übereinstimmungen.«

»Dann ist das reiner Zufall. Es kann gar nicht anders sein. Ich dachte, Sie reden von alten Fällen. Von Verbrechen, die Capra vor Jahren begangen hat. Nicht erst letzte Woche.« Abrupt schob sie ihren Stuhl zurück. »Ich sehe nicht, wie ich Ihnen helfen könnte.«

»Dr. Cordell, der Mörder weiß über Einzelheiten Bescheid, die wir nie an die Öffentlichkeit gegeben haben. Er besitzt Informationen über Capras Verbrechen, von denen außer den Ermittlern in Savannah niemand etwas weiß.«

»Dann sollten Sie sich vielleicht diese Leute etwas genauer ansehen. Diejenigen, die Bescheid wissen.«

»Sie sind eine davon, Dr. Cordell.«

»Ich war ein *Opfer*, falls Sie das vergessen haben sollten.«

»Haben Sie mit irgendwem über Einzelheiten Ihres Falles gesprochen?«

»Nur mit der Polizei in Savannah.«

»Sie haben nicht etwa mit Ihren Freunden ausführlich darüber geredet?«

»Nein.«

»Oder mit Verwandten?«

»Nein.«

»Sie müssen sich doch irgendjemandem anvertraut haben.«

»Ich spreche nicht darüber. Ich spreche *nie* darüber.«

Er starrte sie ungläubig an. »Niemals?«

Sie wandte sich ab. »Niemals«, flüsterte sie.

Es war lange still. Dann fragte Moore leise: »Haben Sie jemals den Namen Elena Ortiz gehört?«

»Nein.«

»Diana Sterling?«

»Nein. Sind das die Frauen …?«

»Ja. Das sind die Opfer.«

Sie schluckte krampfhaft. »Ich kenne ihre Namen nicht.«

»Sie wussten nichts von diesen Morden?«

»Ich lese bewusst keine Berichte über irgendwelche Tragödien. Mit so etwas kann ich einfach nicht umgehen.« Sie stieß einen erschöpften Seufzer aus. »Das müssen Sie verstehen. Ich sehe so viel Schreckliches in der Unfallstation. Wenn ich nach meinem Arbeitstag nach Hause komme, möchte ich Ruhe und Frieden. Ich möchte mich sicher fühlen. Was in der Welt passiert – die ganze Gewalt –, darüber muss ich nicht in der Zeitung lesen.«

Moore griff in seine Jackentasche und zog zwei Fotos heraus, die er ihr über den Schreibtisch zuschob. »Kennen Sie diese Frauen?«

Catherine starrte in die Gesichter. Die Frau auf dem linken Foto hatte dunkle Augen und ein Lachen auf den Lippen; der Wind spielte in ihren Haaren. Die andere war eine ätherisch wirkende Blondine mit verträumtem, abwesendem Blick.

»Die Dunkelhaarige ist Elena Ortiz«, erklärte Moore. »Die andere ist Diana Sterling. Diana wurde vor einem Jahr ermordet. Kommen Ihnen die Gesichter irgendwie bekannt vor?«

Sie schüttelte den Kopf.

»Diana Sterling wohnte in der Back Bay, nicht einmal einen Kilometer von Ihrem Haus entfernt. Elena Ortiz' Wohnung ist nur zwei Querstraßen südlich von diesem Krankenhaus. Es ist sehr wohl möglich, dass Sie die beiden gesehen haben. Sind Sie sich absolut sicher, dass Sie keine der beiden Frauen wiedererkennen?«

»Ich habe sie beide noch nie gesehen.« Sie hielt Moore die Fotos hin und sah plötzlich, dass ihre Hand zitterte. Sicherlich bemerkte er es, als er die Fotos nahm, als seine Finger die ihren streiften. Sie dachte, dass er so einiges bemerken würde; für einen Polizisten war das normal. Sie war so in ihrem eigenen inneren Aufruhr befangen gewesen, dass sie diesen Mann kaum wahrgenommen hatte. Er war ruhig und behutsam vorgegangen, und sie hatte sich nicht im Geringsten bedroht gefühlt. Erst jetzt wurde ihr klar, dass er sie die ganze Zeit aufmerksam beobachtet hatte, um irgendwann einen Blick auf die innere Catherine Cordell zu erhaschen. Nicht die erfahrene Unfallchirurgin, nicht die unterkühlte, elegante Rothaarige, sondern die Frau hinter der Fassade.

Jetzt ergriff Detective Rizzoli das Wort, und anders als Moore gab sie sich keinerlei Mühe, ihre Fragen behutsam zu formulieren. Sie wollte Antworten, sonst nichts, und sie verschwendete keine Zeit auf irgendwelche Umwege. »Wann sind Sie hierher gezogen, Dr. Cordell?«

»Ich habe Savannah einen Monat nach dem Überfall verlassen«, antwortete Catherine im gleichen geschäftsmäßigen Ton, in dem Rizzoli die Frage gestellt hatte.

»Warum haben Sie sich für Boston entschieden?«

»Warum nicht?«

»Es ist ziemlich weit weg vom Süden.«

»Meine Mutter ist in Massachusetts aufgewachsen. Sie ist jeden Sommer mit uns nach Neuengland gefahren. Ich hatte immer das Gefühl … nach Hause zu kommen.«

»Sie sind also jetzt über zwei Jahre hier.«

»Ja.«

»Und was haben Sie in der Zeit getan?«

Catherine runzelte die Stirn; die Frage verwirrte sie. »Ich habe hier im Pilgrim Medical Center gearbeitet, mit Dr. Falco. In der Unfallbereitschaft.«

»Dann stimmt es wohl nicht, was der *Globe* berichtet hat.«

»Wie bitte?«

»Ich habe vor einigen Wochen diesen Artikel über Sie gelesen. Den über weibliche Chirurgen. Fantastisches Foto von Ihnen übrigens. Da hieß es, Sie arbeiteten erst seit einem Jahr hier am Pilgrim.«

Nach einer kurzen Pause antwortete Catherine ruhig: »Der Artikel war korrekt. Nach Savannah brauchte ich eine gewisse Zeit, um ...« Sie räusperte sich. »Ich bin erst letztes Jahr im Juli in Dr. Falcos Praxis eingetreten.«

»Und Ihr erstes Jahr in Boston?«

»Da habe ich nicht gearbeitet.«

»Was haben Sie denn gemacht?«

»Gar nichts.« Mehr als diese knappe und endgültige Antwort würden sie nicht zu hören bekommen. Die erniedrigende Wahrheit über dieses erste Jahr würde sie wohlweislich für sich behalten. Die Tage – Tage, die sich zu Wochen dehnten –, in denen sie sich vor lauter Angst nicht aus ihrer Wohnung gewagt hatte. Die Nächte, in denen das geringste Geräusch sie in ein zitterndes Nervenbündel verwandelt hatte. Die quälend langsame Reise zurück in die normale Welt, in der eine schlichte Fahrstuhlfahrt oder der kurze Fußweg zu ihrem Wagen zu wahren Mutproben wurden. Sie hatte sich für ihre Verwundbarkeit geschämt, und sie schämte sich immer noch; doch ihr Stolz würde niemals zulassen, dass sie es zeigte.

Sie sah auf die Uhr. »Ich erwarte Patienten. Ich habe dem, was ich Ihnen gesagt habe, wirklich nichts hinzuzufügen.«

»Lassen Sie mich die Fakten noch einmal durchgehen.« Rizzoli schlug ein kleines Notizbuch mit Spiralbindung auf. »Vor etwas mehr als zwei Jahren, in der Nacht des fünfzehnten Juni, wurden Sie in Ihrer Wohnung von Dr. Andrew Capra überfallen. Von einem Mann, den Sie kannten. Er war Arzt im Praktikum und arbeitete mit Ihnen im Krankenhaus.« Sie sah zu Catherine auf.

»Sie kennen die Antworten bereits.«

»Er setzte Sie unter Drogen und entkleidete Sie. Fesselte Sie an Ihr Bett; terrorisierte Sie.«

»Ich weiß nicht, wozu das ...«

»Vergewaltigte Sie.« Obwohl die Worte leise gesprochen wurden, trafen sie Catherine wie ein brutaler Schlag ins Gesicht.

Sie schwieg.

»Und er hatte noch mehr mit Ihnen vor«, fuhr Rizzoli fort.

Lieber Gott, lass sie aufhören.

»Er wollte Sie auf die schlimmste denkbare Weise verstümmeln. So wie er vier weitere Frauen in Georgia verstümmelt hatte. Er schnitt sie auf. Zerstörte genau das, was sie zu Frauen machte.«

»Das reicht«, sagte Moore.

Aber Rizzoli ließ sich nicht beirren. »Es hätte auch Ihnen zustoßen können, Dr. Cordell.«

Catherine schüttelte den Kopf. »Warum tun Sie das?«

»Dr. Cordell, ich habe keinen größeren Wunsch, als diesen Mann zu fassen, und ich nehme doch an, dass Sie uns helfen wollen. Sie wollen doch sicherlich verhindern, dass anderen Frauen das Gleiche passiert.«

»Das hat alles nichts mit mir zu tun! Andrew Capra ist *tot*. Er ist schon seit über zwei Jahren tot.«

»Ja. Ich habe den Autopsiebericht gelesen.«

»Na also. Und ich kann garantieren, dass er tot ist«, gab Catherine zurück. »Ich bin nämlich diejenige, die das Schwein abgeknallt hat.«

4

Moore und Rizzoli saßen im Wagen und schwitzten. Aus den Lüftungsschlitzen strömte warme Luft. Seit zehn Minuten standen sie jetzt im Stau, und im Auto wurde es nicht kühler.

»Die Steuerzahler bekommen das, wofür sie bezahlen«, sagte Rizzoli. »Und dieses Auto ist ein einziger Schrotthaufen.«

Der Stau löste sich langsam auf.

Moore stellte die Klimaanlage ab und drehte sein Fenster herunter. Der Geruch von heißem Asphalt und Autoabgasen wehte herein. Er war jetzt schon schweißgebadet. Er wusste nicht, wie Rizzoli es in ihrem Blazer aushalten konnte; er selbst hatte sich seiner Jacke entledigt, kaum dass sie aus der Tür des Pilgrim Medical Center getreten waren und die schwüle Luft sie wie eine schwere Decke eingehüllt hatte. Sie musste die Hitze auch spüren, das erkannte er an den Schweißtropfen, die auf ihrer Oberlippe glänzten; einer Lippe, die vermutlich nie Bekanntschaft mit einem Lippenstift gemacht hatte. Rizzoli sah nicht schlecht aus, doch während andere Frauen ihre Haut mit Make-up glätteten oder sich Ohrringe ansteckten, schien Rizzoli entschlossen, ihrer eigenen Attraktivität entgegenzuwirken. Sie trug strenge, dunkle Kostüme, die ihrer zierlichen Figur nicht schmeichelten, und ihre Frisur war ein Mopp von schwarzen Locken, auf den sie augenscheinlich keinen Gedanken verschwendete. Sie war so, wie sie war, und das konnte man entweder akzeptieren oder sich ganz einfach zum Teufel scheren. Er verstand, weshalb sie sich diese Ihr-könnt-michmal-Einstellung zugelegt hatte – sie brauchte das wohl, um als Polizistin zu überleben. Rizzoli war vor allem eine Überlebenskünstlerin.

Genau wie Catherine Cordell. Aber Dr. Cordell hatte eine andere Überlebensstrategie entwickelt: Sie zog sich in sich selbst zurück, ging auf Distanz. Während des Gesprächs hatte er das Gefühl gehabt, sie durch eine Milchglasscheibe zu betrachten, so abweisend war sie ihm erschienen.

Es war diese distanzierte Art, die Rizzoli fuchste. »Irgendetwas stimmt nicht mit der Frau«, sagte sie. »Es scheint, dass da im emotionalen Bereich etwas Entscheidendes fehlt.«

»Sie ist Unfallchirurgin. Sie ist darauf trainiert, einen kühlen Kopf zu bewahren.«

»Zwischen kühl und eiskalt ist aber noch ein Unterschied. Vor zwei Jahren ist sie gefesselt, vergewaltigt und um ein Haar ausgeweidet worden. Und jetzt geht sie so verdammt ruhig damit um. Das gibt mir zu denken.«

Moore bremste vor einer roten Ampel. Schweigend saß er da und starrte auf die verstopfte Kreuzung hinaus. Der Schweiß rann ihm den Rücken hinunter. Bei Hitze funktionierte er nicht sonderlich gut; er fühlte sich träge und benommen. Er sehnte sich nach dem Ende des Sommers, nach der Reinheit des ersten Schnees ...

»He«, sagte Rizzoli. »Hören Sie mir überhaupt zu?«

»Sie hat sich sehr gut im Griff«, räumte er ein. *Aber eiskalt – nein,* dachte er und erinnerte sich daran, wie Catherine Cordells Hand gezittert hatte, als sie ihm die Fotos der beiden Frauen zurückgegeben hatte.

Zurück an seinem Schreibtisch trank er eine lauwarme Cola und las noch einmal den Artikel, der ein paar Wochen zuvor im *Boston Globe* erschienen war: »Frauen, die das Messer schwingen«. Darin ging es um drei Bostoner Chirurginnen – ihre Triumphe und ihre Probleme, die besonderen Schwierigkeiten, mit denen sie in ihrem Spezialgebiet zu kämpfen hatten. Von den drei Fotos war das von Cordell der eigentliche Blickfang. Es war nicht nur die Tatsache, dass sie attraktiv war; es war ihr Blick – so stolz und direkt, dass es schien, als fordere sie die Kamera heraus. Wie der Text bestätigte auch das Foto seinen Eindruck, dass diese Frau ihr Leben fest im Griff hatte.

Er legte den Artikel beiseite und dachte darüber nach, wie sehr der erste Eindruck doch täuschen konnte. Wie leicht der Schmerz sich hinter der Maske eines Lächelns, eines stolz erhobenen Kopfes, verbergen kann.

Jetzt schlug er einen anderen Aktenordner auf. Er holte tief Luft und las noch einmal den Bericht der Polizei von Savannah über Dr. Andrew Capra.

Capra hatte seinen ersten aktenkundigen Mord begangen, als er noch an der Emory University in Atlanta Medizin studiert hatte. Das Opfer war Dora Ciccone, eine zweiundzwanzigjährige Studentin derselben Universität, deren Leiche in ihrer Wohnung ans Bett gefesselt aufgefunden wurde. Spuren des Schlafmittels Rohypnol, das oft von Vergewaltigern benutzt wurde, wurden bei der Obduktion in ihrem Körper gefunden. Ihre Wohnung wies keine Anzeichen eines gewaltsamen Eindringens auf.

Das Opfer hatte den Mörder zu sich eingeladen.

Nachdem ihr das Medikament verabreicht worden war, wurde Dora Ciccone mit einer Nylonschnur an ihr Bett gefesselt und mit Hilfe von Klebeband am Schreien gehindert. Zuerst vergewaltigte der Killer sie. Dann schnitt er sie auf.

Sie war während der Operation noch am Leben.

Nachdem er die Exzision beendet und sein Souvenir an sich genommen hatte, versetzte er ihr den Gnadenstoß: einen einzelnen, tiefen Schnitt durch die Kehle, von links nach rechts. Zwar kam die Polizei über das Sperma des Mörders an seine DNS, doch es gab keine heiße Spur. Die Ermittlungen wurden durch die Tatsache erschwert, dass Dora als Partygirl bekannt und gerne durch die Kneipen und Bars gezogen war, wobei sie sich des Öfteren von Männern, die sie gerade erst kennen gelernt hatte, nach Hause begleiten ließ.

An dem Abend, der ihr letzter sein sollte, war der Mann, den sie abschleppte, ein Medizinstudent namens Andrew Capra. Aber die Polizei wurde erst auf Capras Namen aufmerksam, nachdem drei Frauen in der Stadt Savannah abgeschlachtet worden waren, dreihundert Kilometer von Atlanta entfernt.

Und schließlich, in einer schwülen Juninacht, fand die Mordserie ein Ende.

Die einunddreißigjährige Catherine Cordell, leitende chirurgische Assistenzärztin am Riverland Hospital in Savannah, wurde durch ein Klopfen an ihrer Wohnungstür aufgeschreckt. Als sie aufmachte, erblickte sie Andrew Capra, einen ihrer Praktikanten in der Chirurgie, auf ihrer Veranda. An diesem Tag hatte sie ihn im Krankenhaus wegen eines Fehlers, den er begangen hatte, zurechtgewiesen, und nun wollte er unbedingt wissen, wie er sich rehabilitieren könne. Ob er reinkommen und mit ihr darüber reden könne?

Bei einem Bier hatten sie sich über Capras Leistungen während seiner Facharztausbildung unterhalten. Über all die Fehler, die er begangen hatte; die Patienten, denen er durch seine Nachlässigkeit hätte schaden können. Sie beschönigte nichts: Capra würde durchfallen, man würde ihm nicht erlauben, das Chirurgieprogramm zu Ende zu führen. Irgendwann im Lauf des Abends hatte Catherine das Zimmer verlassen, um zur Toilette zu gehen, und war dann zurückgekehrt, um das Gespräch fortzusetzen und ihr Bier auszutrinken.

Als sie wieder zu sich gekommen war, hatte sie sich in ihrem Bett wiedergefunden, nackt und mit einer Nylonschnur gefesselt.

Der Polizeibericht schilderte in allen entsetzlichen Einzelheiten den nun folgenden Albtraum.

Die Fotos, die man im Krankenhaus von ihr gemacht hatte, zeigten eine Frau mit gehetztem Blick, einer blau angelaufenen und fürchterlich angeschwollenen Wange. Was er auf diesen Bildern sah, ließ sich in einem Oberbegriff zusammenfassen: ein *Opfer.*

Es war kein Wort, das man auf die merkwürdig gefasst wirkende Frau angewendet hätte, der er heute begegnet war.

Während er jetzt noch einmal Cordells Aussage durchlas, konnte er ihre Stimme in seinem Kopf hören. Die Worte waren nicht mehr die eines anonymen Opfers, sondern die einer Frau, deren Gesicht er kannte.

Ich weiß nicht, wie ich meine Hand freibekommen habe. Ich habe starke Abschürfungen am Handgelenk, also muss ich sie wohl mit Gewalt aus der Fessel gezogen haben. Es tut mir Leid, aber meine Erinnerungen sind ziemlich verschwommen. Ich weiß nur noch, dass ich nach dem Skalpell gegriffen habe. Ich wusste, ich musste das Skalpell von dem Tablett wegnehmen. Ich musste die Schnur durchschneiden, bevor Andrew zurückkam…

Ich erinnere mich, dass ich mich zum Bettrand hingewälzt habe. Dass ich halb auf den Boden gefallen bin und mir den Kopf angeschlagen habe. Dann versuchte ich, die Pistole zu finden. Ich habe sie von meinem Vater. Nachdem die dritte Frau in Savannah ermordet worden war, bestand er darauf, dass ich sie behalten sollte.

Ich weiß noch, dass ich unter das Bett gegriffen habe. Ich packte die Pistole. Ich erinnere mich an Schritte, die auf das Zimmer zukamen. Und dann – ich bin mir nicht sicher. Dann muss ich ihn wohl erschossen haben. Ja, ich glaube, so ist es gewesen. Man hat mir gesagt, ich hätte zweimal auf ihn geschossen. Das muss wohl richtig sein.

Moore hielt inne und grübelte über die Aussage nach. Die Ballistik hatte bestätigt, dass beide Projektile aus der Waffe abgefeuert worden waren, die neben dem Bett gefunden worden und auf den Namen von Catherines Vater registriert war. Durch die im Krankenhaus durchgeführten Blutuntersuchungen konnte das Vorhandensein von Rohypnol in ihrem Blut nachgewiesen werden. Das Medikament beeinträchtigte das Erinnerungsvermögen, was zu ihrer lückenhaften Erinnerung an den Überfall passte. Die Ärzte, die Cordell in der Notaufnahme behandelt hatten, beschrieben ihren Zustand als verwirrt, entweder durch die Wirkung des Medikaments oder infolge einer möglichen Gehirnerschütterung. Nur ein heftiger Schlag konnte solche Blutergüsse und Schwellungen im Gesicht verursacht haben. Sie konnte sich nicht daran erinnern, wie oder wann ihr dieser Schlag zugefügt worden war.

Moore wandte sich den Tatortfotos zu. Im Schlafzimmer lag Andrew Capra tot am Boden, flach auf dem Rücken ausgestreckt. Er war zweimal getroffen worden, einmal in den Bauch und einmal ins Auge. Beide Schüsse waren aus kurzer Entfernung abgefeuert worden.

Er betrachtete die Fotos lange und eingehend; dabei achtete er besonders auf die Lage der Leiche und auf das Muster der Blutflecken.

Er wandte sich dem Obduktionsbericht zu. Las ihn zweimal durch.

Betrachtete erneut das Tatortfoto.

Irgendetwas stimmt hier nicht, dachte er. Cordells Aussage ergab keinen Sinn.

Plötzlich klatschte eine Mappe auf seinen Schreibtisch. Aufgeschreckt hob er den Kopf und erblickte Rizzoli.

»Haben Sie sich das schon mal zu Gemüte geführt?«, fragte sie.

»Was ist es?«

»Der Bericht über das Haar, das am Wundrand von Elena Ortiz' Leiche gefunden wurde.«

Moore überflog den Bericht bis zum letzten Satz. Und sagte: »Ich habe nicht die geringste Ahnung, was das bedeutet.«

Im Jahr 1997 wurden die verschiedenen Abteilungen der Bostoner Polizei unter einem Dach vereinigt, nämlich unter dem eines nagelneuen Gebäudekomplexes am Schroeder

Plaza in dem etwas rauen Bostoner Stadtviertel Roxbury. Die Polizisten tauften ihr neues Quartier »Marmorpalast« in Anspielung auf die reichliche Verwendung von poliertem Granit in der Eingangshalle. »Gebt uns ein paar Jahre, um die Bude zu ruinieren, und wir werden uns hier wie zu Hause fühlen«, lautete der Standardwitz. Das Haus am Schroeder Plaza hatte wenig Ähnlichkeit mit den schäbigen Polizeirevieren, die man in Fernsehkrimis zu sehen bekommt. Es war elegant, modern, und dank großer Fenster und Oberlichter auch sehr hell. Die Räume der Mordkommission hätten mit ihren Teppichböden und Computerarbeitsplätzen auch als Büro einer Großfirma durchgehen können. Was den Beamten an ihrem neuen Quartier am besten gefiel, war die Zusammenführung der diversen Abteilungen des Boston Police Department.

Für die Detectives der Mordkommission bedeutete ein Besuch im gerichtsmedizinischen Labor nur noch einen Spaziergang den Flur entlang zum Südflügel des Gebäudes.

In der Abteilung, die für die Haar- und Faseranalysen zuständig war, sahen Moore und Rizzoli zu, wie Erin Volchko, eine der Laborantinnen, einen Stoß Umschläge mit Beweismaterial durchging. »Ich hatte nur ein einziges Haar als Ausgangsbasis«, sagte Erin. »Aber es ist verblüffend, was ein einzelnes Haar einem alles verraten kann. So, da haben wir ihn.« Sie hatte den Umschlag mit Elena Ortiz' Fallnummer gefunden und entnahm ihm einen Objektträger. »Ich zeige Ihnen mal, wie das unter dem Mikroskop aussieht. Die Werte haben Sie ja in dem Bericht.«

»Sie meinen diese Zahlen hier?«, fragte Rizzoli und sah auf das Blatt mit der langen Reihe von kodierten Ziffernfolgen herab.

»Richtig. Jeder Code beschreibt eine bestimmte Eigenschaft des Haares, von der Farbe und Kräuselung bis hin zu mikroskopischen Charakteristika. Dieses Haar hier ist vom Typ A01 – dunkelblond. Die Kräuselung ist B01. Gebogen, mit einem Lockendurchmesser von unter 80. Fast gerade, aber nicht ganz. Die Schaftlänge beträgt sechs Zentimeter. Leider befindet sich dieses Haar gerade in der Telogenphase, es weist also kein Epithelgewebe auf.«

»Und das heißt, es gibt keine DNS.«

»Stimmt. Das Telogen ist die abschließende Phase des Wurzelwachstums. Dieses Haar ist auf natürliche Weise ausgefallen, im Rahmen der normalen Haarerneuerung. Mit anderen Worten, es wurde nicht ausgerissen. Befänden sich Epithelzellen an der Wurzel, dann könnten wir die Zellkerne für eine DNS-Analyse verwenden. Aber dieses Haar weist keine solchen Zellen auf.«

Rizzoli und Moore wechselten enttäuschte Blicke.

»Aber«, fügte Erin hinzu, »wir haben hier etwas, das schon verdammt gut ist. Nicht so gut wie DNS, aber es könnte vor Gericht standhalten, wenn Sie einmal einen Verdächtigen am Wickel haben. Es ist wirklich schade, dass wir keine Haare aus dem Sterling-Fall zum Vergleich haben.« Sie stellte das Mikroskop scharf und trat dann rasch beiseite. »Werfen Sie mal einen Blick darauf.«

Es war ein Lehrmikroskop mit zwei Okularen, sodass Rizzoli und Moore das Objekt gleichzeitig in Augenschein nehmen konnten. Was Moore sah, als er durch die Linse blickte, war ein einzelnes Haar, das mit winzigen Knötchen besetzt war.

»Was sind das für kleine Verdickungen?«, fragte Rizzoli. »Das ist doch nicht normal.«

»Es ist nicht nur nicht normal, es ist auch sehr selten«, erwiderte Erin. »Es handelt sich um eine Erkrankung namens *Trichorrhexis invaginata,* auch bekannt als ›Bambushaar‹. Sie sehen, wie es zu diesem Namen kam. Diese kleinen Knoten lassen es wie ein Bambusrohr aussehen, nicht wahr?«

»Was sind das für Knötchen?«

»Das sind fokale Schädigungen der Haarfaser. Schwachstellen, an denen sich der Haarschaft zurückstülpen kann, sodass so etwas wie ein Kugelgelenk entsteht. Diese kleinen Ausbeulungen sind die besagten Schwachstellen, an denen sich der Schaft wie ein Teleskop zusammengeschoben und nach außen gewölbt hat.«

»Wie entsteht diese Schädigungen?«

»Gelegentlich kommt es dazu, wenn das Haar zu intensiv behandelt wird. Durch Färben, Dauerwellen und dergleichen. Aber da wir es höchstwahrscheinlich mit einem männlichen Täter zu tun haben und da ich keine Anzeichen für eine künstliche Bleichung erkennen kann, neige ich zu der Annahme, dass es sich nicht um das Resultat einer Haarbehandlung handelt, sondern um irgendeine genetische Anomalie.«

»Wie zum Beispiel?«

»Netherton-Syndrom etwa. Das ist eine autosomal-rezessive Erbkrankheit, die die Bildung von Keratin beeinflusst. Keratin oder Hornstoff ist ein zähes, faseriges Protein, das sich in Haaren und Nägeln findet. Es bildet auch die äußere Schicht unserer Haut.«

»Wenn also ein genetischer Defekt vorliegt und das Keratin sich nicht normal entwickelt, dann ist das Haar geschwächt?«

Erin nickte. »Und vielleicht ist nicht nur das Haar betroffen. Menschen mit Netherton-Syndrom haben manchmal auch Hautleiden. Ausschläge und Schuppenbildung.«

»Wir suchen also nach einem Täter mit einem ernsthaften Schuppenproblem?«, meinte Rizzoli.

»Vielleicht ist es noch auffälliger. Manche dieser Patienten leiden unter einer schwerwiegenden Variante, die als *Ichthyosis* bekannt ist. Ihre Haut kann so trocken werden, dass sie wie die eines Alligators aussieht.«

Rizzoli lachte. »Unser Gesuchter ist also der *Reptilienmann*! Das dürfte die Suche vereinfachen.«

»Nicht unbedingt. Wir haben Sommer.«

»Was hat das denn damit zu tun?«

»Diese feuchte Hitze ist gut für die trockene Haut. Um

diese Jahreszeit sieht er vielleicht vollkommen normal aus.«

Rizzoli und Moore sahen einander an; beiden ging ein und derselbe Gedanke durch den Kopf.

Beide Opfer wurden im Sommer getötet.

»Solange diese Hitzewelle anhält«, sagte Erin, »geht er wahrscheinlich unbemerkt in der Masse unter.«

»Wir haben erst Juli«, bemerkte Rizzoli.

Moore nickte. »Seine Jagdsaison hat gerade erst begonnen.«

Der unbekannte Patient hatte inzwischen einen Namen. Die Schwestern der Unfallstation hatten an seinem Schlüsselanhänger ein Ausweiskärtchen gefunden. Er hieß Herman Gwadowski und war neunundsechzig Jahre alt.

Catherine stand am Bett ihres Patienten in der chirurgischen Intensivstation und beobachtete sorgfältig die Monitore und Apparate, die um ihn herum arrangiert waren. Der Leuchtpunkt des Oszilloskops zeigte einen normalen EKG-Rhythmus an. Der Blutdruck wurde mit 110/70 angezeigt, und die Messwerte für den zentralen Venendruck hoben und senkten sich wie Wellen auf stürmischer See. Den Zahlen nach zu urteilen, war Mr. Gwadowskis Operation ein Erfolg gewesen.

Aber er wacht nicht auf, dachte Catherine, während sie mit ihrer Taschenlampe zuerst in die linke, dann in die rechte Pupille leuchtete. Fast acht Stunden nach dem Eingriff lag er immer noch in einem tiefen Koma.

Sie richtete sich auf und beobachtete, wie sich seine Brust im Rhythmus des Respirators hob und senkte. Sie hatte ihn vor dem Verbluten bewahrt. Aber was hatte sie in Wirklichkeit gerettet? Einen Körper, dessen Herz schlug, dessen Gehirn jedoch nicht funktionierte.

Sie hörte, wie jemand gegen die Scheibe klopfte. Durch das Fenster in der Trennwand sah sie, wie ihr Kollege Dr. Peter Falco ihr zuwinkte. Seine normalerweise heitere Miene war einem besorgten Ausdruck gewichen.

Manche Chirurgen sind dafür bekannt, dass sie im OP ausrasten und Wutanfälle bekommen. Manche kommen mit selbstgefälliger Miene hereingerauscht und legen feierlich ihren OP-Anzug an wie eine Königsrobe. Andere wiederum sind kühle, effiziente Techniker, für die Patienten lediglich eine Ansammlung reparaturbedürftiger Einzelteile sind.

Und dann war da noch Peter. Der lustige, übermütige Peter, der im OP ebenso lautstark wie falsch Elvis-Songs trällerte, der im Büro Papierflieger-Wettbewerbe veranstaltete und nichts dabei fand, auf dem Fußboden herumzukrabbeln, um mit seinen kleinen Patienten in der Pädiatrie Lego zu spielen. Sie war gewohnt, auf Peters Lippen ein Lächeln zu sehen. Als sie nun bemerkte, wie er sie stirnrunzelnd durch die Scheibe anstarrte, ging sie augenblicklich zu ihm hinaus.

»Alles in Ordnung?«, fragte er.

»Ich mache nur eben meine Runde fertig.«

Peter beäugte die Schläuche und Apparate, von denen Mr. Gwadowskis Bett umgeben war. »Ich habe gehört, du hast eine fantastische Rettung hingelegt. Eine OP mit zwölf Einheiten Blutkonserven!«

»Ich weiß nicht, ob man es eine Rettung nennen kann.« Ihr Blick fiel wieder auf ihren Patienten. »Alles arbeitet normal, nur die grauen Zellen nicht.«

Sie schwiegen beide für einen Moment und sahen zu, wie Mr. Gwadowskis Brust sich hob und senkte.

»Helen sagte mir, heute seien zwei Polizisten bei dir gewesen«, sagte Peter. »Worum ging es denn da?«

»Es war nichts Wichtiges.«

»Hast wohl vergessen, deine Strafzettel zu bezahlen?«

Sie lachte gezwungen. »Genau, und ich zähle darauf, dass du die Kaution für mich stellst.«

Sie verließen die Intensivstation und betraten den Korridor. Der schlaksige Peter ging an ihrer Seite mit seinem typischen federnden, raumgreifenden Gang. Während sie mit dem Aufzug fuhren, fragte er:

»Fehlt dir irgendwas, Catherine?«

»Wieso? Sehe ich etwa so aus?«

»Ehrlich nicht?« Er sah sie prüfend an; der Blick seiner blauen Augen war so direkt, dass sie sich bedrängt fühlte. »Du siehst so aus, als brauchtest du ein Glas Wein und einen netten Abend in einem Restaurant. Wie wär's, wenn du dich mir anschließt?«

»Ein verlockender Vorschlag.«

»Aber?«

»Aber ich glaube, ich bleibe heute Abend lieber zu Hause.«

Peter griff sich an die Brust, als sei er tödlich verwundet. »Schon wieder abgeschossen! Sag mir nur eins – gibt es irgendeine Masche, die bei dir zieht?«

Sie lächelte. »Das musst du schon selbst rausfinden.«

»Wie wär's damit: Ein kleines Vögelchen hat mir gesungen, dass du am Samstag Geburtstag hast. Komm doch mit auf eine Runde in meinem Flugzeug.«

»Kann nicht. An dem Tag hab ich Bereitschaft.«

»Du kannst mit Ames tauschen. Ich rede mit ihm.«

»Ach, Peter. Du weißt doch, dass ich nicht gerne fliege.«

»Erzähl mir nicht, dass du unter Flugangst leidest.«

»Ich kann es bloß nicht gut ertragen, wenn ich nicht alles unter Kontrolle habe.«

Er nickte ernsthaft. »Klassische Chirurgenpersönlichkeit.«

»Nette Art zu sagen, dass ich verklemmt bin.«

»Also, mit der Verabredung zum Fliegen ist es wohl Essig? Ich kann dich nicht umstimmen?«

»Ich glaube nicht.«

Er seufzte. »Na ja, das war's dann wohl. Mehr Anmachen hab ich nicht drauf.«

»Ich weiß. Du wiederholst dich allmählich schon.«

»Das sagt Helen auch.«

Sie warf ihm einen überraschten Blick zu. »Helen gibt dir Tipps, wie du mich am besten zu einem Date überreden kannst?«

»Sie sagte, sie könne den erbarmungswürdigen Anblick eines Mannes, der mit dem Kopf gegen eine Betonmauer anrennt, nicht länger ertragen.«

Lachend traten sie aus dem Aufzug und gingen auf ihre Büroflucht zu. Es war das entspannte Lachen zweier Kollegen, die wussten, dass das ganze Geplänkel nicht wirklich ernst gemeint war. Solange es auf dieser Ebene blieb, wurden keine Gefühle verletzt, keine Emotionen aufs Spiel gesetzt. Ein harmloser kleiner Flirt, der sie beide vor ernsthaften Verwicklungen bewahrte. Im Scherz bat er sie, mit ihm auszugehen, im Scherz ließ sie ihn abblitzen – und die ganze Abteilung durfte mitlachen.

Es war schon halb sechs, und ihre Mitarbeiter hatten bereits Feierabend gemacht. Peter zog sich in sein Büro zurück, während sie das ihre betrat, um ihren Laborkittel aufzuhängen und ihre Handtasche zu holen. Als sie den Kittel an den Türhaken hängte, kam ihr plötzlich ein Gedanke.

Sie durchquerte den Korridor und steckte den Kopf durch Peters Tür. Er hatte die Brille aufgesetzt und war damit beschäftigt, Krankenblätter durchzusehen. Im Gegensatz zu ihrem eigenen blitzsauberen Büro herrschte bei Peter das Chaos in Reinkultur. Der Abfalleimer war mit Papierfliegern vollgestopft; Bücher und chirurgische Fachzeitschriften stapelten sich auf den Stühlen. Eine Wand war fast gänzlich von einem außer Kontrolle geratenen Philodendron überwuchert. Irgendwo in diesem Dschungel waren Peters Urkunden vergraben: ein Diplom in Flugzeugbau vom Massachusetts Institute of Technology, der Dr. med. von der Medizinischen Fakultät in Harvard.

»Peter? Ich weiß, das ist jetzt eine dumme Frage...«

Er beäugte sie über den Brillenrand hinweg. »Dann bist du hier an der richtigen Adresse.«

»Bist du in meinem Büro gewesen?«

»Sollte ich meinen Anwalt anrufen, bevor ich diese Frage beantworte?«

»Komm schon, ich meine es ernst.«

Er straffte sich und erwiderte ihren angespannten Blick. »Nein, bin ich nicht. Wieso?«

»Ach, nichts. Es ist nicht weiter wichtig.« Sie wandte sich zum Gehen und hörte hinter sich das Knarren seines Stuhls. Er war aufgestanden und folgte ihr in ihr Büro.

»Was ist nicht weiter wichtig?«, fragte er.

»Das ist eben meine zwanghafte Ader. Ich rege mich auf, wenn irgendetwas nicht da ist, wo es sein sollte.«

»Wie zum Beispiel?«

»Mein Laborkittel. Ich hänge ihn immer an die Tür, und irgendwie landet er auf dem Aktenschrank oder auf dem Stuhl. Ich weiß, dass Helen es nicht war, und auch nicht die anderen Sekretärinnen. Ich habe sie gefragt.«

»Wahrscheinlich hat die Putzfrau ihn runtergenommen.«

»Und außerdem treibt es mich schier zum Wahnsinn, dass ich mein Stethoskop nicht finden kann.«

»Es ist noch immer nicht aufgetaucht?«

»Ich musste mir eins von der Oberschwester leihen.«

Er runzelte die Stirn und sah sich in dem Raum um. »Na, da ist es doch! Im Bücherregal.« Er ging auf das Regal zu, wo das Stethoskop zusammengerollt neben einer Buchstütze lag.

Schweigend nahm sie es entgegen. Starrte es an wie irgendein fremdartiges Wesen. Eine schwarze Schlange, die sich um ihre Hand wickelte.

»He, was hast du denn?«

Sie holte tief Luft. »Ich glaube, ich bin einfach nur müde.« Sie steckte das Stethoskop in ihre linke Kitteltasche, wo sie es immer aufbewahrte.

»Bist du sicher, dass es weiter nichts ist? Ist sonst noch irgendwas nicht in Ordnung?«

»Ich muss nach Hause.« Sie verließ ihr Büro, und er folgte ihr auf den Flur hinaus.

»Hat es irgendetwas mit diesen Polizisten zu tun? Hör zu, wenn du in irgendwelchen Schwierigkeiten bist – wenn ich dir da raushelfen kann …«

»Ich *brauche* keine Hilfe, vielen Dank.« Ihre Antwort klang abweisender, als sie es beabsichtigt hatte, und es tat ihr augenblicklich Leid. Das hatte Peter nicht verdient.

»Weißt du, wenn es nach mir ginge, könntest du mich viel öfter um einen Gefallen bitten«, sagte er leise. »Das gehört doch dazu, wenn man zusammenarbeitet. Als Partner. Findest du nicht?«

Sie gab keine Antwort.

Er machte Anstalten, in sein Büro zurückzugehen. »Wir sehen uns dann morgen früh.«

»Peter?«

»Ja?«

»Was diese Polizisten betrifft – und den Grund, weshalb sie mich sprechen wollten …«

»Du musst es mir nicht sagen.«

»Nein, das sollte ich aber. Du wirst dir alles Mögliche denken, wenn ich es dir nicht sage. Sie waren hier, um mich wegen eines Mordfalls zu befragen. Eine Frau ist Donnerstagnacht ermordet worden. Sie dachten, ich hätte sie vielleicht gekannt.«

»Und hast du sie gekannt?«

»Nein. Es war ein Irrtum, weiter nichts.« Sie seufzte. »Bloß ein Irrtum.«

Catherine drehte den Türknopf um, spürte, wie der Riegel mit einem satten Klacken einrastete, und legte dann die Kette vor. Ein weiterer Schutzwall gegen die namenlosen Schrecken, die hinter ihren Wänden lauerten. Derart sicher in ihrer Wohnung verbarrikadiert, zog sie ihre Schuhe aus, legte Handtasche und Schlüssel auf dem Kirschholz-Sideboard ab und ging auf Strümpfen über den tiefen weißen Teppich in ihrem Wohnzimmer. Es war angenehm kühl in der Wohnung, dank der wundersamen Erfindung der zentralen Klimaanlage. Draußen war es dreißig Grad warm, aber hier drinnen stieg die Temperatur im Sommer nie über zweiundzwanzig Grad, und im Winter sank sie nie unter zwanzig. Es gab so wenige Dinge im Leben, die sich voreinstellen oder vorbestimmen ließen, und sie war bemüht, innerhalb der Grenzen ihres Alltags ein größtmögliches Maß an Ordnung zu bewahren. Sie hatte dieses aus zwölf Eigentumswohnungen bestehende Haus in der Commonwealth Avenue gewählt, weil es nagelneu war und eine bewachte Tiefgarage hatte. Es war zwar nicht so pittoresk wie die historischen roten Backsteinhäuser in einem Viertel wie der Back Bay, aber dafür musste man auch nicht wie in einem Altbau mit der Ungewissheit leben, wie lange es die Rohre oder die Stromleitungen noch tun würden. Ungewissheit war etwas, was Catherine nicht gut ertragen konnte. Ihre Wohnung hielt sie makellos in Schuss, und abgesehen von einigen wenigen auffallenden Farbtupfern hatte sie als dominierende Farbe Weiß gewählt. Eine weiße Couch, weiße Teppiche, weiße Fliesen. Die Farbe der Reinheit. Unberührt, jungfräulich.

In ihrem Schlafzimmer zog sie sich aus, hängte ihren Rock auf und legte die Bluse beiseite, um sie am nächsten Tag in der Reinigung abzugeben. Sie zog eine bequeme Hose und eine ärmellose Seidenbluse an, und als sie anschließend barfuß in die Küche ging, war sie schon ruhiger und hatte das Gefühl, wieder alles im Griff zu haben.

Noch vor einigen Stunden war das ganz anders gewesen. Der Besuch der beiden Polizeibeamten hatte sie sehr mitgenommen, und den ganzen Nachmittag über hatte sie sich immer wieder dabei ertappt, wie sie kleine Fehler gemacht hatte. Den falschen Laborzettel gegriffen, ein falsches Datum in ein Krankenblatt eingetragen. Nur unbedeutende Fehlleistungen, doch sie waren wie kleine Wellen, die die Oberfläche eines aufgewühlten Gewässers kräuseln. Die letzten zwei Jahre über war es ihr gelungen, alle Gedanken an das, was ihr in Savannah zugestoßen war, zu unterdrücken. Immer wieder war ohne Vorwarnung das eine oder andere Bild aus ihrer Erinnerung aufgetaucht, scharf wie eine Messerschneide, aber sie war diesen Bildern geschickt ausgewichen und hatte es stets verstanden, ihre Gedanken in eine andere Richtung zu lenken. Heute aber konnte sie sich den Erinnerungen nicht entziehen. Heute konnte sie nicht so tun, als wäre Savannah nie geschehen.

Die Küchenfliesen waren kühl unter ihren nackten Fußsohlen. Sie mixte sich einen Screwdriver mit wenig Wodka und nippte daran, während sie Parmesan rieb, Tomaten und Zwiebeln schnitt und Kräuter hackte. Sie hatte seit dem Frühstück noch nichts gegessen, und der Alkohol wurde direkt in ihren Blutkreislauf geschwemmt. Die Wirkung des Wodkas war angenehm betäubend. Dazu das stete Klopfen des Küchenmessers auf dem Schneidebrett, der Duft von frischem Basilikum und Knoblauch – all das empfand sie als tröstlich und beruhigend. Kochen als Therapie.

Jenseits ihres Küchenfensters lag der überhitzte Hexenkessel Boston, angefüllt mit Autos, die im Stau standen, und Menschen, denen die Nerven durchgingen, doch hier war sie, abgeschottet hinter der Fensterscheibe, und sautierte in aller Ruhe die Tomaten in Olivenöl, goss sich ein Glas Chianti ein und setzte Wasser für die Capelli d'Angelo auf. Aus der Klimaanlage strömte zischend kühle Luft.

Sie setzte sich mit ihrer Pasta, dem Salat und dem Wein an den Tisch und aß zu den Klängen von Debussy aus ihrem CD-Player. Trotz ihres Hungers und der Sorgfalt, mit der sie ihre Mahlzeit zubereitet hatte, schmeckte alles plötzlich fade. Sie zwang sich weiterzuessen, doch ihre Kehle fühlte sich so beengt an, als hätte sie irgendeine zähe, klebrige Substanz verschluckt. Auch mit einem zweiten Glas Wein gelang es ihr nicht, den Brocken in ihrem Hals herunterzuspülen. Sie legte die Gabel hin und starrte auf ihre halb gegessene Mahlzeit herab. Die Musik schwoll an und spülte wie Meereswellen über sie hinweg.

Sie ließ ihr Gesicht in die Hände sinken. Zuerst blieb sie ganz still. Es schien, als habe sie ihren Kummer so lange in sich eingeschlossen, dass nichts das erstarrte Siegel aufzubrechen vermochte. Dann entwich ihrer Kehle ein hoher, klagender Laut, ein dünner, kaum hörbarer Ton. Sie schnappte nach Luft, und ein Schrei brach aus ihr hervor, in dem sich der ganze aufgestaute Schmerz von zwei Jahren Luft machte. Die Heftigkeit ihres Gefühlsausbruchs erschreckte sie – weil sie ihn nicht unterdrücken konnte und weil sie nicht ermessen konnte, wie tief ihr Schmerz reichte und ob er je ein Ende finden würde. Sie weinte und schrie, bis ihr der Hals wehtat, bis ihre Lungen sich in krampfhaften Stößen dehnten und zusammenzogen und ihr Schluchzen in der hermetisch versiegelten Festung ihrer Wohnung widerhallte.

Endlich, nachdem sie keine Tränen mehr übrig hatte, legte sie sich auf die Couch und fiel augenblicklich in einen tiefen, erschöpften Schlaf.

Sie wachte mit einem Ruck auf und fand sich in völliger Dunkelheit. Ihr Herz hämmerte, ihre Bluse war schweißnass. War da ein Laut gewesen? Das Klirren von Glas, Schritte? War es das, was sie aus ihrem Tiefschlaf gerissen hatte? Sie wagte nicht, auch nur einen Muskel zu bewegen, aus Angst, die Geräusche zu überhören, mit denen der Eindringling sich verriet.

Durch das Fenster fiel ein wandernder Lichtstrahl – die Scheinwerfer eines vorbeifahrenden Autos. Ihr Wohnzimmer wurde für kurze Zeit hell und versank dann wieder in der Dunkelheit. Sie lauschte auf das Zischen der Klimaanlage, das Brummen des Kühlschranks in der Küche. Nichts

Fremdes. Nichts, was dieses überwältigende Gefühl der Furcht hätte auslösen können.

Sie setzte sich auf, nahm ihren Mut zusammen und schaltete die Lampe ein. Die eingebildeten Schreckensvisionen verschwanden augenblicklich im warmen Schein des Lichts. Sie erhob sich von der Couch und ging bewusst von Zimmer zu Zimmer, schaltete das Licht ein, schaute in die Schränke. Auf der rationalen Ebene wusste sie sehr wohl, dass kein Eindringling da war, dass ihr Haus mit dem ausgeklügelten Alarmsystem, den Sicherheitsschlössern und den fest verriegelten Fenstern so gut gesichert war, wie man es sich nur wünschen konnte. Aber sie hatte keine Ruhe, bis sie dieses Ritual vollendet und jeden finsteren Winkel abgesucht hatte. Erst nachdem sie sich davon überzeugt hatte, dass niemand ihren Sicherheitskordon durchbrochen hatte, gestattete sie sich wieder, ruhig zu atmen.

Es war halb elf. Mittwochabend. *Ich muss mit jemandem reden. Heute Abend werde ich nicht allein damit fertig.*

Sie setzte sich an ihren Schreibtisch, fuhr den PC hoch und sah zu, wie das Bild auf dem Monitor aufflackerte. Dies war ihr Rettungsanker, ihr Therapeut, dieses Bündel von Elektronik und Drähten und Plastik; der einzige sichere Ort, wo sie all ihren Kummer und Schmerz abladen konnte.

Sie tippte ihren Screen Name, CCORD, ein, ging ins Internet, und nach wenigen Mausklicks und dem Eintippen einiger Wörter hatte sie auch schon den Weg in den privaten Chatroom gefunden, der den schlichten Namen *womanhelp* trug.

Ein halbes Dutzend vertraute Screen Names waren schon da. Gesichtslose, namenlose Frauen, die es alle zu dieser sicheren, anonymen Zufluchtsstätte im Cyberspace getrieben hatte. Eine Weile saß sie nur da und las die Nachrichten, die über den Computerbildschirm rollten; glaubte die verletzten Stimmen von Frauen zu hören, denen sie außerhalb dieses virtuellen Raumes nie begegnet war.

LAURIE 45: Und was hast du dann gemacht?

VOTIVE: Ich habe ihm gesagt, ich bin noch nicht so weit. Ich hatte immer noch diese Momente, wo alles wieder hochkam. Ich habe ihm gesagt, wenn er mich wirklich gern hätte, würde er warten.

HBREAKER: So ist's richtig.

WINKY 98: Lass dich nicht von ihm unter Druck setzen.

LAURIE 45: Wie hat er reagiert?

VOTIVE: Er hat bloß gesagt, ich müsste DARÜBER HINWEGKOMMEN. Als ob ich ein Weichei wäre oder so.

WINKY 98: Die Männer sollten selber mal vergewaltigt werden!!!

HBREAKER: Ich hab zwei Jahre gebraucht, bis ich so weit war.

LAURIE 45: Und ich über ein Jahr.

WINKY 98: Diese Typen können doch an nichts anderes denken als an ihre Schwänze. Immer geht es nur um sie. Sie wollen bloß, dass man ihr DING befriedigt.

LAURIE 45. Aua. Du bist aber ganz schön stinkig heute Abend, Wink.

WINKY 98. Vielleicht. Manchmal denke ich, Lorena Bobbitt hatte gar nicht die schlechteste Idee.

HBREAKER: Wink packt ihr Hackebeil aus!

VOTIVE: Ich glaube nicht, dass er bereit ist zu warten. Ich glaube, er hat mich schon aufgegeben.

WINKY 98: Du bist es wert, dass man auf dich wartet. DU BIST ES WERT!

Ein paar Sekunden verstrichen, in denen das Schriftfenster leer blieb. Und dann:

LAURIE 45: Hallo, CCord. Schön, dass du wieder bei uns bist.

Catherine schrieb.

CCORD: Wie ich sehe, reden wir mal wieder über Männer.
LAURIE 45: Ja. Woran liegt es bloß, dass wir nie von diesem abgedroschenen Thema loskommen?
VOTIVE: Weil sie diejenigen sind, die uns wehtun.

Wieder entstand eine lange Pause. Catherine holte tief Luft und schrieb:

CCORD: Ich hatte einen schlechten Tag.
LAURIE 45: Erzähl es uns, CC. Was ist passiert?

Catherine konnte beinahe das Gurren von weiblichen Stimmen hören, das sanfte, beruhigende Gemurmel, das den Äther erfüllte.

CCORD: Heute Abend hatte ich eine Panikattacke. Ich bin hier in meinem Haus, hinter verschlossenen Türen, wo niemand an mich rankommt – und trotzdem passiert es noch.
WINKY 98: Lass ihn nicht gewinnen. Lass nicht zu, dass er dich zu einer Gefangenen macht.
CCORD: Es ist zu spät. Ich bin eine Gefangene. Weil mir heute Abend eine schreckliche Erkenntnis gekommen ist.
WINKY 98: Welche denn?
CCORD: Das Böse stirbt nicht. Es stirbt nie. Es legt sich nur ein neues Gesicht zu, einen neuen Namen. Dass es uns einmal angegriffen hat, bedeutet nicht, dass wir in Zukunft davor gefeit sind, dass uns jemand wehtut. Der Blitz kann zweimal an derselben Stelle einschlagen.

Niemand schrieb irgendetwas. Niemand antwortete.

Ganz gleich, wie gut wir aufpassen, das Böse weiß, wo wir wohnen, dachte sie. Es weiß, wie es uns finden kann.

Ein Schweißtropfen rann ihr den Rücken herunter.

Und ich spüre es in diesem Augenblick. Es kommt näher.

Nina Peyton geht nirgendwo hin, trifft sich mit keinem Menschen. Sie ist seit Wochen nicht mehr zur Arbeit gegangen. Heute habe ich in ihrem Büro in Brookline angerufen, wo sie in der Verkaufsabteilung arbeitet, und ihre Kollegin hat mir gesagt, sie wisse nicht, wann sie wieder zu ihnen stoßen würde. Sie ist wie ein waidwundes Tier, das sich in seine Höhle verkrochen und panische Angst hat, auch nur einen Schritt in die Nacht hinaus zu tun. Sie weiß, was die Nacht für sie bereithält, denn sie hat das Böse zu spüren bekommen, das mit der Dunkelheit kommt, und auch jetzt, in diesem Augenblick, hat sie das Gefühl, dass es wie ein übler Dunst durch die Wände ihres Hauses dringt. Die Vorhänge sind alle zugezogen, doch der Stoff ist dünn, und ich kann sehen, wie sie sich drinnen bewegt. Ihre Silhouette ist geduckt, sie hat die Arme an die Brust gepresst; es sieht aus, als habe sie sich wie ein Igel zusammengerollt. Sie geht im Zimmer auf und ab, mit eckigen, mechanischen Bewegungen.

Sie überprüft die Schlösser an den Türen, die Fensterriegel. Versucht sich gegen die Dunkelheit abzuschotten.

Es muss drückend heiß sein in dem kleinen Haus. Heute Nacht ist es schwül wie in einer Sauna, und in ihren Fenstern ist keine Klimaanlage zu erkennen. Den ganzen Abend ist sie drin geblieben und hat trotz der Hitze alle Fenster geschlossen gehalten. Ich stelle mir vor, wie sie mit schweißglänzender Haut ausharrt, den ganzen langen, heißen Tag hindurch bis in die Nacht hinein. Sie würde liebend gerne etwas frische Luft hereinlassen, aber sie fürchtet sich vor dem, was sie sonst noch hereinlassen könnte.

Wieder geht sie am Fenster vorbei. Bleibt stehen. Verweilt dort, eingerahmt von dem Rechteck aus Licht. Plötzlich teilt sich der Vorhang, sie greift mit der Hand hindurch, um das Fenster zu entriegeln. Sie schiebt es hoch. Steht davor und atmet in gierigen Zügen die frische Luft ein. Sie hat endlich doch vor der Hitze die Waffen gestreckt.

Nichts erregt den Jäger so wie die Witterung der verwundeten Beute. Ich kann ihn fast riechen, den Duft der blutenden Kreatur, der mir entgegenweht, den Geruch des befleckten Fleisches. So wie sie die Nachtluft einatmet, atme ich ihren Geruch ein. Ihre Angst.

Mein Herz schlägt schneller. Ich greife in meine Tasche und betaste zärtlich die Instrumente. Selbst der Stahl fühlt sich warm an in meiner Hand.

Sie schließt das Fenster mit einem Knall. Ein paar Züge frischer Luft, mehr hat sie sich nicht zu gönnen gewagt. Und jetzt zieht sie sich in ihre erbärmliche kleine Welt zurück, die nur noch aus diesem stickigen Häuschen besteht.

Nach einer Weile akzeptiere ich die Enttäuschung und verlasse den Ort; lasse sie für den Rest der Nacht in dem Backofen schwitzen, den sie ihr Schlafzimmer nennt.

Morgen, so hört man, soll es noch heißer werden.

5

»Der Gesuchte ist ein klassischer Piqueurist«, sagte Dr. Lawrence Zucker. »Jemand, der ein Messer benutzt, um sekundäre oder indirekte sexuelle Befriedigung zu erlangen. Piqueurismus ist der Akt des Stechens oder Schneidens, jegliche Art von wiederholter Penetration der Haut mit einem spitzen Gegenstand. Das Messer ist ein Phallussymbol – ein Ersatz für das männliche Geschlechtsorgan. Unser unbekannter Täter kann durch normalen Geschlechtsverkehr keine Befriedigung erlangen, sondern nur, indem er seinem Opfer Schmerzen zufügt und es in Todesangst versetzt. Es ist die Macht, die ihm einen Kitzel verschafft. Die ultimative Macht, die Herrschaft über Leben und Tod.«

Detective Jane Rizzoli ließ sich nicht leicht Angst einjagen, aber Dr. Zucker war ihr nicht ganz geheuer. Er sah aus wie ein blasser, hünenhafter John Malkovich, und seine Stimme war säuselnd, fast feminin. Während er sprach, bewegten sich seine Finger mit schlangengleicher Eleganz. Er war kein Polizist, sondern ein Kriminalpsychologe von der Northwestern University, der als Gutachter für das Boston Police Department arbeitete. Rizzoli hatte schon einmal bei einem Mordfall mit ihm zu tun gehabt, und damals war er ihr auch nicht ganz geheuer gewesen. Es war nicht nur seine äußere Erscheinung, sondern vor allem die Art und Weise, wie er sich tiefer und tiefer in die Gehirnwindungen des Täters einschlich, und das offensichtliche Vergnügen, das ihm die Streifzüge durch diese teuflischen Dimensionen bereiteten. Die Reise machte ihm regelrecht *Spaß*. Sie konnte die unterschwellige Erregung in seiner Stimme hören.

Sie sah sich in dem Besprechungszimmer um und fragte

sich, ob dieser Sonderling den vier übrigen Detectives ebenso unheimlich vorkam wie ihr. Doch alles, was sie sah, waren erschöpfte Gesichter, deren Kinnpartien mehr und mehr unrasiert wirkten.

Sie waren alle müde. Sie selbst hatte letzte Nacht kaum vier Stunden geschlafen. Noch vor Morgengrauen war sie aufgewacht, und in der Dunkelheit hatte ihr Gehirn sofort den vierten Gang eingelegt und ein ganzes Kaleidoskop von Bildern und Stimmen zu verarbeiten versucht. Sie hatte den Fall Elena Ortiz so tief in ihr Unterbewusstsein einsinken lassen, dass sie sich im Traum mit dem Opfer unterhalten hatte; allerdings war es ein ziemlich unsinniges Gespräch gewesen. Es hatte keine übernatürlichen Erkenntnisse gegeben, keine Hinweise aus dem Jenseits, nur Bilder, ausgelöst von den Zuckungen ihrer Gehirnzellen. Und dennoch maß Rizzoli ihrem Traum eine gewisse Bedeutung bei. Er verriet ihr, wie wichtig dieser Fall für sie war. Die Ermittlungen in einem so Aufsehen erregenden Fall zu leiten, war wie ein Hochseilakt ohne Netz. Mach den Täter dingfest, und alle applaudieren. Versage, und alle Welt guckt zu, wie du abstürzt und auf den Boden klatschst.

Dieser Fall hatte wirklich Aufsehen erregt. Vor zwei Tagen war die Schlagzeile auf der Titelseite der hiesigen Boulevardzeitung erschienen: »Der Chirurg schwingt wieder das Messer.« Dem *Boston Herald* hatten sie es zu verdanken, dass ihr Unbekannter nun einen Spitznamen trug, den sogar die Polizei übernommen hatte: *Der Chirurg.*

Aber wie wild war sie schließlich auf diesen Hochseilakt gewesen; wie bereitwillig hatte sie das Risiko auf sich genommen, entweder über der Masse zu schweben oder in die Tiefe zu stürzen. Als sie vor einer Woche in der Funktion der leitenden Ermittlerin Elena Ortiz' Wohnung betreten hatte, da hatte sie augenblicklich gewusst, dass dies der Fall war, der ihrer Karriere auf die Sprünge helfen würde. Und sie brannte darauf, sich zu beweisen.

Wie schnell das Blatt sich gewendet hatte.

Innerhalb eines einzigen Tages hatte sich ihr Fall zu einer viel umfassenderen Ermittlung ausgeweitet, die von Lieutenant Marquette aus ihrer eigenen Abteilung geleitet wurde. Der Fall Elena Ortiz war mit dem Fall Diana Sterling zusammengelegt worden, und das Team war auf fünf Detectives angewachsen. Neben Marquette waren das Rizzoli und ihr Partner Barry Frost, Moore und sein schwergewichtiger Partner Jerry Sleeper und ein fünfter Detective namens Darren Crowe. Rizzoli war also die einzige Frau im Team. Nicht nur das, sie war auch die einzige Frau in der gesamten Mordkommission, und manche Männer erinnerten sie immer wieder daran. Nun ja, mit Barry Frost kam sie ganz gut aus, trotz seines aufreizend sonnigen Gemüts. Jerry Sleeper war zu phlegmatisch, als dass sich irgendjemand über ihn hätte aufregen können – oder er sich über irgendjemand anders. Und was Moore betraf – nun, ihren anfänglichen Vorbehalten zum Trotz fing er tatsächlich an, ihr zu gefallen, und sie respektierte ihn aufrichtig wegen seiner ruhigen, methodischen Arbeitsweise. Aber was das Wichtigste war, er schien auch sie zu respektieren. Wann immer sie etwas sagte, konnte sie sicher sein, dass Moore zuhörte.

Nein, es war der fünfte Polizist im Team, Darren Crowe, mit dem sie ein Problem hatte. Ein gewaltiges Problem. Jetzt saß er ihr am Tisch gegenüber, mit dem üblichen selbstzufriedenen Grinsen auf seinem sonnengebräunten Gesicht. Mit Jungs wie ihm war sie groß geworden. Jungs mit einer Menge Muskeln, einer Menge Freundinnen. Einer Menge Ego.

Sie und Crowe verachteten einander.

Ein Stapel Kopien wurde herumgereicht. Rizzoli nahm sich ein Blatt und sah, dass es ein Verbrecherprofil war, das Dr. Zucker erstellt hatte.

»Ich weiß, dass einige von Ihnen meine Arbeit für faulen Zauber halten«, sagte Zucker. »Ich möchte Ihnen daher meine Argumentation erläutern. Über unseren unbekannten Täter wissen wir Folgendes: Er dringt durch ein offenes Fenster in die Wohnung des Opfers ein. Er tut dies in den frühen Morgenstunden, irgendwann zwischen Mitternacht und zwei Uhr früh. Er überrascht das Opfer im Bett. Setzt es sofort mittels Chloroform außer Gefecht. Er zieht die betroffene Frau aus und macht sie bewegungsunfähig, indem er ihre Hand- und Fußgelenke mit Klebeband an das Bett fesselt. Er verstärkt die Fesselung noch mit Klebestreifen über den Oberschenkeln und der Mitte des Rumpfes. Schließlich klebt er ihr auch noch den Mund zu. So hat er sie vollkommen unter Kontrolle. Wenn die Frau kurz darauf wieder zu sich kommt, kann sie sich nicht rühren und nicht schreien. Es ist, als sei sie gelähmt, und dennoch ist sie wach und erlebt alles, was nun geschieht, bei vollem Bewusstsein mit.

Und was nun geschieht, ist der schlimmste Albtraum, den man sich überhaupt vorstellen kann.« Zuckers Stimme war zu einem monotonen Flüstern geworden. Je grotesker die Details, von denen er berichtete, desto leiser sprach er, und alle beugten sich vor und hingen gebannt an seinen Lippen.

»Der Täter beginnt zu schneiden«, sagte Zucker. »Aus dem Obduktionsbericht geht hervor, dass er sich dabei Zeit lässt. Er geht sehr sorgfältig vor. Er eröffnet den Unterbauch Schicht für Schicht. Erst die Haut, dann das subkutane Fettgewebe, die Faszie, den Muskel. Er benutzt Nahtmaterial, um die Blutung einzudämmen. Er identifiziert genau das Organ, um das es ihm geht, und entfernt es. Sonst nichts. Und das Organ, um das es ihm geht, ist die Gebärmutter.«

Zucker sah in die Runde und taxierte die Reaktionen der Detectives. Sein Blick fiel auf Rizzoli, die einzige Person im Raum, die das Organ besaß, von dem die Rede war. Sie starrte ihn ebenfalls an, verärgert, weil er sie wegen ihres Geschlechts aus der Gruppe herausgehoben hatte.

»Was verrät uns das über ihn, Detective Rizzoli?«, fragte er.

»Er hasst Frauen«, antwortete sie. »Er schneidet genau das heraus, was sie zu Frauen macht.«

Zucker nickte, und sein Lächeln ließ sie erschaudern. »Es ist dasselbe, was Jack the Ripper mit Annie Chapman gemacht hat. Indem er ihr die Gebärmutter nimmt, entweiblicht er die betroffene Frau. Er beraubt sie ihrer Macht. Er ignoriert ihren Schmuck, ihr Geld. Er will nur eines, und sobald er sein Souvenir erbeutet hat, kann er zum letzten Akt schreiten. Aber zuerst tritt noch eine Pause ein, bevor es zum ultimativen Kick kommt. Die Obduktion hat bei beiden Opfern ergeben, dass er an diesem Punkt innehält. Es vergeht vielleicht eine Stunde, während das Opfer langsam verblutet. In der Wunde sammelt sich ein See von Blut an. Was tut er während dieser Zeit?«

»Er vergnügt sich«, sagte Moore leise.

»Mit anderen Worten, er holt sich einen runter?«, meinte Darren Crowe in seiner gewohnt ordinären Art.

»An keinem der Tatorte wurden Spuren von Ejakulat gefunden«, gab Rizzoli zu bedenken.

Crowe warf ihr einen Blick zu, den man mit *»Ach, sind wir schlau«* hätte übersetzen können. »Die Abwesenheit von *E-ja-ku-lat*«, sagte er, indem er jede einzelne Silbe hämisch betonte, »beweist nicht, dass er nicht gewichst hat.«

»Ich glaube nicht, dass er masturbiert hat«, sagte Zucker. »Dieser besondere Täter würde sich in einer unvertrauten Umgebung nie so sehr gehen lassen. Ich denke, dass er wartet, bis er an einem sicheren Ort ist, um sich sexuelle Erleichterung zu verschaffen. Alles, was an diesen Tatorten geschieht, lässt an *ein* Wort denken: *Kontrolle.* Wenn er zum letzten Akt schreitet, dann tut er das mit großer Selbstsicherheit und mit Sachverstand. Er durchtrennt dem Opfer mit einem einzigen tiefen Schnitt die Kehle. Und dann vollführt er noch ein letztes Ritual.«

Zucker griff in seine Aktentasche und entnahm ihr zwei Tatortfotos, die er auf den Tisch legte. Das eine zeigte

Diana Sterlings Schlafzimmer, das andere das von Elena Ortiz.

»Er faltet ihr Nachthemd sorgfältig zusammen und platziert es in der Nähe der Leiche. Wir wissen, dass das Zusammenfalten nach dem Mord stattfand, denn an den innen liegenden Teilen wurden Blutspritzer gefunden.«

»Warum tut er das?«, fragte Frost. »Wo liegt da die symbolische Bedeutung?«

»Wieder in der Kontrolle«, sagte Rizzoli.

Zucker nickte. »Das ist sicherlich auch richtig. Mit diesem Ritual demonstriert er seine Beherrschung der Situation. Aber gleichzeitig beherrscht das Ritual auch *ihn.* Es ist ein Impuls, dem er möglicherweise nicht widerstehen kann.«

»Und wenn er daran gehindert wird, es zu tun?«, fragte Frost. »Wenn er zum Beispiel gestört wird und das Ritual nicht zu Ende führen kann?«

»Er wird frustriert und wütend sein. Vielleicht verspürt er den Zwang, sich sofort auf die Jagd nach dem nächsten Opfer zu machen. Aber bisher ist es ihm noch immer gelungen, das Ritual zu vollenden. Und jeder der Morde hat ihm so viel Befriedigung verschafft, dass er damit eine lange Dürreperiode überstehen konnte.« Zucker ließ den Blick wieder über die Runde schweifen. »Es handelt sich hier um den gefährlichsten Tätertyp, mit dem wir es zu tun haben können. Er hat sich von einer Tat bis zur nächsten ein Jahr Zeit gelassen – das kommt äußerst selten vor. Es bedeutet, dass er seinen Jagdinstinkt für Monate unterdrücken kann. Wir könnten nach ihm fahnden, bis wir schwarz werden, während er seelenruhig dasitzt und geduldig auf seinen nächsten Mord wartet. Er ist vorsichtig. Er hat einen Plan. Er wird nur wenige Spuren hinterlassen, wenn überhaupt.« Sein Blick ging zu Moore, als suche er dessen Bestätigung.

»Wir haben an keinem Tatort Fingerabdrücke oder DNS sicherstellen können«, sagte Moore. »Alles, was wir haben, ist ein einzelnes Haar, das aus Ortiz' Wunde entfernt wurde. Und ein paar dunkle Polyesterfasern, die am Fensterrahmen hingen.«

»Ich nehme an, Sie haben auch keine Zeugen auftreiben können?«

»Wir haben im Fall Sterling dreizehnhundert Personen vernommen. Im Fall Ortiz sind es bis jetzt hundertachtzig. Niemand hat den Eindringling gesehen. Niemand hat irgendwelche verdächtigen Personen beobachtet.«

»Aber wir haben drei Geständnisse bekommen«, warf Crowe ein. »Alle drei sind einfach so ins Präsidium reinspaziert. Wir haben ihre Aussagen zu Protokoll genommen und sie wieder nach Hause geschickt.« Er lachte. »Alles Spinner.«

»Dieser Täter ist kein Verrückter«, sagte Zucker. »Ich könnte mir vorstellen, dass er vollkommen normal wirkt. Ich glaube, es handelt sich um einen Weißen von ungefähr dreißig Jahren. Sauber und gepflegt, von überdurchschnittlicher Intelligenz. Er hat mit an Sicherheit grenzender Wahrscheinlichkeit die Highschool abgeschlossen; vielleicht hat er das College besucht oder gar die Universität. Die beiden Tatorte sind fast zwei Kilometer voneinander entfernt, und die Morde wurden zu einer Zeit begangen, als kaum öffentliche Verkehrsmittel fuhren. Also hat er ein Auto. Es dürfte sorgfältig gepflegt und gewartet sein. Er ist wahrscheinlich nie wegen psychischer Probleme in Behandlung gewesen, aber möglicherweise hat er eine Jugendstrafe wegen Einbruchs oder Voyeurismus. Wenn er eine Beschäftigung hat, wird es sich um einen Job handeln, bei dem es sowohl auf Intelligenz als auch auf peinliche Genauigkeit ankommt. Wir wissen, dass er ein Planer ist, das hat er durch die Tatsache unter Beweis gestellt, dass er das Werkzeug für seine Morde bei sich trägt – Skalpell, Nahtmaterial, Klebeband, Chloroform. Dazu kommt noch irgendein Behälter, in dem er sein Souvenir nach Hause trägt. Es könnte sich um einen schlichten verschließbaren Plastikbeutel handeln. Er ist auf einem Gebiet tätig, das detailgenaues Arbeiten erfordert. Da er offensichtlich über anatomische Kenntnisse und chirurgische Fertigkeiten verfügt, könnten wir es mit einem ausgebildeten Mediziner zu tun haben.«

Rizzolis und Moores Blicke trafen sich – beiden war derselbe Gedanke gekommen: In Boston gab es wahrscheinlich mehr Ärzte im Verhältnis zur Gesamtbevölkerung als irgendwo sonst auf der Welt.

»Da er intelligent ist«, fuhr Zucker fort, »weiß er, dass wir die Tatorte überwachen, und er wird der Versuchung widerstehen, dorthin zurückzukehren. Aber die Versuchung ist da, es ist also sinnvoll, die Überwachung der Wohnung von Ortiz fortzusetzen, zumindest für die nächste Zeit.

Er ist ebenfalls intelligent genug, um sich seine Opfer nicht in seiner unmittelbaren Nachbarschaft auszusuchen. Er ist das, was wir einen ›Pendler‹ nennen, im Gegensatz zu einem ›Plünderer‹. Er verlässt seine nächste Umgebung, wenn er auf die Jagd geht. Solange wir nicht mehr Referenzpunkte als Grundlage haben, kann ich eigentlich kein geographisches Profil erstellen. Ich kann Ihnen also nicht sagen, auf welche Stadtteile Sie sich konzentrieren sollten.«

»Wie viele Referenzpunkte brauchen Sie denn?«, fragte Rizzoli.

»Fünf sind das Minimum.«

»Heißt das, wir brauchen mindestens fünf Morde?«

»Das geographische Lokalisierungsprogramm, das ich benutze, benötigt fünf Punkte, um verwertbare Ergebnisse liefern zu können. Ich habe es auch schon mit nur vier Referenzpunkten laufen lassen, und manchmal bekommt man damit eine Voraussage für den Wohnort des Täters, aber die ist dann recht ungenau. Wir müssen mehr über seine Bewegungen wissen. Welches sein Aktionsradius ist, wo seine Ankerpunkte liegen. Jeder Mörder arbeitet innerhalb einer bestimmten Zone, in der er sich sicher fühlt. Mörder sind wie Raubtiere auf der Jagd. Sie haben ihr Territorium, ihre Angelplätze, an denen sie ihre Beute finden.« Zucker blickte in die Gesichter der versammelten Detectives, die nicht sehr beeindruckt wirkten. »Wir wissen noch nicht genug über diesen Täter, um Vorhersagen treffen zu können. Wir müssen uns deshalb auf die Opfer konzentrieren. Wer sie sind, warum er sie ausgewählt hat.«

Zucker griff noch einmal in seine Aktentasche und nahm zwei Hefter heraus. Auf dem einen stand *Sterling*, auf dem anderen *Ortiz*. Er entnahm ihnen ein Dutzend Fotografien, die er auf dem Tisch ausbreitete. Aufnahmen der beiden Frauen, die gemacht worden waren, als sie beide noch lebten; einige noch aus Kindertagen.

»Manche dieser Fotos haben Sie noch nicht gesehen. Ich habe die Familien der Opfer gebeten, sie uns zur Verfügung zu stellen, damit wir uns einen Eindruck von der Vorgeschichte dieser Frauen machen können. Sehen Sie sich ihre Gesichter an. Versuchen Sie herauszufinden, was für Menschen sie waren. Warum hat der Täter gerade *sie* ausgesucht? Wo hat er sie zuerst gesehen? Was war es, was ihn zuerst auf sie aufmerksam gemacht hat? Ein Lachen? Ein Lächeln? Die Art, wie sie durch die Fußgängerzone gingen?«

Er begann von einem maschinegeschriebenen Bogen abzulesen.

»Diana Sterling, dreißig. Blondes Haar, blaue Augen. Ein Meter siebzig groß, siebenundfünfzig Kilo schwer. Beruf: Angestellte in einem Reisebüro. Arbeitsplatz: Newbury Street. Wohnhaft: Marlborough Street, Back Bay. Hat am Smith College studiert. Eltern sind beide Rechtsanwälte, die in einem Zwei-Millionen-Dollar-Haus in Connecticut wohnen. Feste Männerbekanntschaften zum Zeitpunkt des Todes: keine.«

Er legte das Blatt hin und griff nach einem anderen.

»Elena Ortiz, zweiundzwanzig. Hispanoamerikanerin. Schwarze Haare, braune Augen. Eins siebenundfünfzig, achtundvierzig Kilo. Beruf: Verkäuferin im Blumengeschäft der Familie im South End. Schulbildung: Highschool-Abschluss. Hat ihr ganzes Leben in Boston gewohnt. Feste Männerbekanntschaften: keine zum Zeitpunkt des Todes.«

Er blickte auf. »Zwei Frauen, die in derselben Stadt lebten, aber sich in verschiedenen Welten bewegten. Sie kauften in verschiedenen Läden ein, aßen in verschiedenen Restaurants und hatten keine gemeinsamen Freundinnen oder Freunde. Wie findet unser Täter sie? *Wo* findet er sie? Sie unterscheiden sich nicht nur voneinander, sie haben auch wenig mit dem typischen Opfer eines Sexualverbrechens gemeinsam. Die meisten Täter vergreifen sich an den schutzlosen Mitgliedern der Gesellschaft, an Prostituierten oder Anhalterinnen. Wie jedes Fleisch fressende Raubtier greifen sie das Tier an, das sich am Rand der Herde aufhält. Warum sollte er sich also diese beiden aussuchen?« Zucker schüttelte den Kopf. »Ich weiß es nicht.«

Rizzoli betrachtete die Fotos auf dem Tisch, und ein Bild von Diana Sterling fiel ihr besonders ins Auge. Es zeigte eine strahlende junge Frau, die frisch gebackene College-Absolventin in Barett und Talar. Das Goldkind. Was war das wohl für ein Gefühl, das Goldkind zu sein? Rizzoli hätte es gern gewusst. Sie hatte keine Ahnung. Sie war als die verachtete kleine Schwester zweier strammer, ansehnlicher Brüder aufgewachsen, das wilde Gör, das sich nichts sehnlicher wünschte als zur Clique zu gehören. Diana Sterling mit ihren aristokratischen Wangenknochen und ihrem Schwanenhals hatte sicherlich nie erfahren, was es bedeutet, ausgeschlossen zu sein, ausgestoßen aus der Gruppe. Sie hatte nie erlebt, was es bedeutet, ignoriert zu werden.

Rizzolis Blick fiel auf den goldenen Anhänger an Diana Sterlings Hals und verweilte darauf. Sie nahm das Foto in die Hand und sah genauer hin. Ihr Puls beschleunigte sich, während sie die Gesichter der anderen Beamten musterte, um zu erkennen, ob auch sie registriert hatten, was ihr soeben aufgefallen war. Doch niemand schaute sie oder die Fotos an, alle Augen waren auf Dr. Zucker gerichtet.

Er hatte einen Stadtplan von Boston entrollt. Zwei schraffierte Bereiche überlagerten das Gitter der Straßen; der eine umfasste die Back Bay, der andere war auf das South End begrenzt.

»Dies hier sind die Aktionsradien unserer beiden Opfer, so weit bekannt. Die Gegenden, in denen sie arbeiteten und wohnten. Wir alle neigen dazu, in unserem alltäglichen Leben innerhalb der Grenzen eines vertrauten Gebietes zu bleiben. Unter den Polizeipsychologen, die solche geographischen Profile erstellen, kursiert ein Spruch: *Wohin wir gehen, hängt davon ab, was wir wissen; und was wir wissen, hängt davon ab, wohin wir gehen.* Das gilt sowohl für die Opfer als auch für die Täter. Anhand dieser Karte können Sie erkennen, in welch unterschiedlichen Welten diese beiden Frauen lebten. Es gibt keine Überschneidungen. Keinen gemeinsamen Anker- oder Knotenpunkt, an dem sich ihre Sphären gekreuzt hätten. Das ist es, was mir am meisten Rätsel aufgibt. Es ist der Schlüssel zu dieser Ermittlung. Was ist die Verbindung zwischen Sterling und Ortiz?«

Rizzolis Blick fiel wieder auf das Foto. Auf den goldenen Anhänger an Dianas Hals. *Ich könnte mich irren. Ich darf nichts sagen; nicht solange ich keine Gewissheit habe, sonst werde ich Darren Crowe noch einen zusätzlichen Angriffspunkt für seinen Spott liefern.*

»Sie wissen doch, dass dieser Fall noch einen ganz speziellen Aspekt hat?«, bemerkte Moore. »Dr. Catherine Cordell.«

Zucker nickte. »Das überlebende Opfer aus Savannah.«

»Gewisse Details der von Andrew Capra begangenen Morde sind nie veröffentlicht worden. Die Verwendung von Katgut als Nahtmaterial. Das Zusammenfalten der Nachthemden der Opfer. Und doch imitiert unser Täter hier genau diese Einzelheiten.«

»Es kommt vor, dass Mörder miteinander kommunizieren. Das ist so eine Art perverse Bruderschaft.«

»Capra ist seit zwei Jahren tot. Er kann mit niemandem mehr kommunizieren.«

»Aber vielleicht hat er unserem Täter die grausigen Details verraten, als er noch am Leben war. Das ist die Erklärung, von der ich hoffe, dass sie zutrifft. Denn die Alternative ist wesentlich beunruhigender.«

»Dass unser Täter Zugang zu den Polizeiakten von Savannah hatte.«

Zucker nickte. »Was bedeuten würde, dass es sich um einen Polizisten handelt.«

Es wurde totenstill im Raum. Rizzoli konnte nicht umhin, sich die Gesichter ihrer Kollegen anzuschauen – allesamt Männer. Sie dachte über den Typ Mann nach, der sich zur Polizeiarbeit hingezogen fühlt. Den Typ Mann, der von Macht und Autorität fasziniert ist, von Waffen und Dienstmarken. Von der Möglichkeit, Kontrolle über andere auszuüben. *Genau das, wonach unser unbekannter Täter giert.*

Als die Sitzung sich auflöste, wartete Rizzoli, bis die anderen Beamten das Besprechungszimmer verlassen hatten, bevor sie an Zucker herantrat.

»Kann ich dieses Foto vorläufig behalten?«, fragte sie.

»Dürfte ich fragen, wieso?«

»Ich habe da so eine Ahnung.«

Zucker sah sie mit seinem unheimlichen John-Malkovich-Lächeln an. »Verraten Sie sie mir?«

»Ich behalte meine Ahnungen lieber für mich.«

»Sind Sie abergläubisch?«

»Ich verteidige nur mein Revier.«

»Diese Ermittlung wird im Team durchgeführt.«

»Mit der Teamarbeit ist das so eine Sache. Sobald ich mit jemandem über meine Ahnungen spreche, heimst ein anderer die Punkte ein.« Mit dem Foto in der Hand stürmte sie aus dem Zimmer, und kaum war sie draußen, da bereute sie schon diese letzte Bemerkung. Dabei hatte sie sich doch schon den ganzen Tag lang über ihre männlichen Kollegen aufgeregt, über ihre beiläufigen Äußerungen und Sticheleien, die sich alle zu einem Muster zusammenfügten – und das Muster hieß Geringschätzung. Die Vernehmung von Elena Ortiz' Nachbarin, die sie und Darren Crowe zusammen durchgeführt hatten, war der Tropfen, der das Fass zum Überlaufen gebracht hatte. Crowe hatte Rizzoli wiederholt bei ihren Fragen unterbrochen, um seine eigenen zu stellen. Als sie ihn aus dem Zimmer gezerrt und wegen seines Verhaltens zur Rede gestellt hatte, da hatte er ihr die klassische chauvinistische Beleidigung entgegengeschleudert.

»Sind wohl wieder mal die gewissen Tage, was?«

Nein, sie würde ihre Ahnungen für sich behalten. Wenn sich herausstellte, dass sie damit schief lag, konnte sich wenigstens niemand über sie lustig machen. Und wenn sie Früchte trugen, würde sie die Anerkennung beanspruchen, die ihr gebührte.

Sie kehrte an ihren Arbeitsplatz zurück und setzte sich an den Schreibtisch, um sich Diana Sterlings Abschlussfoto noch einmal genauer anzusehen. Als sie nach ihrer Lupe griff, blieb ihr Blick an der Mineralwasserflasche haften, die sie immer auf ihrem Schreibtisch stehen hatte, und sie begann innerlich vor Wut zu kochen, als sie sah, was in der Flasche steckte.

Nicht reagieren, sagte sie sich. Lass dir nicht anmerken, dass sie dich getroffen haben.

Sie ignorierte die Flasche samt ihrem widerlichen Inhalt und betrachtete Diana Sterlings Hals durch das Vergrößerungsglas. Sie konnte Darren Crowes Blick fast körperlich spüren. Er wartete nur darauf, dass sie explodierte.

Dazu wird es nicht kommen, du Arschloch. Diesmal werde ich mich beherrschen.

Sie fixierte Dianas Halskette. Fast hätte sie dieses Detail

übersehen, denn es war das Gesicht, das anfänglich ihre Aufmerksamkeit gefesselt hatte; diese prächtigen Wangenknochen, die sanft geschwungenen Augenbrauen. Jetzt betrachtete sie eingehend die beiden Anhänger, die an der fein gearbeiteten Kette befestigt waren. Einer hatte die Form eines Schlosses, der andere war ein winziger Schlüssel. Der Schlüssel zu meinem Herzen, dachte Rizzoli.

Sie blätterte die Akten auf ihrem Schreibtisch durch und fand das Tatortfoto von dem Mord an Elena Ortiz. Mit dem Vergrößerungsglas studierte sie eine Großaufnahme vom Rumpf des Opfers. Durch das eingetrocknete Blut, das den Hals bedeckte, konnte sie gerade eben die Kette als feinen goldenen Strich erkennen; die beiden Anhänger waren verdeckt.

Sie griff nach dem Telefon und rief das Büro des Leichenbeschauers an.

»Dr. Tierney ist heute Nachmittag nicht im Haus«, sagte seine Sekretärin. »Kann ich etwas für Sie tun?«

»Es geht um die Autopsie, die er letzten Freitag durchgeführt hat. Elena Ortiz.«

»Ja?«

»Das Opfer trug Schmuck, als es ins Leichenschauhaus eingeliefert wurde. Haben Sie den noch?«

»Ich sehe mal nach.«

Rizzoli wartete. Sie trommelte mit ihrem Bleistift auf den Schreibtisch. Die Wasserflasche stand direkt vor ihrer Nase, doch sie ignorierte sie standhaft. Ihr Zorn war der Erregung gewichen. Dem Hochgefühl des Jägers, der seiner Beute auf den Fersen ist.

»Detective Rizzoli?«

»Ich bin noch dran.«

»Die Familie des Opfers hat die persönlichen Gegenstände in Empfang genommen. Ein Paar goldene Ohrstecker, eine Halskette und einen Ring.«

»Wer hat dafür unterschrieben?«

»Anna Garcia, die Schwester des Opfers.«

»Vielen Dank.« Rizzoli legte auf und warf einen Blick auf ihre Uhr. Anna Garcia wohnte weit draußen in Danvers. Das bedeutete eine Fahrt durch den dichten Feierabendverkehr…

»Wissen Sie, wo Frost ist?«, fragte Moore.

Rizzoli blickte verblüfft auf und sah, dass er neben ihrem Schreibtisch stand. »Nein.«

»Er ist nicht hier gewesen?«

»Ich führe den Knaben nicht an der Leine.«

Eine Pause trat ein. Dann fragte er: »Was ist das denn?«

»Die Tatortfotos vom Fall Ortiz.«

»Nein. Ich meine das Ding in der Flasche.«

Sie sah erneut auf und blickte in sein fragendes Gesicht. »Wonach sieht es denn aus? Es ist ein Tampon, was sonst? *Irgendwer* in dieser Abteilung hat einen wirklich subtilen Sinn für Humor.« Demonstrativ starrte sie Darren Crowe an. Der unterdrückte ein Kichern und wandte sich ab.

»Ich werde mich darum kümmern«, sagte Moore und nahm die Flasche.

»He. *He*!«, fuhr sie ihn an. »Verdammt noch mal, Moore. Vergessen Sie's!«

Er ging hinüber in Lt. Marquettes Büro. Durch die gläserne Trennwand sah sie, wie Moore die Flasche mit dem Tampon auf Marquettes Schreibtisch stellte. Marquette drehte sich um und schaute in Rizzolis Richtung.

Da haben wir's wieder mal. Jetzt werden sie sagen, die humorlose Zicke kann noch nicht mal einen ordentlichen Scherz vertragen.

Sie schnappte ihre Handtasche, raffte die Fotos zusammen und verließ das Büro.

Sie hatte schon den Aufzug erreicht, als Moore nach ihr rief. »Rizzoli?«

»Tragen Sie gefälligst nicht meine Kämpfe für mich aus, okay?«

»Sie haben ja gar nicht gekämpft. Sie haben nur dagesessen mit diesem ... Ding auf Ihrem Schreibtisch.«

»Tampon. Können Sie das Wort nicht laut und deutlich aussprechen?«

»Warum sind Sie wütend auf mich? Ich versuche doch nur, mich für Sie einzusetzen.«

»Hören Sie mal, Sie *heiliger* Thomas, in der wirklichen Welt läuft es für die Frauen folgendermaßen: Ich reiche eine Beschwerde ein. Ich bin diejenige, die eins auf den Deckel kriegt. Es gibt eine Eintragung in meine Personalakte. *Verträgt sich nicht mit den Jungs.* Wenn ich mich noch einmal beschwere, ist mein Ruf zementiert. Rizzoli, die Heulsuse. Rizzoli, der Waschlappen.«

»Sie lassen die anderen gewinnen, indem Sie sich *nicht* beschweren.«

»Ich habe es auf Ihre Art versucht. Es funktioniert nicht. Also verzichten Sie darauf, mir einen Gefallen tun zu wollen, okay?« Sie warf ihre Handtasche über die Schulter und trat in den Aufzug.

Kaum hatte die Tür sich zwischen ihnen geschlossen, da hätte sie am liebsten diese Worte zurückgenommen. Moore hatte diese brüske Zurechtweisung nicht verdient. Er war immer höflich gewesen, immer der perfekte Gentleman, und in ihrem Zorn hatte sie ihm den Spitznamen ins Gesicht geschleudert, den man ihm in der Truppe gegeben hatte: *Der heilige Thomas.* Der Polizist, der sich nie einen Fehltritt leistete, der nie fluchte und immer ruhig und besonnen blieb.

Und dann waren da noch die traurigen Umstände seines Privatlebens. Zwei Jahre zuvor war seine Frau Mary mit einer Hirnblutung zusammengebrochen. Sechs Monate lang hatte sie im Koma dahingedämmert, doch bis zu dem Tag, an dem sie tatsächlich gestorben war, hatte Moore sich geweigert, die Hoffnung auf Besserung aufzugeben. Noch heute, anderthalb Jahre nach Marys Tod, schien er es nicht akzeptieren zu wollen. Er trug noch immer seinen Ehering, und ihr Foto stand noch immer auf seinem Schreibtisch. Rizzoli hatte miterlebt, wie die Ehen so vieler anderer Polizisten in die Brüche gegangen waren, hatte die Fotos immer neuer Frauen auf den Schreibtischen ihrer Kollegen auftauchen und wieder verschwinden gesehen. Doch auf Moores Schreibtisch stand immer nur Marys Foto. Ihr lächelndes Gesicht war aus dem Büro schon nicht mehr wegzudenken.

Der heilige Thomas? Rizzoli schüttelte mit einem zynischen Lächeln den Kopf. Nein, wenn es auf der Welt irgendwelche echten Heiligen gab, dann waren sie todsicher keine Polizisten.

Der eine wollte, dass er lebte, die andere wollte, dass er starb, und jeder behauptete, ihn mehr zu lieben als der andere. Herman Gwadowskis Sohn und Tochter starrten einander über das Bett ihres Vaters hinweg an, und keiner der beiden war zum Nachgeben bereit.

»Du warst schließlich nicht derjenige, der sich um Dad kümmern musste«, sagte Marilyn. »Ich habe ihm Essen gekocht, ich habe sein Haus geputzt, ich habe ihn jeden Monat zum Arzt gebracht. Wann hast du ihn auch nur mal *besucht*? Du hattest doch immer was Besseres zu tun.«

»Herrgott noch mal, ich wohne in Los Angeles. Ich leite ein Unternehmen.«

»Du hättest wenigstens einmal im Jahr den Flieger nehmen können. Wäre das denn so schwer gewesen?«

»Jetzt bin ich ja schließlich hier.«

»Na prima. Der große Zampano schwebt ein, und der Tag ist gerettet. Vorher hast du dir nicht die Mühe gemacht, ihn zu besuchen, und jetzt willst du *alles* allein regeln.«

»Ich kann nicht glauben, dass du ihn einfach sterben lassen würdest.«

»Ich will nicht, dass er noch länger leidet.«

»Vielleicht willst du ja nur nicht, dass sein Bankkonto noch weiter schrumpft.«

Marilyns Gesichtsmuskeln strafften sich schlagartig. »Du fieses Schwein!«

Catherine konnte sich das nicht länger anhören. Sie unterbrach die beiden: »Das ist nicht der Ort für solche Diskussionen. Würden Sie bitte beide das Zimmer verlassen?«

Einen Augenblick lang beäugten Bruder und Schwester einander in feindseligem Schweigen, als sei es bereits ein Eingeständnis der Niederlage, als Erster den Raum zu verlassen. Dann stolzierte Ivan zur Tür hinaus, eine einschüchternde Erscheinung im maßgeschneiderten Anzug. Seine Schwester, die haargenau so aussah wie die erschöpfte Hausfrau aus der Vorstadt, die sie auch war, drückte ihrem Vater noch einmal die Hand und folgte ihrem Bruder.

Im Flur legte Catherine ihnen die grausamen Fakten dar.

»Ihr Vater liegt seit dem Unfall im Koma. Seine Nieren beginnen zu versagen. Wegen seiner langjährigen Diabetes waren sie bereits in ihrer Funktion beeinträchtigt, und das Unfalltrauma hat alles noch schlimmer gemacht.«

»Wie viel davon geht auf die Operation zurück?«, fragte Ivan. »Auf das Narkosemittel, das Sie ihm gegeben haben?«

Catherine unterdrückte die in ihr aufsteigende Wut und antwortete gelassen: »Er war bewusstlos, als er eingeliefert wurde. Anästhetika waren nicht im Spiel. Aber Gewebeverletzungen belasten nun einmal die Nieren, und seine versagen allmählich den Dienst. Außerdem haben wir Prostatakrebs diagnostiziert, der bereits in die Knochen gestreut hat. Selbst wenn er wieder aufwachen sollte, würden diese Probleme bleiben.«

»Sie wollen, dass wir ihn aufgeben, habe ich Recht?«

»Ich möchte nur, dass Sie noch einmal über seinen Behandlungsstatus nachdenken. Sollte sein Herz stehen bleiben, müssen wir ihn nicht wiederbeleben. Wir können ihn in Frieden gehen lassen.«

»Sie meinen, ihn einfach sterben lassen.«

»Ja.«

Ivan schnaubte verächtlich. »Ich will Ihnen mal was über meinen Vater sagen. Er ist keiner, der so schnell aufgibt. Und ich auch nicht.«

»Mein Gott, Ivan, hier geht es doch nicht um gewinnen oder verlieren!«, sagte Marilyn. »Es geht darum, wann man loslassen sollte.«

»Und wenn es darum geht, bist du ganz schnell dabei, was?«, sagte er und wandte sich zu ihr um. »Bei den ersten Anzeichen von Schwierigkeiten streckt die kleine Marilyn immer die Waffen und überlässt es Daddy, ihr aus der Patsche zu helfen. Also, mir hat er nie aus der Patsche geholfen.«

In Marilyns Augen schimmerten Tränen. »Es geht gar nicht um Dad, hab ich Recht? Es geht darum, dass du immer gewinnen musst.«

»Nein, es geht darum, dass er eine Chance bekommt, zu kämpfen.« Ivan sah Catherine an. »Ich will, dass alles für meinen Vater getan wird. Ich hoffe, dass das hundertprozentig klar ist.«

Er wandte sich zum Gehen. Marilyn wischte sich die Tränen aus dem Gesicht, während sie ihrem Bruder nachsah. »Wie kann er sagen, dass er ihn liebt, wo er ihn doch nie besucht hat?« Sie blickte Catherine an. »Ich will nicht, dass mein Dad wiederbelebt wird. Können Sie das ins Krankenblatt schreiben?«

Das war die Art von ethischem Dilemma, wie es jeder Arzt fürchtete. Catherine stand zwar auf der Seite von Marilyn, doch in den letzten Worten des Bruders hatte eine unüberhörbare Drohung gelegen.

Sie antwortete: »Ich kann die Anweisungen nicht ändern, solange Sie und Ihr Bruder sich in diesem Punkt nicht einig sind.«

»Er wird nie zustimmen. Sie haben ihn doch gehört.«

»Dann müssen Sie eben weiter mit ihm reden. Ihn überzeugen.«

»Sie haben Angst, dass er Sie verklagen wird, nicht wahr? Deswegen wollen Sie die Anweisung nicht ändern.«

»Ich weiß, dass er wütend ist.«

Marilyn nickte traurig. »Auf die Weise gewinnt er. Auf die Weise gewinnt er jedes Mal.«

Ich kann einen Körper wieder zusammennähen, dachte Catherine. Aber diese kaputte Familie kann ich nicht reparieren.

Die qualvolle, feindselige Atmosphäre dieses Treffens steckte ihr noch in den Knochen, als sie eine halbe Stunde später das Krankenhaus verließ. Es war Freitagnachmittag, und ein freies Wochenende lag vor ihr, doch während sie ihren Wagen aus der Parkgarage des Medical Center herausfuhr, empfand sie kein Gefühl der Befreiung. Es war noch heißer als am Tag zuvor, weit über dreißig Grad, und sie konnte es kaum erwarten, in ihre kühle Wohnung zu kommen, es sich mit einem Eistee gemütlich zu machen und sich ein paar Natursendungen im Fernsehen anzuschauen.

An der ersten Kreuzung wartete sie vor der roten Ampel, als ihr Blick auf den Namen der Querstraße fiel. Worcester.

Das war die Straße, in der Elena Ortiz gelebt hatte. In dem *Boston Globe*-Artikel, den Catherine schließlich doch geglaubt hatte lesen zu müssen, war die Adresse erwähnt worden.

Die Ampel sprang auf Grün. Eine spontane Eingebung ließ sie in die Worcester Street einbiegen. Sie hatte bisher nie einen Grund gehabt, diese Strecke zu fahren, aber irgendetwas trieb sie weiter. Das krankhafte Bedürfnis, den Ort zu sehen, wo der Killer zugeschlagen hatte, das Haus, in dem ihr eigener, privater Albtraum für eine andere Frau Wirklichkeit geworden war. Ihre Hände waren feucht, und sie spürte, wie ihr Puls sich beschleunigte, während sie die aufsteigenden Hausnummern las.

Als sie Elena Ortiz' Adresse erreichte, hielt sie am Straßenrand an.

Das Haus hatte nichts Besonderes an sich. Keine Atmosphäre des Schreckens und des Todes schlug ihr entgegen. Sie sah nur irgendein dreistöckiges Backsteingebäude.

Sie stieg aus und blickte zu den Fenstern der oberen Stockwerke empor. Welches war Elenas Wohnung gewesen? Die mit den gestreiften Vorhängen? Oder die mit dem Dschungel von Hängepflanzen? Sie trat auf die Eingangstür zu und las die Namen der Mieter. Es waren insgesamt sechs Wohnungen. Bei Apartment 2A fehlte der Name. Elena war bereits ausgelöscht worden, das Opfer aus den Reihen der Lebenden eliminiert. Niemand ließ sich gerne an den Tod erinnern.

Dem Bericht des *Globe* zufolge hatte der Mörder sich über die Feuerleiter Zugang zur Wohnung verschafft. Catherine trat auf den Gehsteig zurück und sah das Stahlgitter, das sich an der Seitenwand des Gebäudes emporwand. Sie tat ein paar Schritte in das Halbdunkel der Seitengasse und blieb dann abrupt stehen. Plötzlich spürte sie ein Kribbeln im Nacken. Sie drehte sich um und blickte auf die Straße hinaus, wo ein Lastwagen vorüberrumpelte. Eine Frau joggte vorbei, und ein Paar stieg in einen Wagen ein. Nichts, wodurch sie sich hätte bedroht fühlen sollen, doch die stummen Schreie der Panik konnte sie nicht ignorieren.

Sie ging zu ihrem Wagen zurück, stieg ein und verriegelte die Türen. Dann saß sie da, hielt das Lenkrad umklammert und sagte sich ein ums andere Mal: *Es ist alles in Ordnung. Es ist alles in Ordnung.* Kühle Luft strömte aus den Lüftungsschlitzen, und sie merkte, wie ihr Puls sich allmählich verlangsamte. Endlich lehnte sie sich mit einem Seufzer zurück.

Wieder wanderte ihr Blick zu Elena Ortiz' Haus.

Und jetzt erst fiel ihr der Wagen auf, der in der Seitenstraße parkte. Und das Nummernschild an der hinteren Stoßstange.

POSEY5.

Im nächsten Moment kramte sie schon in ihrer Handtasche nach der Visitenkarte des Kriminalbeamten. Mit zitternden Fingern tippte sie die Nummer in ihr Autotelefon ein.

Er meldete sich mit einem geschäftsmäßigen »Detective Moore.«

»Hier spricht Catherine Cordell«, sagte sie. »Sie waren vor ein paar Tagen bei mir.«

»Ja, Dr. Cordell?«

»Hat Elena Ortiz einen grünen Honda gefahren?«

»Wie bitte?«

»Ich muss ihr Kennzeichen wissen.«

»Ich fürchte, ich verstehe nicht ganz …«

»*Sagen* Sie es mir ganz einfach!« Ihr scharfer Befehlston verschreckte ihn. Es war eine ganze Weile still in der Leitung.

»Lassen Sie mich nachsehen«, sagte er. Im Hintergrund hörte sie Männer sprechen, Telefone klingeln. Dann war er wieder am Apparat.

»Es ist ein Wunsch-Nummernschild«, sagte er. »Ich glaube, es bezieht sich auf das Blumengeschäft der Familie.«

»*Posey* wie Blumenstrauß – *POSEY5*«, flüsterte sie.

Eine Pause. »Ja«, sagte er mit seltsam gedämpfter Stimme. Alarmiert.

»Als wir uns neulich unterhielten, fragten Sie mich, ob ich Elena Ortiz gekannt habe.«

»Und Sie verneinten.«

Stockend ließ Catherine die Luft aus ihren Lungen entweichen. »Ich habe mich geirrt.«

6

Nervös ging sie in der Unfallstation auf und ab. Ihr Gesicht war blass und angespannt, ihr kupferfarbenes Haar hing ihr in wirren Strähnen um die Schultern. Sie wandte sich zu Moore um, als er den Wartebereich betrat.

»Hatte ich Recht?«, fragte sie.

Er nickte. »Posey 5 war ihr Pseudonym im Internet. Wir haben ihren Computer überprüft. Und jetzt sagen Sie mir, woher Sie das wussten.«

Sie warf einen Blick auf das hektische Treiben in der Unfallstation und sagte: »Gehen wir in eins der Bereitschaftszimmer.«

Der Raum, zu dem sie ihn führte, war eine düstere kleine Höhle, fensterlos und nur mit einem Bett, einem Stuhl und einem Schreibtisch ausgestattet. Für eine erschöpfte Ärztin, die nichts als Schlaf im Sinn hatte, würde der Raum vollkommen ausreichend sein. Aber als die Tür hinter ihm ins Schloss fiel, wurde Moore schlagartig bewusst, wie beengt der Raum war, und er fragte sich, ob sie die erzwungene Nähe als ebenso unbehaglich empfand wie er. Beide sahen sich nach Sitzgelegenheiten um. Schließlich setzte sie sich auf das Bett, und er nahm den Stuhl.

»Ich bin Elena nie wirklich *begegnet*«, sagte Catherine. »Ich wusste nicht einmal, dass das ihr Name war. Wir besuchten denselben Chatroom im Internet. Sie wissen, was ein Chatroom ist?«

»Darin kann man sich live via Internet unterhalten.«

»Ja. Eine Gruppe von Personen, die zur gleichen Zeit online sind, können sich im Internet treffen. Dieser spezielle Chatroom ist ein privater Raum, nur für Frauen. Man muss verschiedene Passwörter kennen, um hineinzugelangen. Und alles, was man auf dem Bildschirm sieht, sind die Screen Names, die Pseudonyme. Keine echten Namen oder Gesichter, damit wir alle anonym bleiben können. Dadurch fühlen wir uns sicher genug, um einander unsere Geheimnisse verraten zu können.« Sie hielt inne. »Haben Sie nie so etwas ausprobiert?«

»Ich fürchte, ich sehe keinen besonderen Reiz darin, mich mit gesichtslosen Fremden zu unterhalten.«

»Manchmal«, sagte sie leise, »ist ein gesichtsloser Fremder der einzige Mensch, mit dem sie reden können.«

Er hörte die Tiefe ihres Schmerzes aus den Worten heraus und wusste nichts zu erwidern.

Nach einer Weile holte sie tief Luft und richtete den Blick nicht auf ihn, sondern auf ihre im Schoß gefalteten Hände. »Wir haben uns einmal die Woche getroffen, mittwochabends um neun Uhr. Ich gehe zuerst online, dann klicke ich das Chatroom-Symbol an, gebe PTS ein und anschließend *womanhelp*. Und schon bin ich drin. Ich kommuniziere mit anderen Frauen, indem ich etwas eintippe und es über das Internet abschicke. Unsere Worte erscheinen auf dem Bildschirm, wo wir sie alle lesen können.«

»PTS? Ich nehme an, das steht für ...«

»Posttraumatisches Stress-Syndrom. Eine hübsche klinische Bezeichnung für das, worunter die Frauen in diesem Raum leiden.«

»Um welches Trauma geht es denn genau?«

Sie hob den Kopf und sah ihm direkt in die Augen. »Vergewaltigung.«

Das Wort schien für einen Augenblick zwischen ihnen zu hängen; sein Klang allein lud die Atmosphäre auf. Ein einziges brutales Wort mit der Wirkung eines Faustschlags.

»Und Sie gehen wegen Andrew Capra dort hinein«, sagte er leise. »Wegen dem, was er Ihnen angetan hat.«

Ihr Blick flackerte unruhig hin und her und senkte sich

dann. »Ja«, flüsterte sie. Wieder schaute sie ihre Hände an. Moore beobachtete sie, und sein Zorn über das, was mit Catherine geschehen war, schwoll an. Über das, was Capra ihrer Seele entrissen hatte. Er fragte sich, wie sie wohl vor dem Überfall gewesen sein mochte. Herzlicher, freundlicher? Oder war sie immer schon so gewesen, so abgeschottet von jedem zwischenmenschlichen Kontakt, wie eine vom Frost überzogene Blüte?

Sie richtete sich gerade auf und zwang sich fortzufahren. »Dort bin ich also Elena Ortiz begegnet. Natürlich kannte ich ihren Namen nicht. Ich sah immer nur ihren Screen Name, Posey 5.«

»Wie viele Frauen sind in diesem Chatroom?«

»Das variiert von Woche zu Woche. Manchmal scheiden welche aus, oder es kommen ein paar neue dazu. Manchmal sind wir nur zu dritt, aber auch schon mal zu zwölft.«

»Wie haben Sie davon erfahren?«

»Aus einer Broschüre für Vergewaltigungsopfer. Sie wird in Frauenkliniken und Krankenhäusern in der ganzen Stadt verteilt.«

»Die Frauen in diesem Chatroom stammen also alle aus Boston und Umgebung?«

»Ja.«

»Und hat Posey 5 den Chatroom regelmäßig aufgesucht?«

»Sie ist in den letzten zwei Monaten immer mal wieder aufgetaucht. Sie hat nicht viel gesagt, aber ich habe ihren Namen auf dem Bildschirm gesehen und so gewusst, dass sie da war.«

»Hat sie über ihre Vergewaltigung gesprochen?«

»Nein. Sie hat nur zugehört. Wir haben ihr immer mal wieder ein ›Hallo‹ geschickt, und sie hat uns auch gegrüßt. Aber sie wollte nicht über sich reden. Es war, als hätte sie Angst. Oder als ob sie sich einfach zu sehr schämte.«

»Sie wissen also nicht, ob sie tatsächlich vergewaltigt wurde.«

»Ich weiß es.«

»Woher?«

»Weil Elena Ortiz hier in der Notaufnahme behandelt wurde.«

Er starrte sie an. »Sie haben ihre Akte gefunden?«

Sie nickte. »Mir kam plötzlich der Gedanke, dass sie nach dem Überfall ärztliche Hilfe benötigt haben könnte. Dieses Krankenhaus ist von ihrer Wohnung aus das nächstgelegene. Ich habe in unserem Krankenhauscomputer nachgesehen. Darin ist der Name jedes einzelnen Patienten gespeichert, der in dieser Unfallstation behandelt wurde. Ihr Name war darunter.« Sie stand auf. »Ich zeige Ihnen ihre Unterlagen.«

Er folgte ihr aus dem Bereitschaftszimmer heraus und zurück in die Unfallstation. Es war Freitagabend, und die typischen Notfälle wurden eingeliefert. Da war einer, der den Start ins Wochenende zu heftig gefeiert hatte und sich mit zitternder Hand einen Eisbeutel an das zerschlagene Gesicht hielt. Und ein ungeduldiger Teenager, der das Wettrennen mit einer gelben Ampel verloren hatte. Die Armee der Opfer des Freitagabends, die mit blauen Flecken und blutigen Nasen hereingewankt kamen. Die Notaufnahme des Pilgrim Medical Center war eine der meistfrequentierten in Boston, und Moore hatte das Gefühl, sich durch das Zentrum des Chaos zu kämpfen, während er Krankenschwestern und Fahrtragen auswich und über eine frische Blutlache stieg.

Catherine führte ihn in das Archiv der Unfallstation, einen Raum von der Größe eines Wandschranks, dessen Wände mit Regalen voller Ringordner bedeckt waren.

»Hier werden die Aufnahmeprotokolle für eine gewisse Zeit aufbewahrt«, sagte Catherine. Sie griff nach einem Ordner mit der Aufschrift *7. Mai – 14. Mai.* »Jedes Mal, wenn ein Patient in der Notaufnahme behandelt wird, wird ein Protokoll angelegt. Es ist gewöhnlich nicht länger als eine Seite und enthält die Stellungnahme des Arztes und die Behandlungsanweisungen.«

»Es wird also nicht für jeden Patienten eine Akte angelegt?«

»Wenn es sich nur um einen einmaligen Besuch in der Notaufnahme handelt, gibt es keine Krankenakte. Dann ist das Aufnahmeprotokoll die einzige Dokumentation. Die Protokolle werden nach einer Weile in das Hauptarchiv des Krankenhauses gebracht, wo sie eingescannt und auf Diskette gespeichert werden.« Sie schlug den Ordner für die Woche 7. bis 14. Mai auf. »Hier haben wir es.«

Er stand hinter ihr und sah ihr über die Schulter. Der Duft ihres Haars lenkte ihn für einen Augenblick ab, und er musste sich zwingen, seine Aufmerksamkeit dem Protokoll zuzuwenden. Das Aufnahmedatum war der 9. Mai, ein Uhr nachts. Name und Adresse der Patientin sowie die Abrechnungsmodalitäten standen in Maschinenschrift am Anfang der Seite; der Rest war mit Kugelschreiber geschrieben. Mediziner-Kurzschrift, dachte er, während er sich mühte, die Worte zu entziffern. Es gelang ihm nur beim ersten Absatz, den die Schwester geschrieben hatte:

22-jährige Hispanoamerikanerin, vergewaltigt vor zwei Stunden. Keine Allergien, keine Medikationen. BD 105/70, P 100, T 37,2.

Der Rest der Seite war unleserlich.

»Sie werden es für mich übersetzen müssen«, sagte er.

Sie sah ihn über die Schulter an, und plötzlich waren ihre Gesichter einander so nahe, dass ihm der Atem stockte.

»Können Sie das nicht lesen?«, fragte sie.

»Ich kann Reifenspuren und Blutspritzer lesen. Aber das da nicht.«

»Das ist Ken Kimballs Handschrift. Ich erkenne seine Unterschrift.«

»Ich kann noch nicht mal sagen, was für eine Sprache das sein soll.«

»Für einen anderen Arzt ist das vollkommen leserlich. Man muss lediglich den Code kennen.«

»Bringt man Ihnen das im Medizinstudium bei?«

»Genauso wie den geheimen Händedruck und die Instruktionen für den Decoder-Ring.«

Es war ein merkwürdiges Gefühl, bei einem so ernsten Anlass Witzchen zu reißen; noch merkwürdiger war es, solche Scherzworte aus dem Mund von Dr. Cordell zu hören. Es war das erste Mal, dass er einen Blick auf die Frau unter der abweisenden Schale erhaschte. Auf die Frau, die sie gewesen war, bevor Andrew Capra sein Unheil angerichtet hatte.

»Der erste Absatz ist die körperliche Untersuchung«, erklärte sie. »Er benutzt die üblichen Abkürzungen. KAONH steht für Kopf, Augen, Ohren, Nase und Hals. Die Lungen waren frei, das Herz wies keine Reibegeräusche und keinen Galopprhythmus auf.«

»Und das heißt?«

»Alles normal.«

»Ein Arzt kann also nicht einfach schreiben: ›Das Herz ist normal‹?«

»Warum sprechen Polizisten von ›Fahrzeugen‹ anstatt schlicht und einfach von ›Autos‹?«

Er nickte. »Gut gegeben.«

»Das Abdomen war flach und weich, ohne Organvergrößerungen. Mit anderen Worten …«

»Normal.«

»Langsam begreifen Sie's. Als Nächstes beschreibt er die … Beckenuntersuchung. Wo nicht alles normal ist.« Sie hielt inne. Als sie wieder sprach, war ihre Stimme leiser, ohne jeden Anflug von Humor. Sie holte noch einmal Luft, als müsse sie ihren Mut zusammennehmen, bevor sie fortfahren konnte. »Im Introitus war Blut. Kratzer und Blutergüsse an beiden Oberschenkeln. Ein Vaginalriss in der Vier-Uhr-Position; ein Hinweis darauf, dass es sich nicht um einvernehmlichen Verkehr handelte. Dr. Kimball schreibt, dass er die Untersuchung an diesem Punkt abgebrochen hat.«

Moore konzentrierte sich auf den letzten Absatz. Diese Sätze konnte er entziffern; sie enthielten keine medizinischen Hieroglyphen.

Patientin wurde unruhig. Verweigerte Abstrich. Wollte sich auf keine weiteren Maßnahmen einlassen. Nach Blutentnahme für Baseline-Tests auf HIV und Geschlechtskrankheiten zog sie sich an und verließ das Krankenhaus, bevor die Behörden informiert werden konnten.

»Die Vergewaltigung wurde also nie gemeldet«, sagte er. »Es wurde kein Abstrich gemacht. Keine DNS sichergestellt.«

Catherine war still. Sie stand mit gesenktem Kopf da und hielt den Ringordner umklammert.

»Dr. Cordell?«, sagte er und berührte ihre Schulter. Sie zuckte zusammen, als ob seine Hand sie verbrannt hätte, und er zog sie rasch zurück. Als sie aufblickte, sah er den Zorn in ihren Augen aufflackern. Sie strahlte eine grimmige Entschlossenheit aus, und für einen Augenblick war von Schwäche oder Verletzlichkeit nichts mehr zu spüren.

»Vergewaltigt im Mai, abgeschlachtet im Juli«, sagte sie. »Eine schöne Welt ist das für Frauen, nicht wahr?«

»Wir haben mit allen Mitgliedern ihrer Familie gesprochen. Niemand hat irgendetwas von einer Vergewaltigung gesagt.«

»Dann hat sie es ihnen nicht erzählt.«

Er fragte sich, wie viele Frauen wohl nie ihr Schweigen brachen. *Wie viele von ihnen haben Geheimnisse, die so schmerzlich sind, dass sie sich nicht einmal den Menschen anvertrauen können, die sie lieben?* Er sah Catherine an und musste daran denken, dass auch sie Trost bei völlig Fremden gesucht hatte.

Sie nahm das Protokoll aus dem Ordner und gab es ihm

zum Kopieren. Als er das Blatt nahm, fiel sein Blick auf den Namen des Arztes, und ein anderer Gedanke drängte sich ihm auf.

»Was können Sie mir über Dr. Kimball sagen?«, fragte er. »Den Arzt, der Elena Ortiz untersucht hat?«

»Er ist ein hervorragender Arzt.«

»Macht er normalerweise die Nachtschicht?«

»Ja.«

»Wissen Sie, ob er Donnerstagnacht letzte Woche Bereitschaft hatte?«

Es dauerte eine Weile, bis ihr die Bedeutung dieser Frage aufging. Er sah, wie erschüttert sie war, als ihr die Folgerungen klar wurden. »Sie glauben doch nicht ernsthaft ...«

»Es ist reine Routine. Wir überprüfen sämtliche Personen, mit denen das Opfer vor seinem Tod Kontakt hatte.«

Aber es war keine Routinefrage, und sie wusste es.

»Andrew Capra war Arzt«, sagte sie leise. »Sie glauben doch nicht etwa, dass ein anderer Arzt ...«

»Wir ziehen die Möglichkeit in Betracht.«

Sie wandte sich ab. Holte zitternd Luft. »Damals in Savannah, als diese anderen Frauen ermordet wurden, bin ich einfach davon ausgegangen, dass ich den Mörder nicht kannte. Ich nahm an, wenn ich ihm je begegnen sollte, würde ich es schon wissen. Ich würde es fühlen. Andrew Capra hat mir gezeigt, wie sehr ich mich geirrt habe.«

»Die Banalität des Bösen.«

»Genau das ist es, was ich gelernt habe. Dass das Böse so gewöhnlich daherkommen kann. Dass ein Mann, den ich jeden Tag sah und grüßte, mich anlächeln ...«, ihre Stimme wurde noch leiser, »... und dabei die ganze Zeit darüber nachdenken konnte, auf welche Art und Weise er mich am liebsten umbringen würde.«

Es war schon dunkel, als Moore zu seinem Wagen zurückging, doch der Asphalt strahlte noch die Hitze des Tages aus.

Es würde wieder eine unangenehme Nacht werden. Überall in der Stadt würden Frauen bei offenem Fenster schlafen, um jede noch so schwache Brise hereinzulassen. Und die Schrecken der Nacht.

Er blieb stehen und blickte zum Krankenhaus zurück. Er konnte das knallrote Schild der Notaufnahme sehen, das wie ein Leuchtfeuer strahlte. Ein Symbol der Hoffnung und der Heilung.

Ist das dein Jagdrevier? Ausgerechnet der Ort, an den Frauen sich begeben, um geheilt zu werden?

Ein Rettungswagen kam mit Blaulicht aus der Dunkelheit hervorgeschossen. Er dachte an all die Menschen, die im Laufe eines Tages eine Notaufnahmestation betraten. Rettungssanitäter, Ärzte, Pfleger, Hausmeister.

Und Polizisten. Es war eine Möglichkeit, die er äußerst ungern in Betracht zog, aber ebenso wenig verwerfen konnte. Der Beruf des Gesetzeshüters übt eine seltsame Anziehungskraft auf diejenigen aus, die auf andere Menschen Jagd machen. Die Waffe, die Dienstmarke – das sind berauschende Symbole der Herrschaft über andere. Und wie konnte man mehr Kontrolle über andere ausüben als durch die Macht, zu quälen und zu töten? Für einen solchen Jäger ist die Welt eine ausgedehnte Ebene, auf der es von Beutetieren nur so wimmelt.

Er muss nichts weiter tun als seine Wahl treffen.

Es wimmelte von Babys. Rizzoli stand in einer Küche, in der es nach saurer Milch und Talkumpuder roch, während sie wartete, bis Anna Garcia den Apfelsaft vom Boden aufgewischt hatte. Ein Kind, das gerade laufen konnte, hing an Annas Bein; ein anderes zog Topfdeckel aus einem Küchenschrank und schlug sie wie Becken zusammen. Ein drittes saß in einem Hochstuhl und lächelte hinter einer Maske aus püriertem Spinat. Und ein Säugling mit schlimmem Milchschorf auf dem Kopf krabbelte auf dem Boden umher und suchte unermüdlich nach gefährlichen Gegenständen, die er in seinen gierigen kleinen Mund stecken konnte. Rizzoli machte sich nichts aus Babys, und inmitten dieser Kinderschar wurde sie allmählich nervös. Sie kam sich vor wie Indiana Jones in der Schlangengrube.

»Das sind nicht alles meine«, beeilte sich Anna zu erklären, während sie zum Spülbecken humpelte. Das Kleine hing immer noch an ihr wie ein Fußeisen. Sie wrang den schmutzigen Schwamm aus und ließ Wasser über ihre Hände laufen. »Nur der hier ist von mir.« Sie zeigte auf das Baby an ihrem Bein. »Das mit den Töpfen und das im Hochstuhl, die zwei sind von meiner Schwester Lupe. Und der auf dem Boden rumkrabbelt, auf den passe ich für meine Cousine auf. Ich hab mir gedacht, wenn ich sowieso mit meinem Kleinen zu Hause hocke, kann ich ruhig auch noch ein paar andere hüten.«

Genau, dachte Rizzoli, ein Tritt in den Hintern mehr oder weniger, was macht das schon? Aber das Komische war, dass Anna gar nicht unglücklich wirkte. Im Gegenteil, sie schien die Fußfessel aus Fleisch und Blut und das Scheppern der Topfdeckel auf dem Fußboden kaum zu bemerken. Anna hatte die heitere Ausstrahlung einer Frau, die genau dort ist, wo sie sein will. Rizzoli fragte sich, ob Elena Ortiz eines Tages auch so geworden wäre, wenn sie länger gelebt hätte. Eine Mama, die den ganzen Tag in der Küche werkelte und seelenruhig Saft und Sabber aufwischte. Anna sah den Fotos ihrer jüngeren Schwester außerordentlich ähnlich, nur dass sie etwas fülliger war. Und als sie sich zu ihr umdrehte und das Licht der Deckenlampe direkt auf ihre Stirn fiel, da hatte Rizzoli das unheimliche Gefühl, dass sie in dasselbe Gesicht blickte, das sie vom Seziertisch angestarrt hatte.

»Wenn ich diese Blagen am Hals habe, brauche ich für jede Kleinigkeit eine halbe Ewigkeit«, sagte Anna. Sie pflückte den Kleinen von ihrem Bein ab und setzte ihn sich mit einer routinierten Bewegung auf die Hüfte. »Also, dann wollen wir mal sehen. Sie kommen wegen des Schmucks. Ich hole mal eben die Schatulle.« Sie verließ die Küche, und Rizzoli, allein gelassen mit drei Babys, verspürte einen Anflug von Panik. Eine klebrige Hand landete auf ihrem Fußknöchel; sie sah nach unten und erblickte das kleine Krabbeltier, das gerade ihren Hosensaum anknabberte. Sie schüttelte es ab und brachte sich rasch in eine sichere Entfernung von diesem zahnlosen Mäulchen.

»Hier ist es«, sagte Anna, als sie mit dem Kästchen zurückkam und es auf den Küchentisch stellte. »Wir wollten es nicht in der Wohnung lassen, wo all die fremden Leute ein und aus gehen, die Putzfrauen und so weiter. Also haben meine Brüder sich gedacht, dass ich das Kästchen erst mal behalten sollte, bis die Familie entscheidet, was mit dem Schmuck passieren soll.« Sie hob den Deckel an, und eine kleine Melodie erklang. *Somewhere My Love.* Die Musik schien Anna für einen Moment die Sprache zu verschlagen. Sie saß ganz still da, und ihre Augen füllten sich mit Tränen.

»Mrs. Garcia?«

Anna schluckte. »Tut mir Leid. Mein Mann muss es wohl aufgezogen haben. Ich hatte nicht damit gerechnet, das zu hören …«

Die Melodie wurde langsamer, und nach ein paar letzten lieblichen Tönen brach sie schließlich ab. In der plötzlichen Stille blickte Anna auf den Schmuck herab, den Kopf in tiefer Trauer gesenkt. Widerstrebend, mit resignierter Miene, öffnete sie eines der mit Samt ausgeschlagenen Fächer und nahm die Halskette heraus.

Rizzoli spürte, wie ihr Herz schneller zu schlagen begann, als sie die Kette aus Annas Hand nahm. Alles war so, wie sie es von Annas Hals im Leichenschauhaus in Erinnerung hatte: ein kleines Schloss mit Schlüssel an einer dünnen Goldkette. Sie drehte das Schloss um und sah die Prägung auf der Rückseite: achtzehn Karat.

»Woher hatte Ihre Schwester diese Halskette?«

»Ich weiß es nicht.«

»Wissen Sie, wie lange sie sie schon hatte?«

»Das muss was Neues sein. Die Kette habe ich an dem Tag zum ersten Mal gesehen…«

»An welchem Tag?«

Anna schluckte erneut und sagte leise: »An dem Tag, als ich sie zusammen mit dem anderen Schmuck im Leichenschauhaus abgeholt habe.«

»Sie trug außerdem noch Ohrstecker und einen Ring. Diese Sachen hatten Sie vorher schon einmal gesehen?«

»Ja. Die hatte sie schon lange.«

»Aber nicht die Halskette.«

»Warum fragen Sie immer wieder danach? Was hat das denn damit zu tun…« Anna hielt inne; in ihren Augen begann die entsetzliche Erkenntnis zu dämmern. »Um Gottes willen – Sie glauben, dass *er* ihr die Kette umgelegt hat?«

Das Baby in dem Hochstuhl spürte offenbar, dass etwas nicht stimmte, und begann zu heulen. Anna setzte ihren eigenen Sohn auf dem Fußboden ab und eilte zu dem Hochstuhl, um das weinende Kind in den Arm zu nehmen. Sie drückte es fest an sich und wandte sich mit ihm von der Kette ab, als wolle sie das Kleine vor dem Anblick dieses unheilvollen Talismans bewahren. »Bitte nehmen Sie sie mit«, flüsterte sie. »Ich will sie nicht in meinem Haus haben.«

Rizzoli ließ die Kette in einen verschließbaren Plastikbeutel gleiten. »Ich stelle Ihnen eine Quittung aus.«

»Nein, schaffen Sie sie nur weg von hier! Von mir aus können Sie sie behalten.«

Rizzoli schrieb die Quittung dennoch und legte sie auf den Küchentisch, neben den Teller mit dem pürierten Spinat. »Ich muss Ihnen noch eine Frage stellen«, sagte sie mit sanfter Stimme.

Anna ging weiter in der Küche auf und ab und wippte das Baby nervös in ihren Armen.

»Bitte sehen Sie sich die Schatulle Ihrer Schwester noch einmal genau an und sagen Sie mir, ob irgendetwas fehlt.«

»Das haben Sie mich vorige Woche schon gefragt. Es fehlt nichts.«

»Es ist nicht leicht, festzustellen, ob irgendetwas nicht vorhanden ist; wir achten gewöhnlich mehr darauf, ob etwas nicht am richtigen Platz ist. Ich muss leider darauf bestehen, dass Sie das Kästchen noch einmal durchsehen. Bitte.«

Anna schluckte krampfhaft. Widerstrebend setzte sie sich mit dem Baby auf dem Schoß an den Tisch und starrte in die Schatulle. Sie nahm die Stücke eins nach dem anderen heraus und breitete sie auf dem Tisch aus. Es war eine armselige Kollektion von billigem Modeschmuck. Strass, unechte Perlen und bunte Steine. Elenas Geschmack hatte in Richtung laut und knallig tendiert.

Anna legte das letzte Stück auf den Tisch, einen Freundschaftsring mit einem Türkis. Dann saß sie eine Zeit lang da, während sich ihre Stirn mehr und mehr in Falten legte.

»Der Armreif«, sagte sie.

»Welcher Armreif?«

»Da sollte ein Armreif dabei sein, so einer mit kleinen Glücksbringern dran. Pferde waren das. In der Highschool hat sie ihn jeden Tag getragen. Elena war verrückt nach Pferden...« Anna sah mit ungläubiger Miene auf. »Er war überhaupt nichts wert! Aus Blech war er. Weshalb sollte er den genommen haben?«

Rizzolis Blick fiel auf den Plastikbeutel mit der Halskette – einer Halskette, von der sie nun sicher war, dass sie Diana Sterling gehört hatte. Und sie dachte: *Ich weiß genau, wo wir Elenas Armreif finden werden: am Handgelenk des nächsten Opfers.*

Rizzoli stand auf der Veranda vor Moores Haus und schwenkte triumphierend den Plastikbeutel mit der Halskette.

»Sie gehörte Diana Sterling. Ich habe eben mit ihren Eltern gesprochen. Bevor ich anrief, hatten sie noch gar nicht bemerkt, dass die Kette fehlte.«

Er nahm die Tüte, öffnete sie jedoch nicht. Er hielt sie nur in der Hand und starrte das goldene Kettchen an.

»Das ist die eine konkrete Verbindung zwischen den beiden Fällen«, sagte sie. »Er nimmt sich von einem Opfer ein Souvenir und lässt es beim nächsten zurück.«

»Ich kann nicht glauben, dass wir dieses Detail übersehen haben.«

»Moment mal, *wir* haben es *nicht* übersehen.«

»Sie meinen, *Sie* haben es nicht übersehen.« Er warf ihr einen Blick zu, der sie auf einen Schlag drei Meter wachsen ließ. Moore war nicht der Typ, der einem auf die Schulter klopfte oder einen lauthals lobte. Eigentlich konnte sie sich überhaupt nicht erinnern, dass er je die Stimme erhoben hätte, sei es vor Zorn oder vor Begeisterung. Aber als er ihr *diesen* Blick zuwarf, mit der anerkennend gehobenen Augenbraue und den zu einem angedeuteten Lächeln verzogenen Mundwinkeln, war ihr jede andere Form der Anerkennung egal.

Sie lief vor lauter Begeisterung rot an und bückte sich nach der Tüte vom Straßenverkauf, die sie mitgebracht hatte. »Wie wär's mit einem Happen zu essen? Ich habe unterwegs bei diesem Chinesen Halt gemacht.«

»Das war aber nicht nötig.«

»Doch, war es. Ich denke, ich muss mich bei Ihnen entschuldigen.«

»Wofür?«

»Für heute Nachmittag. Diese dumme Geschichte mit dem Tampon. Sie haben sich doch bloß für mich eingesetzt und versucht, ein anständiger Kerl zu sein. Und ich habe es in den falschen Hals gekriegt.«

Es entstand eine peinliche Pause. Sie standen da und wussten nicht, was sie sagen sollten; zwei Menschen, die einander noch nicht sehr gut kennen und bemüht sind, über den turbulenten Auftakt ihrer Bekanntschaft hinwegzukommen.

Dann lächelte er, und dieses Lächeln verwandelte sein sonst so ernsthaftes Gesicht in das eines viel jüngeren Mannes. »Ich habe einen Bärenhunger«, sagte er. »Los, her mit dem Futter.«

Sie lachte und trat in sein Haus ein. Sie war zum ersten Mal hier, und so blieb sie kurz stehen, um sich umzuschauen und all die Details zu registrieren, in denen sich die Hand einer Frau zu verraten schien. Die Chintzvorhänge, die Aquarelle von Blumensträußen an den Wänden. Das hatte sie nicht erwartet. Du liebe Zeit, das war ja femininer als ihre eigene Wohnung.

»Gehen wir in die Küche«, sagte er. »Da sind meine Unterlagen.«

Er führte sie durch das Wohnzimmer, wo sie das Klavier erblickte.

»Wow. Spielen Sie?«, fragte sie.

»Nein, das gehört Mary. Ich bin absolut unmusikalisch.«

Das gehört Mary. Gegenwart. Plötzlich begriff sie, weshalb dieses Haus so feminin wirkte: Mary war hier immer noch gegenwärtig; alles in diesem Haus war noch unverändert und wartete nur auf die Rückkehr der Hausherrin. Ein Foto von Moores Frau stand auf dem Piano, es zeigte eine sonnengebräunte Frau mit lachenden Augen und vom Wind zerzausten Haaren. Mary, deren Chintzvorhänge noch immer in dem Haus hingen, in das sie nie zurückkehren würde.

In der Küche stellte Rizzoli die Essenstüte auf den Tisch, neben einen Stapel Papiere. Moore durchwühlte die Unterlagen, bis er die Mappe gefunden hatte, die er suchte.

»Das Protokoll von Elena Ortiz' Behandlung in der Notaufnahme«, sagte er und reichte ihr das Dokument.

»Hat Cordell das aufgetrieben?«

Er lächelte ironisch. »Ich scheine von Frauen umringt zu sein, die kompetenter sind als ich.«

Sie schlug die Mappe auf und sah eine Kopie mit dem unleserlichen Gekrakel eines Arztes. »Haben Sie auch eine Übersetzung von diesem Geschmiere?«

»Ich habe es Ihnen mehr oder weniger schon am Telefon erklärt. Eine nicht angezeigte Vergewaltigung. Kein Abstrich, keine DNS. Nicht einmal Elenas Familie wusste davon.«

Sie klappte die Mappe zu und legte sie zu seinen anderen Papieren. »Mensch, Moore. Hier sieht's ja aus wie auf meinem Esstisch. Kein Platz mehr fürs Essen.«

»Bei Ihnen bestimmt die Arbeit wohl auch schon das ganze Leben, was?«, meinte er, während er die Unterlagen beiseite räumte, um Platz für ihre Mahlzeit zu schaffen.

»Welches Leben? Meines besteht doch nur noch aus diesem Fall. Schlafen, essen, arbeiten. Und wenn ich Glück habe, vor dem Zubettgehen noch eine Stunde mit meinem alten Kumpel David Letterman.«

»Keine Männer?«

»Männer?« Sie schnaubte verächtlich, während sie die Kartons aus der Tüte nahm und den Tisch mit Servietten und Essstäbchen deckte. »O ja, ganz bestimmt. Ich kann mir sie ja gar nicht alle vom Leib halten.« Erst als sie es gesagt hatte, wurde ihr bewusst, wie sehr das nach Selbstmitleid klang – ganz anders, als sie es gemeint hatte. Rasch fügte sie hinzu: »Ich beschwere mich ja nicht. Wenn ich am Wochenende arbeiten muss, kann ich das in aller Ruhe tun, ohne dass mir irgendein Typ die Ohren voll jammert. Mit Jammerlappen kann ich nichts anfangen.«

»Kein Wunder, Sie sind ja selbst das Gegenteil von einem Jammerlappen. Das haben Sie mir heute schließlich schmerzlich klar gemacht.«

»Ja, ja. Ich dachte, dafür hätte ich mich schon entschuldigt.«

Er holte zwei Dosen Bier aus dem Kühlschrank und setzte sich ihr gegenüber. So hatte sie ihn noch nie gesehen, in Hemdsärmeln und so locker und entspannt. So gefiel er ihr. Nicht der einschüchternde heilige Thomas, sondern ein Typ, mit dem sie ein Schwätzchen halten konnte, ein Typ, der mit ihr lachte. Ein Typ der, wenn er sich bloß die Mühe machte, seinen Charme spielen zu lassen, ein Mädel regelrecht von den Socken hauen konnte.

»Wissen Sie, Sie müssen nicht unbedingt immer tougher sein als alle anderen«, sagte er.

»Doch, das muss ich.«

»Wieso?«

»Weil *die* nicht glauben, dass ich es bin.«

»Wer denn?«

»Typen wie Crowe. Lieutenant Marquette.«

Er zuckte mit den Achseln. »Ein paar von der Sorte wird es immer geben.«

»Wie kommt es nur, dass ich immer mit denen zusammenarbeiten muss?« Sie riss ihre Bierdose auf und nahm einen kräftigen Schluck. »Das ist der Grund, weshalb ich zuerst Ihnen von der Halskette erzählt habe. Sie werden es nicht als Ihr Verdienst ausgeben.«

»Es wäre schon traurig, wenn es nur noch darum ginge, wer dies oder jenes als sein Verdienst ausgibt.«

Sie nahm ihre Essstäbchen und machte sich über den Karton mit Hühnerfleisch Kung Pao her. Es war so scharf, dass es einem fast die Zunge verbrannte – genau wie sie es mochte. Rizzoli war auch kein Waschlappen, wenn es um scharfe Peperoni ging.

Sie sagte: »Bei meinem ersten wirklich großen Fall im Rauschgift- und Sittendezernat war ich die einzige Frau in einem Team mit fünf Männern. Als wir den Fall geknackt hatten, gab es eine Pressekonferenz. Reporter, Fernsehkameras, alles, was dazugehört. Und wissen Sie was? Sie haben jeden einzelnen Namen im Team erwähnt, nur meinen nicht.

Jeden anderen verdammten Namen.« Sie nahm noch einen Schluck Bier. »Ich werde dafür sorgen, dass so etwas nicht noch mal passiert. Ihr Kerle, ihr könnt euch ganz auf den Fall und die Beweissicherung konzentrieren. Aber ich muss schon einen Haufen Energie verschwenden, bis man mir überhaupt erst mal zuhört.«

»Ich höre Ihnen zu, Rizzoli.«

»Das ist eine erfreuliche Abwechslung.«

»Was ist mit Frost? Haben Sie mit ihm auch Probleme?«

»Frost ist cool.« Sie verzog das Gesicht, als ihr das unbeabsichtigte Wortspiel auffiel. »Seine Frau hat ihn gut abgerichtet.«

Darüber mussten sie beide lachen. Jeder, der einmal gehört hatte, wie Barry Frost mit seiner Frau telefonierte und immer nur lammfromm »ja, Schatz« und »nein, Schatz« sagen durfte, wusste genau, wer bei Frosts im Haus die Hosen anhatte.

»Deshalb wird er es auch nicht sehr weit bringen«, sagte Rizzoli. »Kein Mumm in den Knochen. Braves Hausväterchen.«

»Was ist so verkehrt daran, ein häuslicher Mensch zu sein? Ich wünschte, ich wäre darin besser gewesen.«

Sie sah von dem Karton mit mongolischem Rindfleisch auf und merkte, dass er nicht sie anschaute, sondern die Halskette. In seiner Stimme hatte ein trauriger Unterton gelegen, und sie wusste nicht, wie sie darauf reagieren sollte. Sie kam zu dem Schluss, dass sie am besten gar nichts sagen sollte.

Sie war erleichtert, als er das Gespräch wieder auf die Ermittlungen brachte. In der Welt, in der sie sich bewegten, war Mord immer ein unbedenkliches Gesprächsthema.

»Irgendetwas stimmt hier nicht«, sagte er. »Diese Geschichte mit dem Schmuck ergibt in meinen Augen keinen Sinn.«

»Er sammelt Souvenirs. Das ist nicht so ungewöhnlich.«

»Aber was hat es für einen Zweck, ein Souvenir an sich zu nehmen, wenn man es anschließend wieder hergibt?«

»Manche Täter nehmen dem Opfer den Schmuck ab und schenken ihn ihren Frauen oder Freundinnen. Es verschafft ihnen einen heimlichen Kick, wenn sie das Ding am Hals ihrer Freundin sehen und als Einzige wissen, woher es wirklich stammt.«

»Aber unser Bursche macht doch etwas anderes. Er lässt das Souvenir am nächsten Tatort zurück. Er kann es nicht immer wieder anschauen. Kann sich nicht immer wieder diesen Kick verschaffen und sich an seine Tat erinnern lassen. Ich kann da keinen emotionalen Gewinn erkennen.«

»Ein Besitzsymbol? Wie die Duftmarken, mit denen ein Hund sein Revier kennzeichnet? Bloß dass er ein Schmuckstück benutzt, um sein nächstes Opfer zu markieren.«

»Nein. Das ist es nicht.« Moore griff nach der Plastiktüte und wog sie in der Hand, als wolle er ihre wahre Bedeutung erraten.

»Die Hauptsache ist, dass wir hinter das Muster gekommen sind«, sagte sie. »Wir wissen genau, was wir am nächsten Tatort zu erwarten haben.«

Er blickte zu ihr auf. »Sie haben die Frage gerade beantwortet.«

»Was?«

»Er markiert nicht das Opfer. Sondern den Tatort.«

Rizzoli war einen Moment still. Dann ging ihr plötzlich der Unterschied auf. »Mein Gott. Indem er den Tatort markiert ...«

»Das ist kein Souvenir. Und es ist auch keine Markierung eines Besitzanspruchs.« Er legte die Halskette hin, das verschlungene Geschmeide aus Gold, das die Haut zweier toter Frauen gestreift hatte.

Ein Schauder durchfuhr Rizzoli. »Es ist eine Visitenkarte«, sagte sie leise.

Moore nickte. »Der Chirurg spricht zu uns.«

Ein Ort starker Winde und gefährlicher Strömungen.

So beschreibt Edith Hamilton in ihrem Buch Mythologie *den griechischen Hafen Aulis. Hier befinden sich die Ruinen des antiken Tempels der Artemis, der Göttin der Jagd. In Aulis war es, wo sich die tausend schwarzen Schiffe der Griechen für den Überfall auf Troja versammelten. Doch der Nordwind wehte, und die Schiffe konnten nicht ablegen. Tag um Tag verging, ohne dass der Wind nachließ, und das griechische Heer unter dem Kommando des Agamemnon wurde zornig und unruhig. Ein Seher enthüllte den Grund für die ungünstigen Winde: Die Göttin Artemis war erzürnt, weil Agamemnon eines ihrer Lieblingstiere getötet hatte, einen wilden Hasen. Sie würde nicht zulassen, dass die Griechen segelten, es sei denn, Agamemnon brächte ihr ein grausames Opfer dar: seine Tochter Iphigenie.*

Und so ließ er nach Iphigenie schicken, unter dem Vorwand, dass er sie in einer prächtigen Hochzeitsfeier dem Achilles zur Frau geben wolle. Sie wusste nicht, dass sie in Wirklichkeit kam, um hier den Tod zu finden.

Der wütende Nordwind wehte nicht an dem Tag, als wir beide nahe Aulis am Strand entlangspazierten. Es war windstill, das Wasser war grünes Glas, und der Sand unter unseren Füßen war heiß wie weiße Asche. Ach, wie wir die griechischen Knaben beneideten, die barfuß über den von der Sonne erhitzten Strand liefen! Der Sand versengte unsere bleiche Touristenhaut, und dennoch genossen wir geradezu die Qualen, denn wir wollten so sein wie diese Knaben, mit Fußsohlen wie gegerbtes Leder. Nur durch Schmerzen und ständige Beanspruchung bilden sich Schwielen.

Am Abend, als es ein wenig abgekühlt hatte, gingen wir zum Tempel der Artemis.

Wir wandelten zwischen den länger werdenden Schatten umher und kamen zu dem Altar, auf dem Iphigenie geopfert wurde. Das Mädchen betete und schrie »Vater, verschone mich!«, doch niemand hörte auf sie, und die Krieger trugen sie zum Altar. Sie wurde auf dem Scheiterhaufen ausgestreckt, ihr weißer Hals für die Klinge freigelegt. Der antike Dramatiker Euripides beschreibt, wie die Soldaten des Atreus den Blick zum Boden senkten, wie auch das ganze Heer, weil sie nicht zusehen wollten, wie ihr jungfräuliches Blut vergossen wurde. Weil sie nicht Zeugen der grausigen Tat werden wollten.

Aber ich hätte hingesehen! Und du auch. Mehr noch, wir hätten es kaum erwarten können.

Ich malte mir aus, wie die Soldaten sich schweigend in der Finsternis versammelten. Ich stellte mir vor, wie die Trommeln zu schlagen begannen; statt der pulsierenden Rhythmen einer Hochzeitsfeier der düstere Klang eines Todesmarsches. Ich sah die Prozession, die sich zum Hain hin wand. Das Mädchen, weiß wie ein Schwan, flankiert von Soldaten und Priestern. Die Trommeln verstummen.

Sie tragen die Schreiende zum Altar.

In meiner Vision ist es Agamemnon selbst, der das Messer führt, denn weshalb würde man es ein Opfer nennen, wäre man nicht selbst derjenige, der das Blut fließen lässt? Ich sehe, wie er an den Altar herantritt, auf dem seine Tochter liegt. Ihr zartes Fleisch ist den Blicken aller ausgesetzt. Sie fleht um ihr Leben, doch sie fleht vergebens.

Der Priester packt ihre Haare und zieht ihr den Kopf in den Nacken, um die Kehle freizulegen. Unter der weißen Haut pulst die Arterie; sie bezeichnet den Punkt, an dem die Klinge ansetzen muss. Agamemnon steht neben seiner Tochter, er blickt auf das geliebte Gesicht herab. In ihren Adern fließt sein Blut. In ihren Augen sieht er seine eigenen. Indem er ihre Kehle durchschneidet, schneidet er in sein eigenes Fleisch.

Er hebt das Messer. Die Soldaten stehen schweigend umher, Statuen zwischen den Bäumen des heiligen Hains. Der Puls im Hals des Mädchens beginnt zu flattern.

Artemis verlangt das Opfer, und Agamemnon muss es darbringen.

Er setzt die Klinge an den Hals des Mädchens und vollführt einen tiefen Schnitt.

Eine rote Fontäne spritzt hervor und benetzt sein Gesicht wie ein warmer Regen. Iphigenie lebt noch, in ihrer Todesangst verdreht sie die Augen, während ihr Herz das Blut aus der Halswunde pumpt. Der menschliche Körper enthält fünf Liter Blut, und es dauert eine Weile, bis eine solche Menge durch eine einzige durchtrennte Arterie abfließen kann. Solange das Herz noch schlägt, schießt das Blut heraus. Mindestens einige Sekunden lang, vielleicht aber auch eine Minute oder länger, arbeitet auch das Gehirn noch. Die Gliedmaßen zucken.

Während ihr Herz seine letzten Schläge vollführt, blickt Iphigenie zum dunkler werdenden Himmel auf und spürt die warmen Spritzer ihres eigenen Blutes im Gesicht.

Die Alten berichten, dass der Nordwind sich beinahe augenblicklich gelegt habe. Artemis war zufrieden. Endlich legten die griechischen Schiffe ab, die Armeen zogen in den Kampf, und Troja fiel. Im Kontext dieses größeren Blutvergießens fiel die Tötung eines einzigen unschuldigen Mädchens nicht ins Gewicht.

Aber wenn ich an den Trojanischen Krieg denke, dann kommt mir nicht das hölzerne Pferd in den Sinn oder das Klirren der Schwerter oder die tausend schwarzen Schiffe mit gehissten Segeln. Nein, es ist das Bild eines Mädchenkörpers, ausgeblutet und weiß, und ihres Vaters, der neben ihr steht mit der blutigen Klinge in der Hand.

Der edle Agamemnon, mit Tränen in den Augen.

7

»Das Ding pulsiert«, sagte die Schwester.

Catherines Mund war vor Entsetzen wie ausgetrocknet, als sie den Mann auf dem OP-Tisch anstarrte. Eine dreißig Zentimeter lange Eisenstange ragte senkrecht aus seinem Brustkorb. Ein Medizinstudent war bei dem Anblick bereits in Ohnmacht gefallen, und die drei OP-Schwestern standen mit offenem Mund um den Verletzten herum. Die Stange steckte tief in seiner Brust und hob und senkte sich im Rhythmus seines Herzschlags.

»Wie ist der Blutdruck?«, fragte Catherine.

Beim Klang ihrer Stimme schien alles schlagartig von Lethargie auf Handeln umzuschalten. Die Blutdruckmanschette wurde aufgepumpt, dann strömte die Luft zischend wieder aus.

»Siebzig zu vierzig. Puls auf hundertfünfzig gestiegen!«

»Beide Infusionen laufen im Schuss!«

»Thorakotomie-Set steht bereit…«

»Hol doch mal irgendwer Dr. Falco her, aber schnell. Ich werde Hilfe brauchen.« Catherine schlüpfte in einen sterilen Kittel und zog Handschuhe an. Ihre Handflächen waren schon schweißnass. Die Tatsache, dass die Eisenstange pulsierte, verriet ihr, dass die Spitze nahe dem Herzmuskel saß oder gar – im schlimmsten Fall – ins Herz selbst eingedrungen war. Das Verkehrteste, was sie tun könnte, wäre die Stange herauszuziehen. Dadurch würde sie möglicherweise ein Loch aufreißen, durch das der Patient innerhalb weniger Minuten verbluten würde.

Die Sanitäter vor Ort hatten die richtige Entscheidung getroffen. Sie hatten einen Zugang gelegt, das Opfer intubiert und es mitsamt der Eisenstange in die Notaufnahme gebracht. Für den Rest war sie verantwortlich.

Sie griff soeben nach dem Skalpell, als die Tür aufgestoßen wurde. Catherine hob den Kopf und atmete erleichtert auf, als sie Peter Falco eintreten sah. Er blieb stehen und fixierte die Brust des Patienten, aus der die Stange herausragte wie der Pflock aus dem Herzen eines Vampirs.

»Na, so was kriegt man ja nicht alle Tage zu sehen«, sagte er.

»Blutdruck ist im Keller!«, rief eine Schwester.

»Für einen Bypass bleibt keine Zeit. Ich werde ihn aufmachen«, sagte Catherine.

»Ich bin gleich bei dir.« Peter drehte sich um und sagte in fast beiläufigem Ton: »Kann ich bitte einen Kittel haben?«

Catherine öffnete behände den Brustkorb mit einem anterolateralen Schnitt, durch den ein optimaler Zugriff auf die Brustorgane ermöglicht wurde. Nach Peters Eintreffen hatte sie sich gleich ein wenig beruhigt. Es war mehr als nur das Wissen, ein zusätzliches Paar geschickter Hände zur Verfügung zu haben. Es war Peter selbst. Die Art, wie er einen Raum betrat und mit einem Blick die Situation erfasste. Die Tatsache, dass er im OP nie die Stimme erhob, nie den leisesten Anflug von Panik zeigte. Er kämpfte schon fünf Jahre länger als sie an der unfallchirurgischen Front, und gerade bei so grauenhaften Fällen wie diesem kam seine Erfahrung zum Tragen.

Jetzt nahm er seinen Platz gegenüber von Catherine ein und richtete seine blauen Augen auf den Einschnitt. »Na, dann wollen wir mal.«

Er stürzte sich sofort in die Arbeit, und sogleich schien es, als operierte ein einziger Mensch mit vier Händen. Mit vereinten Kräften machten sie sich über den Brustkorb her. Sie hatten schon so oft im Team operiert, dass jeder automatisch wusste, was der andere brauchte, und dessen Schritte immer schon vorausahnte.

»Vorgeschichte?«, fragte Peter. Blut spritzte hervor, doch er blieb ruhig und klemmte das blutende Gefäß flugs ab.

»Bauarbeiter; ist auf der Baustelle gestolpert und hat sich dabei aufgespießt.«

»So was kann einem schon den Tag verderben. Wundspreizer bitte.«

»Wundspreizer.«

»Wie sieht's mit dem Blut aus?«

»Wir warten auf das Null-Negativ«, antwortete eine Schwester.

»Ist Dr. Murata im Haus?«

»Sein Bypass-Team ist schon unterwegs.«

»Wir müssen also nur noch ein bisschen Zeit schinden. Was macht der Rhythmus?«

»Sinustachykardie, hundertfünfzig. Ein paar Extrasystolen ...«

»Systolischer Druck auf fünfzig gesunken!«

Catherine warf Peter einen viel sagenden Blick zu. »Wir werden ihn nicht bis zum Bypass halten können«, sagte sie.

»Dann müssen wir eben sehen, was wir hier tun können.«

Es war plötzlich ganz still, während er in die Wundöffnung starrte.

»O Gott«, sagte Catherine. »Sie steckt im Vorhof.«

Die Spitze der Stange hatte die Herzwand durchstoßen, und mit jedem Herzschlag quoll frisches Blut aus den Rändern des Einstichs hervor. In der Brusthöhle hatte sich schon ein tiefer See angesammelt.

»Wenn wir die rausziehen, gibt's einen richtig schönen Springbrunnen«, meinte Peter.

»Er blutet jetzt schon um die Stange herum aus.«

Die Schwester meldete: »Systolischer kaum noch tastbar!«

»Na denn«, meinte Peter. Keinerlei Panik in seiner Stimme. Keine Spur von Angst. Er wandte sich an eine der Schwestern: »Können Sie irgendwo einen 16-Charr-Foley-Katheter mit 30-Kubik-Ballon auftreiben?«

»Ähm, Dr. Falco – sagten Sie eben *Foley*-Katheter?«

»Ja. Einen Urinkatheter.«

»Und wir werden eine Spritze mit zehn Kubik Kochsalzlösung brauchen«, sagte Catherine. »Halten Sie sich bereit, um sie zu injizieren.« Sie und Peter mussten keine Erklärungen austauschen; beide wussten genau, was der Plan war.

Die Schwester drückte Peter den Foley-Katheter in die Hand – einen Schlauch, der dazu diente, durch Einführen in die Blase Urin abzulassen. Sie würden ihn zu einem Zweck benutzen, für den er nie gedacht gewesen war.

Er sah Catherine an. »Bist du bereit?«

»Auf geht's.«

Ihr Puls jagte, als sie sah, wie Peter die Eisenstange packte. Sah, wie er sie vorsichtig aus der Herzwand zog. Kaum war die Spitze frei, da schoss auch schon das Blut aus dem Einstichloch hervor. Augenblicklich rammte Catherine die Spitze des Katheters in die Öffnung.

»Den Ballon füllen!«, befahl Peter.

Die Schwester drückte den Kolben der Spritze herunter und injizierte zehn Kubikzentimeter Kochsalzlösung in den Ballon am Ende des Foley-Katheters.

Jetzt zog Peter an dem Katheter, wodurch dieser gegen die Innenwand des Vorhofs gedrückt wurde. Der Blutstrom versiegte. Nur noch wenige Tropfen sickerten heraus.

»Werte?«, rief Catherine.

»Systolischer immer noch bei fünfzig. Das Null-Negativ-Blut ist da. Wir hängen es jetzt ein.«

Mit immer noch pochendem Herzen sah Catherine Peter an. Er blinzelte ihr durch die Schutzbrille zu.

»Na, war das ein Spaß?«, meinte er. Er griff nach der Klemme mit der Herznadel. »Darf ich dir die Ehre überlassen?«

»Klar doch.«

Er reichte ihr den Nadelhalter. Sie würde die Ränder des Einstichs zusammennähen und dann den Katheter herausziehen, bevor sie das Loch gänzlich schloss. Bei jedem Stich, den sie nähte, fühlte sie Peters anerkennenden Blick auf sich ruhen. Merkte, wie sie vor Stolz über den Erfolg rot anlief. Sie spürte es in den Knochen: Dieser Patient würde durchkommen.

»Der Tag fängt gut an, was?«, sagte er. »Gleich einen Brustkorb aufreißen, das macht Spaß.«

»Diesen Geburtstag werde ich nicht so schnell vergessen.«

»Mein Angebot für heute Abend gilt immer noch. Wie sieht's aus?«

»Ich habe Bereitschaft.«

»Ich werde Ames überreden, für dich einzuspringen. Komm schon. Wir gehen was Nettes essen und dann tanzen.«

»Ich dachte, das Angebot wäre ein Flug in deiner Maschine?«

»Alles, wozu du Lust hast. Von mir aus lass uns Sandwichs machen. Ich bringe die Erdnussbutter mit.«

»Ha! Ich wusste ja schon immer, dass du dich nicht lumpen lässt.«

»Catherine, ich meine es ernst.«

Sie hörte den veränderten Ton seiner Stimme und hob die Augen, um seinem unverwandten Blick zu begegnen. Plötzlich fiel ihr auf, dass es im OP mucksmäuschenstill geworden war. Alle lauschten gebannt, alle wollten wissen, ob die unnahbare Dr. Cordell nun endlich dem Charme des Dr. Falco erliegen würde.

Sie nähte noch einen weiteren Stich und dachte dabei, wie sehr sie Peter als Kollegen mochte, wie sehr sie ihn respektierte und er sie. Sie wollte nicht, dass sich daran irgendetwas änderte. Sie wollte diese kostbare Beziehung nicht durch einen verhängnisvollen Schritt in Richtung Intimität aufs Spiel setzen.

Aber wie sehr sie die Zeiten vermisste, als sie es noch genießen konnte, abends auszugehen! Als ein Abend noch etwas war, auf das man sich freuen konnte, anstatt sich davor zu fürchten.

Immer noch war es still. Alles wartete.

Endlich blickte sie zu ihm auf. »Du kannst mich um acht abholen.«

Catherine hatte sich ein Glas Merlot eingeschenkt. Nun stand sie am Fenster und nippte dann und wann an dem Wein, während sie nachdenklich in die Nacht hinausschaute. Sie konnte Lachen hören, und sie sah die Menschen unten auf der Commonwealth Avenue vorbeispazieren. Die schicke Newbury Street war nur einen Block entfernt, und an einem Freitagabend im Sommer war diese Ecke der Back Bay ein wahrer Touristenmagnet. Catherine hatte sich aus genau diesem Grund dazu entschieden, in die Back Bay zu ziehen: Der Gedanke, dass um sie herum Menschen waren – wenn auch nur Fremde –, wirkte beruhigend auf sie. Wenn sie die Musik und das Lachen hörte, wusste sie, dass sie nicht allein, nicht isoliert war.

Und doch stand sie nun hier, versteckt hinter ihrem verriegelten Fenster, trank mutterseelenallein ihren Wein und versuchte sich weiszumachen, dass sie wieder bereit war, in die Welt dort draußen hinauszugehen.

Eine Welt, die Andrew Capra mir gestohlen hat.

Sie legte die Hand an die Fensterscheibe, drückte ihre gespreizten Finger dagegen, als wolle sie mit Gewalt aus diesem sterilen Gefängnis ausbrechen.

Mit einer entschlossenen Geste leerte sie ihr Weinglas und stellte es auf dem Fensterbrett ab. Ich werde nicht immer ein Opfer bleiben, dachte sie. Ich werde ihn nicht gewinnen lassen.

Sie ging in ihr Schlafzimmer und begutachtete die Kleider in ihrem Schrank. Schließlich entschied sie sich für ein grünes Seidenkleid und zog es über. Wie lange war es her, dass sie es zuletzt getragen hatte? Sie wusste es nicht mehr.

Im Nebenzimmer verkündete eine muntere Stimme aus ihrem Computer: »Sie haben Post!« Sie ignorierte die Nachricht und ging ins Bad, um Make-up aufzulegen. *Kriegsbemalung*, dachte sie, während sie Mascara auftrug und sich die Lippen schminkte. Eine Maske, die ihr den Mut verlieh, sich der Welt zu stellen. Mit jedem Pinselstrich wuchs ihr Selbstvertrauen. Aus dem Spiegel blickte ihr eine Frau entgegen, die sie kaum wieder erkannte. Eine Frau, die sie seit zwei Jahren nicht mehr gesehen hatte.

»Schön, dich mal wieder zu sehen«, murmelte sie und lächelte.

Sie schaltete das Badezimmerlicht aus und ging ins Wohnzimmer. Ihre Füße mussten sich erst wieder an die Tortur von hochhackigen Schuhen gewöhnen. Peter war spät dran, es war bereits Viertel nach acht. Jetzt fiel ihr die Computernachricht wieder ein, die sie vom Schlafzimmer aus gehört hatte, und sie ging zu ihrem PC, um das Briefkasten-Symbol anzuklicken.

Sie hatte eine Nachricht – von einem Absender namens SavvyDoc. Die Betreffzeile lautete »Laborbericht«. Sie öffnete die E-Mail.

Dr. Cordell,
im Anhang finden Sie Pathologie-Aufnahmen, die Sie interessieren dürften.

Die Unterschrift fehlte.

Sie fuhr mit dem Mauszeiger auf das *Download*-Symbol und hielt dann mit dem Zeigefinger über der Maustaste inne. Der Absender, SavvyDoc, sagte ihr nichts, und normalerweise hätte sie kein Dokument von einem Unbekannten heruntergeladen. Aber diese Nachricht hatte eindeutig mit ihrer Arbeit zu tun, und außerdem war sie namentlich an sie adressiert.

Sie klickte auf *Download.*

Ein Farbfoto baute sich auf dem Monitor auf.

Mit einem erstickten Schrei sprang sie von ihrem Stuhl auf, als sei sie verbrüht worden. Der Stuhl kippte polternd um, und sie taumelte rückwärts, die Hand auf den Mund gedrückt.

Dann stürzte sie zum Telefon.

Thomas Moore stand vor ihrer Tür und blickte ihr eindringlich in die Augen. »Ist das Foto noch auf dem Bildschirm?«

»Ich habe nichts angerührt.«

Sie trat zur Seite, um ihn hereinzulassen. Er wirkte ganz geschäftsmäßig – immer im Dienst. Sofort fiel sein Blick auf den Mann, der neben dem Computer stand.

»Das ist Dr. Peter Falco«, sagte Catherine. »Mein Partner in der Unfallchirurgie.«

»Dr. Falco«, sagte Moore, als die beiden Männer sich die Hand gaben.

»Catherine und ich wollten heute Abend zusammen essen gehen«, erklärte Peter. »Ich bin im Krankenhaus noch aufgehalten worden und erst kurz vor Ihnen hier eingetroffen. Und dann …« Er hielt inne und sah Catherine an. »Das Essen fällt jetzt wohl aus, oder?«

Sie antwortete mit einem matten Nicken.

Moore setzte sich an den Computer. Der Bildschirmschoner hatte sich eingeschaltet, und über den Monitor zogen jetzt bunte tropische Fische hinweg. Er gab der Maus einen Stups.

Das Foto erschien wieder.

Sofort wandte Catherine sich ab und ging zum Fenster. Dort blieb sie stehen, die Arme um den Leib geschlungen, und suchte das Bild zu verdrängen, das sie soeben auf dem Monitor gesehen hatte. Sie konnte hören, wie Moore hinter ihrem Rücken auf die Tasten tippte, wie er anschließend eine Nummer wählte und ins Telefon sagte: »Ich habe die Datei gerade abgeschickt. Ist sie angekommen?« In der Dunkelheit unter ihrem Fenster war es sonderbar still geworden.

Ist es etwa schon so spät?, fragte sie sich. Sie blickte auf die menschenleere Straße hinunter und konnte gar nicht glauben, dass sie noch vor einer Stunde bereit gewesen war, in die Nacht hinauszugehen und wieder in die normale Welt einzutauchen.

Jetzt wollte sie nur noch alle Türen verriegeln und sich verkriechen.

»Wer käme denn auf die Idee, dir so was zu schicken?«, fragte Peter. »Das ist doch krank.«

»Darüber möchte ich lieber nicht sprechen«, sagte sie.

»Hast du schon mal was in der Art bekommen?«

»Nein.«

»Und warum hast du dann die Polizei eingeschaltet?«

»*Lass* das, Peter, bitte. Ich möchte nicht darüber sprechen.«

Eine Pause. »Du meinst, du möchtest nicht mit mir darüber sprechen.«

»Nicht jetzt. Nicht heute Abend.«

»Aber mit der Polizei wirst du darüber sprechen?«

»Dr. Falco«, sagte Moore. »Es wäre wirklich besser, wenn Sie jetzt gingen.«

»Catherine? Was sagst du?«

Sie hörte an seiner Stimme, wie verletzt er war, doch sie drehte sich nicht zu ihm um. »Ich möchte, dass du gehst. Bitte.«

Er antwortete nicht. Erst als sie die Tür ins Schloss fallen hörte, wusste sie, dass Peter gegangen war.

Dann war es lange Zeit still.

»Sie haben ihm nichts von Savannah erzählt?«, fragte Moore.

»Nein. Ich konnte mich nie überwinden, es ihm zu sagen.« *Das Thema Vergewaltigung ist zu intim, zu peinlich, als dass man darüber reden könnte. Selbst mit einem Menschen, der einen gern hat.*

»Wer ist die Frau auf dem Bild?«, fragte sie.

»Ich hatte gehofft, Sie könnten mir das sagen.«

Sie schüttelte den Kopf. »Und ich weiß auch nicht, wer das geschickt hat.«

Der Stuhl knarrte, als er aufstand. Sie spürte seine Hand auf ihrer Schulter; seine Körperwärme, die durch die grüne Seide drang. Sie hatte sich nicht wieder umgezogen und war immer noch geschminkt und für den Abend zurechtgemacht. Die ganze Idee mit dem Ausgehen kam ihr jetzt lächerlich vor. Was hatte sie sich bloß dabei gedacht? Hatte sie geglaubt, sie könne wieder so sein wie alle anderen? Sie könne wieder ein ganzer Mensch sein?

»Catherine«, sagte er. »Sie müssen mit mir über das Foto sprechen.«

Seine Hand drückte ihre Schulter noch etwas fester, und ihr wurde plötzlich bewusst, dass er sie mit ihrem Vornamen angesprochen hatte. Er stand dicht hinter ihr, so nahe, dass sie seinen warmen Atem in ihren Haaren spüren konnte, und doch fühlte sie sich nicht bedroht. Hätte irgendein anderer Mann sie so angefasst, wäre es ihr wie ein Übergriff vorgekommen. Doch Moores Berührung empfand sie nur als beruhigend.

Sie nickte. »Ich werde es versuchen.«

Er zog einen zweiten Stuhl heran, und sie setzten sich beide an den Computer. Sie zwang sich, den Blick auf das Foto zu richten. Die Frau hatte lockiges Haar, das wie ein Haufen Korkenzieher das Kopfkissen bedeckte. Ihre Lippen waren mit einem silbrigen Streifen Klebeband versiegelt, doch ihre Augen waren offen und wach, die Netzhäute blutrot im Schein des Blitzlichts. Das Foto zeigte sie von der Taille aufwärts. Sie war an das Bett gefesselt, und sie war nackt.

»Erkennen Sie die Frau?«, fragte er.

»Nein.«

»Kommt Ihnen an dem Foto irgendetwas bekannt vor? Das Zimmer, die Möbel?«

»Nein. Aber …«

»Was?«

»Mit mir hat er das auch gemacht«, flüsterte sie. »Andrew Capra hat Fotos von mir gemacht. Mich an mein Bett gefesselt …« Sie schluckte krampfhaft, überwältigt von dem Gefühl der Erniedrigung, als sei es ihr eigener Körper, der Moores Blicken so schamlos ausgesetzt war. Unwillkürlich verschränkte sie die Arme, wie um ihre Brüste vor weiteren Angriffen zu schützen.

»Diese Datei wurde um neunzehn Uhr fünfundfünfzig gesendet. Und der Name des Absenders, SavvyDoc – sagt der Ihnen etwas?«

»Nein.« Sie richtete ihre Aufmerksamkeit wieder auf die Frau, die sie mit leuchtend roten Augen anstarrte. »Sie ist wach. Sie weiß, was er gleich tun wird. Darauf wartet er nur. Er *will*, dass du wach bist, damit du die Schmerzen fühlst. Du musst wach sein, sonst macht es ihm keinen Spaß …« Sie redete über Andrew Capra, und dennoch war sie unversehens in die Gegenwartsform verfallen, als sei Capra noch am Leben.

»Wie könnte er an Ihre E-Mail-Adresse gekommen sein?«

»Ich weiß ja nicht mal, wer *er* ist.«

»Er hat das hier an *Sie* geschickt, Catherine. Er weiß, was in Savannah mit Ihnen passiert ist. Fällt Ihnen irgendjemand ein, der so etwas tun könnte?«

Nur einer, dachte sie. Aber der ist tot. Andrew Capra ist tot.

Moores Handy läutete. Sie wäre beinahe von ihrem Stuhl aufgesprungen. »Mein Gott«, stieß sie hervor, als sie sich mit pochendem Herzen wieder zurücklehnte.

Er klappte das Telefon auf. »Ja, ich bin gerade bei ihr …« Er hörte einen Augenblick lang zu und sah dann plötzlich Catherine an. Die Art, wie er sie anstarrte, erschreckte sie.

»Was ist denn?«, fragte Catherine.

»Es ist Detective Rizzoli. Sie sagt, sie hat herausgefunden, woher die E-Mail kam.«

»Und wer hat sie geschickt?«

»Sie selbst, Catherine.«

Er hätte ihr ebenso gut eine Ohrfeige versetzen können. Zu geschockt, um irgendetwas zu erwidern, konnte sie nur stumm den Kopf schütteln.

»Der Name ›SavvyDoc‹ wurde heute Abend erst angelegt, und dazu wurde *Ihr* AOL-Account benutzt«, sagte er.

»Aber ich habe zwei getrennte Accounts. Der eine ist für meinen persönlichen Gebrauch ...«

»Und der andere?«

»Für meine Mitarbeiter im Büro, damit sie während meiner Abwesenheit ...« Sie hielt inne. »Das Büro. Er hat den Computer in meinem *Büro* benutzt.«

Moore hielt das Handy ans Ohr. »Haben Sie das mitbekommen, Rizzoli?« Eine Pause, und dann: »Gut, wir sehen uns also dort.«

Detective Rizzoli wartete gleich vor Catherines Räumen im Medical Center auf sie. Auf dem Flur hatte sich bereits eine kleine Gruppe versammelt – ein Mann vom Sicherheitsdienst, zwei Polizeibeamte und mehrere Männer in Zivil. Kriminalbeamte, wie Catherine vermutete.

»Wir haben das Büro durchsucht«, sagte Rizzoli. »Er ist längst wieder verschwunden.«

»Dann war er also definitiv hier?«, fragte Moore.

»Beide Computer sind eingeschaltet. Der Name ›SavvyDoc‹ steht immer noch in der AOL-Einwahlmaske.«

»Wie hat er sich Zugang verschafft?«

»Die Tür ist offenbar nicht aufgebrochen worden. Die Büros werden von einer Reinigungsfirma geputzt, es sind also diverse Nachschlüssel im Umlauf. Dazu kommen noch die Angestellten, die in diesen Räumen arbeiten.«

»Wir haben eine Buchhalterin, eine Sekretärin und zwei Assistenten«, sagte Catherine.

»Und dann sind da noch Sie und Dr. Falco.«

»Ja.«

»Nun, das macht sechs weitere Schlüssel, die verloren gegangen oder verliehen worden sein könnten«, gab Rizzoli brüsk zurück. Catherine hielt nicht viel von dieser Frau, und sie fragte sich, ob das Gefühl auf Gegenseitigkeit beruhte.

Rizzoli deutete auf die Büroräume. »Okay, dann gehen wir mal mit Ihnen durch, Dr. Cordell, und schauen, ob irgendetwas fehlt. Fassen Sie bitte nichts an, ja? Weder die Türen noch die Computer, nichts. Wir werden alles auf Fingerabdrücke untersuchen.«

Catherine sah Moore an, der ihr beruhigend den Arm um die Schultern legte. Sie traten ein.

Im Wartezimmer sah sie sich nur flüchtig um und ging gleich weiter in den Empfangsbereich, wo das Büropersonal arbeitete. Der Rechnungscomputer lief. Das Diskettenlaufwerk war leer; der Eindringling hatte keine Disketten zurückgelassen.

Moore tippte die Maus mit einem Kugelschreiber an, um den Bildschirmschoner zu deaktivieren, worauf die AOL-Einwahlmaske erschien. Der Name »SavvyDoc« stand noch in dem Feld für den Benutzernamen.

»Kommt Ihnen in diesem Raum irgendetwas verändert vor?«, fragte Rizzoli.

Catherine schüttelte den Kopf.

»Gut. Gehen wir in Ihr Büro.«

Ihr Herz klopfte schneller, als sie den Korridor entlangging, vorbei an den beiden Untersuchungszimmern. Sie betrat ihr Büro, und augenblicklich schoss ihr Blick zur Decke. Sie rang nach Luft und taumelte rückwärts, sodass sie fast mit Moore zusammenstieß. Er fing sie in seinen Armen auf und stützte sie.

»So haben wir es vorgefunden«, sagte Rizzoli und zeigte auf das Stethoskop, das von der Deckenlampe baumelte. »Es hat einfach da gehangen. Ich nehme nicht an, dass Sie es dort zurückgelassen haben.«

Catherine schüttelte den Kopf. Der Schock dämpfte ihre Stimme, als sie sagte: »Er ist schon einmal hier gewesen.«

Rizzoli sah sie scharf an. »Wann?«

»In den letzten Tagen. Mir ist aufgefallen, dass Sachen fehlten oder verlegt worden waren.«

»Was für Sachen?«

»Das Stethoskop. Mein Laborkittel.«

»Sehen Sie sich im Zimmer um«, sagte Moore, indem er sie sanft zum Weitergehen bewegte. »Ist sonst noch etwas verändert?«

Sie ließ den Blick über die Bücherregale schweifen, über den Schreibtisch, den Aktenschrank. Dies war ihr privates Reich, und sie hatte jedes kleinste Detail selbst angeordnet. Sie wusste, wo jeder einzelne Gegenstand zu sein hatte und wo nicht.

»Der Computer läuft«, sagte sie. »Ich schalte ihn immer aus, wenn ich nach Hause gehe.«

Rizzoli tippte die Maus an, und auch hier erschien der AOL-Startbildschirm. Catherines Screen Name, «CCORD«, stand im Anmeldefeld.

»Auf diese Weise ist er an Ihre E-Mail-Adresse gelangt«, sagte Rizzoli. »Er musste einfach nur den Computer einschalten.«

Sie starrte die Tastatur an. *Du hast auf diesen Tasten geschrieben. Du hast auf meinem Stuhl gesessen.*

Moores Stimme schreckte sie auf.

»Fehlt irgendetwas?«, fragte er. »Es dürfte sich um einen kleinen Gegenstand handeln; etwas Persönliches.«

»Woher wissen Sie das?«

»Das ist typisch für ihn.«

Es war also auch den anderen Frauen passiert, dachte sie. Den anderen Opfern.

»Vielleicht ist es etwas, was Sie am Leib tragen«, sagte Moore. »Etwas, was nur Sie allein benutzen würden. Ein Schmuckgegenstand. Ein Kamm, eine Schlüsselkette.«

»Um Himmels willen.« Unvermittelt streckte sie die Hand nach der obersten Schreibtischschublade aus und riss sie auf.

»He!«, rief Rizzoli. »Ich sagte doch, Sie sollen nichts anfassen.«

Aber Catherine hatte bereits in die Schublade gegriffen und wühlte hektisch zwischen den Kugelschreibern und Bleistiften herum. »Er ist nicht hier.«

»Was ist nicht hier?«

»Ich bewahre einen Ersatz-Schlüsselbund in meinem Schreibtisch auf.«

»Welche Schlüssel sind da dran?«

»Ein Zweitschlüssel für meinen Wagen. Und einer für meinen Spind im Krankenhaus...« Sie brach ab, ihre Kehle fühlte sich plötzlich wie ausgetrocknet an. »Wenn er tagsüber an meinem Spind war, dann konnte er auch an meine Handtasche heran.« Sie sah zu Moore auf. »An meine Hausschlüssel.«

Die Spurensicherung suchte bereits nach Fingerabdrücken, als Moore in die Büroräume der Unfallchirurgie zurückkehrte.

»Und, haben Sie sie ins Bett gebracht?«, fragte Rizzoli.

»Sie wird im Bereitschaftsraum der Notaufnahme schlafen. Ich möchte nicht, dass sie nach Hause geht, solange dort nicht alles sicher ist.«

»Werden Sie persönlich alle ihre Schlösser austauschen?«

Er runzelte die Stirn und versuchte ihren Gesichtsausdruck zu deuten. Was er sah, gefiel ihm nicht. »Haben Sie irgendein Problem?«

»Sie ist eine attraktive Frau.«

Ich weiß, worauf das hinausläuft, dachte er und seufzte resigniert.

»Ein bisschen angeschlagen. Ein bisschen verletzlich«, sagte Rizzoli. »Mensch, da möchte man als Mann doch gleich alles stehen und liegen lassen, um sie zu beschützen.«

»Ist das nicht unser Job?«

»Ist es wirklich nur ein Job?«

»Auf dieses Gespräch lasse ich mich nicht ein«, sagte er und verließ das Büro.

Rizzoli folgte ihm auf den Flur wie eine Bulldogge, die nach seinen Waden schnappte. »Sie steht im Mittelpunkt dieser Ermittlungen, Moore. Wir wissen nicht, ob sie uns gegenüber ehrlich ist. Bitte erzählen Sie mir nicht, dass Sie eine Affäre mit ihr anfangen.«

»Ich habe keine Affäre.«

»Ich bin doch nicht blind.«

»Und was sehen Sie genau?«

»Ich sehe die Art, wie Sie die Frau anschauen. Ich sehe, wie die Frau Sie anschaut. Ich sehe einen Polizisten, der seine Objektivität verliert.« Sie machte eine Pause. »Einen Polizisten, der sich die Finger verbrennen wird.«

Hätte sie die Stimme erhoben, hätte sie es in feindseligem Ton gesagt, dann hätte er es ihr vielleicht mit gleicher Münze heimgezahlt. Aber sie hatte diese letzten Worte leise gesprochen, und er konnte einfach nicht genügend Entrüstung aufbringen, um sich mit ihr zu streiten.

»Ich würde so etwas nicht zu jedem sagen«, meinte Rizzoli. »Aber ich glaube, dass Sie einer von den anständigen Kerlen sind. Wären Sie Crowe oder irgendein anderes Arschloch, dann würde ich sagen, nur zu, lass dir doch das Herz aus dem Leib reißen, ich pfeife drauf. Aber ich will nicht, dass Ihnen so etwas passiert.«

Sie sahen einander einen Moment lang in die Augen. Und Moore kam zu der beschämenden Einsicht, dass es ihm nicht gelang, über ihr unscheinbares Äußeres hinwegzusehen. Ganz gleich, wie sehr er ihren wachen Verstand bewunderte, ihren unermüdlichen Erfolgswillen, worauf er in Wirklichkeit achten würde, wäre am Ende doch immer nur ihr ganz und gar durchschnittliches Gesicht und ihre unförmigen Hosenanzüge. In gewisser Weise war er keinen Deut besser als Darren Crowe und all die anderen Kotzbrocken, die ihr Tampons in die Wasserflasche steckten. Er verdiente ihre Bewunderung nicht.

Sie hörten, wie sich hinter ihnen jemand räusperte, und drehten sich um. Der Beamte von der Spurensicherung stand in der Tür.

»Keine Abdrücke«, sagte er. »Ich habe beide Computer eingestäubt. Die Tastaturen, die Mäuse, die Diskettenlaufwerke. Alles ist sauber abgewischt worden.«

Rizzolis Handy klingelte. Während sie es aufklappte, murmelte sie: »Was haben wir denn erwartet? Schließlich haben wir es nicht mit einem Volltrottel zu tun.«

»Was ist mit den Türen?«

»Da gibt's ein paar Teilabdrücke. Aber bei all dem Kommen und Gehen hier – Patienten, Personal – wird uns kaum eine Identifizierung gelingen.«

»He, Moore«, sagte Rizzoli und klappte ihr Handy wieder zusammen. »Auf geht's.«

»Wohin?«

»Ins Präsidium. Brody sagt, er will uns in die Wunderwelt der Pixel einführen.«

»Ich hab die Bilddatei in das Bildbearbeitungsprogramm importiert«, sagte Sean Brody. »Die Datei umfasst drei Megabytes, was bedeutet, dass die Darstellung sehr detailreich ist. Dieser Täter gibt sich nicht mit verschwommenen Bildern ab. Er hat eine Top-Aufnahme geschickt, auf der man jede einzelne Wimper des Opfers erkennen kann.«

Brody war das Technikgenie des Boston Police Department, ein bleichgesichtiger Jüngling von dreiundzwanzig Jahren, der jetzt in lässiger Haltung vor dem Computer hockte. Die Maus schien geradezu mit seiner Hand verwachsen. Moore, Rizzoli, Frost und Crowe standen hinter ihm und starrten über seine Schultern auf den Bildschirm. Brody hatte ein nervendes Lachen, wie ein Schakal, und er gluckste vergnügt in sich hinein, während er das Bild auf dem Monitor manipulierte.

»Das hier ist das komplette Foto«, sagte Brody. »Opfer ans Bett gefesselt. Wach, mit offenen Augen. Rotfärbung der Augen durch Blitzlicht. Das da auf ihrem Mund sieht wie Klebeband aus. Und jetzt schauen Sie sich mal hier die linke untere Bildecke an, da sehen Sie ein Stück vom Nachttisch. Sie können einen Wecker erkennen, der auf zwei Büchern steht. Wir zoomen mal ran – können Sie die Uhrzeit lesen?«

»Zwei Uhr zwanzig«, sagte Rizzoli.

»Genau. Aber die Frage ist jetzt: nachts oder nachmittags? Gehen wir mal zum oberen Bildrand, wo man eine Ecke des Fensters sehen kann. Die Vorhänge sind geschlossen, aber hier kann man gerade eben einen kleinen Spalt erkennen, wo die zwei Stoffbahnen nicht ganz schließen. Es scheint kein Sonnenlicht durch. Wenn die Uhr dort richtig geht, dann wurde das Foto um zwei Uhr zwanzig in der Nacht gemacht.«

»Ja, aber an welchem Tag?«, fragte Rizzoli. »Das könnte letzte Nacht oder auch vor einem Jahr gewesen sein. Verdammt, wir wissen ja noch nicht einmal, ob es wirklich der Chirurg war, der dieses Foto geschossen hat.«

Brody warf ihr einen genervten Blick zu. »Ich bin noch nicht fertig.«

»Okay, was noch?«

»Wir gehen jetzt mal ein Stück weiter runter. Gucken Sie sich das rechte Handgelenk der Frau an. Es ist von einem Streifen Klebeband verdeckt. Aber sehen Sie diesen winzigen dunklen Klecks dort? Wofür würden Sie das halten?« Er fuhr mit dem Mauszeiger darauf und klickte. Der Ausschnitt vergrößerte sich.

»Sieht immer noch nach nichts aus«, meinte Crowe.

»Okay, dann zoomen wir noch näher ran.« Er klickte erneut, und der dunkle Fleck nahm allmählich eine erkennbare Form an.

»Mein Gott«, sagte Rizzoli. »Das sieht aus wie ein kleines Pferd! Das ist Elena Ortiz' Glücksbringer-Armband!«

Brody drehte sich grinsend zu ihr um. »Na, bin ich gut, oder bin ich gut?«

»Er ist es«, sagte Rizzoli. »Es ist der Chirurg.«

»Gehen Sie noch mal auf den Nachttisch«, sagte Moore.

Mit einem Mausklick stellte Brody wieder die Totale ein und bewegte den Zeiger dann in die linke untere Ecke. »Was wollen Sie sich anschauen?«

»Wir haben den Wecker, der uns verrät, dass es zwei Uhr zwanzig ist. Und dann sind da noch die zwei Bücher unter dem Wecker. Schauen Sie sich die Buchrücken an. Sehen Sie, wie der Einband des oberen Buchs das Licht reflektiert?«

»Ja.«

»Dieses Buch ist in einen transparenten Schutzumschlag eingeschlagen.«

»Okay…«, sagte Brody, der nicht genau wusste, worauf Moore hinauswollte.

»Zoomen Sie auf den Rücken des oberen Buchs«, wies Moore ihn an. »Sehen wir mal, ob man den Titel entziffern kann.«

Brody peilte die Stelle an und klickte.

»Sieht nach zwei Wörtern aus«, sagte Rizzoli. »Ich kann ein *Der* erkennen.«

Brody klickte erneut und holte das Detail noch näher heran.

»Das zweite Wort beginnt mit einem S«, sagte Moore. »Und schauen Sie mal hier.« Er tippte auf den Monitor. »Sehen Sie das kleine weiße Quadrat hier am unteren Ende des Rückens?«

»Ich weiß, worauf Sie hinauswollen!«, rief Rizzoli. Ihre Stimme klang mit einem Mal erregt. »Der Titel. Los, wir brauchen den verdammten Titel!«

Brody klickte noch ein letztes Mal auf die Stelle.

Moore starrte auf den Bildschirm, auf das zweite Wort auf

dem Buchrücken. Dann wandte er sich abrupt ab und griff nach dem Telefon.

»Was hab ich denn verpasst?«, fragte Crowe.

»Der Titel des Buchs ist *Der Sperling*«, sagte Moore, während er die O-Taste drückte. »Und das kleine Quadrat unten auf dem Buchrücken – ich wette, das ist eine Signatur.«

»Es ist ein Buch aus der Bibliothek«, sagte Rizzoli.

Eine Stimme kam aus dem Hörer. »Vermittlung.«

»Hier spricht Detective Thomas Moore vom Boston P.D. Ich brauche dringend eine Verbindung zur Bostoner Stadtbibliothek.«

»Jesuiten im Weltraum«, sagte Frost vom Rücksitz aus. »Darum geht es in dem Buch.«

Sie rasten mit Blaulicht die Centre Street entlang. Moore saß am Steuer, zwei Streifenwagen bildeten die Vorhut.

»Meine Frau ist in so einem Lesekreis«, sagte Frost. »Ich erinnere mich, dass sie mal von diesem *Sperling* gesprochen hat.«

»Es ist also Science-Fiction?«, fragte Rizzoli.

»Nein, eher so was tief Religiöses. Was ist das Wesen von Gott, so was in der Richtung.«

»Dann muss ich es nicht lesen«, sagte Rizzoli. »Ich kenne die Antworten auf alle Fragen. Ich bin nämlich katholisch.«

Moore warf einen Blick in eine Seitenstraße und sagte: »Wir sind gleich da.«

Die Adresse, die sie suchten, war in Jamaica Plain, einem Viertel im Westen von Boston, das sich zwischen dem Franklin Park und der angrenzenden Stadt Brookline erstreckte. Der Name der Frau war Nina Peyton. Vor einer Woche hatte sie in der Zweigstelle der Stadtbibliothek in Jamaica Plain ein Exemplar von *Der Sperling* ausgeliehen. Von allen Bibliotheksbenutzern im Großraum Boston, die das Buch ausgeliehen hatten, war Nina Peyton die Einzige, die nachts um zwei nicht ans Telefon gegangen war.

»Hier ist es«, sagte Moore, als der Streifenwagen vor ihnen nach rechts in die Eliot Street abbog. Er tat das Gleiche und hielt einen Block weiter hinter dem Streifenwagen an.

Das Signallicht auf dem Dach des Wagens erhellte die Nacht mit unwirklichen blauen Blitzen, als Moore, Rizzoli und Frost durch das Gartentor gingen und sich dem Haus näherten. Drinnen glomm ein einzelnes schwaches Licht.

Moore warf Frost einen kurzen Blick zu, worauf dieser nickte und um das Haus herum zur Rückseite ging.

Rizzoli klopfte an die Haustür und rief: »Polizei!«

Sie warteten ein paar Sekunden.

Wieder klopfte Rizzoli, diesmal lauter: »Ms. Peyton, hier spricht die Polizei. Machen Sie auf!«

Drei Herzschläge lang war es still. Dann knackte es plötzlich in ihren Funkgeräten, und sie hörten Frosts Stimme. »Am Rückfenster ist ein Fliegengitter herausgebrochen!«

Moore und Rizzoli tauschten einen Blick aus und trafen wortlos die Entscheidung.

Mit dem Griff seiner Taschenlampe schlug Moore die Fensterscheibe neben der Haustür ein, steckte die Hand durch und zog den Riegel zurück.

Rizzoli war als Erste im Haus und rückte in geduckter Haltung vor, die Waffe in weitem Bogen vor dem Körper hin und her schwenkend. Moore war direkt hinter ihr. Das Adrenalin schoss durch seinen Körper, während er eine rasche Folge von Bildeindrücken wahrnahm. Den Holzfußboden. Einen offenen Wandschrank. Die Küche geradeaus, das Wohnzimmer zur Rechten. Eine einzelne Lampe brannte auf einem Beistelltisch.

»Das Schlafzimmer«, sagte Rizzoli.

»*Los!*«

Sie gingen weiter den Flur entlang, Rizzoli voraus. Ihr Kopf ruckte nach links und rechts, während sie ein Badezimmer und ein Gästeschlafzimmer passierten; beide Räume waren leer.

Die Tür am Ende des Flurs stand einen Spalt breit offen; sie konnten nicht sehen, was in dem dunklen Schlafzimmer dahinter war.

Seine schweißnassen Hände umklammerten die Waffe, sein Herz hämmerte, als Moore Zentimeter für Zentimeter an die Tür heranrückte. Und sie mit dem Fuß aufstieß.

Der scharfe, widerliche Geruch von Blut schlug ihm entgegen. Er fand den Lichtschalter und drückte darauf. Noch bevor das Bild auf seine Netzhäute traf, wusste er, was er sehen würde. Und doch war er nicht gänzlich auf den entsetzlichen Anblick vorbereitet.

Der Bauch der Frau war aufgeschlitzt. Der Dünndarm quoll in Schlingen aus der Wunde hervor und hing, grotesken Luftschlangen gleich, über die Bettkante. Blut tropfte aus der offenen Halswunde und sammelte sich in einer wachsenden Lache auf dem Boden.

Es dauerte eine halbe Ewigkeit, bis Moore verarbeitet hatte, was er da sah. Erst als er die Einzelheiten vollständig registriert hatte, wurde ihm ihre Bedeutung klar. Das Blut war frisch, es floss noch. Die Spritzer von arteriellem Blut an der Wand fehlten. Und dann war da die immer größer werdende Pfütze von dunklem, fast schwarzem Blut.

Sofort stürzte er zu dem Körper hin, mitten durch die Blutlache.

»He!«, schrie Rizzoli. »Sie verwischen die Spuren!«

Er legte zwei Finger an die unverletzte Seite des Halses.

Die Leiche schlug die Augen auf.

Gütiger Himmel. Sie lebt noch.

8

Catherine fuhr im Bett zusammen und erstarrte. Ihr Herz hämmerte gegen ihre Rippen, sämtliche Nerven waren wie elektrisiert vor Angst. Sie blickte mit weit aufgerissenen Augen in die Dunkelheit und versuchte verzweifelt, gegen die Panikattacke anzukämpfen.

Jemand klopfte an die Tür des Bereitschaftszimmers. »Dr. Cordell?« Catherine erkannte die Stimme einer der Schwestern von der Unfallstation.

»Dr. Cordell?«

»Ja?«

»Wir kriegen einen Traumafall rein! Massiver Blutverlust, Verletzungen an Abdomen und Hals. Ich weiß, dass Dr. Ames für heute Nacht einspringen wollte, aber er wurde aufgehalten. Dr. Kimball könnte Ihre Hilfe gebrauchen!«

»Sagen Sie ihm, dass ich unterwegs bin.« Catherine schaltete das Licht ein und sah auf die Uhr. Es war Viertel vor drei. Sie hatte nur drei Stunden geschlafen. Das grüne Seidenkleid hing noch über dem Stuhl. Es wirkte irgendwie fremd, als ob es zum Leben einer andern Frau gehörte, nicht zu ihrem eigenen.

Der OP-Anzug, den sie im Bett getragen hatte, war feucht vom Schweiß, doch sie hatte keine Zeit, sich umzuziehen. Sie band ihr wirres Haar zu einem Pferdeschwanz zusammen und ging zum Waschbecken, um sich kaltes Wasser ins Gesicht zu spritzen. Die Frau, die sie aus dem Spiegel anstarrte, war eine Fremde mit zutiefst verstörtem Gesichtsausdruck. *Nimm dich zusammen. Es ist Zeit, die Angst zu vergessen. Zeit, sich an die Arbeit zu machen.* Sie schlüpfte mit nackten Füßen in die Sportschuhe, die sie aus ihrem

Spind geholt hatte, und trat mit einem tiefen Seufzer aus dem Bereitschaftszimmer.

»Geschätzte Ankunftszeit in zwei Minuten!«, rief die Frau von der Notaufnahme. »Der Rettungswagen meldet, dass der Blutdruck auf systolisch siebzig gefallen ist!«

»Dr. Cordell, sie bereiten gerade Schockraum 2 vor!«

»Wen haben wir im Team?«

»Dr. Kimball und zwei Assis. Ein Glück, dass Sie sowieso im Haus sind. Dr. Ames hatte eine Autopanne und kann nicht kommen …«

Catherine stürmte in den Schockraum. Mit einem Blick erfasste sie, dass das Team auf den schlimmsten Fall vorbereitet war. An drei Stangen hingen Beutel mit Ringer-Laktatlösung, Infusionsschläuche lagen bereit, und ein Kurier wartete nur darauf, mit den Blutproben ins Labor zu eilen. Die beiden Praktikanten standen links und rechts neben dem Tisch mit Infusionskathetern in den Händen, und Ken Kimball, der Dienst habende Arzt in der Notaufnahme, hatte bereits den Klebeverschluss des Laparotomie-Sets abgerissen.

Catherine setzte sich eine OP-Haube auf und schlüpfte in einen sterilen Kittel. Eine Schwester band den Kittel hinten zu und hielt ihr den ersten Handschuh hin. Mit jedem Teil ihrer Uniform wuchs der Panzer ihrer Autorität; ein Gefühl der Stärke, der absoluten Kontrolle stellte sich ein. In diesem Raum war sie die Retterin, nicht das Opfer.

»Was liegt vor?«, fragte sie Kimball.

»Überfall mit schwerer Körperverletzung. Traumata an Hals und Abdomen.«

»Schussverletzungen?«

»Nein. Stichwunden.«

Catherine streifte sich gerade den zweiten Handschuh über; jetzt hielt sie mitten in der Bewegung inne. Ihr Magen krampfte sich zusammen. *Hals und Abdomen. Stichwunden.*

»Rettungswagen fährt ein!«, rief eine Schwester durch die Tür.

»Jetzt wird's mal wieder blutig«, sagte Kimball. Er ging dem Patienten entgegen.

Catherine, die bereits sterile Kleidung trug, blieb an Ort und Stelle. Im Raum war es plötzlich totenstill geworden. Niemand sprach ein Wort; weder die beiden AiPler, die am Tisch warteten, noch die OP-Schwester, die bereitstand, Catherine die Instrumente zu reichen. Sie konzentrierten sich ganz auf das, was sich jenseits der Tür abspielte.

Sie hörten Kimball rufen: »Los, los, *los!*«

Die Tür sprang auf, und die Fahrtrage kam hereingerollt. Catherine erblickte blutgetränkte Laken, die blutverkrusteten braunen Haare einer Frau. Ihr Gesicht war durch das Klebeband verdeckt, mit dem der Endotrachealtubus fixiert war.

Mit einem »Eins, zwei, drei!« hoben sie die Patientin auf den Tisch.

Kimball zog das Laken weg, das den Rumpf des Opfers bedeckt hatte.

In dem Chaos, das um sie herum herrschte, konnte niemand hören, wie Catherine erschrocken nach Luft schnappte. Niemand bemerkte, wie sie taumelnd einen Schritt zurücktrat. Sie starrte auf den Hals des Opfers mit dem tiefroten, blutgetränkten Druckverband. Dann wanderte ihr Blick zum Abdomen, wo ein weiterer hastig angebrachter Verband sich bereits zu lösen begann, sodass das Blut über die nackte Haut herabrann. Während alles ringsum in hektische Aktivität verfiel, während Infusionsschläuche und EKG-Kabel angeschlossen und Luft in die Lungen des Opfers gepumpt wurde, stand Catherine reglos vor Entsetzen da.

Kimball zog den Bauchverband ab. Dünndarmschlingen quollen heraus und fielen klatschend auf den Tisch.

»Systolischer Druck kaum tastbar bei sechzig! Sinustachykardie …«

»Ich kriege diesen Zugang nicht gelegt. Die Vene ist kollabiert!«

»Versuch's mit der Subclavia!«

»Kann ich noch einen Katheter haben?«

»Mist, dieser ganze Bereich ist kontaminiert...«

»Dr. Cordell? Dr. Cordell?«

Immer noch wie benommen wandte sich Catherine zu der Schwester um, die gerade gesprochen hatte. Sie sah, wie sich die Stirn der Frau über der OP-Maske runzelte.

»Brauchen Sie Laparotomiekompressen?«

Catherine schluckte. Holte einmal tief Luft. »Ja. Laparotomiekompressen. Und absaugen...« Sie konzentrierte sich wieder auf die Patientin. Eine junge Frau. Für einen verwirrenden Moment schoss ihr eine andere Szene in einer Notaufnahme durch den Kopf – die Nacht damals in Savannah, als sie selbst die Frau auf dem OP-Tisch gewesen war.

Ich werde dich nicht sterben lassen. Ich werde nicht zulassen, dass du ihm zum Opfer fällst.

Sie griff sich eine Hand voll Schwämme und eine Gefäßklemme vom Tablett. Sie war jetzt voll konzentriert, war wieder der Profi, der alles unter Kontrolle hatte. Ihre ganze Erfahrung, die jahrelange chirurgische Praxis, alles war mit einem Schlag wieder da, und jeder Handgriff saß wie automatisch gesteuert. Zuerst wandte sie sich der Halswunde zu. Sie zog den Druckverband ab, worauf dunkles Blut herausfloss und auf den Boden tropfte.

»Die Karotis!«, sagte einer der Praktikanten.

Catherine drückte einen Schwamm auf die Wunde und holte tief Luft. »Nein. Nein, wenn es die Kopfschlagader wäre, dann wäre sie schon längst tot.« Sie sah die OP-Schwester an. »Skalpell.«

Sofort wurde ihr das Instrument in die Hand gedrückt. Sie hielt kurz inne, um sich für den heiklen Eingriff zu sammeln, und setzte die Spitze des Skalpells an den Hals der Patientin. Während sie den Druck auf die Wunde aufrechterhielt, schlitzte Catherine mit einer behänden Bewegung die Haut auf und führte die Klinge aufwärts in Richtung Unterkiefer, um die Halsvene freizulegen. »Er hat nicht tief genug geschnitten, um die Karotis zu erreichen«, sagte sie. »Aber er hat die Halsvene erwischt. Und dieses Ende ist in das weiche Gewebe zurückgerutscht.« Sie warf das Skalpell hin und griff nach einer Hakenpinzette. »Sie müssen jetzt tupfen. Aber *vorsichtig*«, sagte sie zu einem der Assistenten.

»Werden Sie anastomosieren?«

»Nein, wir werden sie nur abbinden. Es wird sich ein Kollateralkreislauf ausbilden. Ich muss genug von der Vene freilegen, um sie abnähen zu können. Gefäßklemme.«

Sofort lag das Instrument in ihrer Hand.

Catherine brachte die Klemme in Position und drückte damit das freigelegte Gefäßende zusammen. Dann stieß sie einen Seufzer aus und blickte zu Kimball. »Diese Blutung ist schon mal gestillt. Ich binde sie später ab.«

Jetzt wandte sie sich dem Abdomen zu. Inzwischen hatten Kimball und der andere AiP die Wunde durch Absaugen und Kompressen so weit von Blut befreit, dass alles deutlich zu sehen war. Behutsam schob Catherine die Gedärme beiseite und starrte in die offene Bauchhöhle. Was sie sah, machte sie krank vor Zorn.

Sie erwiderte Kimballs betroffenen Blick über den Tisch hinweg.

»Wer würde so etwas tun?«, sagte er leise. »Mit wem haben wir es da zu tun, verdammt noch mal?«

»Mit einem Monster«, sagte sie.

»Das Opfer ist noch im OP. Sie lebt.« Rizzoli klappte ihr Handy zu und sah Moore und Dr. Zucker an. »Jetzt haben wir eine Zeugin. Unser Unbekannter wird allmählich unvorsichtig.«

»Nicht unvorsichtig«, sagte Moore. »Überhastet. Er hatte keine Zeit, seinen Plan in die Tat umzusetzen.« Moore stand nahe der Schlafzimmertür und betrachtete das Blut auf dem Fußboden. Es war immer noch frisch und glänzend. *Es hatte noch keine Zeit zu trocknen. Der Chirurg war noch bis vor kurzem hier.*

»Das Foto wurde um neunzehn Uhr fünfundfünfzig per E-Mail an Cordell geschickt«, sagte Rizzoli. »Der Wecker auf dem Foto zeigte zwei Uhr zwanzig an.« Sie deutete auf den Wecker, der auf dem Nachttisch stand. »Die Uhr geht richtig. Und das bedeutet, dass er das Foto *letzte Nacht* gemacht haben muss. Er hielt das Opfer hier im Haus gefangen, ohne es zu töten – über vierundzwanzig Stunden lang.«

Um sein Vergnügen in die Länge zu ziehen.

»Er wird dreist«, sagte Dr. Zucker mit einem irritierenden Unterton von Bewunderung. Ein Eingeständnis, dass er es mit einem achtbaren Gegenspieler zu tun hatte. »Nicht nur, dass er das Opfer einen vollen Tag lang am Leben hält, er lässt sie auch noch eine Zeit lang hier *allein*, um diese E-Mail zu senden. Der Bursche treibt sein Spiel mit uns.«

»Oder mit Catherine Cordell«, sagte Moore.

Die Handtasche des Opfers lag auf der Kommode. Moore durchsuchte sie mit behandschuhten Händen. »Geldbörse mit vierunddreißig Dollar. Zwei Kreditkarten. Mitgliedskarte des Automobilclubs. Mitarbeiterausweis der Firma Lawrence, medizinisch-technischer Bedarf, Verkaufsabteilung. Führerschein ausgestellt auf Nina Peyton, neunundzwanzig, ein Meter dreiundsechzig, neunundfünfzig Kilo.« Er drehte den Führerschein um. »Organspenderin.«

»Ich glaube, sie hat gerade gespendet«, bemerkte Rizzoli.

Er öffnete den Reißverschluss eines Seitenfachs. »Hier ist ein Terminkalender.«

Rizzoli drehte sich interessiert zu ihm um. »Ja?«

Er schlug den Kalender auf und suchte den laufenden Monat. Die Seiten waren leer. Er blätterte zurück, bis er eine Eintragung fand, die vor fast acht Wochen geschrieben worden war: *Miete fällig.* Er blätterte noch weiter zurück und fand weitere Eintragungen: *Sids Geburtstag. Reinigung. Konzert 20 Uhr. Teambesprechung.* All die banalen kleinen Details, aus denen sich ein Leben zusammensetzt. Warum brachen die Eintragungen acht Wochen zuvor plötzlich ab? Er dachte an die Frau, die diese Worte geschrieben hatte, mit Tinte und in fein säuberlichen Druckbuchstaben. Eine Frau, die sich wahrscheinlich auf die leeren Seiten im Dezember gefreut hatte, die sich eine weiße Weihnacht ausgemalt und keinen Grund gehabt hatte zu bezweifeln, dass sie dann noch am Leben sein würde.

Er klappte den Kalender zu, so überwältigt von Traurigkeit, dass er einen Augenblick lang nichts sagen konnte.

»Im Bettzeug gibt es absolut keine Spuren«, sagte Frost, der neben dem Bett kauerte. »Keine Reste von Nähgarn, keine Instrumente, nichts.«

»Für einen Kerl, der es angeblich sehr eilig hatte«, bemerkte Rizzoli, »hat er erstaunlich ordentlich aufgeräumt. Und seht mal, er hatte sogar noch Zeit, das Nachthemd zu falten.« Sie deutete auf ein Baumwollnachthemd, das säuberlich zusammengefaltet auf einem Stuhl lag. »Das passt nicht zu der Theorie, dass er überhastet gehandelt hat.«

»Aber er hat sein Opfer am Leben gelassen«, entgegnete Moore. »Der schwerste denkbare Fehler.«

»Das ergibt keinen Sinn, Moore. Er faltet das Nachthemd, beseitigt sorgfältig alle Spuren. Und dann ist er so unvorsichtig, eine Zeugin zurückzulassen? Er ist zu schlau, um einen solchen Fehler zu machen.«

»Auch die schlauesten Burschen machen Fehler«, sagte Zucker. »Ted Bundy war am Schluss auch unvorsichtig.«

Moore sah Frost an. »Waren Sie das, der beim Opfer angerufen hat?«

»Ja. Wir sind diese Liste von Telefonnummern durchgegangen, die uns die Bibliothek gegeben hat. So gegen zwei, Viertel nach zwei habe ich in dieser Wohnung angerufen. Ich habe keine Nachricht hinterlassen.«

Moore blickte sich im Zimmer um, sah aber keinen Anrufbeantworter. Er ging hinüber ins Wohnzimmer, und dort entdeckte er das Telefon auf einem niedrigen Tischchen. Es war mit Anruferkennung ausgestattet, und auf der digitalen Anzeige war die Nummer des letzten Anrufers zu lesen.

Polizeipräsidium Boston 2:14.

»Ist es das, was ihn verschreckt hat?«, fragte Zucker, der ihm ins Wohnzimmer gefolgt war.

»Er war hier im Zimmer, als Frost anrief. Auf der Anruferkennungstaste ist Blut.«

»Das Telefon hat also geklingelt, und unser Täter war noch nicht fertig mit seiner Arbeit. Er war noch nicht befriedigt. Aber ein Anruf mitten in der Nacht muss ihn nervös gemacht haben. Er kam in dieses Zimmer und sah die Nummer auf der Anruferkennung. Er sah, dass es die Polizei war, die das Opfer zu erreichen versuchte.« Zucker machte eine Pause. »Was würden *Sie* da tun?«

»Ich würde mich aus dem Staub machen.«

Zucker nickte. Ein Lächeln spielte um seine Lippen.

Für dich ist das alles nur ein Spiel, dachte Moore. Er trat ans Fenster und blickte auf die Straße hinaus, die sich inzwischen in ein Kaleidoskop aus flackernden blauen Lichtern verwandelt hatte. Ein halbes Dutzend Streifenwagen parkten vor dem Haus. Die Presse war auch schon da. Er konnte die Übertragungswagen der örtlichen Fernsehsender sehen. Satellitenanlagen wurden aufgebaut.

»Er kam nicht dazu, es richtig zu genießen«, sagte Zucker.

»Er hat aber die Operation durchgeführt.«

»Nein, das ist ja nur das Souvenir. Ein kleines Andenken an seinen Besuch. Er ist nicht nur gekommen, um sich ein Organ abzuholen. Er ist gekommen, um sich den ultimativen Kitzel zu verschaffen: zu spüren, wie das Leben einer Frau ganz allmählich verlischt. Aber diesmal war es ihm nicht vergönnt. Er wurde gestört, abgelenkt durch die Angst, dass die Polizei ihn erwischen könnte. Er konnte nicht lange genug bleiben, um das Opfer sterben zu sehen.« Zucker machte eine Kunstpause. »Es wird nicht lange dauern, bis er erneut zuschlägt. Der Täter ist frustriert, und seine Anspannung wächst ins Unerträgliche. Und das bedeutet, dass er schon auf der Jagd nach einem neuen Opfer ist.«

»Oder vielleicht hat er es schon auserkoren«, bemerkte Moore. Was er dachte, war: Catherine Cordell.

Erste helle Streifen am Himmel kündigten die Morgendämmerung an. Moore hatte seit fast vierundzwanzig Stunden nicht mehr geschlafen, war den größten Teil der Nacht auf Hochtouren gelaufen und hatte sich dabei nur von Kaffee ernährt. Doch als er jetzt in den heller werdenden Himmel aufblickte, fühlte er nicht etwa Erschöpfung, sondern verstärkte Besorgnis und Beunruhigung. Es gab da eine Verbindung zwischen Catherine und dem Chirurgen, die ihm nicht klar war. Irgendeinen unsichtbaren Faden, der sie mit diesem Monster verknüpfte.

»Moore.«

Er drehte sich um und erblickte Rizzoli. Sofort bemerkte er ihren aufgeregten Blick.

»Die Abteilung Sexualdelikte hat gerade angerufen«, sagte sie. »Unser Opfer hat in letzter Zeit wirklich viel Pech gehabt.«

»Wie meinen Sie das?«

»Nina Peyton wurde vor zwei Monaten vergewaltigt.«

Die Nachricht traf Moore wie ein Schlag. Er dachte an die leeren Seiten in dem Terminkalender. Vor acht Wochen hatten die Eintragungen aufgehört. Das war der Zeitpunkt, als Nina Peytons Leben auf brutale Weise aus dem Gleis geworfen worden war.

»Gibt es eine Akte?«, fragte Zucker.

»Nicht nur das«, antwortete Rizzoli. »Es wurden auch Spuren gesichert.«

»*Zwei* Vergewaltigungsopfer?«, meinte Zucker. »Kann es wirklich so einfach sein?«

»Glauben Sie, dass der Vergewaltiger wiedergekommen ist, um seine Opfer zu töten?«

»Es muss mehr als nur ein Zufall sein. Zehn Prozent aller Vergewaltiger nehmen hinterher Kontakt mit ihren Opfern auf. Auf diese Weise dehnt der Täter die Qualen des Opfers aus. Und seine eigene Obsession.«

»Vergewaltigung als Vorspiel für Mord.« Rizzoli schnaubte angewidert. »Das ist ja prächtig.«

Moore kam plötzlich ein neuer Gedanke. »Sie sagten, die Spuren seien gesichert worden? Dann wurde wohl auch ein Abstrich gemacht?«

»Genau. DNS-Analyse folgt.«

»Wer hat den Abstrich gemacht? Ist sie in eine Notaufnahme gegangen?« Er war sich fast sicher, dass ihre Antwort lauten würde: *im Pilgrim Hospital.*

Aber Rizzoli schüttelte den Kopf. »Nein, nicht in die Notaufnahme. Sie ist in die Forest-Hill-Frauenklinik gegangen. Die ist hier ganz in der Nähe.«

An einer Wand im Wartesaal der Klinik hing ein Plakat mit einer vierfarbigen Darstellung des weiblichen Genitaltrakts; darüber die Worte: *Die Frau: verblüffende Schönheit.* Moore war zwar ebenfalls der Meinung, dass der Körper einer Frau ein Wunderwerk der Schöpfung sei, aber dennoch kam er sich wie ein schmutziger Voyeur vor, als er das detaillierte Schaubild anstarrte. Ihm fiel auf, dass einige der Frauen im Wartezimmer ihn beäugten wie Gazellen ein Raubtier, das sich in ihre Mitte geschlichen hatte. Dass er in Begleitung von Rizzoli war, schien an der Tatsache nichts zu ändern, dass sie in ihm den männlichen Eindringling sahen.

Er war erleichtert, als die Sprechstundenhilfe schließlich verkündete: »Sie hat jetzt Zeit für Sie, meine Herrschaften. Es ist die letzte Tür rechts.«

Rizzoli ging durch den Korridor voran, in dem weitere Plakate hingen: *Zehn Anzeichen, dass Ihr Partner Sie miss-*

braucht und *Woran erkenne ich, dass es Vergewaltigung ist?* Mit jedem Schritt hatte er das Gefühl, sich noch mehr mit männlicher Schuld zu beflecken, die an ihm hängen blieb wie Schmutz an seinen Kleidern. Rizzoli fühlte nichts dergleichen; sie war diejenige, die sich in vertrautem Gelände bewegte. In der Welt der Frauen. Sie klopfte an eine Tür, an der stand: *Sarah Daly, medizinische Assistentin.*

»Herein!«

Die Frau, die aufgestanden war, um sie zu begrüßen, war jung und sah ziemlich hip aus. Unter ihrem weißen Kittel trug sie Bluejeans und ein schwarzes T-Shirt; ihr Kurzhaarschnitt passte zu ihrem knabenhaften Aussehen und betonte ihre dunklen Augen und die feinen Wangenknochen. Aber es war der kleine goldene Ring in ihrem linken Nasenloch, von dem Moore kaum den Blick wenden konnte. Während des Gesprächs hatte er die meiste Zeit das Gefühl, sich mit diesem Ring zu unterhalten.

»Ich habe mir ihr Krankenblatt noch einmal angesehen, nachdem Sie angerufen hatten«, sagte Sarah. »Ich weiß definitiv, dass es einen Polizeibericht gegeben hat.«

»Wir haben ihn gelesen«, sagte Rizzoli.

»Und was ist der Grund für Ihren Besuch?«

»Nina Peyton wurde letzte Nacht überfallen. Ihr Zustand ist kritisch.«

Die erste Reaktion der Frau war schockierte Sprachlosigkeit, die aber sehr rasch in Zorn mündete. Moore erkannte es an der energischen Kopfbewegung und dem Funkeln ihrer Augen. »Hat *er* das getan?«

»Er?«

»Der Mann, der sie vergewaltigt hat?«

»Das ist eine Möglichkeit, mit der wir rechnen«, antwortete Rizzoli. »Leider liegt das Opfer im Koma und kann uns nichts sagen«.

»Nennen Sie sie nicht ›das Opfer‹. Sie hat schließlich einen Namen.«

Rizzolis Gesichtszüge spannten sich nun ebenfalls an, und Moore wusste, dass sie sauer war. Das Gespräch fing nicht gerade optimal an.

»Ms. Daly, wir haben es hier mit einem unglaublich brutalen Verbrechen zu tun, und wir brauchen ...«

»Nichts ist unglaublich«, gab Sarah zurück. »Nicht, wenn wir darüber sprechen, was Männer Frauen antun.« Sie nahm eine Mappe von ihrem Schreibtisch und hielt sie Moore hin. »Ihr Krankenblatt. Am Morgen, nachdem sie vergewaltigt wurde, ist sie in diese Klinik gekommen. Ich war diejenige, die sich an diesem Tag um sie gekümmert hat.«

»Haben Sie sie auch untersucht?«

»Ich habe alles selbst gemacht. Das Gespräch, die Beckenuntersuchung. Ich habe die Vaginalabstriche gemacht und unter dem Mikroskop das Vorhandensein von Sperma festgestellt. Ich habe das Schamhaar ausgekämmt und Fingernagelproben genommen. Und ihr die Pille danach verabreicht.«

»Sie ist nicht noch für weitere Tests in die Notaufnahme gegangen?«

»Wenn eine vergewaltigte Frau zu uns kommt, wird sie in diesem Gebäude rundum versorgt und betreut, und zwar von einer Person. Das Letzte, was sie in dieser Situation gebrauchen kann, ist eine Parade unvertrauter Gesichter. Ich nehme also das Blut ab und schicke es ins Labor. Ich erledige die notwendigen Anrufe bei der Polizei. Wenn die betroffene Frau das will.«

Moore schlug die Mappe auf und erblickte den Bogen mit den Patientendaten. Hier waren Nina Peytons Geburtsdatum, Adresse, Telefonnummer und Arbeitgeber aufgeführt. Er blätterte um und stieß auf eine Seite, die in einer kleinen, engen Handschrift ausgefüllt war. Das Datum der ersten Eintragung war der 17. Mai.

Diagnose: Vergewaltigung.
Fallbericht: 29-jährige Weiße, glaubt vergewaltigt worden zu sein. War gestern Abend auf ein paar Drinks im Gramercy Pub und fühlte sich plötzlich schwindlig. Erinnert sich noch, zur Toilette gegangen zu sein. Hat keinerlei Erinnerungen an die folgenden Ereignisse…

»Sie wachte zu Hause auf, in ihrem eigenen Bett«, sagte Sarah. »Sie wusste nicht mehr, wie sie heimgekommen war. Konnte sich nicht erinnern, sich ausgezogen zu haben. Ganz bestimmt erinnerte sie sich nicht, ihre eigene Bluse zerrissen zu haben. Aber da lag sie nun, splitternackt. Ihre Oberschenkel waren mit einer klebrigen Substanz verkrustet, die sie für Sperma hielt. Ein Auge war angeschwollen, und an beiden Handgelenken hatte sie Blutergüsse. Sie konnte sich ziemlich schnell zusammenreimen, was passiert war. Und sie zeigte dieselbe Reaktion wie viele andere Vergewaltigungsopfer. Sie dachte: ›Es ist meine Schuld. Ich hätte besser aufpassen sollen.‹ Aber so ist das mit uns Frauen.« Sie sah Moore direkt in die Augen. »Wir geben uns für alles die Schuld, auch wenn es der Mann ist, der die Frauen fickt.«

Angesichts des Zorns, der aus ihr sprach, wusste er nichts zu erwidern. Er sah auf das Krankenblatt herab und las das Untersuchungsprotokoll.

Die Patientin ist unordentlich gekleidet, wirkt verschlossen und spricht mit monotoner Stimme. Sie ist ohne Begleitung und ist von ihrer Wohnung zu Fuß in die Klinik gegangen…

»Sie hat immer nur von ihren Autoschlüsseln geredet«, sagte Sarah. »Sie war grün und blau geschlagen, ein Auge war zugeschwollen, und sie konnte an nichts anderes denken als daran, dass sie ihre Autoschlüssel verloren hatte und dass sie sie finden musste, um zur Arbeit fahren zu können.

Es dauerte eine ganze Weile, bis ich sie aus dieser Endlosschleife herausreißen und dazu bewegen konnte, mit mir zu sprechen. Dieser Frau war nie irgendetwas wirklich Schlimmes zugestoßen. Sie hatte eine abgeschlossene Ausbildung und war finanziell unabhängig. Sie arbeitete bei Lawrence, medizinisch-technischer Bedarf, im Verkauf. Sie hatte jeden Tag mit Menschen zu tun. Und nun saß sie hier und war wie paralysiert. Besessen von dem Gedanken, dass sie ihre blöden Autoschlüssel finden musste. Schließlich haben wir ihre Handtasche aufgemacht und alle Fächer durchsucht, und da waren die Schlüssel. Erst nachdem wir sie gefunden hatten, konnte sie sich auf mich konzentrieren und mir erzählen, was geschehen war.«

»Und was hat sie gesagt?«

»Sie war gegen neun Uhr ins Gramercy Pub gegangen, um sich mit einer Freundin zu treffen. Die Freundin tauchte aber nicht auf, und Nina wartete noch eine Weile. Sie bestellte sich einen Martini, unterhielt sich mit ein paar Typen. Ich war selbst schon mal in dem Lokal, und da ist jeden Abend eine Menge los. Da kann man sich als Frau sicher fühlen.« Mit bitterem Unterton fügte sie hinzu: »Als ob es so etwas wie einen sicheren Ort überhaupt gäbe.«

»Konnte sie sich an den Mann erinnern, der sie nach Hause gebracht hatte?«, fragte Rizzoli. »Das ist es, was uns wirklich interessiert.«

Sarah schaute sie an. »Es geht immer nur um den Verbrecher, was? Das war auch das Einzige, was die zwei Bullen von der Abteilung Sexualdelikte wissen wollten. Der Täter zieht die ganze Aufmerksamkeit auf sich.«

Moore konnte fast spüren, wie die Temperatur im Raum anstieg, so offensichtlich kochte es in Rizzoli. Rasch warf er ein: »Die Detectives sagten, sie habe ihnen keine Beschreibung geben können.«

»Ich war dabei, als sie befragt wurde. Sie bat mich zu bleiben, deshalb bekam ich die ganze Geschichte zweimal zu hören. Immer wieder haben sie gefragt, wie er denn nun ausgesehen habe, aber sie konnte es ihnen einfach nicht sagen. Sie hatte tatsächlich nicht die geringste Erinnerung an ihn.«

Moore wandte sich der nächsten Seite des Krankenblatts zu. »Sie haben sie noch ein zweites Mal gesehen, im Juli. Das ist erst eine Woche her.«

»Sie kam noch einmal wegen des Bestätigungstests. Ein HIV-Test kann erst sechs Wochen nach einer möglichen Ansteckung ein sicheres Ergebnis aufweisen. Das ist der Gipfel der Grausamkeit. Zuerst wird man vergewaltigt, und dann muss man auch noch feststellen, dass der Täter einen mit einer tödlichen Krankheit infiziert hat. Das Warten bedeutet sechs Wochen Höllenqualen für diese Frauen – sechs Wochen, in denen sie nicht wissen, ob sie Aids bekommen werden oder nicht. Man fragt sich: Ist der Feind schon in mir drin? Vermehrt er sich schon in meinem Blut? Wenn sie dann kommen, um den Bestätigungstest machen zu lassen, muss ich versuchen, sie aufzumuntern. Und schwören, dass ich sie anrufe, sobald wir die Ergebnisse reinkriegen.«

»Sie analysieren die Proben nicht hier im Haus?«

»Nein. Wir schicken alles an das Interpath-Labor.«

Moore schlug die letzte Seite des Krankenblatts auf und erblickte die Auflistung der Resultate. *HIV-Test: negativ. Geschlechtskrankheiten (Syphilis): negativ.* Das Blatt war dünn wie Seidenpapier; ein Durchschlag aus einem Formularsatz. Wie oft uns doch die wichtigsten Nachrichten unseres Lebens auf solch dünnem Durchschlagpapier erreichen, dachte er: Telegramme. Prüfungsresultate. Ergebnisse von Bluttests.

Er schloss die Mappe und legte sie auf den Schreibtisch. »Als Sie Nina das zweite Mal sahen, an dem Tag, als sie den Bestätigungstest machen ließ, wie kam sie Ihnen da vor?«

»Wollen Sie wissen, ob sie immer noch traumatisiert war?«

»Daran habe ich keinen Zweifel.«

Seine ruhige Antwort schien Sarahs Empörung den Wind aus den Segeln zu nehmen. Sie lehnte sich zurück; es schien, als habe sie mit dem Zorn eine wesentliche Energiequelle eingebüßt. Sie dachte einen Moment über seine Frage nach. »Als ich Nina das zweite Mal sah, war sie wie eine lebende Tote.«

»Wie meinen Sie das?«

»Sie saß dort, wo Detective Rizzoli jetzt sitzt, und ich hatte das Gefühl, als könnte ich geradewegs durch sie hindurchsehen. Als ob sie durchsichtig wäre. Sie hatte seit der Vergewaltigung nicht mehr gearbeitet. Ich glaube, es fiel ihr sehr schwer, Menschen gegenüberzutreten, insbesondere Männern. Und dann hatte sie alle diese sonderbaren Phobien, die sie regelrecht lahm legten. Sie hatte Angst, Leitungswasser zu trinken oder sonst irgendwelche offenen Getränke. Es musste eine verschlossene Dose oder Flasche sein, alles andere hätte vergiftet oder mit Medikamenten versetzt sein können. Sie hatte Angst, die Männer könnten ihr ansehen, dass ihr Gewalt angetan worden war. Sie war davon überzeugt, dass der Vergewaltiger Sperma an ihrer Bettwäsche und ihren Kleidern hinterlassen hatte, und verbrachte jeden Tag Stunden damit, alles wieder und wieder zu waschen. Wer auch immer Nina Peyton vorher gewesen war, diese Frau war nun tot. Was ich an ihrer Stelle erblickte, war ein Gespenst.« Sarahs Stimme war immer leiser geworden; sie saß vollkommen reglos da und starrte Rizzoli an. Es war eine andere Frau, die sie auf diesem Stuhl sah. Eine ganze Reihe anderer Frauen, anderer Gesichter, anderer Gespenster; eine Prozession der Versehrten.

»Sagte sie irgendetwas davon, dass sie belästigt worden sei? Dass der Täter wieder in ihrem Leben aufgetaucht sei?«

»Ein Vergewaltiger verschwindet nie aus Ihrem Leben. Solange Sie leben, bleiben Sie immer sein Eigentum.« Sarah hielt inne. Und fügte bitter hinzu: »Vielleicht ist er nur gekommen, um sich zu holen, was ihm gehörte.«

9

Es waren keine Jungfrauen, die von den Wikingern geopfert wurden, sondern Huren.

Im Jahre des Herrn 922 wurde der arabische Diplomat Ibn Fadlan Zeuge einer solchen Opferzeremonie bei einem Volk, welches er als Rus *bezeichnete. Er beschrieb sie als hochgewachsene, blonde Männer von vollendetem Wuchs, die von Schweden her über die russischen Flüsse nach Süden reisten, zu den Märkten von Kazaria und dem Kalifat, wo sie Bernstein und Felle gegen Seide und Silber aus Byzanz eintauschten. Auf dieser Handelsroute, in einem Ort namens Bulgar an der Biegung der Wolga, geschah es, dass ein verstorbener Wikinger, der ein sehr bedeutender Mann gewesen war, auf seine letzte Reise nach Walhalla vorbereitet wurde.*

Ibn Fadlan war bei der Totenfeier anwesend.

Das Schiff des Toten wurde an Land gezogen und auf Birkenpfähle gesetzt. Auf Deck wurde ein Zelt errichtet, in dem sich eine mit griechischem Brokat bezogene Liege befand. Dann wurde der Leichnam, der schon zehn Tage zuvor beerdigt worden war, wieder ausgegraben.

Zu Ibn Fadlans Überraschung strömte das geschwärzte Fleisch keinen Geruch aus.

Die frisch ausgegrabene Leiche wurde nun in erlesene Gewänder gekleidet: Hosen und Strümpfe, Stiefel und Rock sowie ein Kaftan aus Brokat mit goldenen Knöpfen. Sie trugen den Toten in das Zelt und platzierten ihn, mit Kissen gestützt, in sitzender Haltung auf der Matratze. Um ihn herum stellten sie Schüsseln und Schalen mit Brot, Fleisch und Zwiebeln auf, dazu berauschende Getränke und süß duftende Pflanzen. Sie schlachteten einen Hund und zwei

Pferde, einen Hahn und ein Huhn, und auch diese brachten sie in das Zelt, damit in Walhalla für alle seine Bedürfnisse gesorgt sei.

Zuletzt brachten sie das Sklavenmädchen.

Während der zehn Tage, die der Tote in der Erde gelegen hatte, war das Mädchen zur Hurerei gezwungen worden. Man hatte sie mit Alkohol betäubt und sie von Zelt zu Zelt gezerrt, wo sie nacheinander jedem Mann im Lager zu Willen sein musste. Mit gespreizten Beinen lag sie da, um von einem schwitzenden, grunzenden Mann nach dem anderen bestiegen zu werden, und ihr geschundener Körper war das Gefäß, in das sich der Samen aller männlichen Stammesangehörigen ergoss. Solchermaßen geschändet und befleckt, war ihr Körper nun bereit für die Opferzeremonie.

Am zehnten Tag wurde sie auf das Schiff gebracht, begleitet von einer älteren Frau, die man den Engel des Todes nannte. Das Mädchen legte seine Armbänder und Ringe ab. Sie trank in tiefen Zügen, um ihre Sinne zu berauschen. Dann wurde sie in das Zelt gebracht, in dem der tote Mann saß.

Und dort, auf der brokatbezogenen Matratze, wurde sie erneut geschändet. Sechsmal, von sechs verschiedenen Männern. Ihr Körper wurde herumgereicht wie ein Stück Fleisch beim Abendmahl. Und als es vollbracht war, als der Appetit der Männer gestillt war, wurde das Mädchen an die Seite ihres toten Herrn gelegt. Zwei Männer hielten ihre Füße fest, zwei ihre Hände, und der Engel des Todes schlang einen Strick um den Hals des Mädchens. Während die Männer den Strick stramm zogen, hob der Engel den Dolch mit der breiten Klinge und stieß ihn dem Mädchen in die Brust.

Wieder und wieder senkte sich die Klinge herab, und das Blut spritzte hervor, so wie ein ächzender, grunzender Mann seinen Samen verspritzt. Spitzes Metall bohrte sich in zartes Fleisch, und so wiederholte der Dolch den vorausgegangenen Akt der Schändung.

Eine brünstige Ekstase der Gewalt, die mit dem letzten Stoß in der Verzückung des Todes gipfelte.

»Es waren massive Blut- und Plasmatransfusionen notwendig, um sie zu retten«, sagte Catherine. »Ihr Blutdruck ist jetzt stabil, aber sie ist immer noch bewusstlos und wird künstlich beatmet. Sie werden einfach Geduld haben müssen, Detective. Und hoffen, dass sie wieder zu sich kommt.«

Catherine stand mit Detective Crowe vor Nina Peytons Kabine in der chirurgischen Intensivstation und beobachtete die drei Linien, die über den Herzmonitor hinwegzogen. Crowe hatte an der Tür des OP gewartet, als die Patientin herausgefahren worden war; im Aufwachraum war er nicht von ihrer Seite gewichen, und später war er ihr in die Intensivstation gefolgt. Seine Rolle war keineswegs nur die eines Beschützers; er war erpicht darauf, die Aussage der Patientin aufzunehmen, und seit Stunden ging er nun schon allen auf die Nerven, lauerte vor dem Eingang der Kabine und erkundigte sich immer wieder nach dem letzten Stand der Dinge.

Jetzt stellte er wieder einmal die Frage, die er schon den ganzen Vormittag über gestellt hatte: »Wird sie durchkommen?«

»Ich kann Ihnen nur sagen, dass ihre vitalen Messwerte augenblicklich stabil sind.«

»Wann kann ich mit ihr reden?«

Catherine seufzte resigniert. »Sie scheinen nicht zu begreifen, wie kritisch ihr Zustand war. Sie hatte schon mehr als ein Drittel ihres Blutvolumens verloren, bevor sie hier eingeliefert wurde. Es ist möglich, dass die Blutversorgung des Gehirns entscheidend beeinträchtigt wurde. Sollte sie tatsächlich wieder aufwachen, dann müssen wir damit rechnen, dass sie sich an nichts erinnert.«

Crowe spähte durch die gläserne Trennwand. »Dann ist sie für uns nutzlos.«

Catherine starrte ihn an, und ihre Abneigung wuchs. Nicht ein Mal hatte er zu verstehen gegeben, dass er um Nina Peyton besorgt war, es sei denn als Zeugin, als eine Person, die für ihn von Nutzen sein konnte. Den ganzen Vormittag über hatte er nicht ein einziges Mal ihren Namen benutzt. Er hatte sie *das Opfer* oder *die Zeugin* genannt. Was er sah, wenn er auf ihr Bett blickte, war überhaupt keine Frau, sondern lediglich ein Mittel zu einem bestimmten Zweck.

»Wann wird sie aus der Intensivstation verlegt?«, fragte er.

»Für diese Frage ist es noch zu früh.«

»Könnte man sie nicht in ein Einzelzimmer verlegen? Wenn wir die Tür immer geschlossen halten und das Personal einschränken, muss niemand erfahren, dass sie gar nicht reden kann.«

Catherine wusste genau, was hinter diesem Vorschlag steckte. »Ich werde nicht zulassen, dass meine Patientin als Köder benutzt wird. Sie muss hier bleiben, wo sie rund um die Uhr beobachtet werden kann. Sehen Sie die Kurven hier auf dem Monitor? Das ist das EKG, der zentrale Venendruck und der Arteriendruck. Ich muss immer genau wissen, wie ihr Status ist. Und das kann ich nur auf dieser Station.«

»Wie viele Frauen könnten wir retten, wenn wir ihm jetzt das Handwerk legen? Haben Sie darüber mal nachgedacht? Gerade Sie, Dr. Cordell, müssten doch am besten wissen, was diese Frauen durchgemacht haben.«

Catherine erstarrte vor hilfloser Wut. Er hatte ihre empfindlichste Stelle getroffen. Was Andrew Capra ihr angetan hatte, war so persönlich, so intim, dass sie über ihre Verletzung mit niemandem sprechen konnte, nicht einmal mit ihrem Vater. Detective Crowe hatte die Wunde wieder aufgerissen.

»Sie ist vielleicht unsere einzige Chance, ihn zu schnappen.«

»Fällt Ihnen wirklich nichts Besseres ein, als eine komatöse Frau als Lockvogel zu benutzen? Und andere Patienten in diesem Krankenhaus zu gefährden, indem Sie einen Killer dazu auffordern, sich hier zu zeigen?«

»Wie können Sie so sicher sein, dass er nicht schon hier ist?«, erwiderte Crowe und ging davon.

Dass er nicht schon hier ist. Unwillkürlich musste Catherine sich in der Station umschauen. Sie sah Krankenschwestern, die geschäftig zwischen Patienten umherwuselten. Eine Gruppe von AiPlern, die sich vor der Reihe von Monitoren versammelten. Eine Schwester durchquerte den Raum mit einem Tablett voller Blutröhrchen und Spritzen. Wie viele Menschen gingen in diesem Krankenhaus täglich ein und aus? Wie viele von ihnen kannte sie wirklich? Keinen Einzigen. Das hatte Andrew Capra ihr immerhin beigebracht: dass sie nie hundertprozentig sicher wissen konnte, was im Herzen eines Menschen lauerte.

Die Stimme der Stationssekretärin riss sie aus ihren Überlegungen. »Dr. Cordell, Telefon.«

Catherine ging zur Stationszentrale und nahm den Hörer.

Es war Moore. »Wie ich höre, haben Sie sie durchgebracht.«

»Ja, sie lebt noch«, antwortete Catherine knapp. »Und um Ihre nächste Frage auch gleich zu beantworten: Nein, sie redet noch nicht.«

Eine Pause. »Ich rufe wohl zu einer ungünstigen Zeit an.«

Sie ließ sich auf einen Stuhl sinken. »Tut mir Leid. Ich habe gerade mit Detective Crowe gesprochen und bin nicht gerade in bester Laune.«

»Er hat eben diese Wirkung auf Frauen.«

Beide lachten – ein müdes Lachen, das aber jede Feindseligkeit zwischen ihnen augenblicklich dahinschmelzen ließ.

»Wie kommen Sie so klar, Catherine?«

»Nun, es gab ein paar heikle Momente, aber jetzt haben wir es wohl geschafft, sie zu stabilisieren.«

»Nein, ich meinte *Sie.* Alles klar bei Ihnen?«

Es war mehr als nur eine höfliche Nachfrage; sie hörte echte Besorgnis aus seiner Stimme heraus, und sie wusste nicht, was sie erwidern sollte. Sie wusste nur eines: Es tat gut zu wissen, dass sich jemand um sie sorgte. Seine Worte hatten sie erröten lassen.

»Sie gehen nicht in Ihre Wohnung zurück, das ist doch klar?«, sagte er. »Nicht bevor Ihre Schlösser ausgetauscht sind.«

»Das macht mich so wütend. Er hat mir den einzigen Ort genommen, wo ich mich sicher fühlen konnte.«

»Wir werden wieder einen sicheren Ort daraus machen. Ich sehe zu, dass ich einen Schlosser vorbeischicke.«

»An einem Samstag? Sie können wohl Wunder vollbringen.«

»Nein. Ich habe bloß eine umfangreiche Kartei.«

Sie lehnte sich zurück, und die Anspannung in ihren Schultern begann sich zu lösen. Um sie herum herrschte hektische Aktivität, doch sie hörte nichts als die Stimme dieses Mannes, die sie als so beruhigend und tröstlich empfand.

»Und wie geht es Ihnen?«, fragte sie.

»Ich fürchte, mein Arbeitstag hat gerade erst begonnen.« Er brach ab, um irgendeine Frage zu beantworten; es ging darum, ob irgendetwas als Beweismittel sichergestellt werden sollte. Andere Stimmen waren im Hintergrund zu hören. Sie stellte sich vor, wie er in Nina Peytons Schlafzimmer stand, umgeben von all den Spuren der entsetzlichen Tat. Und dennoch klang seine Stimme ruhig und gelassen.

»Sie rufen mich ja gleich an, sobald sie aufwacht?«, sagte Moore.

»Detective Crowe kreist um sie wie ein Geier. Ich bin sicher, er wird es noch vor mir wissen.«

»Glauben Sie denn, dass sie aufwachen wird?«

»Wollen Sie eine ehrliche Antwort?«, fragte Catherine zurück. »Ich weiß es nicht. Dasselbe sage ich immer wieder zu Detective Crowe, und er will sich mit der Antwort auch nicht zufrieden geben.«

»Dr. Cordell?« Es war Nina Peytons Krankenschwester, die sie vom Bett der Patientin aus rief. Der Klang ihrer Stimme versetzte Catherine augenblicklich in Alarmbereitschaft.

»Was ist denn?«

»Das müssen Sie sich unbedingt ansehen.«

»Stimmt etwas nicht?«, fragte Moore.

»Bleiben Sie dran. Ich muss nachsehen.« Sie legte den Hörer hin und ging zu Ninas Kabine.

»Ich war dabei, sie mit einem Waschlappen zu waschen«, sagte die Schwester. »Als sie aus dem OP kam, war sie ganz voll mit getrocknetem Blut. Ich habe sie auf die Seite gedreht, und da habe ich es gesehen. Es ist hinten auf ihrem linken Oberschenkel.«

»Zeigen Sie es mir.«

Die Schwester packte die Patientin an Schulter und Hüfte und rollte sie auf die Seite. »Da«, sagte sie leise.

Die Angst ließ Catherine zur Salzsäule erstarren. Sie konnte den Blick nicht von dem fröhlichen kleinen Gruß wenden, den jemand mit schwarzem Filzstift auf Nina Peytons Haut geschrieben hatte.

ALLES GUTE ZUM GEBURTSTAG! GEFÄLLT DIR MEIN GESCHENK?

Moore traf sie in der Cafeteria des Krankenhauses. Sie saß an einem Ecktisch, mit dem Rücken zur Wand wie jemand, der sich bedroht fühlt und verhindern will, dass er von einem Angriff überrascht wird. Sie trug noch ihren OP-Anzug und hatte das Haar zu einem Pferdeschwanz gebunden, sodass ihre auffallend kantigen Züge, das ungeschminkte Gesicht und die funkelnden Augen deutlich zu sehen waren. Sie musste fast so erschöpft sein wie er selbst, doch die Angst hatte ihre Wachsamkeit gesteigert, und wie eine

Wildkatze auf der Lauer beobachtete sie jede seiner Bewegungen, während er auf sie zuging. Vor ihr stand eine halb volle Kaffeetasse. Er fragte sich, wie oft sie sich wohl schon hatte nachschenken lassen; und als sie nach der Tasse griff, sah er, wie ihre Hand zitterte. Das war nicht die ruhige Hand einer Chirurgin, sondern die einer total verängstigten Frau.

Er setzte sich ihr gegenüber. »Es wird die ganze Nacht über ein Streifenwagen vor Ihrem Haus stehen. Haben Sie Ihre neuen Schlüssel bekommen?«

Sie nickte. »Der Schlosser hat sie vorbeigebracht. Er sagte, er habe den Rolls-Royce unter den Sicherheitsschlössern eingebaut.«

»Sie werden keine Probleme bekommen, Catherine.«

Sie sah auf ihre Kaffeetasse herab. »Diese Botschaft war für mich bestimmt.«

»Das wissen wir nicht.«

»Ich hatte gestern Geburtstag. Das wusste er. Und er wusste, dass ich für den Bereitschaftsdienst eingetragen war.«

»*Wenn* er derjenige ist, der das geschrieben hat.«

»Erzählen Sie mir doch nichts. Sie *wissen*, dass er es war.«

Nach einer kurzen Pause nickte Moore. Sie saßen einen Augenblick lang schweigend da. Es war schon spät am Nachmittag, und nur noch wenige Tische waren besetzt. Hinter der Theke wurden die Servierschüsseln weggeräumt, und Dampf stieg in dünnen Wölkchen auf. Eine einsame Kassiererin brach eine neue Rolle Münzen auf, die prasselnd in die Kassenschublade fielen.

»Was ist mit meinem Büro?«, fragte sie.

»Er hat keine Fingerabdrücke hinterlassen.«

»Sie haben also nichts gegen ihn in der Hand.«

»Wir haben gar nichts«, gestand er.

»Er kommt immer wieder in mein Leben hereingeweht wie ein Luftzug. Niemand sieht ihn. Niemand weiß, wie er aussieht. Ich könnte alle meine Fenster vergittern und hätte trotzdem noch Angst vor dem Einschlafen.«

»Sie müssen nicht in Ihre Wohnung zurückgehen. Ich bringe Sie in ein Hotel.«

»Es spielt keine Rolle, wohin ich mich verkrieche. Er wird wissen, wo ich bin. Aus irgendeinem Grund hat er mich auserkoren. Er hat mich wissen lassen, dass ich die Nächste sein werde.«

»Das glaube ich nicht. Es wäre ein unglaublich dummer Einfall von ihm, sein nächstes Opfer zu warnen. Der Chirurg ist nicht so dumm.«

»Warum hat er Kontakt mit mir aufgenommen? Warum sollte er mir auf diese Weise eine Nachricht…« Sie schluckte.

»Er könnte *uns* damit herausgefordert haben. Es könnte seine Art sein, die Polizei zu verhöhnen.«

»Dann hätte der Scheißkerl an *Sie* schreiben müssen!« Ihre Stimme schallte so laut, dass eine Schwester, die sich gerade Kaffee einschenkte, sich umdrehte und sie anstarrte.

Errötend stand Catherine auf. Sie schämte sich für ihren Gefühlsausbruch und sagte kein Wort, während sie gemeinsam das Krankenhaus verließen. Er hätte gerne ihre Hand ergriffen, doch er dachte, sie würde sie ohnehin wegziehen, weil sie seine Geste als herablassend deuten würde. Auf keinen Fall wollte er sie glauben machen, dass er sie bevormundete. Sie nötigte ihm Respekt ab wie keine andere Frau, die er je gekannt hatte.

Als sie in seinem Wagen saßen, sagte sie leise: »Mir sind da drin ein bisschen die Nerven durchgegangen. Tut mir Leid.«

»Das wäre doch jedem in der Situation so gegangen.«

»Aber nicht Ihnen.«

Sein Lächeln war ironisch: »Nein, ich bin natürlich immer die Ruhe selbst.«

»Ja, das habe ich auch schon gemerkt.«

Und was heißt das denn?, fragte er sich, während sie in Richtung Back Bay fuhren. Dass sie glaubte, er sei immun gegen die Stürme, die ein normales Menschenherz in Aufruhr versetzen? Seit wann schlossen klares, logisches Denken und Gefühle einander aus? Er wusste, dass seine Kollegen im Morddezernat ihn Sankt Thomas, den Unerschütterlichen nannten. Er war der Mann, an den man sich wandte, wenn eine Situation zu eskalieren drohte und eine ruhige Stimme gefragt war. Sie kannten den anderen Thomas Moore nicht, den Mann, der nachts vor dem Kleiderschrank seiner Frau stand und den schwächer werdenden Duft ihrer Kleider einatmete. Sie sahen nichts als die Maske, die er ihnen zu sehen gestattete.

Es lag eine Spur von Unmut in ihrer Stimme, als sie sagte: »Sie haben ja auch Grund, ruhig und gelassen zu sein. Sie sind ja nicht derjenige, auf den er fixiert ist.«

»Versuchen wir doch, die Sache rational zu betrachten ...«

»Meinen eigenen Tod rational betrachten? Natürlich kann ich das, kein Problem.«

»Der Chirurg geht nach einem Muster vor, das ihm zusagt. Er greift in der Nacht an, nie am Tag. Im Innersten ist er ein Feigling, der es nicht fertig bringt, einer Frau unter fairen Bedingungen gegenüberzutreten. Er braucht ein hilfloses Opfer. Er will, dass sein Opfer im Bett liegt und schläft, sodass es sich nicht wehren kann.«

»Ich darf also nie mehr einschlafen? Das ist ja eine einfache Lösung.«

»Was ich sagen will, ist, dass er es vermeiden wird, bei Tag anzugreifen, wenn das Opfer in der Lage ist, sich zu verteidigen. Erst mit Einbruch der Dunkelheit wird alles anders.«

Er hielt vor ihrem Haus an. Es hatte zwar nicht den Charme der älteren Backsteinbauten an der Commonwealth Avenue, doch einer seiner Vorzüge war die abschließbare und hell erleuchtete Tiefgarage. Um die Haustür zu öffnen, brauchte man sowohl den Schlüssel als auch den korrekten Sicherheitscode, den Catherine nun eintippte.

Sie betraten eine Eingangshalle mit Spiegeln und poliertem Marmorfußboden. Elegant, aber steril. Kalt. Ein Fahrstuhl, der so geräuschlos war, dass es einen nervös machen konnte, beförderte sie im Nu in den ersten Stock.

An ihrer Wohnungstür zögerte sie, den neuen Schlüssel in der Hand.

»Ich kann kurz reingehen und mich umsehen, wenn Ihnen dann wohler wäre.«

Sie schien seinen Vorschlag als persönlichen Affront aufzufassen. Statt einer Antwort schob sie den Schlüssel ins Schloss, öffnete die Tür und trat ein. Es war, als müsse sie sich selbst beweisen, dass der Chirurg nicht gewonnen hatte. Dass sie ihr Leben immer noch im Griff hatte.

»Lassen Sie uns doch einmal durch alle Zimmer gehen«, schlug er vor. »Nur damit wir wissen, dass alles unverändert ist.«

Sie nickte.

Zusammen gingen sie durch das Wohnzimmer und die Küche. Und zuletzt ins Schlafzimmer. Sie wusste, dass der Chirurg sich von anderen Frauen Souvenirs mitgenommen hatte, und so durchkämmte sie akribisch ihre Schmuckschatulle und die Schubladen der Kommode auf der Suche nach irgendwelchen Spuren einer unbefugten Hand. Moore stand in der Tür und schaute ihr dabei zu, wie sie Blusen, Pullover und Unterwäsche durchsah. Und plötzlich drängte sich ihm eine verstörende Erinnerung an die Kleider einer anderen Frau auf. Längst nicht so schick wie diese, lagen sie zusammengefaltet in einem Koffer; er erinnerte sich an einen grauen Pullover, eine verwaschene pinkfarbene Bluse. Ein Baumwollnachthemd mit blauem Kornblumenmuster. Nichts Nagelneues, nichts allzu Teures. Warum hatte er Mary nie irgendetwas Ausgefallenes gekauft? Wofür hatten sie seiner Meinung nach sparen müssen? Nicht für das, wofür das Geld letzten Endes draufgegangen war. Rechnungen von Ärzten, Pflegeheimen, Physiotherapeuten.

Er wandte sich von der Schlafzimmertür ab und ging ins Wohnzimmer, wo er sich auf die Couch setzte. Die Spätnachmittagssonne schien durch das Fenster herein, und ihre grellen Strahlen blendeten ihn. Er rieb sich die Augen und ließ den Kopf in die Hände sinken. Er wurde von Schuldgefühlen überwältigt, weil er den ganzen Tag nicht ein einziges Mal an Mary gedacht hatte. Er schämte sich deswegen. Und er schämte sich noch mehr, als er den Kopf hob und Catherine erblickte, worauf alle Gedanken an Mary augenblicklich vergessen waren. Er dachte: Das ist die schönste Frau, die ich je kennen gelernt habe.

Und auch die mutigste.

»Es fehlt nichts«, sagte sie. »So weit ich das feststellen kann.«

»Sind Sie sicher, dass Sie hier bleiben wollen? Ich wäre gerne bereit, Sie in ein Hotel zu fahren.«

Sie ging zum Fenster und starrte hinaus. Ihr Profil zeichnete sich im goldenen Licht des Sonnenuntergangs ab. »Ich habe die letzten zwei Jahre in Angst verbracht. Ich habe die Welt mit Riegeln und Sicherheitsschlössern ausgesperrt. Immer hinter Türen geschaut und Schränke durchsucht. Ich habe es satt.« Sie schaute ihn an. »Ich will mein Leben wiederhaben. Diesmal werde ich ihn nicht gewinnen lassen.«

Diesmal, hatte sie gesagt, als sei dies eine Schlacht in einem viel länger andauernden Krieg. Als seien der Chirurg und Capra zu einem einzigen Wesen verschmolzen, das sie vor zwei Jahren kurzzeitig niedergerungen, aber nicht wirklich besiegt hatte. Capra. Der Chirurg. Zwei Köpfe desselben Ungeheuers.

»Sie sagten, draußen würde die Nacht über ein Streifenwagen stehen«, sagte sie.

»Er wird da sein.«

»Das garantieren Sie?«

»Hundertprozentig.«

Sie holte tief Luft, und das Lächeln, mit dem sie ihn ansah, kostete sie eine gehörige Anstrengung. »Dann muss ich mir ja keine Sorgen machen, oder?«, meinte sie.

Es waren die Schuldgefühle, die ihn dazu trieben, an diesem Abend nicht gleich nach Hause zu fahren, sondern vorher in Newton vorbeizuschauen. Er war zutiefst verstört über seine eigene Reaktion auf Catherine, und die Art, wie sie seine Gedanken inzwischen ganz und gar zu beherrschen schien, machte ihm Sorgen. In den anderthalb Jahren nach Marys Tod hatte er das Leben eines Mönchs geführt, hatte nicht das geringste Interesse an Frauen empfunden; die Trauer hatte alle Leidenschaft erstickt. Er wusste nicht, wie er mit diesem neu entfachten Funken der Lust umgehen sollte. Er wusste nur, dass seine Gefühle unter den gegebenen Umständen unangemessen waren. Und dass er sich damit der Untreue schuldig machte gegenüber der Frau, die er geliebt hatte.

Also fuhr er nach Newton, um Wiedergutmachung zu leisten. Um sein Gewissen zu beruhigen.

Er hielt einen Blumenstrauß in der Hand, als er in den Vorgarten trat und das eiserne Gartentor hinter sich schloss. Das ist wie Eulen nach Athen tragen, dachte er, als er den Blick durch den Garten schweifen ließ, in den inzwischen schon die Abendschatten fielen. Jedes Mal, wenn er hierher zu Besuch kam, schienen sich noch mehr Blumen auf dem beengten Raum zu drängen. Winden und Heckenrosen wuchsen an der Hauswand empor, sodass der Garten sich auch himmelwärts auszudehnen schien. Er schämte sich beinahe wegen der bescheidenen Gänseblümchen, die er mitgebracht hatte. Aber das waren nun mal Marys Lieblingsblumen gewesen, und er hatte es sich schon fast zur festen Gewohnheit gemacht, am Blumenstand einen Gänseblümchenstrauß auszusuchen. Mary hatte sie wegen ihrer fröhlichen Unkompliziertheit gemocht, mit ihren weißen Blätterkränzen und den zitronengelben Sonnen in der Mitte, und sie hatte ihren Duft gemocht – nicht übermäßig süß, aber durchdringend. Nachdrücklich. Es hatte ihr gefallen, wie sie auf unbebauten Grundstücken und an Straßenrändern gediehen und uns so daran erinnerten, dass wahre Schönheit spontan und unbezähmbar ist.

Wie Mary selbst.

Er klingelte. Einen Augenblick später wurde die Tür geöffnet, und das Gesicht, das ihn anlächelte, glich so sehr dem Marys, dass der Anblick ihm einen inzwischen vertrauten Stich versetzte. Rose Connelly hatte die blauen Augen und runden Wangen ihrer Tochter, und obwohl ihr Haar beinahe völlig ergraut war und das Alter ihren Zügen seinen Stempel aufgedrückt hatte, ließ die Ähnlichkeit keinen Zweifel daran, dass sie Marys Mutter war.

»Wie schön, dich zu sehen, Thomas«, begrüßte sie ihn. »Es ist eine Weile her, dass du den Weg hierher gefunden hast.«

»Das tut mir auch Leid, Rose. In letzter Zeit wird es immer schwieriger, die Zeit zu finden. Ich weiß kaum noch, welchen Tag wir haben.«

»Ich habe den Fall im Fernsehen verfolgt. Was hast du dir doch für einen furchtbaren Beruf ausgesucht.«

Er trat ins Haus und reichte ihr den Strauß. »Nicht, dass du noch mehr Blumen brauchen würdest«, sagte er mit ironischem Lächeln.

»Man kann nie zu viele Blumen haben. Und du weißt ja, wie ich Gänseblümchen liebe. Möchtest du einen Eistee?«

»Sehr gerne, danke.«

Sie setzten sich ins Wohnzimmer und nippten an ihrem Tee. Er schmeckte süß und sommerlich, so wie sie ihn in South Carolina tranken, wo Rose geboren war. Ganz anders als das trübe Gebräu, das Moore als Kind in New England immer getrunken hatte. Das Zimmer selbst war lieblich wie der Tee und nach Bostoner Maßstäben hoffnungslos altmodisch. Zu viel Chintz, zu viel Nippes. Aber wie sehr es ihn an Mary erinnerte! Sie war überall. Fotos von ihr hingen an den Wänden. Ihre Schwimmpokale zierten die Bücherregale. Ihr Klavier, auf dem sie als Kind gespielt hatte, stand in der Wohnzimmerecke. Der Geist dieses Kindes war immer noch präsent in dem Haus, in dem es aufgewachsen war. Und Rose war hier, die Bewahrerin der Flamme, die ihrer Tochter so sehr glich, dass Moore manchmal glaubte, Mary selbst blicke ihn aus Roses blauen Augen an.

»Du siehst müde aus«, sagte sie.

»Tatsächlich?«

»Du hast überhaupt keinen Urlaub gehabt, stimmt's?«

»Sie haben mich zurückgerufen. Ich saß schon im Wagen und war unterwegs Richtung Maine. Mit meinen Angelruten im Kofferraum und der nagelneuen Ausrüstung, die ich mir gekauft hatte.« Er seufzte. »Der See fehlt mir. Das ist das Einzige, worauf ich mich das ganze Jahr über freue.«

Auch Mary hatte sich immer das ganze Jahr darauf gefreut. Er blickte nach den Schwimmtrophäen im Regal. Mary war eine robuste kleine Meerjungfrau gewesen, die ohne Zögern ihr ganzes Leben im Wasser verbracht hätte, wäre sie nur mit Kiemen zur Welt gekommen. Er erinnerte sich, mit welch sauberen und kräftigen Armzügen sie einmal den See durchschwommen hatte. Und wie dieselben Arme später im Pflegeheim zu dürren Zweigen verkümmert waren.

»Wenn der Fall aufgeklärt ist«, meinte Rose, »könntest du immer noch an den See fahren.«

»Ich bin mir nicht sicher, ob wir ihn aufklären werden.«

»So kenne ich dich ja gar nicht. So mutlos.«

»Das ist eine andere Sorte von Verbrechen. Begangen von einem Menschen, der mir vollkommen unbegreiflich ist.«

»Du schaffst es doch immer.«

»Immer?« Er schüttelte lächelnd den Kopf. »Das wäre zu viel der Ehre.«

»Das hat Mary immer gesagt. Sie hat gerne mit dir angegeben, weißt du. *Er erwischt die Kerle immer.*«

Aber zu welchem Preis?, fragte er sich, und sein Lächeln verblasste. Er dachte an all die Nächte, in denen er an irgendeinen Tatort gerufen worden war, die verpassten Abendessen, die Wochenenden, an denen er an nichts anderes hatte denken können als an die Arbeit. Und immer war Mary dagewesen, die geduldig darauf gewartet hatte, dass er sich ihr zuwandte. *Wenn ich auch nur einen Tag noch einmal leben dürfte, würde ich jede Minute mit dir verbringen. Und dir unter der warmen Bettdecke Geheimnisse ins Ohr flüstern.*

Aber Gott gewährt einem keine zweite Chance.

»Sie war so stolz auf dich«, sagte Rose.

»Ich war stolz auf sie.«

»Ihr hattet zwanzig gute Jahre miteinander. Das ist mehr, als die meisten von sich behaupten können.«

»Ich bin unersättlich, Rose. Ich wollte mehr.«

»Und du bist wütend, weil du es nicht bekommen hast.«

»Ja, das bin ich wohl. Es macht mich wütend, dass ausgerechnet sie das Aneurysma bekommen musste. Dass ausgerechnet sie es war, die nicht gerettet werden konnte. Und ich bin wütend, weil ...« Er brach ab. Stieß einen tiefen Seufzer aus. »Es tut mir Leid. Es ist ganz einfach schwer. Alles ist so schwer in letzter Zeit.«

»Für uns beide«, sagte sie leise.

Sie sahen einander schweigend an. Ja, natürlich musste es für die verwitwete Rose noch schwerer sein, die ihr einziges Kind verloren hatte. Er fragte sich, ob sie ihm wohl verzeihen würde, wenn er je wieder heiraten sollte. Oder würde sie darin einen Verrat sehen? Der die Erinnerung an ihre Tochter noch tiefer in die Gruft des Vergessens senkte?

Plötzlich konnte er ihren Blick nicht mehr ertragen und wandte die Augen ab. Wieder quälten ihn die gleichen Schuldgefühle wie an diesem Nachmittag, als er Catherine Cordell angeschaut und das unverwechselbare Aufflackern des Verlangens verspürt hatte.

Er stelle sein leeres Glas ab und stand auf. »Ich sollte jetzt los.«

»Musst du etwa schon wieder an die Arbeit?«

»Die Arbeit ist erst beendet, wenn wir ihn erwischt haben.«

Sie begleitete ihn zur Tür und sah ihm nach, als er durch den winzigen Garten zum Tor ging. Er wandte sich noch einmal um und sagte: »Verschließ deine Türen, Rose.«

»Ach, das sagst du doch immer.«

»Und ich meine es jedes Mal ernst.« Er winkte ihr zu. Während er zu seinem Wagen ging, dachte er: *Und heute Abend meine ich es so ernst wie nie.*

Wohin wir gehen, hängt davon ab, was wir wissen; und was wir wissen, hängt davon ab, wohin wir gehen.

Der Spruch lief wieder und wieder in Jane Rizzolis Kopf ab, wie ein Kinderlied, das einen nicht mehr loslässt. Sie starrte auf den Stadtplan von Boston, den sie an eine große Pinnwand in ihrer Wohnung geheftet hatte. Einen Tag nach der Entdeckung von Elena Ortiz' Leiche hatte sie ihn aufgehängt. Im Lauf der Ermittlungen hatte sie immer mehr farbige Stifte in die Karte gesteckt. Drei verschiedene Farben standen für drei verschiedene Frauen. Weiß für Elena Ortiz, blau für Diana Sterling und grün für Nina Peyton. Jeder Stift markierte einen bekannten Ort innerhalb des Aktionsradius einer der Frauen. Ihre Wohnung, ihren Arbeitsplatz, die Wohnungen von Freunden und Verwandten. Die medizinischen Einrichtungen, die sie besucht hatten. Kurz, das Habitat der Beute. Irgendwann im Laufe ihrer alltäglichen Aktivitäten hatte sich die Welt dieser Frauen an einer bestimmten Stelle mit der des Chirurgen überschnitten.

Wohin wir gehen, hängt davon ab, was wir wissen; und was wir wissen, hängt davon ab, wohin wir gehen.

Und wo hielt sich der Chirurg auf? Das fragte sie sich nun. Woraus bestand *seine* Welt?

Sie saß bei ihrem kalten Abendessen, bestehend aus einem Thunfischsandwich und Kartoffelchips mit Bier, und aß, ohne den Blick von dem Stadtplan zu wenden. Sie hatte ihn gleich neben ihrem Esstisch an die Wand gehängt, und jeden Morgen beim Kaffee, jeden Abend beim Abendessen – vorausgesetzt, sie kam so früh nach Hause – wanderte ihr Blick unweigerlich zu diesen farbigen Stiften. Andere Frauen mochten Bilder von Blumen oder idyllischen Landschaften aufhängen oder Kinoplakate, sie aber saß hier und starrte auf eine Karte des Todes, auf der die Bewegungen von Verstorbenen verzeichnet waren.

Darauf hatte ihr Leben sich inzwischen reduziert: Essen, Schlafen, Arbeiten. Sie wohnte schon drei Jahre in dieser Wohnung, aber die Wände waren immer noch fast kahl. Keine Pflanzen (wer hatte denn schon Zeit, sie zu gießen?), kein alberner Nippes, nicht einmal Vorhänge. Nur Jalousien an den Fenstern. Wie ihr ganzes Leben war auch ihre Wohnung streng nach den Erfordernissen ihrer Arbeit eingerichtet. Sie liebte ihren Job und lebte für ihn. Schon mit zwölf hatte sie gewusst, dass sie Polizistin werden wollte; seit dem Tag, als eine Kriminalbeamtin im Rahmen der Berufsberatung ihre Schule besucht hatte. Zuerst hatte eine Krankenschwester sich an die Klasse gewandt, dann eine Rechtsanwältin, dann ein Bäcker und ein Ingenieur. Der Lärmpegel in der Klasse war stetig gestiegen. Gummis und Papierkügelchen waren zwischen den Bänken hin und her gesaust. Schließlich hatte die Polizistin sich erhoben, mit ihrer Waffe im Halfter an der Hüfte, und im Klassenzimmer war schlagartig Ruhe eingekehrt.

Das hatte Rizzoli nie vergessen. Sie hatte nie vergessen, mit welch ehrfürchtigem Staunen die Jungs diese *Frau* angestarrt hatten.

Jetzt war sie selbst diese Polizistin, doch wenn sie auch Zwölfjährige beeindrucken konnte, versagten ihr erwachsene Männer oft genug jeden Respekt.

Die Beste sein, das war ihre Strategie. Die anderen an die Wand arbeiten, sie in den Schatten stellen. Und deshalb saß sie nun hier und arbeitete noch während des Abendessens. Mord und Thunfischsandwichs. Sie nahm einen kräftigen Schluck von ihrem Bier, dann lehnte sie sich zurück und starrte wieder den Stadtplan an. Die Humangeographie der Toten hatte etwas Beklemmendes. Die Orte, an denen sie ihr Leben verbracht hatten, die ihnen etwas bedeutet hatten. Gestern bei der Besprechung hatte der Kriminalpsychologe Dr. Zucker diverse Fachausdrücke fallen lassen. Anker- und Knotenpunkte. Hintergrundspektren. Nun, sie brauchte weder Zuckers Fachchinesisch noch irgendwelche Computerprogramme, um zu wissen, was sie da vor Augen hatte und wie sie es interpretieren musste. Sie sah den Stadtplan an und stellte sich eine Savanne vor, in der es von Beutetieren nur so wimmelte. Die farbigen Stifte beschrieben den persönlichen Lebensraum dreier glückloser Gazellen. Das Zentrum von Diana Sterlings Welt lag im Norden, in der Back Bay und in Beacon Hill. Bei Elena Ortiz war es das South End, und Nina Peytons Zentrum lag im Südwesten, in dem Vorort Jamaica Plain. Drei klar unterschiedene Habitate, ohne jegliche Überschneidung.

Und wo ist dein Revier?

Sie versuchte die Stadt mit seinen Augen zu sehen. Sie sah Wolkenkratzerschluchten, Grünflächen wie Streifen von Weideland. Pfade, über die Herden von Beutetieren dahinzogen, ohne zu ahnen, dass ein Jäger sie beobachtete. Ein umherstreifendes Raubtier, das über die Grenzen von Raum und Zeit hinweg zuschlug.

Das Telefon klingelte. Sie zuckte zusammen und stieß dabei die Bierflasche um. Mist. Sie schnappte sich eine Rolle Küchenpapier und wischte die Bescherung auf, während sie den Hörer abhob.

»Rizzoli.«

»Hallo, Janie?«

»Oh. Hallo, Ma.«

»Du hast gar nicht zurückgerufen.«

»Hm?«

»Ich habe dich vor ein paar Tagen angerufen. Du sagtest, du würdest zurückrufen, aber das hast du nicht getan.«

»Ich habe nicht mehr dran gedacht. Ich stecke bis über beide Ohren in Arbeit.«

»Frankie kommt nächste Woche heim. Ist das nicht großartig?«

»Ja.« Rizzoli seufzte. »Das ist großartig.«

»Du siehst deinen Bruder einmal im Jahr. Könntest du dich nicht ein bisschen mehr freuen?«

»Ma, ich bin müde. Dieser Fall mit dem Chirurgen beschäftigt uns rund um die Uhr.«

»Hat die Polizei ihn schon gefasst?«

»Ich *bin* die Polizei.«

»Du weißt schon, wie ich das meine.«

Ja, das wusste sie allerdings. Ihre Mutter bildete sich wahrscheinlich ein, dass die kleine Janie Telefondienst machte und für diese superwichtigen *männlichen* Kriminalbeamten Kaffee kochte.

»Du kommst doch zum Essen, ja?«, sagte ihre Mutter. Janes Arbeit war schon kein Thema mehr. »Nächsten Freitag.«

»Ich weiß noch nicht. Das hängt davon ab, wie der Fall sich entwickelt.«

»Ach, du könntest wenigstens deinem eigenen Bruder den Gefallen tun.«

»Wenn es wirklich heiß hergeht, werde ich es vielleicht verschieben müssen.«

»Wir können es nicht verschieben. Mike hat schon zugesagt, am Freitag zu kommen.«

Ja, natürlich. Bruder Michael geht selbstverständlich vor.

»Janie?«

»Ja, Ma. Am Freitag.«

Sie legte auf. Ihr Magen krampfte sich vor aufgestautem Ärger zusammen; ein Gefühl, das sie nur zu gut kannte. Du liebe Zeit, wie hatte sie es nur geschafft, ihre Kindheit zu überleben?

Sie griff nach der Bierflasche und ließ sich die wenigen

nicht verschütteten Tropfen durch die Kehle rinnen. Dann blickte sie wieder zu der Karte auf. Nie war es ihr so wichtig gewesen wie in diesem Moment, den Chirurgen zu fassen. All die Jahre als das unscheinbare Mädchen, die von allen ignorierte Schwester, ließen sie ihre ganze geballte Wut gegen *ihn* richten.

Wer bist du? Wo bist du?

Sie verharrte einen Moment vollkommen reglos, den Blick starr auf den Stadtplan gerichtet. Sie dachte nach. Dann griff sie nach der Schachtel mit den Stiften und wählte eine neue Farbe. Sie steckte einen roten Stift in die Commonwealth Avenue und einen weiteren in den Standort des Pilgrim Hospital im South End.

Die roten Stifte markierten Catherine Cordells Habitat. Es überschnitt sich sowohl mit dem von Diana Sterling als auch mit dem von Elena Ortiz. Cordell war der gemeinsame Faktor. Sie bewegte sich in den Welten beider Opfer.

Und das Leben des dritten Opfers, Nina Peyton, ruht in diesem Augenblick in ihrer Hand.

10

Sogar am frühen Montagabend ging es im Gramercy Pub so richtig ab. Es war neunzehn Uhr, und die besser verdienenden Singles waren in Scharen unterwegs, um sich auszutoben. Dieses Lokal war ihr Spielplatz.

Rizzoli saß an einem Tisch in der Nähe des Eingangs, und jedes Mal, wenn die Tür sich öffnete und wieder einmal ein *GQ*-Klon oder eine Vorzimmer-Barbie auf Zehn-Zentimeter-Absätzen hereinrauschte, wehte ihr ein Hauch der heißen Stadtluft ins Gesicht. Mit ihrem üblichen nüchternen Hosenanzug und ihren zweckmäßigen flachen Schuhen kam sich Rizzoli vor wie die Aufsicht in einem tobenden Klassenzimmer. Sie sah zwei Frauen geschmeidig wie Katzen hereinschweben, gefolgt von einer gemischten Duftfahne. Rizzoli trug nie Parfüm. Sie besaß einen einzigen Lippenstift, der irgendwo in einer Ecke ihres Badezimmerschranks herumrollte, zusammen mit dem eingetrockneten Mascara und der Grundierungscreme. Sie hatte das Make-up vor fünf Jahren an einem Kosmetikstand im Warenhaus gekauft, weil sie geglaubt hatte, mit dem passenden illusionistischen Handwerkszeug könne auch sie wie das Covergirl Elizabeth Hurley aussehen. Die Verkäuferin hatte sie eingecremt und gepudert, bemalt und bepinselt, und als sie fertig war, hatte sie Rizzoli mit triumphierender Geste einen Spiegel gereicht und gefragt: »Na, wie finden Sie Ihren neuen Look?«

Als Rizzoli ihr Spiegelbild angestarrt hatte, wusste sie, dass sie Elizabeth Hurley hasste, weil sie den Frauen falsche Hoffnungen machte. Die brutale Wahrheit war, dass es nun einmal Frauen gab, die nie schön sein würden; und Rizzoli war eine von ihnen.

Und so saß sie unbemerkt in ihrer Ecke und nippte an ihrem Ginger Ale, während sie zusah, wie sich das Lokal allmählich füllte. Es ging recht geräuschvoll zu, mit vielstimmigem Geplauder und Klirren von Eiswürfeln. Das Lachen klang immer ein wenig zu laut, ein wenig zu gezwungen.

Sie stand auf und bahnte sich einen Weg zur Theke. Dort ließ sie den Barkeeper ihre Dienstmarke sehen und sagte: »Ich habe ein paar Fragen an Sie.«

Er warf nur einen flüchtigen Blick auf die Marke und tippte den Preis eines Getränks in die Kasse ein. »Okay, schießen Sie los.«

»Erinnern Sie sich, diese Frau hier im Lokal gesehen zu haben?« Rizzoli legte ein Foto von Nina Peyton auf die Theke.

»Ja, und Sie sind auch nicht die erste Polizistin, die nach ihr fragt. Vor einem Monat oder so war schon mal eine von der Kripo hier.«

»Von der Abteilung Sexualdelikte?«

»Nehme ich an. Sie wollte wissen, ob ich gesehen hätte, wie irgendjemand die Frau auf dem Bild abzuschleppen versucht hat.«

»Und haben Sie etwas gesehen?«

Er zuckte mit den Schultern. »Hier sind doch alle ständig auf der Pirsch. Ich kann nicht alles mitkriegen.«

»Aber Sie erinnern sich an diese Frau? Ihr Name ist Nina Peyton.«

»Ich habe sie ein paarmal hier gesehen, meistens mit einer Freundin. Ihren Namen kenne ich nicht. Ist schon länger nicht mehr hier gewesen.«

»Wissen Sie, warum?«

»Nee.« Er griff nach einem Lappen und machte sich daran, die Theke abzuwischen. Rizzoli hatte er fast schon vergessen.

»Ich werde Ihnen verraten, warum«, sagte sie, die Stimme im Zorn erhoben. »Weil irgendein Schwein sich mal so richtig amüsieren wollte. Also ist er hierher gekommen und hat sich nach einem Opfer umgesehen. Er hat Nina Peyton entdeckt und sich gedacht: Was für eine geile Schnalle. Mit Sicherheit hat er kein menschliches Wesen gesehen, als er sie angegafft hat. Er sah nur irgendein Objekt, das er benutzen und dann wegwerfen konnte.«

»Das brauchen Sie mir nicht zu erzählen.«

»O doch. Und Sie müssen es sich anhören, denn das ist direkt vor Ihrer Nase passiert, und Sie haben beschlossen, nicht hinzusehen. Irgendein Schwein schüttet einer Frau heimlich Betäubungsmittel in den Drink. Wenig später wird ihr schlecht, und sie wankt zur Toilette. Das Schwein nimmt sie am Arm und führt sie nach draußen. Und von all dem wollen Sie *nichts* gesehen haben?«

»Nein«, gab er wütend zurück. »Gar nichts hab ich gesehen!«

Um sie herum war es still geworden. Sie merkte, dass die Leute sie anstarrten. Wortlos marschierte sie zu ihrem Tisch zurück.

Kurz darauf setzte das Stimmengewirr wieder ein.

Sie beobachtete, wie der Barkeeper einem Mann zwei Whiskys zuschob und der Mann einen davon an eine Frau weiterreichte. Sie beobachtete, wie Gläser an Lippen geführt wurden und wie Zungen das Salz von Margaritagläsern ableckten; sie sah, wie Köpfe in den Nacken gelegt und Wodka, Tequila und Bier in die Kehlen geschüttet wurden.

Und sie sah Männer, die Frauen anstarrten. Sie nahm einen Schluck von ihrem Ginger Ale und fühlte sich wie berauscht – nicht vom Alkohol, sondern vom Zorn. Sie, die einsame Frau in der Ecke, erkannte mit erstaunlicher Klarheit, was dieses Lokal in Wirklichkeit war: ein Wasserloch in der Wüste, an dem sich die Wege von Raubtieren und Beutetieren kreuzten.

Ihr Piepser meldete sich. Es war Barry Frost. Sie rief ihn mit ihrem Handy zurück.

»Was ist denn das für ein Lärm?«, fragte Frost. Sie konnte ihn kaum verstehen.

»Ich bin in einer Kneipe.« Sie wandte sich um und schoss einen wütenden Blick zum Nebentisch, von wo schallendes Gelächter ertönte. »Was haben Sie gesagt?«

»... einer Arztpraxis in der Marlborough Street. Ich habe eine Kopie von ihren Krankenunterlagen.«

»Wessen Krankenunterlagen?«

»Diana Sterlings.«

Sofort beugte Rizzoli sich vor, alle Aufmerksamkeit auf Frosts schwache Stimme konzentriert. »Sagen Sie das noch einmal. Wer ist der Arzt, und weshalb war Sterling bei ihm?«

»Der Arzt ist eine Sie. Dr. Bonnie Gillespie. Eine Gynäkologin mit einer Praxis in der Marlborough Street.«

Wieder übertönte lärmendes Gelächter seine Worte. Rizzoli hielt sich ein Ohr zu, um hören zu können, was er als Nächstes sagte. »Weshalb war Sterling bei ihr?«, schrie sie ins Telefon.

Aber sie kannte die Antwort bereits; sie hatte sie direkt vor Augen, wenn sie zur Theke blickte, wo sich eben zwei Männer einer Frau näherten wie Löwen, die sich an ein Zebra heranschleichen.

»Ein Sexualverbrechen«, sagte Frost. »Diana Sterling wurde auch vergewaltigt.«

»Alle drei waren Opfer sexueller Gewalt«, sagte Moore. »Aber weder Elena Ortiz noch Diana Sterling haben Anzeige erstattet. Im Fall von Sterling kamen wir nur dahinter, weil wir bei den hiesigen Frauenkliniken und Gynäkologen nachforschten, um herauszufinden, ob sie deswegen in Behandlung war. Sterling hatte noch nicht einmal ihren Eltern von der Vergewaltigung erzählt. Als ich sie heute Morgen anrief und es ihnen sagte, waren sie völlig geschockt.«

Es war noch lange nicht Mittag, doch die Gesichter, die er um den Konferenztisch herum erblickte, wirkten ausgelaugt. Sie litten alle unter Schlafmangel, und ein weiterer voller Arbeitstag dehnte sich vor ihnen aus.

»Die einzige Person, die über Sterlings Vergewaltigung Bescheid wusste, war also diese Gynäkologin in der Marlborough Street?«, fragte Lt. Marquette.

»Dr. Bonnie Gillespie. Diana Sterling war nur dieses eine Mal dort. Sie suchte die Praxis auf, weil sie fürchtete, sich mit dem Aids-Virus infiziert zu haben.«

»Was wusste Dr. Gillespie über die Vergewaltigung?«

Frost, der die Ärztin vernommen hatte, beantwortete die Frage. Er schlug die Mappe mit Diana Sterlings Krankenunterlagen auf. »Dr. Gillespie hat Folgendes notiert: ›Dreißigjährige Weiße wünscht HIV-Test. Ungeschützter Verkehr vor fünf Tagen, HIV-Status des Partners unbekannt. Gefragt, ob ihr Partner einer Risikogruppe angehöre, verlor die Patientin die Fassung und begann zu weinen. Sie sagte aus, es habe sich nicht um einvernehmlichen Verkehr gehandelt; den Namen des Täters kenne sie nicht. Möchte die Vergewaltigung nicht zur Anzeige bringen. Verweigert Überweisung an Beratungsstelle für Vergewaltigungsopfer.‹« Frost hob den Kopf. »Das ist alles, was Dr. Gillespie aus ihr herausbekommen konnte. Sie führte eine Beckenuntersuchung durch, testete auf Syphilis, Gonorrhö und HIV und forderte die Patientin auf, in zwei Monaten wiederzukommen, um einen HIV-Bestätigungstest durchführen zu lassen. Was die Patientin nicht tat, weil sie zu dem Zeitpunkt bereits tot war.«

»Und Dr. Gillespie hat nicht die Polizei informiert? Auch nicht, nachdem der Mord geschehen war?«

»Sie wusste nicht, dass ihre Patientin tot war. Sie hatte die Zeitungsmeldungen nicht gelesen.«

»Wurden Spuren sichergestellt? Sperma?«

»Nein. Die Patientin, äh …« Frost lief vor Verlegenheit knallrot an. Selbst einem verheirateten Mann wie Frost fiel es schwer, über gewisse Themen zu sprechen. »Sie hat gleich nach der Vergewaltigung mehrere Spülungen gemacht.«

»Kann man ihr das verdenken?«, meinte Rizzoli.

»Scheiße, ich hätte mich an ihrer Stelle am liebsten mit Sagrotan ausgespült.«

»Drei Vergewaltigungsopfer«, sagte Marquette. »Das ist kein Zufall.«

»Finden Sie ihren Vergewaltiger«, bemerkte Zucker, »und ich glaube, Sie haben Ihren Killer. Was macht die DNS-Analyse im Fall Nina Peyton?«

»Da wird mit Hochdruck dran gearbeitet«, antwortete Rizzoli. »Das Labor hat die Spermaprobe schon fast zwei Monate, ohne dass irgendetwas gemacht worden wäre. Also hab ich ihnen ein bisschen Feuer unterm Hintern gemacht. Drücken wir die Daumen, dass der Täter schon in CODIS registriert ist.«

CODIS war die nationale DNS-Datenbank des FBI. Das System steckte noch in den Kinderschuhen, und die genetischen Fingerabdrücke von einer halben Million verurteilter Straftäter warteten noch darauf, in die Datenbank eingegeben zu werden. Ihre Chancen, einen »Treffer« zu landen, also eine Übereinstimmung mit einem bekannten Straftäter, waren gering.

Marquette sah Dr. Zucker an. »Unser unbekannter Täter vergewaltigt zuerst das Opfer. Und dann kommt er Wochen später wieder, um sie zu töten? Ergibt das einen Sinn?«

»Es muss ja für *uns* keinen Sinn ergeben«, erwiderte der Psychologe. »Nur für ihn. Es ist nichts Ungewöhnliches daran, dass ein Vergewaltiger ein und dasselbe Opfer ein zweites Mal attackiert. Da spielt so etwas wie Besitzdenken mit. Zwischen Opfer und Täter entsteht eine Art Beziehung, wie krankhaft sie auch immer sein mag.«

Rizzoli schnaubte verächtlich. »Sie nennen das eine Beziehung?«

»Zwischen Täter und Opfer. Es klingt pervers, aber so ist es nun mal. Das Ganze beruht auf Macht. Zuerst nimmt er ihr die Herrschaft über sich selbst, nimmt ihr, was sie zu einem Menschen macht. Sie ist nun ein Objekt. Er weiß es, und – was das Allerwichtigste ist – *sie* weiß es. Es ist die Tatsache, dass sie so verletzt ist, so erniedrigt, die ihn möglicherweise derart erregt, dass er wiederkommen muss. Zuerst brandmarkt er sie durch die Vergewaltigung. Dann kommt er noch einmal, um seinen Besitzanspruch endgültig zu besiegeln.«

Verletzte, erniedrigte Frauen, dachte Moore. Das ist die Verbindung zwischen den Opfern. Plötzlich drängte sich ihm der Gedanke auf, dass auch Catherine zu diesen Frauen gehörte.

»Catherine Cordell hat er aber nie vergewaltigt«, sagte Moore.

»Aber sie *ist* ein Vergewaltigungsopfer.«

»Ihr Vergewaltiger ist seit zwei Jahren tot. Wie hat der Chirurg sie als Opfer identifizieren können? Wie ist sie auf seinen Radarschirm gelangt? Sie spricht nie über den Überfall, mit niemandem.«

»Sie hat aber online darüber gesprochen, nicht wahr? In diesem privaten Chatroom …« Zucker schien nachzudenken. »Mein Gott – ist es vielleicht möglich, dass er seine Opfer im Internet findet?«

»Wir sind dieser Theorie nachgegangen«, sagte Moore. »Nina Peyton besitzt gar keinen Computer. Und Cordell hat den anderen Teilnehmern des Chatrooms nie ihren Namen verraten. Was uns wieder zu der Frage zurückbringt: Wie ist der Chirurg auf Cordell verfallen?«

»Er scheint in der Tat auf sie fixiert zu sein«, meinte Zucker. »Er lässt nichts unversucht, um sie zu provozieren. Er nimmt Risiken auf sich, nur um ihr dieses Foto von Nina Peyton zu mailen. Und das hat eine für ihn katastrophale Kette von Ereignissen zur Folge. Das Foto führt die Polizei direkt zu Nina Peytons Wohnung. Er muss überstürzt fliehen und kann das Tötungsritual nicht zu Ende führen; die Befriedigung bleibt ihm versagt. Und was noch schlimmer ist, er hinterlässt eine Zeugin. Das ist sein schwerster Fehler.«

»Das war kein Fehler«, widersprach Rizzoli. »Er wollte, dass sie überlebt.«

Ihre Bemerkung wurde von der gesamten Runde mit skeptischen Mienen aufgenommen.

»Wie wollen Sie denn sonst so eine vermurkste Aktion erklären?«, fuhr sie fort. »Das Foto, das er Cordell zukommen ließ, sollte uns anlocken. Er schickte es per E-Mail ab und wartete auf uns. Er wartete, bis wir im Haus des Opfers anriefen. Er wusste, dass wir dorthin unterwegs waren. Und dann hat er sich beim Durchschneiden ihrer Kehle so stümperhaft angestellt, weil er *wollte*, dass wir sie lebend finden.«

»Ja, ganz bestimmt«, höhnte Crowe. »Das war alles ein Teil seines *Plans*.«

»Und was war der Grund dafür?«, fragte Zucker Rizzoli.

»Der Grund stand mit Filzstift auf ihrem Oberschenkel. Nina Peyton war ein Opfer, das er Cordell darbrachte. Ein Geschenk, das sie in Angst und Schrecken versetzen sollte.«

Es entstand eine Pause.

»Wenn das so ist, dann ist sein Plan aufgegangen«, sagte Moore. »Cordell ist krank vor Angst.«

Zucker lehnte sich zurück und dachte über Rizzolis Theorie nach. »Es ist allerdings ein gewaltiges Risiko, das er da eingeht, nur um einer bestimmten Frau Angst zu machen. Es ist ein Zeichen von Größenwahn. Es könnte bedeuten, dass er zu dekompensieren beginnt. So ist es am Ende auch Jeffrey Dahmer und Ted Bundy ergangen. Sie haben die Kontrolle über ihre Fantasien verloren. Sie wurden unvorsichtig. Und machten die entscheidenden Fehler.«

Zucker stand auf und trat an das Schaubild, das an der Wand hing. Darauf standen die Namen der drei Opfer. Unter den Namen Nina Peyton setzte er noch einen vierten: Catherine Cordell.

»Sie gehört nicht zu seinen Opfern – noch nicht. Aber irgendwie hat sie sein Interesse geweckt. Wie ist er auf sie gekommen?« Zucker sah in die Runde. »Haben Sie mit ihren Kollegen gesprochen? Klingeln bei irgendeinem von ihnen die Alarmglocken?«

Rizzoli antwortete: »Wir haben Kenneth Kimball von der Liste der Verdächtigen gestrichen. Er ist Arzt in der Unfallstation und war im Dienst, als Nina Peyton überfallen wurde. Wir haben auch die meisten männlichen Mitarbeiter der Chirurgie vernommen, ebenso wie die Assistenzärzte.«

»Was ist mit Cordells Partner, Dr. Falco?«

»Dr. Falco haben wir noch nicht eliminiert.«

Jetzt hatte Rizzoli Zuckers Interesse geweckt, und er fixierte sie mit einem merkwürdigen Leuchten in den Augen. Der *irre Psychoblick*, wie die Jungs vom Morddezernat ihn nannten. »Sprechen Sie weiter«, sagte er leise.

»Auf dem Papier macht Dr. Falco eine glänzende Figur. Flugzeugbau-Diplom am Massachusetts Institute of Technology, Dr. med. von Harvard. Facharztausbildung in der Chirurgie des Peter Bent Brigham Hospital. Von einer allein erziehenden Mutter großgezogen, hat sich das College und die Uni durch Arbeit finanziert. Fliegt sein eigenes Flugzeug. Und sieht auch noch gut aus. Nicht gerade George Clooney, aber der einen oder anderen Frau könnte er schon den Kopf verdrehen.«

Darren Crowe lachte. »Ha, Rizzoli stuft die Verdächtigen nach dem Aussehen ein. Ist das so üblich bei Ladys in Uniform?«

Rizzoli funkelte ihn wütend an. »Was ich damit *sagen* will«, fuhr sie fort, »ist, dass dieser Kerl an jedem Finger zehn haben könnte. Aber von den Schwestern habe ich gehört, dass er ausschließlich an Cordell interessiert ist. Es ist kein Geheimnis, dass er sie immer wieder bittet, mit ihm auszugehen. Und sie lässt ihn immer wieder abblitzen. Vielleicht platzt ihm allmählich der Kragen.«

»Man sollte Dr. Falco im Auge behalten«, meinte Zucker. »Wir wollen die Liste nicht voreilig reduzieren. Aber bleiben wir doch bei Dr. Cordell. Gibt es noch weitere Gründe, weshalb der Chirurg sie als Opfer auserkoren haben könnte?«

Es war Moore, der die Frage entscheidend umformulierte: »Und wenn sie nun gar nicht bloß ein weiteres Opfer unter vielen wäre? Was, wenn sie schon *immer* im Mittelpunkt seiner Aufmerksamkeit gestanden hat? Jede dieser Taten ist eine Kopie dessen, was damals den Frauen in Georgia angetan wurde. Und was beinahe auch mit Cordell passiert wäre. Wir haben nie erklären können, wieso er Andrew Capra imitiert. Wir haben nie erklären können, wieso er sich so auf die einzige Überlebende unter Andrew Capras Opfern konzentriert.« Er deutete auf die Liste. »Diese anderen Frauen – Sterling, Ortiz, Peyton –, was ist, wenn sie einfach nur Stellvertreter sind? Ersatz für sein eigentliches Opfer?«

»Die Sack-und-Esel-Theorie«, sagte Zucker. »Sie können die Frau, die Sie wirklich hassen, nicht umbringen, weil sie zu mächtig ist. Zu einschüchternd. Also töten Sie eine Ersatzfigur, eine Frau, die stellvertretend für dieses eigentliche Objekt steht.«

»Sie wollen also sagen, dass sein eigentliches Ziel immer schon Cordell gewesen ist?«, fragte Frost. »Und dass er sich vor ihr fürchtet?«

»Es ist der gleiche Grund, aus dem Edmund Kemper seine Mutter erst ganz zum Schluss seiner Mordserie getötet hat«, sagte Zucker. »*Sie* war die ganze Zeit das wahre Objekt seiner Aggression; die Frau, die er verachtete. Aber statt sie anzugreifen, ließ er seine Wut an anderen Opfern aus. Mit jedem Mord vernichtete er seine Mutter aufs Neue. Er konnte sie nicht wirklich töten, anfangs jedenfalls nicht, denn ihre Autorität war zu groß. Auf einer gewissen Ebene fürchtete er sie. Doch mit jedem Mord wuchs sein Selbstvertrauen. Seine Macht. Und schließlich erreichte er doch noch sein Ziel. Er schlug seiner Mutter den Schädel ein, enthauptete und vergewaltigte sie. Und als letzten Akt der Erniedrigung riss er ihr den Kehlkopf heraus und warf ihn auf den Müll.

Das wahre Objekt seiner Rage war endlich tot. Und damit war sein Amoklauf beendet. In diesem Moment stellte Edmund Kemper sich der Polizei.«

Barry Frost war gewöhnlich der erste Polizist am Tatort, dem das Frühstück hochkam, und bei dem Gedanken an Kempers grausiges Finale schien ihm ein wenig flau im Magen zu werden. »Also könnten diese ersten drei Überfälle bloß Aufwärmübungen für das eigentliche Hauptereignis sein?«, fragte er.

Zucker nickte. »Für den Mord an Catherine Cordell.«

Es tat Moore fast weh, das Lächeln auf Catherines Gesicht zu sehen, als sie das Wartezimmer der Klinik betrat, um ihn zu begrüßen. Er wusste, dass die Fragen, mit denen er gekommen war, ihr die Freude über seinen Besuch mit Sicherheit verderben würden. Wenn er sie jetzt anschaute, sah er in ihr kein Opfer, sondern eine schöne und warmherzige Frau, die sofort seine Hand nahm und sie nur ungern wieder loszulassen schien.

»Ich hoffe, ich komme nicht ungelegen. Ich möchte mich ein wenig mit Ihnen unterhalten«, sagte er.

»Für Sie nehme ich mir immer Zeit.« Wieder dieses bezaubernde Lächeln. »Möchten Sie eine Tasse Kaffee?«

»Nein danke. Machen Sie sich keine Mühe.«

»Gut, dann lassen Sie uns in mein Büro gehen.«

Sie machte es sich hinter ihrem Schreibtisch bequem und wartete gespannt darauf, welche Neuigkeiten er mitgebracht hatte. In den letzten Tagen hatte sie gelernt, ihm zu vertrauen, und ihr Blick war offen und unverstellt. Schutzlos. Er hatte ihr Vertrauen als Freund gewonnen, und nun würde er es mit einem Schlag wieder zerstören.

»Es ist offensichtlich«, begann er, »dass der Chirurg auf Sie fixiert ist.«

Sie nickte.

»Was wir uns fragen, ist: Wieso? Warum imitiert er Andrew Capras Methode? Warum sind Sie in den Mittelpunkt seiner Aufmerksamkeit gerückt? Wissen Sie die Antwort auf diese Fragen?«

In ihren Augen flackerte Verwirrung auf. »Ich habe keine Ahnung.«

»Wir glauben, dass Sie sehr wohl eine Ahnung haben.«

»Woher sollte ich denn wissen, wie er denkt?«

»Catherine, er könnte auch anderen Frauen in Boston auflauern. Er könnte sich eine aussuchen, die unvorbereitet ist, die keine Ahnung hat, dass er hinter ihr her ist. Das wäre logisch – sich auf die leichte Beute zu stürzen. Sie aber sind das schwierigste Opfer, das er sich auswählen konnte, weil Sie ohnehin schon auf der Hut vor Angriffen sind. Und dann macht er es sich noch schwerer, indem er Sie warnt. Und Sie verhöhnt. Warum?«

Die Herzlichkeit war aus ihrem Blick gewichen. Mit einem Mal versteiften sich ihre Schultern, und ihre Hände ballten sich auf der Schreibtischplatte zu Fäusten. »Ich kann Ihnen nur immer wieder sagen, ich *weiß* es nicht.«

»Sie sind die einzige konkrete Verbindung zwischen Andrew Capra und dem Chirurgen«, sagte er. »Das gemeinsame Opfer. Es ist, als wäre Capra noch am Leben, als machte er da weiter, wo er aufgehört hat. Und aufgehört hatte er damals mit Ihnen. Mit der einen, die ihm entkam.«

Sie starrte auf ihren Schreibtisch herab, auf die Akten, die so säuberlich gestapelt in den mit »Eingang« und Ausgang« gekennzeichneten Ablagen ruhten. Auf den Krankenbericht, den sie in ihrer engen und akkuraten Handschrift abgefasst hatte. Sie saß vollkommen reglos da, doch die Knöchel ihrer krampfhaft geballten Fäuste waren weiß wie Elfenbein.

»Was haben Sie mir über Andrew Capra verschwiegen?«, fragte er mit ruhiger Stimme.

»Ich habe Ihnen nichts verschwiegen.«

»An dem Abend, als er Sie überfiel, weshalb war er da zu Ihnen nach Hause gekommen?«

»Wieso ist das wichtig?«

»Sie waren das einzige Opfer, das Capra persönlich kannte. Die anderen waren Fremde, Frauen, die er in Bars aufgegabelt hatte. Aber Sie waren anders. Er hat Sie *auserwählt.*«

»Er war... vielleicht war er wütend auf mich.«

»Er kam zu Ihnen wegen eines Vorfalls auf der Arbeit. Wegen eines Fehlers, den er begangen hatte. Das haben Sie Detective Singer erzählt.«

Sie nickte. »Es war mehr als nur ein Fehler. Es war eine ganze Reihe davon. Medizinische Kunstfehler. Und er hatte es versäumt, abnormen Blutergebnissen nachzugehen. Das Bild, das sich aus alldem ergab, war eines von notorischer Nachlässigkeit. Ich hatte ihn an diesem Tag bereits zur Rede gestellt, im Krankenhaus.«

»Was haben Sie ihm gesagt?«

»Ich sagte ihm, er solle sich ein anderes Fachgebiet aussuchen. Denn ich würde ihn nicht für ein zweites praktisches Jahr empfehlen.«

»Hat er Ihnen gedroht? War er wütend?«

»Nein. Das war ja das Merkwürdige. Er nahm es einfach so hin. Und er... lächelte mich an.«

»Er lächelte?«

Sie nickte. »Als ob es ihm nicht wirklich etwas ausmachte.«

Das Bild ließ Moore einen Schauer über den Rücken laufen. Sie konnte zu diesem Zeitpunkt nicht gewusst haben, dass hinter der Maske von Capras Lächeln eine abgrundtiefe Wut lauerte.

»Und später an jenem Abend, in Ihrer Wohnung«, sagte Moore, »als er sich an Ihnen verging...«

»Ich habe bereits darüber gesprochen, was passiert ist. Es steht in meiner Aussage. Alles steht in meiner Aussage.«

Moore schwieg eine Weile. Widerwillig bohrte er dann weiter. »Es gibt Dinge, die Sie Singer nicht gesagt haben. Dinge, die Sie ausgelassen haben.«

Sie blickte auf. Ihre Wangen waren vor Zorn gerötet. »Ich habe nichts ausgelassen!«

So sehr es ihm widerstrebte, sie mit weiteren Fragen zu quälen – er hatte keine andere Wahl. »Ich habe mir Capras Autopsiebericht noch einmal durchgelesen«, sagte er. »Er stimmt nicht mit dem überein, was Sie der Polizei in Savannah erzählt haben.«

»Ich habe Detective Singer ganz genau geschildert, was passiert ist.«

»Laut Ihrer Aussage lagen Sie auf dem Bett, und Ihr Oberkörper hing seitlich über die Bettkante. Sie griffen nach der Waffe, die unter dem Bett lag. Und aus dieser Position zielten Sie auf Capra und drückten ab.«

»Und so war es auch. Ich schwöre es.«

»Die Autopsie hat ergeben, dass das Projektil Capras Abdomen von unten nach oben durchquerte und dann seine Brustwirbelsäule durchschlug, wodurch er gelähmt wurde. Dieser Teil stimmt mit Ihrer Aussage überein.«

»Warum behaupten Sie dann, ich hätte gelogen?«

Wieder hielt Moore inne. Es tat ihm fast zu weh, fortzufahren. Sie noch mehr zu quälen. »Da ist noch das Problem des zweiten Geschosses«, sagte er. »Es wurde aus kurzer Entfernung abgefeuert und traf ihn mitten ins linke Auge. Sie aber lagen am Boden.«

»Er muss sich gebückt haben, und in diesem Augenblick habe ich geschossen ...«

»*Muss* sich gebückt haben?«

»Ich weiß es nicht. Ich kann mich nicht erinnern.«

»Sie erinnern sich nicht an den zweiten Schuss?«

»Nein. Doch ...«

»Welche Version ist die wahre, Catherine?« Er sagte es leise, doch es gelang ihm nicht, die Schärfe seiner Worte abzumildern.

Sie sprang abrupt auf. »Ich lasse mich nicht in dieser Weise verhören. *Ich* bin das Opfer!«

»Und ich versuche, Ihren Tod zu verhindern. Ich muss die Wahrheit wissen!«

»Ich habe Ihnen die Wahrheit gesagt! Und jetzt denke ich, es ist Zeit, dass Sie gehen.« Sie ging zur Tür, riss sie auf und wich erschrocken zurück.

Peter Falco stand direkt dahinter, die Hand zum Klopfen erhoben.

»Alles in Ordnung, Catherine?«, fragte Peter.

»Alles in *bester* Ordnung«, gab sie barsch zurück.

Peters Blick fiel auf Moore, und seine Miene verfinsterte sich. »Was geht denn hier vor – Polizeiterror?«

»Ich stelle Dr. Cordell ein paar Fragen, das ist alles.«

»So hat es sich vom Flur aus aber nicht angehört.« Peter sah Catherine an. »Möchtest du, dass ich ihn nach draußen begleite?«

»Ich komme schon allein damit klar.«

»Du bist nicht verpflichtet, irgendwelche Fragen zu beantworten.«

»Das ist mir sehr wohl bewusst, danke.«

»Okay. Aber falls du mich brauchst, ich bin gleich hier nebenan.« Peter warf Moore noch einen letzten warnenden Blick zu und ging wieder in sein eigenes Büro. Vom anderen Ende des Flurs starrten Helen und die Buchhalterin sie an. Mit fahrigen Bewegungen zog Catherine die Tür wieder zu. Einen Augenblick lang stand sie mit dem Rücken zu Moore da. Dann richtete sie sich kerzengerade auf und wandte sich zu ihm um. Ob sie ihm jetzt oder später antwortete, die Fragen würden bleiben.

»Ich habe Ihnen nichts vorenthalten«, sagte sie. »Wenn ich Ihnen nicht in allen Einzelheiten sagen kann, was an dem Abend passiert ist, dann liegt es daran, dass ich mich nicht erinnern kann.«

»Ihre Aussage bei der Polizei von Savannah entsprach also nicht gänzlich der Wahrheit.«

»Ich lag noch im Krankenhaus, als ich meine Aussage

machte. Detective Singer ging mit mir die Ereignisse durch; er half mir, das Puzzle zusammenzusetzen. Ich erzählte ihm, was ich damals für die korrekte Version *gehalten* habe.«

»Und jetzt sind Sie sich nicht mehr sicher.«

Sie schüttelte den Kopf. »Es ist schwer, die echten von den falschen Erinnerungen zu unterscheiden. Es gibt so vieles, woran ich mich nicht mehr erinnern kann, und das liegt an dem Medikament, das Capra mir verabreicht hat. An dem Rohypnol. Immer mal wieder schießt mir ein Erinnerungsfetzen durch den Kopf. Etwas, das wahr sein könnte oder auch nicht.«

»Und diese spontanen Erinnerungen haben Sie immer noch?«

»Erst letzte Nacht wieder. Es war das erste Mal seit Monaten. Ich hatte geglaubt, es wäre endlich überstanden. Ich dachte, ich wäre diese Visionen los.« Sie trat ans Fenster und schaute hinaus. Die Aussicht war durch dunkel aufragende Betontürme verstellt. Ihr Büro lag dem Bettenhaus gegenüber, und man konnte die Fenster der Krankenzimmer erblicken, Reihe um Reihe. Ein Einblick in die privaten Welten der Kranken und der Sterbenden.

»Zwei Jahre, das klingt wie eine lange Zeit«, sagte sie. »Genug Zeit, um zu vergessen. Aber zwei Jahre sind in Wirklichkeit nichts. *Gar nichts.* Nach dieser Nacht konnte ich nicht mehr in mein eigenes Haus zurückgehen. Ich konnte keinen Fuß mehr in die Wohnung setzen, in der es passiert war. Mein Vater musste meine Sachen packen und mir beim Umzug in meine neue Wohnung helfen. Man muss sich das einmal vorstellen – ich, die leitende Assistenzärztin, gewöhnt an den Anblick von Blut und Gedärmen –, und allein bei dem Gedanken, diesen Flur entlangzugehen und meine alte Schlafzimmertür aufzumachen, brach mir der kalte Schweiß aus. Mein Vater versuchte mich zu verstehen, aber er ist nun einmal ein alter Soldat. Er kann keine Schwäche akzeptieren. Für ihn ist das bloß eine Kriegsverletzung wie jede andere – sie verheilt, und das Leben geht weiter. Er sagte mir, ich solle endlich erwachsen werden und darüber hinwegkommen.« Sie schüttelte den Kopf und lachte. »*Darüber hinwegkommen.* Das klingt ja so einfach. Er hatte keine Ahnung, wie schwer es mir fiel, morgens einfach nur das Haus zu verlassen. Zu meinem Wagen zu gehen. So schutzlos zu sein. Und irgendwann habe ich einfach nicht mehr mit ihm geredet, weil ich wusste, wie sehr ihn meine Schwachheit anwiderte. Ich habe ihn seit Monaten nicht mehr angerufen…

Ich habe zwei Jahre gebraucht, um meine Angst endlich in den Griff zu bekommen. Um ein einigermaßen normales Leben führen zu können, um nicht ständig das Gefühl zu haben, dass mir hinter jedem Busch irgendetwas auflauert. Ich hatte mir mein Leben zurückerobert.« Sie fuhr sich mit der Hand über die Augen, wischte sich mit einer ungeduldigen, zornigen Bewegung die Tränen ab. Ihre Stimme wurde zu einem Flüstern. »Und jetzt habe ich es wieder verloren…«

Sie zitterte am ganzen Leib in dem krampfhaften Bemühen, die Tränen zu unterdrücken. Sie hatte die Arme vor der Brust verschränkt und kämpfte um ihre Fassung, während ihre Fingernägel sich in ihre Oberarme gruben. Moore stand auf und trat zu ihr hin. Hinter ihrem Rücken blieb er stehen und fragte sich, was wohl geschehen würde, wenn er sie berührte. Würde sie ihm ausweichen? Würde der bloße Kontakt mit der Hand eines Mannes sie abstoßen? Er sah hilflos zu, wie sie in sich zusammensank, und er dachte, sie müsste vor seinen Augen zerbrechen.

Sanft berührte er ihre Schulter. Sie zuckte nicht zurück, wich ihm nicht aus. Er drehte sie zu sich herum, schlang die Arme um sie und zog sie an seine Brust. Die Tiefe ihres Schmerzes erschütterte ihn. Er spürte, wie ihr ganzer Körper unter der Last bebte wie eine Brücke, an der Sturmwinde zerren. Sie gab keinen Laut von sich, doch er fühlte ihren zitternden Atem, ihr unterdrücktes Schluchzen. Er drückte seine Lippen auf ihr Haar. Er konnte nicht anders; ihre Not sprach irgendetwas tief in seinem Innern an. Er nahm ihr Gesicht in beide Hände und küsste ihre Stirn, ihren Haaransatz.

Sie verharrte reglos in seinen Armen, und er dachte: Ich bin zu weit gegangen. Rasch ließ er sie wieder los. »Es tut mir Leid«, sagte er. »Dazu hätte es nicht kommen dürfen.«

»Nein. Allerdings nicht.«

»Können Sie vergessen, dass ich es getan habe?«

»Können Sie es?«, fragte sie leise.

»Ja.« Er richtete sich straff auf. Und wiederholte es mit festerer Stimme, wie um sich selbst zu überzeugen. »Ja.«

Sie sah auf seine Hand herab, und er wusste, worauf ihr Blick ruhte. Auf seinem Ehering. »Ich hoffe für Ihre Frau, dass Sie es können«, sagte sie. Ihre Bemerkung zielte auf sein schlechtes Gewissen, und sie traf.

Er betrachtete seinen Ring, einen schlichten Goldreif, den er schon so lange getragen hatte, dass er mit seinem Finger verwachsen schien. »Ihr Name war Mary«, sagte er. Er wusste, was Catherine angenommen hatte: dass er seine Frau betrügen würde. Jetzt verspürte er das verzweifelte Bedürfnis, ihr alles zu erklären, sich in ihren Augen von der Sünde reinzuwaschen.

»Es passierte vor zwei Jahren. Eine Blutung in ihrem Gehirn. Sie ist nicht gleich daran gestorben. Sechs Monate lang habe ich die Hoffnung nicht aufgegeben, habe darauf gewartet, dass sie wieder aufwacht...« Er schüttelte den Kopf. »Einen chronischen vegetativen Zustand haben die Ärzte das genannt. Mein Gott, wie ich dieses Wort gehasst habe – ›vegetativ‹. Als ob sie eine Pflanze oder irgendein Baum wäre. Nur noch ein armseliger Abklatsch der Frau, die sie einmal gewesen war. In den Monaten bis zu ihrem Tod hatte sie sich so verändert, dass ich sie nicht wiedererkannt habe. Ich konnte in ihr nichts mehr von Mary erkennen.«

Ihre Berührung überraschte ihn. Nun war er derjenige, der

beim ersten Kontakt zurückzuckte. Schweigend standen sie einander in dem grauen Licht gegenüber, das durch das Fenster fiel, und er dachte: Kein Kuss, keine Umarmung könnte zwei Menschen einander näher bringen, als wir uns in diesem Moment sind. Die intimste Erfahrung, die zwei Menschen miteinander teilen können, ist weder Liebe noch Lust, sondern Schmerz.

Das Summen der Sprechanlage brach den Bann. Catherine blinzelte, als sei ihr plötzlich wieder eingefallen, wo sie war. Sie wandte sich zum Schreibtisch um und drückte auf die Sprechtaste.

»Ja?«

»Dr. Cordell, die Intensivstation hat eben angerufen. Sie werden da oben dringend gebraucht.«

Moore erkannte an Catherines Blick, dass ihnen beiden der gleiche Gedanke gekommen war: *Es ist etwas mit Nina Peyton.*

»Geht es um Bett zwölf?«, fragte Catherine.

»Ja. Die Patientin ist gerade aufgewacht.«

11

Nina Peytons Augen waren weit aufgerissen und blickten angstvoll umher. Ihre Hand- und Fußgelenke waren mit Vierpunktgurten an den Gitterstäben des Betts fixiert, und sie versuchte verzweifelt, ihre Hände zu befreien, sodass sich die Sehnen in ihren Armen schon als dicke Stränge abzeichneten.

»Sie hat vor etwa fünf Minuten das Bewusstsein wiedererlangt«, erklärte Stephanie, die Schwester von der chirurgischen Intensivstation. »Zuerst fiel mir auf, dass ihr Puls sich erhöht hatte, und dann sah ich, dass ihre Augen offen waren. Ich habe versucht, sie zu beruhigen, aber sie wehrt sich immer noch gegen die Fixiergurte.«

Catherine warf einen Blick auf den Herzmonitor. Sie erkannte einen sehr schnellen Herzrhythmus, aber keine Arrhythmien. Ninas Atem ging ebenfalls sehr schnell, gelegentlich unterbrochen durch einen explosionsartigen, keuchenden Husten, durch den Schleimklumpen aus dem Endotrachealtubus herausgeschleudert wurden.

»Es ist der Tubus«, sagte Catherine. »Er versetzt sie in Panik.«

»Soll ich ihr etwas Valium geben?«

Moore, der in der Tür stand, sagte: »Wir brauchen sie bei vollem Bewusstsein. Wenn sie ruhig gestellt ist, können wir keine Antworten von ihr bekommen.«

»Sie kann sowieso nicht mit Ihnen sprechen. Nicht solange der Tubus drin ist.« Catherine sah Stephanie an. »Wie waren die letzten Blutgaswerte? Können wir extubieren?«

Stephanie blätterte in den Papieren auf ihrem Klemmbrett. »Sie sind im Grenzbereich. Der pO_2 liegt bei fünfundsechzig, der pCO_2 bei zweiunddreißig. Und das bei Intubation mit vierzig Prozent Sauerstoff.«

Catherine runzelte die Stirn. Ihr gefiel keine der beiden Optionen so recht. Genau wie die Polizei wollte sie, dass Nina wach war und sprach, doch sie musste mehrere Dinge gleichzeitig berücksichtigen. Das Gefühl eines Plastikschlauchs im Hals kann jeden in Panik versetzen, und Nina war dermaßen erregt, dass sie sich bereits die Handgelenke an den Gurten wund gerieben hatte. Aber das Entfernen des Tubus war auch nicht ohne Risiko. Nach der Operation hatte sich in ihren Lungen Flüssigkeit angesammelt, und obwohl sie ein vierzigprozentiges Sauerstoffgemisch atmete – den doppelten Anteil der normalen Raumluft –, war die Sauerstoffsättigung ihres Bluts noch kaum ausreichend. Deswegen hatte Catherine den Tubus an Ort und Stelle belassen. Wenn sie den Schlauch entfernten, würden sie damit ein Sicherheitspolster einbüßen. Wenn sie ihn drin ließen, würde die Patientin weiter panisch zappeln und um sich schlagen. Verabreichten sie ihr jedoch ein Beruhigungsmittel, dann würden Moores Fragen unbeantwortet bleiben.

Catherines Blick ging wieder zu Stephanie. »Ich werde extubieren.«

»Sind Sie sicher?«

»Wenn die geringste Verschlechterung eintritt, werde ich wieder intubieren.« *Leichter gesagt als getan*, konnte sie von Stephanies Augen ablesen. Nach mehreren Tagen der Intubation konnte das Kehlkopfgewebe zuweilen anschwellen, was eine erneute Einführung des Schlauches erschwerte. Dann bliebe nur noch eine Tracheotomie als letzte Rettung.

Catherine trat ans Kopfende des Bettes und nahm das Gesicht der Patientin behutsam in beide Hände. »Nina, ich bin Dr. Cordell. Ich werde jetzt den Schlauch herausnehmen. Wollen Sie das?«

Die Patientin nickte heftig – eine eindeutige Antwort.

»Sie müssen ganz still halten, okay? Sonst könnten wir

Ihre Stimmbänder verletzen.« Catherine hob den Kopf. »Maske bereit?«

Stephanie hielt die Sauerstoffmaske aus Plastik hoch.

Catherine tätschelte noch einmal aufmunternd Ninas Schulter, dann zog sie das Klebeband ab, mit dem der Tubus fixiert war, und ließ die Luft aus der ballonartigen Manschette entweichen. »Holen Sie tief Luft und atmen Sie dann aus«, sagte Catherine. Sie beobachtete, wie die Brust der Patientin sich hob, und als Nina auszuatmen begann, zog Catherine vorsichtig den Schlauch heraus.

Nina begann zu husten und zu keuchen, und mit dem Schlauch entwich ihrer Kehle ein Sprühregen von Schleim. Catherine strich ihr über das Haar und murmelte beruhigend auf sie ein, während Stephanie der Patientin die Sauerstoffmaske aufsetzte.

»Alles in Ordnung«, sagte Catherine.

Doch die Lichtpunkte jagten immer noch rasend schnell über den Herzmonitor. Nina fixierte Catherine mit ihrem verängstigten Blick, als sei sie ihr Rettungsanker, den sie nicht aus den Augen zu verlieren wagte. Catherine erwiderte den Blick ihrer Patientin, und der Anblick kam ihr plötzlich auf beunruhigende Weise bekannt vor. *Das war ich vor zwei Jahren. Aufgewacht in einem Krankenhaus in Savannah; von einem Albtraum in den nächsten gestürzt...*

Sie sah auf die Gurte herab, mit denen Ninas Hände und Füße gesichert waren, und erinnerte sich an das entsetzliche Gefühl des Gefesseltseins. So wie Andrew Capra sie an das Bett gefesselt hatte.

»Nehmen Sie ihr die Gurte ab«, sagte sie.

»Aber sie könnte sich die Katheter rausreißen.«

»Nehmen Sie sie einfach nur *ab.*«

Angesichts der brüsken Zurechtweisung lief Stephanie rot an. Wortlos löste sie die Gurte. Sie verstand es nicht; niemand konnte es verstehen, außer Catherine, die noch zwei Jahre nach Savannah keine Ärmel mit zu engen Manschetten ertragen konnte. Als die letzte Fessel fiel, sah sie, wie Ninas Lippen sich zu einer stummen Botschaft formten.

Danke.

Allmählich wurde das Piepsen des EKG-Geräts langsamer. Die beiden Frauen sahen einander in die Augen, während im Hintergrund der stetige Herzrhythmus ertönte. So wie Catherine einen Teil ihrer selbst in Ninas Augen erblickt hatte, so erkannte auch Nina sich in Catherines Augen. Die stumme Schwesternschaft der Opfer.

Niemand wird je wissen, wie viele wir wirklich sind.

»Sie können jetzt reinkommen, meine Herren«, sagte die Schwester.

Moore und Frost betraten die Kabine, wo Catherine am Bett der Patientin saß und ihre Hand hielt.

»Sie hat mich gebeten, zu bleiben«, sagte Catherine.

»Ich kann eine Polizeibeamtin kommen lassen«, meinte Moore.

»Nein, sie will mich«, erwiderte Catherine. »Ich gehe nicht weg.«

Sie sah Moore mit festem Blick in die Augen, und ihm wurde klar, dass dies nicht dieselbe Frau war, die er noch vor wenigen Stunden im Arm gehalten hatte; hier kam eine andere Seite von ihr zum Vorschein, wild entschlossen und kampfbereit. In dieser Angelegenheit würde sie nicht nachgeben.

Er nickte und nahm auf einem Stuhl neben dem Bett Platz. Frost stellte den Kassettenrekorder auf und nahm eine unaufdringliche Position am Fuß des Bettes ein. Es war Frosts unauffälliges Wesen, seine stille Höflichkeit, die Moore bewogen hatte, ihn zu dieser Befragung mitzunehmen. Das Letzte, was man Nina Peyton zumuten durfte, war ein allzu aggressiver Polizist.

Ihre Atemmaske war durch eine Sauerstoffbrille ersetzt worden; die Luft fuhr mit leisem Zischen durch den Schlauch in ihre Nasenlöcher. Ihre Augen flackerten zwischen den beiden Männern hin und her, sie registrierten jede vermeintliche Bedrohung, jede heftige Geste. Moore sprach bewusst leise, als er nunmehr sich selbst und Frost vorstellte. Er ging mit ihr die Präliminarien durch, ließ sich ihren Namen, ihr Alter und ihre Adresse bestätigen. Zwar wusste er all das schon vorher, doch indem er sie aufforderte, die Angaben auf Band zu sprechen, konnte er ihren geistigen Zustand ermitteln und demonstrieren, dass sie bei vollem Bewusstsein und somit in der Lage war, eine Aussage zu machen. Sie beantwortete seine Fragen mit einer heiseren, tonlosen Stimme, die befremdlich emotionslos klang. Ihre Distanziertheit machte ihn nervös; er hatte das Gefühl, einer Toten zuzuhören.

»Ich habe ihn nicht in mein Haus kommen gehört«, sagte sie. »Ich wachte erst auf, als er schon neben meinem Bett stand. Ich hätte die Fenster nicht offen lassen sollen. Ich hätte die Tabletten nicht nehmen sollen …«

»Welche Tabletten?«, fragte Moore mit sanfter Stimme.

»Ich litt an Schlafstörungen wegen …« Sie verstummte.

»Wegen der Vergewaltigung?«

Sie wandte sich ab, mied seinen Blick. »Ich hatte Albträume. In der Klinik gaben sie mir Tabletten, die sollten mir helfen, besser zu schlafen.«

Und plötzlich stand ein Albtraum, ein echter Albtraum, mitten in ihrem Schlafzimmer.

»Haben Sie sein Gesicht gesehen?«, fragte er.

»Es war dunkel. Ich konnte ihn atmen hören, aber ich konnte mich nicht bewegen. Ich konnte nicht schreien.«

»Sie waren schon gefesselt?«

»Ich kann mich nicht erinnern, wie er es getan hat. Ich weiß nicht, wie es passiert ist.«

Chloroform, dachte Moore, um sie wehrlos zu machen. Bevor sie ganz aufwachen konnte.

»Was ist dann passiert, Nina?«

Ihr Atem beschleunigte sich. Auf dem Monitor über ihrem Bett jagte der Lichtpunkt ihrer Herzkurve schneller von links nach rechts.

»Er hat sich auf einen Stuhl neben meinem Bett gesetzt. Ich konnte seinen Schatten sehen.«

»Und was hat er gemacht?«

»Er – er hat mit mir gesprochen.«

»Was hat er gesagt?«

»Er sagte …« Sie schluckte. »Er sagte, ich wäre schmutzig. Verseucht. Er sagte, ich sollte mich vor mir selbst ekeln, so dreckig wäre ich. Und er – er würde das Stück aus mir herausschneiden, das befleckt war, und mich so wieder rein machen.« Sie schwieg einen Moment. Und fuhr dann flüsternd fort: »In dem Moment war mir klar, dass ich sterben würde.«

Catherine war kreidebleich geworden, doch Nina schien merkwürdig gefasst, so als spreche sie über den Albtraum einer anderen Frau, nicht ihren eigenen. Ihre Augen waren nicht mehr auf Moore gerichtet, sondern auf irgendeinen Punkt hinter ihm, und sie erblickten wie aus weiter Ferne eine an ein Bett gefesselte Frau. Und auf einem Stuhl, verborgen in der Dunkelheit, einen Mann, der mit ruhiger Stimme beschrieb, welche Gräuel er als Nächstes plante. Für den Chirurgen, dachte Catherine, ist dies das Vorspiel. Das ist es, was ihn erregt. Der Geruch der Angst, der von einer Frau ausgeht. Das ist sein Lebenselixier. Er sitzt an ihrem Bett und füllt ihre Fantasie mit Bildern des Todes. Schweiß bedeckt ihre Haut, Schweiß, der den säuerlichen Geruch der Panik ausströmt. Ein exotisches Parfüm, nach dem er ganz wild ist. Er atmet es ein, und seine Erregung wächst.

»Was ist dann passiert?«, fragte Moore.

Keine Antwort.

»Nina?«

»Er hat die Lampe auf mein Gesicht gerichtet. Er hat sie

direkt in meine Augen gerichtet, sodass ich ihn nicht sehen konnte. Ich konnte nur dieses grelle Licht sehen. Und er hat mich fotografiert.«

»Und dann?«

Sie sah ihn an. »Dann war das Licht wieder aus, und er war weg.«

»Er hat sie im Haus allein gelassen?«

»Nicht allein. Ich konnte hören, wie er umherging. Und den Fernseher – die ganze Nacht habe ich den Fernseher gehört.«

Das Muster hat sich geändert, dachte Moore. Er und Frost tauschten ungläubige Blicke aus. Der Chirurg war dreister geworden. Furchtloser. Anstatt das Tötungsritual innerhalb weniger Stunden abzuschließen, hatte er es hinausgezögert. Die ganze Nacht und den folgenden Tag über hatte er seine Beute gefesselt auf dem Bett liegen lassen, um sie über ihr bevorstehendes Martyrium nachsinnen zu lassen. Ohne sich um die Risiken zu kümmern, hatte er ihre Qualen in die Länge gezogen. Und seine eigene Lust.

Die Herzschläge auf dem Monitor hatten sich wieder beschleunigt. Obwohl ihre Stimme monoton und leblos klang, schwelte die Angst hinter der ruhigen Fassade weiter.

»Was ist dann passiert, Nina?«, fragte er.

»Irgendwann im Lauf des Nachmittags muss ich eingeschlafen sein. Als ich aufwachte, war es schon wieder dunkel. Ich hatte solchen Durst. Ich konnte an nichts anderes mehr denken als nur an Wasser, Wasser …«

»Hat er Sie irgendwann allein gelassen? Waren Sie zu irgendeinem Zeitpunkt allein im Haus?«

»Ich weiß nicht. Alles, was ich hören konnte, war der Fernseher. Als er ihn ausschaltete, wusste ich Bescheid. Ich wusste, dass er in mein Zimmer zurückkommen würde.«

»Und als er dann kam, hat er da das Licht eingeschaltet?«

»Ja.«

»Haben Sie sein Gesicht sehen können?«

»Nur seine Augen. Er trug eine Maske. Die Art, wie Ärzte sie benutzen.«

»Aber seine Augen haben Sie gesehen?«

»Ja.«

»Haben Sie ihn erkannt? Hatten Sie diesen Mann irgendwann in Ihrem Leben schon einmal gesehen?«

Es war lange still. Moore fühlte, wie sein eigenes Herz pochte, während er auf die erhoffte Antwort wartete.

Dann sagte sie leise: »Nein.«

Er ließ sich gegen die Rückenlehne sinken. Die Spannung in dem Raum war schlagartig in sich zusammengefallen. Für dieses Opfer war der Chirurg ein Fremder, ein Namenloser, und es blieb weiter ein Rätsel, weshalb er ausgerechnet sie ausgesucht hatte.

Er versuchte, sich die Enttäuschung nicht anmerken zu lassen, als er sagte: »Beschreiben Sie ihn uns bitte, Nina.«

Sie holte tief Luft und schloss die Augen, wie um die Erinnerung vor ihrem inneren Auge heraufzubeschwören. »Er hatte... er hatte kurze Haare. Sehr sauber geschnitten...«

»Welche Farbe?«

»Braun. Ein heller Braunton.«

Das passte zu dem Haar, das sie in Elena Ortiz' Wunde gefunden hatten. »Er war also ein Weißer?«, fragte Moore.

»Ja.«

»Augen?«

»Hell. Blau oder grau. Ich hatte Angst, ihm direkt in die Augen zu sehen.«

»Und seine Gesichtsform? Rund, oval?«

»Schmal.« Sie überlegte kurz. »Normal.«

»Größe und Gewicht?«

»Es ist schwierig...«

»Versuchen Sie zu schätzen.«

Sie seufzte. »Durchschnittlich.«

Durchschnittlich. Normal. Ein Monster, das aussah wie jeder andere.

Moore wandte sich an Frost. »Zeigen wir ihr die Sixpacks.«

Frost reichte ihm eins der Verbrecheralben. Die Fotoserien wurden »Sixpacks« genannt, weil es von jedem Täter sechs Aufnahmen gab. Moore legte das Album auf einen Nachttisch mit Rollen und schob diesen an die Patientin heran.

Die nächste halbe Stunde verbrachten sie damit, ihr beim Durchblättern der Alben zuzusehen, während ihre Hoffnungen mehr und mehr schwanden. Niemand sagte etwas, die einzigen Geräusche waren das Zischen des Sauerstoffs und das Rascheln der Seiten beim Umblättern. Es handelte sich um die Fotos polizeibekannter Sexualtäter, und während Nina Seite um Seite umblätterte, drängte sich Moore das Gefühl auf, dass die Reihe der Gesichter endlos war, dass diese Porträts für die dunkle Seite in jedem einzelnen Mann standen, für die tierhaften Triebe, die sich hinter der Maske des Menschlichen verbargen.

Er hörte ein Klopfen am Fenster der Kabine. Als er den Kopf hob, sah er Jane Rizzoli, die ihm zuwinkte.

Er ging hinaus, um mit ihr zu sprechen.

»Schon einen Treffer gelandet?«, fragte sie.

»Wir werden keinen bekommen. Er trug eine OP-Maske.«

Rizzoli runzelte die Stirn. »Wieso eine Maske?«

»Es könnte ein Teil seines Rituals sein. Ein Teil dessen, was ihn auf Touren bringt. Den Doktor spielen, das ist seine Fantasie. Er hat ihr erzählt, er würde ihr das Organ herausschneiden, das befleckt sei. Er wusste, dass sie ein Vergewaltigungsopfer war. Und was hat er herausgeschnitten? Er hat sich zielsicher an die Gebärmutter herangemacht.«

Rizzoli starrte in die Kabine. Leise sagte sie: »Ich kann mir noch einen anderen Grund vorstellen, weshalb er diese Maske trug.«

»Und der wäre?«

»Er wollte nicht, dass sie sein Gesicht sah. Er wollte verhindern, dass sie ihn identifizierte.«

»Aber das würde ja heißen…«

»Das sage ich doch schon die ganze Zeit.« Rizzoli drehte sich um und sah Moore in die Augen. »Der Chirurg hat Nina Peyton mit voller Absicht am Leben gelassen.«

Wie wenig wir doch tatsächlich in das menschliche Herz hineinsehen können, dachte Catherine, während sie die Röntgenaufnahme von Nina Peytons Brust betrachtete. Sie stand im Halbdunkel vor dem Lichtkasten mit dem daran befestigten Röntgenbild und studierte die Schatten der Knochen und Organe. Den Brustkorb, das Trampolin des Zwerchfells, und, auf diesem ruhend, das Herz. Nicht der Sitz der Seele, sondern bloß eine Pumpe aus Muskelgewebe, der ebenso wenig mythische Qualitäten anhafteten wie den Lungen oder den Nieren. Und doch konnte selbst Catherine, die mit beiden Füßen so fest auf dem Boden der Wissenschaft stand, Nina Peytons Herz nicht anschauen, ohne von der symbolischen Wirkung dieses Anblicks berührt zu sein.

Es war das Herz einer Überlebenden.

Aus dem Nebenzimmer hörte sie Stimmen. Es war Peter, der die Röntgenassistentin nach den Aufnahmen eines Patienten fragte. Kurz darauf trat er in den Leseraum und hielt inne, als er sie vor dem Leuchtkasten stehen sah.

»Immer noch hier?«, fragte er.

»Genau wie du.«

»Aber ich habe schließlich heute Abend Bereitschaft. Warum gehst du nicht nach Hause?«

Catherine wandte sich wieder Ninas Röntgenaufnahme zu. »Ich will zuerst sicher sein, dass diese Patientin stabil ist.«

Er kam näher und stellte sich direkt neben sie; so stattlich, so hünenhaft, dass sie dem Impuls widerstehen musste, zur Seite zu treten. Er betrachtete die Aufnahme.

»Abgesehen von einer gewissen Atelektase kann ich hier nichts allzu Besorgniserregendes erkennen.« Sein Blick fiel auf den Vermerk *Unbekannte Patientin* in der Ecke des Bildes. »Ist das die Frau von Bett zwölf? Die immer von einem Schwarm Polizisten umgeben ist?«

»Ja.«

»Wie ich sehe, hast du sie extubiert.«

»Vor ein paar Stunden«, antwortete sie ausweichend. Sie hatte nicht die Absicht, sich mit ihm über Nina Peyton zu unterhalten, ihn gar über ihren persönlichen Bezug zu diesem Fall aufzuklären. Doch Peter fragte weiter.

»Ihre Blutgase sind in Ordnung?«

»Sie sind zufrieden stellend.«

»Und ansonsten ist sie stabil?«

»Ja.«

»Warum gehst du dann nicht nach Hause? Ich springe für dich ein.«

»Ich möchte diese Patientin selbst im Auge behalten.«

Er legte ihr die Hand auf die Schulter. »Seit wann traust du deinem eigenen Partner nicht mehr?«

Bei seiner Berührung erstarrte sie augenblicklich. Er spürte es und zog seine Hand zurück.

Nach kurzem Schweigen rückte Peter von ihr ab und begann seine Röntgenaufnahmen mit knappen, heftigen Bewegungen an den Leuchtkasten zu hängen. Er hatte eine Serie von CT-Aufnahmen eines Abdomens mitgebracht, die eine ganze Reihe von Clips beanspruchten. Als er sie alle aufgehängt hatte, blieb er reglos davor stehen. Die Spiegelung der Röntgenaufnahmen in seinen Brillengläsern verdeckte seine Augen.

»Ich bin nicht der Feind, Catherine«, sagte er leise, ohne sie anzusehen, den Blick fest auf den Leuchtkasten geheftet. »Ich wünschte, ich könnte dich davon überzeugen. Ich denke die ganze Zeit, dass ich irgendetwas getan oder gesagt habe, was alles zwischen uns verändert hat.« Endlich sah er sie doch an. »Wir haben uns immer aufeinander verlassen. Zumindest als Partner in der Klinik. Mein Gott, vor ein paar Tagen haben wir im Brustkorb dieses Mannes praktisch

Händchen gehalten! Und jetzt willst du nicht einmal, dass ich eine einzige Patientin für die Nacht übernehme. Kennst du mich denn inzwischen nicht gut genug, um mir vertrauen zu können?«

»Es gibt keinen Chirurgen, dem ich mehr vertraue als dir.«

»Dann möchte ich bloß wissen, was hier eigentlich vor sich geht. Ich komme morgens zur Arbeit und stelle fest, dass bei uns eingebrochen wurde. Und du willst mir nichts darüber sagen. Ich frage dich nach deiner Patientin in Bett zwölf, und du willst mir auch über sie nichts sagen.«

»Die Polizei hat mich gebeten, nicht darüber zu reden.«

»Die Polizei scheint neuerdings über dein ganzes Leben zu bestimmen. Wieso?«

»Es ist mir nicht gestattet, darüber zu sprechen.«

»Ich bin nicht nur dein Partner, Catherine. Ich dachte, ich wäre auch dein Freund.« Er trat einen Schritt auf sie zu. Er war ein Mann von beeindruckender Statur, und sie fühlte sich plötzlich durch seine bloße Nähe in die Enge getrieben. »Ich sehe doch, dass du Angst hast. Du schließt dich in deinem Büro ein. Du siehst aus, als hättest du seit Tagen keinen Schlaf bekommen. Ich kann nicht einfach tatenlos dastehen und mir das ansehen.«

Catherine riss Nina Peytons Röntgenaufnahme vom Leuchtkasten herunter und schob sie in den Umschlag. »Es hat nichts mit dir zu tun.«

»Doch, das hat es, wenn es dich betrifft.«

Ihre Abwehrhaltung schlug augenblicklich in Zorn um. »Jetzt wollen wir mal etwas klarstellen, Peter. Ja, wir arbeiten zusammen, und ja, ich respektiere dich als Chirurgen. Ich mag dich als Kollegen. Aber wir führen jeder sein eigenes Leben. Und wir vertrauen einander ganz gewiss nicht unsere Geheimnisse an.«

»Warum nicht?«, fragte er leise. »Was ist es, was du mir nicht zu sagen wagst?«

Sie starrte ihn an, verstört durch die Sanftheit seiner Stimme. In diesem Augenblick wünschte sie sich nichts sehnlicher, als sich diese Last von der Seele zu reden, ihm in allen peinlichen Einzelheiten zu erzählen, was damals in Savannah geschehen war. Doch sie wusste um die Konsequenzen einer solchen Beichte. Vergewaltigt zu werden, das begriff sie nur zu gut, bedeutete, für immer gezeichnet zu sein, für immer das Opfer. Mitleid konnte sie nicht zulassen. Nicht von Peter, nicht von dem Mann, dessen Respekt ihr alles bedeutete.

»Catherine?« Er streckte die Hand nach ihr aus.

Sie betrachtete sie durch einen Schleier von Tränen. Und wie eine Ertrinkende, die die schwarzen Meeresfluten der Rettung vorzieht, griff sie nicht danach.

Stattdessen drehte sie sich um und verließ den Raum.

12

Die unbekannte Patientin ist umgezogen.

Ich halte ein Röhrchen mit ihrem Blut in der Hand und bin enttäuscht, weil es sich kühl anfühlt. Es hat schon zu lange im Probenständer gesteckt, und die Körperwärme, die dieses Röhrchen anfangs enthalten hat, ist schon durch die Glaswand abgestrahlt und hat sich in der Luft verflüchtigt. Kaltes Blut ist etwas Totes, ohne Energie und ohne Seele, und es lässt mich ungerührt. Mein Blick fällt auf das Etikett, ein weißes Rechteck, das auf dem Röhrchen klebt; darauf sind der Name des Patienten, die Zimmernummer und die Nummer des Krankenhauses abgedruckt. Obwohl anstelle des Namens »Unbekannt/w« auf dem Etikett steht, weiß ich, um wessen Blut es sich wirklich handelt. Sie ist nicht mehr auf der chirurgischen Intensivstation. Sie ist nach Zimmer 538 verlegt worden – in die Chirurgie.

Ich stecke das Röhrchen in den Ständer zurück, zu den zwei Dutzend anderer Proben, alle verschlossen mit blauen und violetten, roten und grünen Gummistöpseln. Jede Farbe steht für ein bestimmtes Verfahren. Die Proben mit violettem Verschluss sind für Blutbilder bestimmt, die mit blauem für Gerinnungstests, die mit rotem für chemische und Elektrolytanalysen. In einigen der Röhrchen mit rotem Stöpsel ist das Blut bereits zu dunkelroten gallertartigen Säulen geronnen. Ich blättere den Stapel von Laboranweisungen durch und finde den Zettel für die unbekannte Patientin. Heute Morgen hat Dr. Cordell zwei Tests angeordnet: großes Blutbild und Serum-Elektrolyte. Ich wühle weiter in den Laboranweisungen vom Vorabend und finde den Durchschlag einer weiteren Anforderung, unterschrieben von Dr. Cordell als verantwortlicher Ärztin.

»Stat.: Arterielle Blutgase nach Extubierung.

2 Ltr. Sauerstoff über Sauerstoffbrille.«

Nina Peyton ist extubiert worden. Sie atmet jetzt selbstständig, holt Luft ohne mechanische Hilfen, ohne einen Schlauch in ihrem Hals.

Ich sitze regungslos an meinem Arbeitsplatz und denke nicht an Nina Peyton, sondern an Catherine Cordell. Sie glaubt diese Runde gewonnen zu haben. Sie hält sich für Nina Peytons Lebensretterin. Es ist an der Zeit, sie in ihre Schranken zu weisen. Es ist an der Zeit, ihr Demut beizubringen.

Ich greife nach dem Telefon und rufe die Diätküche des Krankenhauses an. Eine Frau antwortet mit gehetzter Stimme, im Hintergrund ist das Klappern von Tabletts zu hören. Das Abendessen steht an, und sie hat keine Zeit für einen gemütlichen Plausch.

»Hier ist Fünf West«, lüge ich. »Ich fürchte, wir haben bei zweien unserer Patienten die Diätanweisungen vertauscht. Können Sie mir sagen, welche Diät Sie für Zimmer 538 vermerkt haben?«

Es tritt eine Pause ein, während sie auf ihrer Computertastatur tippt und die Information aufruft.

»Klare Flüssignahrung«, antwortet sie. »Ist das korrekt?«

»Ja, das ist korrekt. Danke.« Ich lege auf.

In der Zeitung hieß es heute Morgen, Nina Peyton liege immer noch im Koma und ihr Zustand sei kritisch. Das entspricht nicht der Wahrheit. Sie ist wach.

Catherine Cordell hat ihr das Leben gerettet. Ich wusste es.

Eine Assistentin kommt auf meinen Arbeitsplatz zu und stellt ihr Tablett voller Blutröhrchen auf der Arbeitsfläche ab. Wir lächeln uns an, wie wir es jeden Tag tun, zwei freundliche Kollegen, die nur das Beste voneinander annehmen, weil sie keinen Grund haben, daran zu zweifeln. Sie ist jung, mit festen, hohen Brüsten, die sich wie Melonen unter ihrem weißen Kittel abzeichnen, und mit schönen, geraden Zähnen. Sie greift nach einem Stapel neuer Laboranweisungen, winkt mir zu und geht zur Tür hinaus. Ich frage mich, ob ihr Blut wohl salzig schmeckt.

Die Apparate summen und gluckern vor sich hin, ein endloses Wiegenlied.

Ich gehe zum Computer und rufe die Patientenliste von Station 5 West auf. Auf dieser Station gibt es zwanzig Zimmer, die in der Form eines H angelegt sind; die Stationszentrale befindet sich im Querbalken des H. Ich gehe die Patientenliste durch, insgesamt dreiunddreißig Namen, und lese die Angaben zu Alter und Diagnose. Beim zwölften Namen bleibe ich hängen. Zimmer 521.

»Mr. Herman Gwadowski, 69 Jahre. Behandelnde Ärztin: Dr. Catherine Cordell. Diagnose: postop. Notfall-Laparotomie wg. multipler Abdominaltraumata.«

Der Flur, auf dem Zimmer 521 liegt, verläuft parallel zu Nina Peytons Flur. Von 521 aus kann man Ninas Zimmer nicht sehen.

Ich klicke Mr. Gwadowskis Namen an und gehe in die Datei mit seinen Laborwerten. Er ist schon zwei Wochen im Krankenhaus, und seine Werte füllen Seite um Seite. Ich kann seine Arme vor mir sehen, die Ellenbeugen voller Einstiche und Blutergüsse. Aus seinem Blutzuckerspiegel ersehe ich, dass er Diabetiker ist. Der hohe Anteil weißer Blutkörperchen deutet darauf hin, dass er an irgendeiner Infektion leidet. Ich sehe auch, dass Kulturen von einem Abstrich aus einer Wunde am Fuß angelegt wurden. Die Diabetes hat die Durchblutung seiner Gliedmaßen beeinträchtigt, und das Fleisch seiner Beine wird schon nekrotisch. Und dann sehe ich noch, dass eine Kultur von einem Abstrich an der Einstichstelle für den zentralvenösen Zugang gemacht wurde.

Ich wende mich seinen Elektrolytwerten zu. Seine Kali-

umwerte sind stetig gestiegen. Vor zwei Wochen noch 4,5. Letzte Woche 4,8. Und gestern 5,1. Er ist alt, und seine Nieren haben Mühe, die alltäglichen Giftstoffe auszuscheiden, die sich im Blut ansammeln. Giftstoffe wie Kalium.

Es wird nicht viel nötig sein, um ihm den Rest zu geben.

Ich bin Mr. Herman Gwadowski nie begegnet – jedenfalls nicht persönlich. Ich gehe zu dem Ständer mit Blutproben, der die ganze Zeit auf der Arbeitsfläche gestanden hat, und sehe mir die Etiketten an. Die Proben stammen aus 5 Ost und West, und es befinden sich 24 Röhrchen in den diversen Halterungen. Ich stoße auf eines mit rotem Verschluss aus Zimmer 521. Es ist Mr. Gwadowskis Blut.

Ich nehme das Röhrchen in die Hand und betrachte es eingehend, indem ich es ans Licht halte und es langsam hin und her wende. Es ist nicht geronnen, und die Flüssigkeit sieht dunkel und brackig aus, als ob die Nadel nicht Mr. Gwadowskis Vene durchstoßen hätte, sondern in einen abgestandenen Tümpel eingetaucht wäre. Ich öffne das Röhrchen und schnuppere daran. Ich wittere den Harngeruch des Alters, den süßlichen Hautgout der Infektion. Ich rieche einen Körper, dessen Verfall bereits begonnen hat, obwohl das Gehirn noch zu leugnen sucht, dass die Hülle, die es umgibt, im Sterben liegt.

Auf diese Weise mache ich Bekanntschaft mit Mr. Gwadowski.

Die Freundschaft wird nicht von langer Dauer sein.

Angela Robbins war eine gewissenhafte Krankenschwester, und es beunruhigte sie, dass Herman Gwadowskis Zehn-Uhr-Dosis Antibiotika noch nicht da war. Sie ging zur Stationszentrale von 5 West und sagte zu der Dienst habenden Schwester: »Ich warte immer noch auf Gwadowskis Medikamente. Könntest du noch mal in der Apotheke anrufen?«

»Hast du auf dem Apothekenwagen nachgesehen? Er ist um neun hochgekommen.«

»Da war nichts für Gwadowski drauf. Er braucht sofort seine intravenöse Dosis Tazobac.«

»Ach, gerade fällt's mir ein.« Die Stationsschwester stand auf und ging zur anderen Theke hinüber, auf der ein Korb für Eingänge stand. »Ein Bote von 4 West hat es gerade vorhin gebracht.«

»4 West?«

»Der Beutel ist in die falsche Etage geschickt worden.« Die Stationsschwester überprüfte den Aufdruck. »Gwadowski, 521A.«

»Richtig«, sagte Angela und nahm den kleinen Infusionsbeutel an sich. Auf dem Weg zurück zum Krankenzimmer las sie das Etikett, um sicherzugehen, dass der Name des Patienten stimmte, ebenso wie die Angabe zum behandelnden Arzt sowie die Dosis Tazobac, die dem Beutel Kochsalzlösung hinzugefügt worden war. Alles schien seine Richtigkeit zu haben. Vor achtzehn Jahren, als Angela frisch von der Schwesternschule gekommen war, hatte eine Krankenschwester noch einfach in den Vorratsraum der Station spazieren, sich einen Beutel mit Infusionsflüssigkeit schnappen und die nötigen Medikamente selbst hinzufügen können. Ein paar Fehler, begangen von überforderten Schwestern, und ein paar Prozesse, über die in den Medien ausführlich berichtet worden war, hatten das gründlich geändert. Heute musste selbst ein harmloser Infusionsbeutel mit Kochsalzlösung und einer Beigabe von Kalium direkt aus der Krankenhausapotheke kommen. Es bedeutete zusätzlichen Verwaltungsaufwand, ein weiteres Rädchen in der ohnehin schon komplizierten Maschinerie des Gesundheitswesens, und Angela ärgerte sich darüber. Das System war schuld daran, dass die Infusion ihren Patienten erst mit einstündiger Verspätung erreichte.

Sie schloss Mr. Gwadowskis Infusionsschlauch an den neuen Beutel an und hängte diesen an die Stange. Während der ganzen Prozedur lag Mr. Gwadowski reglos da. Er war nun seit zwei Wochen im Koma und strömte bereits den Geruch des Todes aus. Angela war lange genug Krankenschwester, um ihn genau zu kennen, diesen an sauren Schweiß erinnernden Geruch, der den letzten Akt des Dramas ankündigte. Wann immer sie diesen Geruch bemerkte, flüsterte sie den anderen Schwestern zu: »Der da wird es nicht mehr lange machen.« Und genau das dachte sie jetzt, während sie die Tropfgeschwindigkeit einstellte und die Messwerte des Patienten überprüfte. *Der da wird es nicht mehr lange machen.* Trotzdem erledigte sie ihre Aufgaben mit der gleichen Sorgfalt, die sie allen anderen Patienten angedeihen ließ.

Es war Zeit für die Ganzkörperwaschung. Sie trug eine Schüssel mit warmem Wasser zum Bett, tränkte einen Waschlappen damit und begann Mr. Gwadowskis Gesicht zu waschen. Er lag mit offenem Mund da, seine Zunge war trocken und gefurcht. Wenn sie ihn doch nur gehen lassen könnten. Wenn sie ihn doch nur aus dieser Hölle erlösen könnten. Aber der Sohn gestattete noch nicht einmal eine Änderung des Behandlungsstatus, und so lebte der alte Mann weiter, wenn man das noch Leben nennen konnte, dieses Schlagen des Herzens in der verfallenden Hülle des Körpers.

Sie zog den Krankenhauskittel des Patienten beiseite und sah sich die Haut um den zentralen Venenzugang herum an. Die Wunde war leicht gerötet, was ihr Sorgen bereitete. An den Armen hatten sie keine Infusionsstellen mehr finden können. Dies war nun der einzige verbliebene Zugang, und Angela achtete gewissenhaft darauf, die Wunde sauber und den Verband frisch zu halten. Nach dem Waschen würde sie den Verbandmull wechseln.

Sie wusch den Rumpf, fuhr mit dem Lappen über die Brust mit den sich scharf abzeichnenden Rippenbögen. Sie konnte sehen, dass er nie ein sehr muskulöser Mann gewesen war, doch was jetzt von seinem Brustkorb übrig war, das war nur noch über Knochen gespanntes Pergament.

Sie hörte Schritte, und ihre Begeisterung hielt sich in Grenzen, als sie Mr. Gwadowskis Sohn eintreten sah. Mit einem einzigen Blick drängte er sie in die Defensive. Er war eben dieser Typ Mann – immer darauf bedacht, Fehler und Mängel bei anderen herauszustreichen. So ging er auch oft mit seiner Schwester um. Einmal hatte Angela gehört, wie sie sich stritten, und hatte sich beherrschen müssen, um nicht ihre Partei zu ergreifen. Schließlich stand es Angela nicht an, diesem Sohn zu sagen, was sie von seiner Einschüchterungstaktik hielt. Aber übermäßig freundlich musste sie zu ihm auch nicht sein. Also nickte sie bloß und setzte ihre Arbeit fort.

»Wie geht es ihm?«, fragte Ivan Gwadowski.

»Unverändert.« Ihre Stimme war kühl und geschäftsmäßig. Sie wünschte, er würde wieder verschwinden, würde auf seine kleine Demonstration von Mitgefühl verzichten und sie in Ruhe ihre Arbeit erledigen lassen. Sie besaß genug Menschenkenntnis, um zu begreifen, dass Liebe kaum der wichtigste Grund war, weshalb dieser Sohn am Krankenbett seines Vaters auftauchte. Er hatte die Sache an sich gerissen, weil das so seine Gewohnheit war, und er würde nie zulassen, dass irgendjemand ihm das Heft aus der Hand nahm. Nicht einmal der Tod.

»War die Ärztin schon bei ihm?«

»Dr. Cordell macht jeden Morgen Visite.«

»Was sagt sie dazu, dass er immer noch im Koma liegt?«

Angela legte den Waschlappen in die Schüssel, richtete sich auf und blickte ihn an. »Ich weiß nicht recht, was man dazu sagen soll, Mr. Gwadowski.«

»Wie lange wird er noch in diesem Zustand sein?«

»So lange, wie Sie es zulassen.«

»Was soll das heißen?«

»Denken Sie nicht auch, dass es besser wäre, ihn gehen zu lassen?«

Ivan Gwadowski starrte sie an. »Ja, das macht es für alle leichter, was? Und außerdem wird so wieder ein Bett frei.«

»Deswegen habe ich das nicht gesagt.«

»Ich weiß, wie Krankenhäuser heutzutage finanziert werden. Wenn ein Patient zu lange ein Bett blockiert, bleiben Sie auf den Kosten sitzen.«

»Ich rede nur davon, was das Beste für Ihren Vater ist.«

»Das Beste wäre, wenn das Krankenhaus seine Arbeit machen würde.«

Bevor sie etwas sagen konnte, was sie anschließend bedauern würde, drehte Angela sich um und fischte den Waschlappen aus der Schüssel, um ihn mit zitternden Händen auszuwringen. *Lass dich auf keine Diskussionen mit ihm ein. Mach einfach nur deine Arbeit. Er ist einer von der Sorte, die mit so was gleich zum Chef rennen.*

Sie legte den feuchten Lappen auf den Bauch des Patienten. Erst in diesem Moment fiel ihr auf, dass der alte Mann nicht mehr atmete.

Sofort schoss ihre Hand zu seinem Hals, um nach einem Puls zu tasten.

»Was ist denn?«, fragte der Sohn. »Fehlt ihm was?«

Sie antwortete nicht. Sie ließ ihn einfach stehen und rannte hinaus auf den Flur. »Code Blau!«, rief sie. »Gib sofort Code Blau durch, Zimmer 521!«

Catherine stürzte aus Nina Peytons Zimmer und bog um die Ecke in den nächsten Flur. In Zimmer 521 drängte sich das Personal bereits bis auf den Gang hinaus, wo ein Grüppchen von Medizinstudenten stand. Sie reckten die Hälse und starrten mit weit aufgerissenen Augen durch die Tür, um ja nichts zu verpassen.

Catherine drängte sich an ihnen vorbei in das Zimmer und rief über das chaotische Treiben hinweg: »Was ist passiert?«

»Er hat aufgehört zu atmen!«, antwortete Angela, Mr. Gwadowskis Krankenschwester. »Kein Puls!«

Catherine arbeitete sich zum Bett vor und sah, dass eine andere Schwester dem Patienten bereits eine Maske aufs Gesicht gedrückt hatte und nun Sauerstoff in die Lungen pumpte. Ein AiP hatte beide Hände auf den Brustkorb gelegt, und mit jedem Druck auf das Brustbein presste er Blut aus dem Herzen heraus und pumpte es durch Arterien und Venen in die Organe und in das Gehirn.

»EKG angeschlossen!«, rief irgendwer.

Catherine warf einen hastigen Blick auf den Monitor. Die Kurve zeigte Kammerflimmern an. Die Herzkammern zogen sich nicht mehr richtig zusammen. Stattdessen zitterten nur einzelne Muskeln, und das Herz hatte sich in einen nutzlosen, schlaffen Beutel verwandelt.

»Defibrillator geladen?«, fragte Catherine.

»Einhundert Joule.«

»Also los dann!«

Die Schwester setzte die Elektroden auf die Brust des Patienten und rief: »Alles zurücktreten!«

Die Elektroden entluden sich, und ein Stromstoß wurde durch den Herzmuskel gejagt. Der Rumpf des alten Mannes hüpfte von der Matratze in die Höhe wie eine Katze auf einer heißen Herdplatte.

»Immer noch Kammerflimmern!«

»Ein Milligramm Adrenalin i.v., dann noch mal mit einhundert schocken«, befahl Catherine.

Das Adrenalin glitt durch den zentralen Venenkatheter.

»Zurück!«

Wieder ein Stromstoß aus den Elektroden, und wieder zuckte der Rumpf zusammen.

Die Herzkurve auf dem Monitor machte einen Satz nach oben und fiel dann wieder zu einer flachen, oszillierenden Linie ab. Die letzten Zuckungen eines sterbenden Herzens.

Catherine blickte auf ihren Patienten herab und dachte: Wie soll ich diesen Haufen Haut und Knochen wiederbeleben?

»Möchten Sie – dass ich – weitermache?«, fragte der AiP, während er keuchend weiterpumpte. Ein Schweißtropfen zog eine glitzernde Bahn über seine Wange.

Ich wollte ja gar nicht, dass er wiederbelebt wird, dachte sie, und sie war schon drauf und dran, dem Ganzen ein Ende zu machen, als Angela ihr ins Ohr flüsterte:

»Der Sohn ist hier. Er beobachtet uns.«

Catherines Blick fiel auf Ivan Gwadowski, der in der Tür stand. Jetzt hatte sie keine Wahl. Sie musste alle denkbaren Anstrengungen unternehmen, oder der Sohn würde sie gnadenlos bluten lassen.

Die Kurve auf dem Monitor hatte das Aussehen einer sturmgepeitschten See.

»Machen wir noch einen Versuch«, sagte Catherine. »Zweihundert Joule diesmal. Und schickt Blut ins Labor, die sollen sofort auf Elektrolyte testen!«

Sie hörte, wie die Schublade des Instrumentenwagens geräuschvoll aufgezogen wurde. Probenröhrchen und eine Spritze kamen zum Vorschein.

»Ich kann keine Vene finden!«

»Benutzen Sie den ZVK.«

»Alles zurück!«

Alle wichen vom Bett zurück, als die Elektroden sich entluden.

Wieder sah Catherine nach dem Monitor und hoffte, die durch den Schock verursachte kurzfristige Muskellähmung würde das Herz wieder in Gang bringen. Stattdessen fiel die Kurve zu einer schwachen Wellenlinie zusammen.

Ein weiterer Bolus Adrenalin glitt durch den zentralen Venenkatheter.

Schwitzend und mit hochrotem Kopf nahm der AiP die Herzmassage wieder auf. Ein unverbrauchtes Händepaar übernahm den Ambu-Beutel und presste Luft in die Lungen, aber es war, als versuche man einer ausgetrockneten Hülse Leben einzuhauchen. Schon konnte Catherine hören, wie sich der Tonfall der Stimmen um sie herum änderte – die Hochspannung hatte sich gelöst, und die Wortwechsel klangen emotionslos und automatisch. Es war nur noch eine

Pflichtübung; die Niederlage war unvermeidlich. Sie ließ den Blick durch den Raum schweifen, sah sich das gute Dutzend Gesichter an, die um das Bett versammelt waren, und erkannte, dass für sie alle die Entscheidung feststand. Sie warteten nur noch auf ihr Stichwort.

Sie gab es ihnen. »Also, halten wir fest«, sagte sie. »Zeitpunkt des Todes elf Uhr dreizehn.«

In der plötzlichen Stille traten alle vom Bett zurück und betrachteten schweigend das Objekt ihres Scheiterns, Herman Gwadowski, der erkaltend inmitten eines Gewirrs von Kabeln und Schläuchen lag. Eine Schwester schaltete den EKG-Monitor aus, und das Oszilloskop erlosch.

»Haben Sie mal an einen Schrittmacher gedacht?«

Catherine, die gerade damit beschäftigt war, das Protokoll zu unterschreiben, wandte sich um und sah, dass der Sohn des Patienten den Raum betreten hatte. »Es gibt nichts mehr zu retten«, sagte sie. »Es tut mir Leid. Wir konnten sein Herz nicht mehr zum Schlagen bringen.«

»Benutzt man zu diesem Zweck nicht Herzschrittmacher?«

»Wir haben getan, was wir konnten...«

»Sie haben nichts weiter getan, als ihm Elektroschocks zu versetzen.«

Nichts weiter? Sie sah sich in dem Zimmer um, sah die Spuren ihrer Anstrengungen, die benutzten Spritzen, die leeren Medikamentenkapseln und das zerknüllte Verpackungsmaterial. Der Medizinmüll, der nach jeder Schlacht auf dem Feld zurückbleibt. Alle Blicke waren auf sie gerichtet, alle warteten gespannt, wie sie sich aus der Affäre ziehen würde.

Sie legte das Klemmbrett hin, auf dem sie geschrieben hatte, und die zornige Erwiderung lag ihr schon auf der Zunge. Doch sie kam nicht mehr dazu, sie zu äußern. Stattdessen wirbelte sie herum und blickte zur Tür.

Irgendwo in der Station schrie eine Frau.

Im nächsten Moment stürmte Catherine schon zur Tür

hinaus; die Schwestern folgten ihr auf dem Fuß. Sie rannte um die Ecke und erblickte eine Helferin, die schluchzend auf dem Flur stand und auf die Tür von Ninas Zimmer zeigte. Der Stuhl vor der Tür war leer.

Da sollte doch ein Polizist sitzen. Wo ist er?

Catherine stieß die Tür auf und erstarrte.

Blut war das Erste, was sie sah – in hellroten Rinnsalen floss es die Wand herab. Dann erblickte sie ihre Patientin, die ausgestreckt mit dem Gesicht nach unten am Boden lag. Nina war auf halbem Weg zwischen dem Bett und der Tür gestürzt, als habe sie noch ein paar taumelnde Schritte machen können, bevor sie zusammengebrochen war. Ihr Infusionsschlauch war herausgerissen, und aus dem offenen Schlauchende tropfte Kochsalzlösung auf den Boden, wo sie eine klare Pfütze neben der größeren roten Lache bildete.

Er war hier. Der Chirurg war hier.

Alle Instinkte schrien sie an, zurückzuweichen und die Flucht zu ergreifen, doch sie zwang sich, näher zu treten und neben Nina niederzuknien. Blut tränkte ihre Hose; es war noch warm. Sie drehte den Körper auf den Rücken.

Ein Blick in das weiße Gesicht und die leeren Augen genügte, um zu wissen, dass Nina tot war. *Noch vor wenigen Augenblicken habe ich dein Herz schlagen hören.*

Langsam löste sie sich aus ihrer Benommenheit. Sie blickte auf und sah sich von einem Kreis verängstigter Gesichter umringt. »Der Polizist«, sagte sie. »Wo ist der Polizist?«

»Wir wissen es nicht…«

Sie erhob sich wankend, und die anderen traten zur Seite, um ihr Platz zu machen. Ohne darauf zu achten, dass sie blutige Fußspuren hinterließ, trat sie hinaus auf den Flur und blickte wild nach links und rechts.

»O mein Gott!«, rief eine Schwester.

Am anderen Ende des Flurs breitete sich ein dunkler Fleck auf dem Fußboden aus. Blut. Es sickerte unter der Tür des Vorratsraums hervor.

13

Rizzoli starrte über das Absperrband hinweg in Nina Peytons Zimmer. Die Spritzer arteriellen Bluts an der Wand waren in einem Muster getrocknet, das an bunte Papierschlangen bei einer Party erinnerte. Sie ging weiter den Flur entlang bis zu dem Vorratsraum, wo die Leiche des Polizisten gefunden worden war. Auch diese Tür war kreuz und quer mit Absperrband überzogen. Drinnen erblickte sie ein Dickicht von Infusionsständern, Regalen mit Bettpfannen, Schüsseln und Kartons mit Handschuhen, alles mit zickzackförmigen Blutspritzern übersät. Einer ihrer eigenen Leute war hier drin gestorben, und für jeden Polizisten des Boston Police Department war die Jagd nach dem Chirurgen nun zu einer zutiefst persönlichen Angelegenheit geworden.

Sie wandte sich an den Streifenpolizisten, der in der Nähe stand. »Wo ist Detective Moore?«

»Unten in der Verwaltung. Sie sehen sich die Überwachungsvideos des Krankenhauses an.«

Rizzoli blickte den Korridor auf und ab, konnte aber keine Überwachungskameras entdecken. Sie würden keine Videoaufnahmen von diesem Flur haben.

Sie fuhr ins Erdgeschoss und betrat lautlos das Besprechungszimmer, in dem Moore mit zwei Schwestern die Überwachungsvideos anschaute. Niemand drehte sich zu ihr um, sie starrten alle wie gebannt auf den Bildschirm.

Die Kamera war auf die Aufzugstür in der Station 5 West gerichtet. Jetzt sah man auf dem Video, wie die Tür sich öffnete. Moore hielt das Bild an.

»Da«, sagte er. »Da haben wir die erste Gruppe, die aus dem Aufzug kommt, nachdem der Code durchgegeben wurde. Ich zähle elf Personen, und sie haben es alle ziemlich eilig, den Fahrstuhl zu verlassen.«

»Das ist zu erwarten bei einem Code Blau«, sagte die Oberschwester. »Es gibt eine Durchsage über die Sprechanlage des Krankenhauses, und es wird erwartet, dass jeder, der gerade zur Verfügung steht, darauf reagiert.«

»Sehen Sie sich diese Gesichter gut an«, sagte Moore. »Erkennen Sie alle? Ist da irgendjemand, der nicht da sein sollte?«

»Ich kann nicht alle Gesichter sehen. Sie kommen alle gleichzeitig raus.«

»Und Sie, Sharon?«, wandte Moore sich an die zweite Schwester.

Sharon rückte näher an den Monitor heran. »Also, die drei hier, das sind Krankenschwestern. Und die zwei jungen Männer hier am Rand, das sind Medizinstudenten. Ich kenne auch den dritten Mann dort...« Sie deutete mit dem Finger auf die obere Hälfte des Bildschirms. »Ein Pfleger. Die anderen kommen mir bekannt vor, aber ich kenne ihre Namen nicht.«

»Okay«, sagte Moore. Seine Stimme klang müde. »Sehen wir uns den Rest an. Und dann nehmen wir uns die Treppenhauskamera vor.«

Rizzoli trat näher, bis sie direkt hinter der Oberschwester stand.

Auf dem Monitor liefen die Bilder rückwärts, und die Fahrstuhltür schloss sich. Moore drückte auf Start, und die Tür öffnete sich erneut. Elf Personen kamen aus dem Fahrstuhl heraus; wie ein vielbeiniger Organismus eilten sie der Quelle des Alarmrufs entgegen. Rizzoli konnte an ihren Gesichtern ablesen, dass sie in Eile waren, und selbst ohne Ton war deutlich zu erkennen, dass es sich um eine Krisensituation handelte. Die dicht gedrängte Gruppe verschwand nach links vom Bildschirm. Die Fahrstuhltür glitt wieder zu. Ein Augenblick verstrich, dann ging sie wieder auf und spie eine neue Ladung Personal aus. Rizzoli zählte dreizehn Personen. Bis zu diesem Zeitpunkt waren vierundzwanzig Menschen innerhalb von nur drei Minuten auf diesem Stockwerk eingetroffen – und zwar nur mit dem Aufzug. Wie viele waren wohl noch zusätzlich über das Treppenhaus gekommen? Rizzoli sah mit wachsender Verblüffung, was sich dort abspielte. Das Timing war perfekt. Einen Code Blau auszurufen war, als ob man eine Stampede auslöste. Während Dutzende von Ärzten und Schwestern aus allen Teilen des Krankenhauses in 5 West zusammenströmten, konnte jeder, der einen weißen Kittel trug, sich unbemerkt einschleichen. Der Unbekannte würde zweifellos in der hinteren Ecke des Aufzugs stehen, hinter allen anderen verborgen. Er würde sorgfältig darauf achten, dass immer irgendjemand zwischen ihm und der Kamera stand. Sie hatten es mit einem Gegner zu tun, der über die Abläufe in einem Krankenhaus bestens informiert war.

Sie sah, wie die zweite Gruppe, die mit dem Fahrstuhl gekommen war, nach links aus dem Bild verschwand. Zwei der Gesichter waren die ganze Zeit über verdeckt gewesen.

Jetzt legte Moore eine andere Kassette ein, die eine neue Perspektive zeigte. Sie blickten nun auf eine Treppenhaustür. Einige Sekunden lang passierte nichts. Dann wurde die Tür geöffnet, und ein Mann in einem weißen Kittel platzte herein.

»Den kenne ich. Das ist Mark Noble, einer der AiPler«, sagte Sharon.

Rizzoli nahm ein Notizbuch zur Hand und schrieb den Namen auf.

Wieder sprang die Tür auf, und zwei Frauen traten hindurch. Beide trugen weiße Uniformen.

»Das ist Veronica Tam«, sagte die Oberschwester und deutete auf die kleinere der beiden Frauen. »Sie arbeitet in 5 West. Sie hatte gerade Pause, als der Alarm kam.«

»Und die andere Frau?«

»Ich weiß nicht. Man kann ihr Gesicht nicht besonders gut erkennen.«

Rizzoli notierte:

10:48, Treppenhauskamera:
Veronica Tam, Krankenschwester, 5 West.
Unbekannte Frau, schwarze Haare, Laborkittel.

Insgesamt sieben Personen kamen durch die Treppenhaustür. Die Schwestern erkannten fünf von ihnen. Bis jetzt hatte Rizzoli 31 Personen gezählt, die entweder mit dem Aufzug oder über das Treppenhaus in die Station gekommen waren. Wenn man noch das Personal hinzuzählte, das zum Zeitpunkt des Alarms schon auf der Station beschäftigt gewesen war, dann hatten sie es mit mindestens 40 Leuten zu tun, die Zugang zu 5 West gehabt hatten.

»Jetzt achten Sie einmal darauf, was passiert, wenn die Leute während des Alarms und danach die Station wieder verlassen«, sagte Moore. »Diesmal haben sie es nicht so eilig. Vielleicht können Sie noch das eine oder andere Gesicht erkennen und ihm einen Namen zuordnen.« Er schaltete auf schnellen Vorlauf. Die Zeitanzeige am unteren Rand des Monitors rückte acht Minuten vor. Der Code lief immer noch, aber schon jetzt begannen Mitarbeiter, die nicht gebraucht wurden, die Station wieder zu verlassen. Die Kamera zeigte sie nur von hinten, wie sie auf die Treppenhaustür zugingen. Zuerst kamen zwei Medizinstudenten; einen Augenblick später folgte ihnen ein nicht identifizierter Mann, der allein ging. Dann trat eine lange Pause ein, während der Moore wieder vorspulte. Als Nächstes betrat eine Gruppe von vier Männern gemeinsam das Treppenhaus. Die Zeitanzeige stand auf 11:14. Um diese Zeit war der Alarm offiziell beendet, Herman Gwadowski war bereits für tot erklärt worden.

Moore legte wieder die andere Kassette ein, und sie sahen noch einmal den Aufzug.

Als sie mit dem Studium der Videoaufzeichnungen fertig waren, hatte Rizzoli drei Seiten mit Notizen voll geschrieben und eine Strichliste über die während des Alarms eingetroffenen Personen erstellt. Dreizehn Männer und siebzehn Frauen waren auf den Coderuf hin in die Station gekommen. Nun zählte Rizzoli nach, wie viele sie nach dem Ende des Alarms hatten weggehen sehen.

Die Zahlen stimmten nicht überein.

Schließlich drückte Moore auf die Stopptaste, und der Bildschirm wurde schwarz. Sie hatten sich über eine Stunde lang die Videoaufzeichnungen angesehen, und die beiden Schwestern sahen ausgesprochen mitgenommen aus.

Rizzolis Stimme, die das Schweigen durchbrach, schien sie beide aufzuschrecken. »Arbeiten während Ihrer Schicht irgendwelche männlichen Mitarbeiter auf 5 West?«

Die Oberschwester blickte sich nach Rizzoli um; sie schien überrascht, dass plötzlich noch eine Polizistin im Raum war, die sie gar nicht hatte kommen hören. »Wir haben einen Pfleger, der um drei anfängt. Aber in der Frühschicht habe ich keine Männer.«

»Und zu der Zeit, als der Code durchgegeben wurde, waren auch keine Männer in 5 West beschäftigt?«

»Es kann sein, dass ein paar AiPler auf der Etage waren. Aber keine Pfleger.«

»Welche AiPler? Können Sie sich daran erinnern?«

»Die kommen und gehen, wissen Sie. Machen ihre Runden. Ich achte da nicht drauf. Wir haben schließlich unsere eigene Arbeit.« Die Schwester sah Moore an. »Wir müssen jetzt wirklich zurück auf die Station.«

Moore nickte. »Sie können gehen. Ich danke Ihnen.«

Rizzoli wartete, bis die zwei Schwestern den Raum verlassen hatten. Dann sagte sie zu Moore: »Der Chirurg war bereits auf der Station. Noch bevor der Code durchgegeben wurde. Habe ich Recht?«

Moore stand auf und ging zum Videorekorder. Seine Körpersprache verriet ihr, wie ungehalten er war – die Art, wie er die Kassette aus dem Gerät herausriss und die andere hineinschob.

»Dreizehn Männer sind in 5 West angekommen. Und vierzehn haben die Station wieder verlassen. Das ist ein Mann zu viel. Er muss die ganze Zeit über dort gewesen sein.«

Moore betätigte die Abspieltaste. Der Treppenhaus-Film begann wieder zu laufen.

»Verdammt noch mal, Moore. Crowe war für die Sicherheitsmaßnahmen zuständig. Und jetzt haben wir unsere einzige Zeugin verloren.«

Er sagte immer noch nichts, starrte nur auf den Bildschirm und beobachtete die inzwischen wohl bekannten Gestalten, die in der Treppenhaustür auftauchten und wieder verschwanden.

»Dieser Täter geht durch Wände«, sagte sie. »Er kann von einer Sekunde auf die andere spurlos verschwinden. Neun Krankenschwestern haben auf dieser Etage gearbeitet, und keiner ist aufgefallen, dass er dort war. Verdammt, er war die *ganze Zeit* unter ihnen.«

»Das ist eine Möglichkeit.«

»Und wie hat er dann unseren Kollegen überrumpelt? Warum sollte irgendein Polizist sich beschwatzen lassen, die Zimmertür der Patientin unbeaufsichtigt zu lassen? Und in einen Vorratsraum gehen?«

»Es muss jemand gewesen sein, den er kannte. Oder jemand, der keine Bedrohung darstellte.«

Und in der Aufregung während des Alarms, während alles sich überschlug, um ein Menschenleben zu retten, wäre es doch nur natürlich, wenn ein Mitarbeiter des Krankenhauses sich an den Menschen wandte, der einfach nur dort auf dem Flur herumstand – den Polizisten. Ganz natürlich, diesen Polizisten zu bitten, ihm mal eben im Vorratsraum zur Hand zu gehen.

Moore drückte auf Pause. »Da«, sagte er leise. »Ich glaube, das ist unser Mann.«

Rizzoli starrte auf den Monitor. Es war der einzelne Mann, der zu Beginn des Alarms durch die Treppenhaustür gegangen war. Sie konnten nur seinen Rücken sehen. Er trug einen weißen Kittel und eine OP-Haube. Unter der Haube war ein schmaler Streifen kurz geschnittenen braunen Haares zu erkennen. Er war schmächtig, seine Schultern waren alles andere als beeindruckend, und er ging leicht gekrümmt und nach vorne gebeugt, wie ein wandelndes Fragezeichen.

»Das ist das einzige Mal, dass wir ihn sehen«, sagte Moore. »Auf den Fahrstuhlaufnahmen konnte ich ihn nicht ausmachen. Und ich sehe ihn auch nicht durch die Treppenhaustür reinkommen. Aber er verlässt die Station auf diesem Weg. Sehen Sie, wie er die Tür mit der Hüfte aufstößt, um sie nicht mit der Hand berühren zu müssen? Ich wette, er hat nirgendwo Fingerabdrücke hinterlassen. Dazu ist er zu vorsichtig. Und sehen Sie, wie er die Schultern hochzieht, als ob er wüsste, dass er gefilmt wird? Er weiß, dass wir nach ihm suchen.«

»Irgendwelche Anhaltspunkte, wer er ist?«

»Keine der Schwestern hat ihn erkannt.«

»Mist, er war doch auf ihrer Etage.«

»Zusammen mit einer Menge anderer Leute. Alle waren darauf konzentriert, Herman Gwadowskis Leben zu retten. Alle außer *ihm*.«

Rizzoli trat näher an den Bildschirm heran, ohne den Blick von dieser einsamen Gestalt vor dem weißen Hintergrund des Korridors zu wenden. Sie konnte sein Gesicht nicht sehen, und doch verspürte sie einen eiskalten Schauder, als ob sie direkt in die Augen des Bösen blickte. *Bist du der Chirurg?*

»Niemand erinnert sich, ihn gesehen zu haben«, sagte Moore. »Niemand erinnert sich, mit ihm im Aufzug gefahren zu sein. Und doch ist er da. Ein Geist, der erscheint und wieder verschwindet, wie es ihm gefällt.«

»Er verließ die Station acht Minuten nach dem Beginn des Alarms«, sagte Rizzoli mit einem Blick auf die Zeitanzeige des Videos. »Zwei Medizinstudenten gingen unmittelbar vor ihm.«

»Ja, ich habe mit ihnen gesprochen. Sie mussten zu einer Vorlesung, die um elf anfing. Deshalb sind sie früher gegangen. Sie haben nicht bemerkt, dass unser Mann ihnen ins Treppenhaus gefolgt ist.«

»Wir haben also keinerlei Zeugen.«

»Nur diese Kamera.«

Die Zeit beschäftigte sie immer noch. Acht Minuten nach der Verkündung des Codes. Acht Minuten, eine lange Zeit. Sie versuchte den Ablauf im Kopf zu choreographieren. Auf den Polizisten zugehen: zehn Sekunden. Ihn dazu überreden, ein paar Schritte weiter zum Vorratsraum mitzugehen: dreißig Sekunden. Ihm die Kehle durchschneiden: zehn Sekunden. Den Raum verlassen, die Tür schließen, Nina Peytons Zimmer betreten: fünfzehn Sekunden. Das zweite Opfer töten, hinausgehen: dreißig Sekunden. Das machte insgesamt allenfalls zwei Minuten. Blieben noch sechs Minuten. Was hatte er mit dieser Zeit angefangen? Sich gewaschen? Es war viel Blut geflossen; denkbar, dass er sich von Kopf bis Fuß damit bespritzt hatte.

Er hatte reichlich Zeit zur Verfügung gehabt. Erst zehn Minuten, nachdem der Mann auf dem Bildschirm die Station über das Treppenhaus verlassen hatte, hatte die Schwesternhelferin Ninas Leiche entdeckt. Zu diesem Zeitpunkt konnte er mit seinem Wagen schon über alle Berge gewesen sein.

Welch ein perfektes Timing. Dieser Täter bewegt sich mit der Präzision einer Schweizer Uhr.

Plötzlich setzte sie sich kerzengerade auf – die Erkenntnis durchfuhr sie wie ein elektrischer Schlag. »Er wusste es. Mein Gott, Moore, er *wusste*, dass es einen Code Blau geben würde!« Sie sah ihn an und erkannte an seiner Reaktion, dass er selbst bereits zu diesem Schluss gekommen war. »Hatte Mr. Gwadowski irgendwelche Besucher?«

»Der Sohn war da. Aber die Schwester war die ganze Zeit mit im Zimmer. Sie war auch da, als der Patient den Atemstillstand hatte.«

»Was passierte unmittelbar vor dem Code?«

»Sie wechselte gerade den Infusionsbeutel. Wir haben den Beutel zur Analyse ins Labor geschickt.«

Rizzoli blickte wieder auf den Bildschirm, wo das Abbild des Mannes im weißen Kittel mitten in der Bewegung erstarrt war. Warum würde er ein solches Risiko eingehen?

»Das war eine Aufräumaktion. Er wollte einen Störfaktor beseitigen – die Zeugin.«

»Aber was hatte Nina Peyton denn eigentlich gesehen? Ein maskiertes Gesicht. Er wusste, dass sie ihn nicht identifizieren konnte. Er wusste, dass sie so gut wie keine Gefahr darstellte. Und doch startete er eine sehr aufwändige Aktion, um sie zu töten. Er ging das Risiko ein, gefasst zu werden. Was hatte er davon?«

»Befriedigung. Er konnte endlich seine Beute zur Strecke bringen.«

»Aber das hätte er schon in ihrem Haus tun können. Moore, damals in dieser Nacht hat er Nina Peyton *absichtlich* am Leben gelassen. Was bedeutet, dass er dieses Ende von Anfang an geplant hatte.«

»Hier im Krankenhaus?«

»Ja.«

»Was bezweckte er damit?«

»Ich weiß es nicht. Aber ich finde es interessant, dass er sich von allen Patienten auf dieser Station Herman Gwadowski für sein Ablenkungsmanöver ausgesucht hat. Einen von Catherine Cordells Patienten.«

Moores Piepser ertönte. Während er den Anrufer zurückrief, wandte Rizzoli sich wieder dem Monitor zu. Sie drückte die Starttaste und sah, wie der Mann im weißen Kittel auf die Tür zuging. Er stemmte sich mit der Hüfte gegen die Stange der Türverriegelung und trat ins Treppenhaus. Nicht ein Mal ließ er es zu, dass die Kamera auch nur einen Teil seines Gesichts erfasste. Sie spulte zurück und sah sich die Sequenz noch einmal an. Diesmal, während er diese kreisförmige Hüftbewegung vollführte, sah sie es: Da war etwas unter seinem weißen Kittel. Auf der rechten Seite in Höhe der Taille war er leicht nach außen gewölbt. Was hatte er dort versteckt? Einen Satz sauberer Kleider? Seine Mordinstrumente?

Sie hörte, wie Moore in den Hörer sagte: »Rühren Sie nichts an! Lassen Sie alles an Ort und Stelle! Ich bin schon unterwegs.«

Als er auflegte, fragte Rizzoli: »Wer war das?«

»Catherine«, antwortete Moore. »Unser Freund hat sich eben wieder bei ihr gemeldet.«

»Er ist mit der Hauspost gekommen«, sagte Catherine. »Ich musste nur den Umschlag sehen und wusste gleich, dass er von ihm kam.«

Rizzoli sah, wie Moore ein Paar Handschuhe herausnahm; eine nutzlose Vorsichtsmaßnahme, dachte sie, da der Chirurg noch nie irgendwo seine Fingerabdrücke hinterlassen hatte. Es handelte sich um einen großen braunen Umschlag mit Schnürverschluss. In der ersten Zeile des Adressfeldes war mit blauer Tinte in Druckbuchstaben geschrieben: »An Catherine Cordell. Geburtstagsgrüße von A.C.«

Andrew Capra, dachte Rizzoli.

»Sie haben ihn nicht geöffnet?«, fragte Moore.

»Nein, ich habe ihn gleich wieder hingelegt, auf meinen Schreibtisch. Und habe Sie angerufen.«

»Braves Mädchen.«

Rizzoli hielt seine Antwort für herablassend, doch Catherine schien es ganz und gar nicht so zu empfinden. Sie schenkte ihm ein angespanntes Lächeln. Irgendetwas lief zwischen Moore und Catherine ab; ein Blick, eine warme

Strömung; und Rizzoli registrierte es mit einem plötzlichen Gefühl quälender Eifersucht. *Zwischen den beiden hat sich schon mehr abgespielt, als ich geglaubt hatte.*

»Er fühlt sich leer an«, sagte Moore. Mit seinen behandschuhten Händen löste er den Schnürverschluss. Rizzoli legte rasch einen Bogen weißes Papier auf den Schreibtisch, um den Inhalt aufzufangen. Er öffnete die Verschlussklappe und drehte den Umschlag um.

Strähnen von seidigem rotbraunem Haar glitten heraus und blieben in einem schimmernden Häufchen auf dem weißen Papier liegen.

Ein eiskalter Schauer lief Rizzoli über den Rücken. »Das sieht nach Menschenhaar aus.«

»O Gott. *O mein Gott…*«

Rizzoli wandte sich um und sah Catherine entsetzt zurückweichen. Dann fiel ihr Blick wieder auf die Strähnen, die aus dem Umschlag gefallen waren. *Es sind ihre. Es sind Catherines Haare.*

»Catherine.« Moores Stimme war sanft und beruhigend. »Vielleicht sind es ja gar nicht Ihre.«

Sie sah ihn mit angstgeweiteten Augen an. »Und wenn doch? Wie hat er…«

»Haben Sie eine Haarbürste in Ihrem Krankenhausspind? Oder in Ihrem Büro?«

»Moore«, sagte Rizzoli. »Sehen Sie sich doch diese Haare an. Die wurden nicht aus einer Bürste gezogen. Die sind an der Wurzel abgeschnitten worden.« Sie wandte sich zu Catherine. »Wer hat Ihnen zuletzt die Haare geschnitten?«

Langsam trat Catherine auf den Schreibtisch zu und starrte die abgeschnittenen Haare an wie eine giftige Schlange. »Ich weiß, wann er es getan hat«, sagte sie leise.

»Wann war das?«

»Es war in dieser Nacht…« Sie sah Rizzoli mit ungläubiger Miene an. »In Savannah.«

Rizzoli legte den Hörer auf und sah Moore an. »Detective Singer hat es bestätigt. Ihr wurde eine Haarsträhne herausgeschnitten.«

»Warum steht davon nichts in Singers Bericht?«

»Cordell hat es erst am zweiten Tag ihres Krankenhausaufenthalts bemerkt, als sie in den Spiegel schaute. Da Capra tot war und kein Haar am Tatort gefunden worden war, nahm Singer an, jemand vom Krankenhauspersonal hätte die Haare abgeschnitten. Vielleicht während der Behandlung in der Notaufnahme. Cordells Gesicht war ziemlich lädiert, erinnern Sie sich? Vielleicht hatte man in der Notaufnahme etwas Haar abgeschnitten, um ihre Kopfwunden reinigen zu können.«

»Hat Singer je nachgeprüft, ob es jemand vom Krankenhaus gewesen war?«

Rizzoli warf ihren Bleistift hin und seufzte. »Nein. Er ist der Sache nicht weiter nachgegangen.«

»Er hat es einfach auf sich beruhen lassen? Und es in seinem Bericht nicht erwähnt, weil es keinen Sinn ergab?«

»Es *ergibt* ja auch keinen Sinn! Warum hat man die Haare nicht am Tatort gefunden, bei der Leiche?«

»Catherine hat große Erinnerungslücken, was diese Nacht betrifft. Das Rohypnol hat bei ihr einen ausgedehnten Filmriss verursacht. Capra hat möglicherweise das Haus verlassen und ist später wieder zurückgekehrt.«

»Okay. Aber jetzt kommt die Frage aller Fragen. Capra ist tot. Wie ist das Souvenir in die Hände des Chirurgen gelangt?«

Darauf wusste Moore keine Antwort. Zwei Killer, einer lebend, einer tot. Was verband diese beiden Monster miteinander? Es war mehr als nur psychische Energie; inzwischen war eine physische Dimension hinzugekommen. Etwas, was sie sehen, was sie berühren konnten.

Er blickte auf die beiden Plastikbeutel der Spurensicherung herab. Der eine war mit *Nicht identifizierte Haare* gekennzeichnet. Der zweite enthielt eine Vergleichsprobe von

Catherines Haar. Er hatte selbst die kupferfarbene Strähne abgeschnitten und sie in den verschließbaren Beutel gelegt. Solch eine Haarsträhne stellte in der Tat ein verlockendes Souvenir dar. Haare waren etwas sehr Persönliches. Eine Frau trägt sie immer am Leib, Tag und Nacht. Es hat nicht nur seine individuelle Farbe und Beschaffenheit, es bewahrt auch den Duft seiner Trägerin. Die Quintessenz einer Frau. Kein Wunder, dass Catherine so entsetzt auf die Erkenntnis reagiert hatte, dass ein Mann, den sie nicht kannte, etwas so Intimes von ihr besaß. Zu wissen, dass er es gestreichelt, dass er daran gerochen hatte, sich wie ein Liebender mit ihrem Duft vertraut gemacht hatte.

Inzwischen kennt der Chirurg ihren Duft ganz genau.

Es war fast Mitternacht, doch bei ihr brannte noch Licht. Durch die geschlossenen Vorhänge sah er ihre Silhouette vorübergleiten, und er wusste, dass sie wach war.

Moore ging zu dem Streifenwagen, der gegenüber von ihrem Haus parkte, und beugte sich zum Fenster herunter, um mit den beiden Beamten zu sprechen. »Irgendwas Erwähnenswertes?«

»Sie ist nicht mehr vor der Tür gewesen, seit sie zurück ist. Ist viel hin und her gelaufen. Scheint, dass sie 'ne unruhige Nacht vor sich hat.«

»Ich gehe rein und rede mit ihr«, sagte Moore und wandte sich ab, um die Straße zu überqueren.

»Bleiben Sie die ganze Nacht?«

Moore blieb stehen. Steif wandte er sich zu dem Polizisten um. »Wie bitte?«

»Bleiben Sie die ganze Nacht? Dann geben wir das nämlich an das nächste Team weiter. Nur damit die auch wissen, dass das einer von uns ist da oben in ihrer Wohnung.«

Moore schluckte seinen Ärger herunter. Die Frage des Streifenpolizisten war berechtigt gewesen. Warum hatte er sich also gleich auf den Schlips getreten gefühlt?

Weil ich weiß, wie das aussehen muss, wenn ich um Mitternacht an ihrer Tür klingle. Ich weiß, was ihnen durch den Kopf gehen muss. Es ist genau dasselbe, was mir durch den Kopf geht.

Kaum hatte er ihre Wohnung betreten, da las er schon die Frage in ihren Augen. Er antwortete mit einem finsteren Nicken. »Das Labor hat den Verdacht leider bestätigt. Es waren Ihre Haare, die er geschickt hat.«

Sie nahm die Nachricht mit betroffenem Schweigen auf.

In der Küche pfiff der Wasserkessel. Sie drehte sich um und ging hinaus.

Als er die Tür abschloss, blieb sein Blick an dem funkelnagelneuen Sicherheitsriegel hängen. Wie wenig solide doch selbst gehärteter Stahl schien, wenn man es mit einem Widersacher zu tun hatte, der durch Wände gehen konnte. Moore folgte ihr in die Küche und sah zu, wie sie die Platte unter dem pfeifenden Kessel abdrehte. Mit fahrigen Bewegungen nestelte sie an einer Packung Teebeutel herum und stieß einen kleinen Schreckenslaut aus, als die Beutel herausfielen und sich über die Anrichte verstreuten. So ein unbedeutendes Missgeschick, und doch schien es sie wie ein vernichtender Schlag zu treffen. Plötzlich ließ sie sich gegen die Anrichte sinken, die Hände zu Fäusten geballt, die Knöchel so weiß wie die Küchenkacheln. Sie wehrte sich gegen die aufsteigenden Tränen, kämpfte dagegen an, vor seinen Augen zusammenzubrechen, doch sie konnte den Kampf nicht gewinnen. Er sah, wie sie tief Luft holte. Sah, wie ihre Schultern sich verkrampften, wie sich jeder Muskel in ihrem Körper anspannte, um das Schluchzen zu ersticken.

Er konnte das nicht länger mit ansehen. Er ging auf sie zu, zog sie an sich. Hielt ihren zitternden Leib umschlungen. Den ganzen Tag hatte er daran gedacht, sie im Arm zu halten, hatte sich danach gesehnt. So hatte er es sich nicht vorgestellt; er hatte nicht gewollt, dass die Angst sie in seine Arme trieb. Er wollte mehr sein als nur ein sicherer Zufluchtsort, mehr als nur der verlässliche Mann, an den man sich in seiner Not wenden konnte.

Aber genau das war es, was sie nun brauchte. Und so hielt er sie fest umschlungen, beschirmte sie vor den Schrecken der Nacht.

»Warum passiert das jetzt wieder?«, flüsterte sie.

»Ich weiß es nicht, Catherine.«

»Es ist Capra…«

»Nein. Er ist tot.« Er nahm ihr tränenfeuchtes Gesicht in beide Hände, sodass sie ihn ansehen musste. »Andrew Capra ist tot.«

Sie blickte ihn an und verharrte ganz still in seinen Armen. »Und warum ist der Chirurg dann auf *mich* verfallen?«

»Wenn irgendjemand die Antwort kennt, dann Sie.«

»Ich weiß es aber nicht.«

»Vielleicht nicht bewusst. Aber Sie haben mir doch selbst gesagt, dass Sie sich nicht an alles erinnern können, was in Savannah passiert ist. Sie erinnern sich nicht daran, den zweiten Schuss abgefeuert zu haben. Sie wissen nicht mehr, wer Ihnen die Haare abgeschnitten hat oder wann das geschah. Was haben Sie *noch* alles vergessen?«

Sie schüttelte den Kopf. Dann blinzelte sie überrascht, als sein Piepser ertönte.

Warum können die mich nicht in Ruhe lassen? Er ging zu dem Apparat an der Küchenwand, um den Anruf zu beantworten.

Rizzolis Stimme begrüßte ihn. Ihr Ton wirkte anklagend. »Sie sind bei ihr in der Wohnung.«

»Gut geraten.«

»Nein. Anruferkennung. Es ist Mitternacht. Haben Sie mal darüber nachgedacht, was Sie da tun?«

Gereizt entgegnete er: »Warum haben Sie mich angepiepst?«

»Hört sie mit?«

Er sah, wie Catherine die Küche verließ. Ohne sie wirkte

der Raum plötzlich leer. Ohne jeglichen Reiz. »Nein«, sagte er.

»Ich habe über diese Haare nachgedacht. Wissen Sie, es gibt noch eine weitere Erklärung, wie sie daran gekommen sein könnte.«

»Und die wäre?«

»Sie hat sie an sich selbst geschickt.«

»Ich kann nicht glauben, was ich da höre.«

»Und ich kann nicht glauben, dass Sie nie auch nur die Möglichkeit in Betracht gezogen haben.«

»Was sollte denn das Motiv sein?«

»Das gleiche Motiv, das Männer dazu treibt, in ein Polizeirevier zu spazieren und Morde zu gestehen, die sie nie begangen haben. Sehen Sie sich doch einmal an, wie viel Aufmerksamkeit ihr plötzlich geschenkt wird! *Ihre* Aufmerksamkeit, Moore. Es ist Mitternacht, und Sie sind bei ihr und glucken um sie herum. Ich sage ja nicht, dass der Chirurg sich nicht in ihrer Nähe herumgetrieben hat. Aber bei dieser Geschichte mit den Haaren mache ich doch erst mal einen Schritt zurück und sage mir *Moment mal.* Es ist Zeit, dass wir uns überlegen, was hier vielleicht sonst noch so abläuft. Wie ist der Chirurg an diese Haare gekommen? Hat Capra sie ihm vor zwei Jahren *gegeben*? Wie konnte er das, wenn er doch tot im Schlafzimmer lag? Ihnen sind die Widersprüche zwischen ihrer Aussage und Capras Autopsiebericht aufgefallen. Wir wissen beide, dass sie nicht die Wahrheit gesagt hat.«

»Detective Singer hat diese Aussage aus ihr herausgekitzelt.«

»Sie glauben, er hat ihr die Geschichte untergeschoben?«

»Bedenken Sie doch, unter welchem Druck Singer stand. Vier Morde. Alles schreit nach einer Verhaftung. Und er hat eine hübsche, saubere Lösung parat: Der Täter ist tot, erschossen von der Frau, die sein nächstes Opfer werden sollte. Catherine hat den Fall für ihn abgeschlossen, selbst wenn er ihr dafür die Worte in den Mund legen musste.«

Moore schwieg einen Moment. »Wir müssen unbedingt wissen, was in dieser Nacht in Savannah wirklich passiert ist.«

»Sie ist die Einzige, die dort war. Und sie behauptet, sich nicht an alles zu erinnern.«

Moore hob den Kopf, als Catherine in die Küche zurückkam. »Noch nicht.«

14

»Sind Sie sicher, dass Dr. Cordell dazu bereit ist?«, fragte Alex Polochek.

»Sie ist hier und wartet nur auf Sie«, erwiderte Moore.

»Sie haben sie nicht dazu überredet? Hypnose funktioniert nämlich nur, wenn das Subjekt sich nicht dagegen sträubt. Sie muss sich voll und ganz darauf einlassen, sonst ist das Ganze reine Zeitverschwendung.«

Reine Zeitverschwendung – so hatte Rizzoli bereits diese Sitzung bezeichnet, und nicht wenige der übrigen Detectives in der Mordkommission teilten diese Ansicht. Für sie war Hypnose ein Salonkunststück, das in den Zuständigkeitsbereich von Las-Vegas-Entertainern und Varietézauberern fiel. Moore war auch einmal dieser Meinung gewesen.

Der Fall Meghan Florence hatte ihn eines Besseren belehrt.

Am 31. Oktober 1998 war die zehnjährige Meghan auf dem Nachhauseweg von der Schule gewesen, als ein Auto neben ihr angehalten hatte. Sie war nie wieder lebend gesehen worden.

Der einzige Zeuge der Entführung war ein zwölfjähriger Junge, der in der Nähe gestanden hatte. Obwohl der Wagen deutlich zu sehen war und er seine Form und Farbe wiedergeben konnte, erinnerte er sich nicht mehr an das Kennzeichen. Wochen später, nachdem die Polizei in dem Fall keinen Schritt weitergekommen war, hatten die Eltern des Mädchens darauf bestanden, einen Hypnotherapeuten zu engagieren, der den Jungen befragen sollte. Da die Ermittlungen tatsächlich in einer Sackgasse steckten, hatte die Polizei schließlich widerstrebend eingewilligt.

Moore war während der Sitzung anwesend. Er sah zu, wie Alex Polochek den Jungen behutsam in Hypnose versetzte, und er hörte voller Erstaunen, wie der Junge mit ruhiger Stimme die Nummer des Wagens aufsagte.

Zwei Tage später wurde Meghan Florence' Leiche gefunden. Der Entführer hatte sie in seinem Garten vergraben.

Moore hoffte, dass der wundersame Einfluss, den Polochek auf das Gedächtnis des Jungen ausgeübt hatte, nun auch bei Catherine Cordell zum Tragen kommen würde.

Jetzt standen die beiden Männer im Nebenzimmer des Vernehmungsraums und beobachteten Catherine und Rizzoli durch den Einwegspiegel. Catherine wirkte unruhig. Sie rutschte auf ihrem Stuhl hin und her und warf nervöse Blicke zum Fenster, als wisse sie, dass sie beobachtet wurde. Die Tasse Tee auf dem Tischchen neben ihrem Stuhl hatte sie nicht angerührt.

»Es wird schmerzlich für sie sein, an diese Erinnerung zu rühren«, sagte Moore. »Sie *will* vielleicht mit uns kooperieren, aber es wird nicht angenehm sein für sie. Zum Zeitpunkt der Vergewaltigung stand sie noch unter Rohypnol.«

»Eine zwei Jahre alte, durch Medikamente getrübte Erinnerung? Und Sie sagten auch, sie sei nicht ganz unbeeinflusst?«

»Es kann sein, dass ein Detective in Savannah ihr im Lauf der Vernehmung gewisse Dinge suggeriert hat.«

»Sie wissen, dass ich keine Wunder vollbringen kann. Und was immer wir in dieser Sitzung zutage fördern, es wird vor Gericht nicht als Beweismittel zugelassen werden. Dadurch wird jede Zeugenaussage nichtig, die sie künftig vor Gericht macht.«

»Ich weiß.«

»Und Sie wollen es trotzdem durchziehen?«

»Ja.«

Moore öffnete die Tür, und die beiden Männer betraten das Vernehmungszimmer. »Catherine«, sagte Moore, »das ist

Alex Polochek, der Mann, von dem ich Ihnen erzählt habe. Er arbeitet als forensischer Hypnotiseur für das Boston Police Department.«

Als sie und Polochek sich die Hand gaben, lachte sie nervös auf.

»Tut mir Leid«, sagte sie. »Ich wusste wohl nicht so recht, was mich erwartet.«

»Sie dachten eher an einen Typ mit schwarzem Cape und einem Zauberstab«, sagte Polochek.

»Eine lächerliche Vorstellung, aber ich fürchte, Sie haben Recht.«

»Und jetzt steht stattdessen ein pummeliger kleiner Kerl mit Glatze vor Ihnen.«

Wieder musste sie lachen, und ihre Körperhaltung wurde ein wenig entspannter.

»Sie sind noch nie hypnotisiert worden?«, fragte er.

»Nein. Offen gestanden, ich denke nicht, dass das bei mir funktioniert.«

»Warum denn nicht?«

»Weil ich nicht wirklich daran glaube.«

»Und doch waren Sie damit einverstanden, dass ich es versuche.«

»Detective Moore meinte, ich sollte es wagen.«

Polochek setzte sich gegenüber von ihr auf einen Stuhl. »Dr. Cordell, Sie müssen nicht unbedingt an Hypnose glauben, damit bei dieser Sitzung etwas herauskommt. Aber Sie müssen *wollen*, dass es funktioniert. Sie müssen mir vertrauen. Und Sie müssen bereit sein, sich zu entspannen und einfach loszulassen. Sie müssen zulassen, dass ich Sie in einen anderen Bewusstseinszustand versetze. Dieser Zustand hat große Ähnlichkeit mit der Phase, die Sie jeden Abend kurz vor dem Einschlafen durchmachen. Sie werden nicht wirklich einschlafen. Ich verspreche Ihnen, dass Sie Ihre Umgebung immer noch bewusst wahrnehmen werden. Aber Sie werden so entspannt sein, dass Sie auf Bereiche

Ihrer Erinnerung zugreifen können, die Ihnen normalerweise verschlossen sind. Es ist, als würden Sie einen Aktenschrank aufschließen, der irgendwo in Ihrem Gehirn verborgen ist, sodass Sie endlich die Schubladen öffnen und die Akten hervorholen können.«

»Das ist genau der Teil, den ich nicht glauben kann. Dass die Hypnose bewirkt, dass ich mich erinnere.«

»Sie bewirkt es nicht direkt. Sie *erlaubt* Ihnen, sich zu erinnern.«

»Also gut, dass sie mir *erlaubt*, mich zu erinnern. Es kommt mir nicht sehr wahrscheinlich vor, dass diese Methode mir helfen soll, eine Erinnerung hervorzukramen, an die ich von allein nicht herankomme.«

Polochek nickte. »Ja, Sie sind zu Recht skeptisch. Es scheint unwahrscheinlich, nicht wahr? Aber ich will Ihnen an einem Beispiel zeigen, wie Erinnerungen blockiert werden können. Man spricht hier vom Gesetz des umgekehrten Effekts. Je mehr Sie sich bemühen, sich an etwas zu erinnern, desto unwahrscheinlicher wird es, dass es Ihnen einfällt. Ich bin sicher, dass Sie das schon erlebt haben. Das geht uns allen so. Sie sehen zum Beispiel eine berühmte Schauspielerin im Fernsehen, und Sie wissen ganz genau, wie sie heißt. Aber der Name will Ihnen einfach nicht einfallen. Es treibt Sie zum Wahnsinn. Sie zermartern sich stundenlang das Hirn auf der Suche nach ihrem Namen. Sie fragen sich schon, ob Sie vielleicht Alzheimer haben. Sagen Sie mir, dass es Ihnen schon mal so gegangen ist.«

»Ständig.« Catherine lächelte jetzt. Es war deutlich zu sehen, dass sie Polochek mochte und sich in seiner Gegenwart wohl fühlte. Ein viel versprechender Anfang.

»Schließlich fällt Ihnen der Name der Schauspielerin doch noch ein, habe ich Recht?«, sagte er.

»Ja.«

»Und wann passiert das höchstwahrscheinlich?«

»Wenn ich nicht mehr so angestrengt nachdenke. Wenn

ich mich entspanne und an etwas anderes denke. Oder wenn ich im Bett liege und kurz vor dem Einschlafen bin.«

»Ganz genau. Es passiert, wenn Sie sich entspannen, wenn ihr Gehirn aufhört, wie wild an der Aktenschublade zu rütteln. Dann öffnet sie sich mit einem Mal wie durch Zauberhand, und die Akte springt heraus. Lässt Ihnen dieses Beispiel das Konzept der Hypnose etwas plausibler erscheinen?«

Sie nickte.

»Nun, genau das werden wir tun. Wir werden Ihnen helfen, sich zu entspannen. Und Ihnen den Zugang zu diesem Aktenschrank ermöglichen.«

»Ich bin nicht sicher, ob ich mich gründlich genug entspannen kann.«

»Liegt es an diesem Zimmer? An dem Stuhl?«

»Der Stuhl ist in Ordnung. Es …« Sie warf einen nervösen Blick auf die Videokamera. »Es ist das Publikum.«

»Detective Moore und Detective Rizzoli werden den Raum verlassen. Und was die Kamera betrifft, die ist bloß irgendein Gegenstand. Ein Apparat. Betrachten Sie sie in dieser Weise.«

»Ich nehme an …«

»Haben Sie noch andere Bedenken?«

Es entstand eine Pause. Dann sagte sie leise: »Ich habe Angst.«

»Vor mir?«

»Nein. Vor der Erinnerung. Davor, sie noch einmal zu durchleben.«

»Ich würde Sie niemals dazu zwingen. Detective Moore hat mir gesagt, dass es sich um ein traumatisches Erlebnis handelt, und wir werden Sie die Erfahrung nicht noch einmal durchleben lassen. Wir werden anders an die Sache herangehen. Die Angst soll die Erinnerung nicht blockieren.«

»Und woher soll ich wissen, dass es sich um echte Erinnerungen handelt? Und nicht um etwas, was ich mir ausgedacht habe?«

Polochek zögerte. »Das ist ein problematischer Punkt – die Tatsache, dass Ihre Erinnerungen möglicherweise nicht ungetrübt sind. Es ist viel Zeit vergangen. Wir werden einfach mit dem arbeiten müssen, was wir haben. Ich sollte Ihnen an dieser Stelle sagen, dass ich nur sehr wenig über Ihren Fall weiß. Ich versuche, vorher nicht zu viel in Erfahrung zu bringen, um der Gefahr zu entgehen, Ihren Erinnerungsprozess zu beeinflussen. Alles, was man mir gesagt hat, ist, dass das Ereignis vor zwei Jahren stattgefunden hat, dass es sich um einen Überfall auf Sie handelte und dass Sie unter dem Einfluss des Medikaments Rohypnol standen. Davon abgesehen tappe ich völlig im Dunkeln. Demnach werden sämtliche Erinnerungen, die auftauchen, Ihre eigenen sein. Ich bin nur da, um Ihnen zu helfen, diesen Aktenschrank zu öffnen.«

Sie seufzte. »Ich denke, ich bin bereit.«

Polochek wandte sich zu den beiden Detectives um.

Moore nickte, und dann verließen er und Rizzoli den Raum.

Von der anderen Seite der Scheibe aus beobachteten sie, wie Polochek einen Kugelschreiber und einen Notizblock aus seiner Tasche nahm und beides auf den Tisch neben seinem Stuhl legte. Er stellte noch ein paar Fragen. Was sie gewöhnlich mache, um sich zu entspannen. Ob es einen bestimmten Ort gebe, eine bestimmte Erinnerung, den oder die sie als besonders friedlich empfinde.

»Im Sommer, als ich noch ein Kind war«, sagte sie, »da habe ich immer meine Großeltern in New Hampshire besucht. Sie hatten eine Hütte am See.«

»Beschreiben Sie mir die Hütte. In allen Einzelheiten.«

»Es war sehr ruhig dort. Die Hütte war klein und hatte eine große Veranda zum Wasser hin. In der Nähe gab es wilde Himbeeren. Die habe ich immer gepflückt. Und an dem Pfad, der zur Anlegestelle hinunterführte, hatte meine Mutter Taglilien gepflanzt.«

»Sie erinnern sich also an Beeren. An Blumen.«

»Ja. Und an das Wasser. Ich liebe das Wasser. Ich habe dort auf dem Bootssteg gelegen und mich gesonnt.«

»Das ist gut.« Er notierte etwas auf seinem Block und legte den Kugelschreiber hin. »Also. Jetzt wollen wir damit anfangen, dass wir dreimal tief Luft holen. Atmen Sie jedes Mal ganz langsam aus. Gut so. Und jetzt schließen Sie die Augen und konzentrieren sich nur auf meine Stimme.«

Moore sah, wie sich Catherines Augenlider langsam senkten. »Lassen Sie das Band laufen«, sagte er zu Rizzoli.

Sie drückte auf die Aufnahmetaste des Videogeräts, und das Band begann sich zu drehen.

Nebenan war Polochek damit beschäftigt, Catherine in einen Zustand der vollkommenen Entspannung zu versetzen. Er wies sie an, sich zuerst auf ihre Zehen zu konzentrieren und die Anspannung abfließen zu lassen. Jetzt lockerten sich ihre Fußmuskeln, während das Gefühl der Entspannung langsam in ihre Waden hochstieg.

»Glauben Sie ernsthaft an diesen Mist?«, fragte Rizzoli.

»Ich habe erlebt, dass es funktioniert.«

»Na, vielleicht tut es das tatsächlich. Ich schlafe nämlich selbst gleich ein.«

Er sah Rizzoli an, wie sie mit vor der Brust verschränkten Armen neben ihm stand, die Unterlippe zum Zeichen ihrer hartnäckigen Skepsis vorgeschoben. »Schauen Sie einfach nur hin«, sagte er.

»Wann fängt sie denn an zu schweben?«

Polochek hatte das Zentrum der Entspannung auf immer höher und höher gelegene Muskeln in Catherines Körper gelenkt, über die Oberschenkel und den Rücken bis in die Schultern. Ihre Arme hingen jetzt schlaff an ihrer Seite herab. Ihre Miene war entspannt, ihr Gesicht frei von Sorgenfalten. Ihre Atem war langsamer und tiefer geworden.

»Jetzt werden wir uns einen Ort vor Augen führen, den Sie lieben«, sagte Polochek. »Die Hütte Ihrer Großeltern am See. Ich möchte, dass Sie sich selbst sehen, wie Sie dort auf der großen Veranda stehen. Und wie Sie aufs Wasser hinausschauen. Es ist ein warmer Tag, und die Luft ist still und mild. Das einzige Geräusch ist das Zwitschern der Vögel, sonst nichts. Es ist sehr still hier und friedlich. Das Sonnenlicht glitzert auf dem Wasser…«

Der Ausdruck, der sich nun auf Catherines Gesicht ausbreitete, war von so heiterer Gelassenheit, dass Moore kaum glauben konnte, immer noch dieselbe Frau vor sich zu haben. Er sah Wärme in ihren Zügen und all die blühenden Hoffnungen eines jungen Mädchens. Was ich da vor mir habe, ist das Kind, das sie früher einmal war, dachte er. Vor dem Verlust der Unschuld, vor all den Enttäuschungen des Erwachsenenalters. Bevor Andrew Capra seine Spuren hinterlassen hatte.

»Das Wasser ist so einladend, so wunderbar«, sagte Polochek. »Sie steigen die Verandastufen herab und gehen den Pfad zum See hinunter.«

Catherine saß reglos da, ihr Gesicht vollkommen entspannt, die Hände schlaff in den Schoß gelegt.

»Die Erde ist weich unter Ihren Füßen. Die Sonne scheint auf Sie herab und wärmt Ihren Rücken. Und die Vögel trällern in den Bäumen. Sie sind vollkommen gelöst und ruhig. Mit jedem Schritt wächst dieses Gefühl des inneren Friedens. Zu beiden Seiten des Pfades blühen Blumen, Taglilien. Sie strömen einen süßen Duft aus, und während Sie sie im Vorübergehen streifen, atmen Sie ihr Aroma ein. Es ist ein ganz besonderer, magischer Duft, der Sie schläfrig macht. Sie gehen weiter und spüren, wie Ihre Beine schwerer werden. Der Duft der Blumen ist wie eine Droge, die Ihnen hilft, noch mehr zu entspannen. Und die Wärme der Sonnenstrahlen lässt alle verbliebene Anspannung in Ihren Muskeln dahinschmelzen.

Jetzt nähern Sie sich dem Ufer. Und Sie erblicken ein kleines Boot am Ende des Stegs. Sie betreten diesen Steg. Das Wasser ist ruhig und glatt wie ein Spiegel. Wie Glas. Das kleine Boot liegt ganz still im Wasser, es rührt sich keinen

Millimeter. Es ist ein magisches Boot. Es kann Sie von ganz allein an jeden beliebigen Ort bringen. Wohin Sie auch möchten. Sie müssen nichts weiter tun als einsteigen. Jetzt heben Sie also den rechten Fuß, um in das Boot zu steigen.«

Moore blickte auf Catherines Füße und sah, dass sie in der Tat den rechten Fuß gehoben hatte; er schwebte einige Zentimeter über dem Boden.

»So ist es gut. Sie steigen mit dem rechten Fuß voraus ein. Das Boot liegt fest und ruhig im Wasser. Es trägt Sie sicher, Ihnen droht keine Gefahr. Sie sind voller Vertrauen und Zuversicht. Jetzt setzen Sie den linken Fuß hinein.«

Catherines linker Fuß erhob sich vom Boden und senkte sich langsam wieder herab.

»Mein Gott, ich glaube es einfach nicht«, sagte Rizzoli.

»Sie sehen es doch mit eigenen Augen.«

»Ja, aber woher will ich wissen, ob sie wirklich hypnotisiert ist? Ob sie nicht eine Show abzieht?«

»Sie wissen es eben nicht.«

Polochek beugte sich näher zu Catherine, ohne sie jedoch zu berühren; nur mit seiner Stimme führte er sie durch die Trance. »Sie lösen die Bootsleine von der Anlegestelle. Und jetzt ist das Boot frei und treibt über das Wasser. Sie haben es unter Kontrolle. Alles was Sie tun müssen, ist, an einen Ort zu denken, und schon wird das Boot Sie mit magischen Kräften dorthin befördern.« Polochek warf einen Blick in Richtung Spiegel und nickte.

»Jetzt wird er sie zurückführen«, sagte Moore.

»Also, Catherine.« Polochek schrieb etwas auf seinen Notizblock; er notierte den Zeitpunkt, zu dem die Einführung abgeschlossen war. »Sie werden mit dem Boot an einen anderen Ort reisen. In eine andere Zeit. Sie haben alles noch immer unter Kontrolle. Sie sehen Nebel aus dem Wasser aufsteigen, einen warmen, sanften Nebel, der sich angenehm anfühlt auf Ihrem Gesicht. Das Boot gleitet in den Nebel hinein. Sie strecken die Hand aus und berühren das Wasser, und es ist wie Seide. So warm, so still. Jetzt beginnt der Nebel sich zu lichten, und direkt vor sich erblicken Sie ein Gebäude am Ufer des Sees. Ein Gebäude mit einer einzigen Tür.«

Moore merkte, dass er näher an das Fenster herangerückt war. Seine Hände hatten sich verkrampft, sein Puls wurde schneller.

»Das Boot bringt Sie ans Ufer, und Sie steigen aus. Sie gehen den Fußweg zu dem Haus hoch und öffnen die Tür. Drinnen ist nur ein einziges Zimmer. Der Fußboden ist mit einem tiefen, weichen Teppich bedeckt, und in der Mitte steht ein Sessel. Sie setzen sich in den Sessel; es ist der bequemste Sessel, in dem Sie je Platz genommen haben. Sie fühlen sich vollkommen sicher und entspannt. Und Sie haben alles unter Kontrolle.«

Catherine stieß einen tiefen Seufzer aus, als habe sie es sich eben auf weichen Kissen bequem gemacht.

»Jetzt blicken Sie auf die Wand vor Ihnen, und Sie sehen eine Kinoleinwand. Es ist eine magische Leinwand, denn sie kann Szenen aus jedem Abschnitt Ihres Lebens abspielen. Sie kann so weit zurückgehen, wie Sie wollen. Sie haben die Kontrolle. Sie können den Film vorwärts oder rückwärts laufen lassen. Sie können ihn in einem bestimmten Moment anhalten. Es liegt nur an Ihnen. Jetzt wollen wir es einmal versuchen. Gehen wir in eine glückliche Zeit zurück. Eine Zeit, als Sie in der Hütte Ihrer Großeltern am See zu Besuch waren. Sie pflücken Himbeeren. Können Sie es auf der Leinwand sehen?«

Es dauerte lange, bis Catherines Antwort kam. Als sie endlich sprach, war ihre Stimme so leise, dass Moore sie kaum verstehen konnte.

»Ja. Ich sehe es.«

»Was machen Sie gerade? Auf der Leinwand?«, fragte Polochek.

»Ich habe eine Papiertüte in der Hand. Ich pflücke Beeren und sammle sie in der Tüte.«

»Und essen Sie auch welche beim Pflücken?«

Ein Lächeln auf ihrem Gesicht, sanft und verträumt. »O ja. Sie sind süß. Und warm von der Sonne.«

Moore runzelte die Stirn. Das war eine unerwartete Entwicklung. Sie hatte Geschmacks- und Tastempfindungen, was bedeutete, dass sie den Augenblick noch einmal erlebte. Sie betrachtete die Szene nicht nur auf der Kinoleinwand, sie war *in* der Szene. Er sah, dass Polochek einen besorgten Blick in Richtung Fenster warf. Er hatte die Methode mit der imaginären Kinoleinwand als Mittel einsetzen wollen, um eine Distanz zwischen ihr und dem traumatischen Erlebnis herzustellen. Aber sie war überhaupt nicht distanziert. Jetzt zögerte Polochek und überlegte, was er als Nächstes tun sollte.

»Catherine«, sagte er, »ich möchte, dass Sie sich auf das Kissen konzentrieren, auf dem Sie sitzen. Sie sitzen in diesem Zimmer auf dem Sessel und schauen auf die Leinwand. Fühlen Sie, wie weich das Kissen ist. Wie der Sessel sich an Ihren Rücken schmiegt. Spüren Sie das?«

Eine Pause. »Ja.«

»Okay. Okay, also Sie bleiben in diesem Sessel sitzen. Sie werden sich nicht von der Stelle rühren. Und wir werden die magische Leinwand benutzen, um uns eine andere Szene aus Ihrem Leben anzusehen. Sie werden immer noch in diesem Sessel sitzen. Sie werden immer noch das weiche Kissen in Ihrem Rücken spüren. Und was Sie sehen werden, ist nichts als ein Film auf der Leinwand. Alles klar?«

»Alles klar.«

»Also gut.« Polochek holte tief Luft. »Wir gehen jetzt zurück zum Abend des fünfzehnten Juni, damals in Savannah. Zu dem Abend, als Andrew Capra an Ihre Tür klopfte. Erzählen Sie mir, was auf der Leinwand passiert.«

Moore sah gebannt zu, er wagte kaum zu atmen.

»Er steht vor meiner Haustür«, sagte Catherine. »Er sagt, er müsse mit mir reden.«

»Worüber?«

»Über die Fehler, die er gemacht hat. Im Krankenhaus.«

Was sie dann sagte, wich nicht von der Aussage ab, die sie vor Detective Singer in Savannah gemacht hatte. Widerstrebend hatte sie Capra in ihre Wohnung gebeten. Es war ein schwüler Abend, und er sagte, er sei durstig. Also bot sie ihm ein Bier an. Sie machte auch eins für sich selbst auf. Er war erregt, er machte sich Gedanken um seine Zukunft. Ja, er hatte Fehler gemacht. Aber machte nicht jeder Arzt Fehler? Es wäre eine Verschwendung von Talent, wenn man ihn aus dem Programm ausschlösse. Er kannte einen Studenten von der Emory University, einen brillanten jungen Mann, der nur einen einzigen Fehler begangen hatte, und dieser Fehler hatte das Ende seiner Karriere bedeutet. Es war nicht recht, dass eine ganze Karriere von Catherines Entscheidung abhängen sollte. Jeder sollte eine zweite Chance bekommen.

Sie versuchte ihm gut zuzureden, doch sie hörte den Zorn in seiner Stimme anschwellen, sah, wie seine Hände zitterten. Schließlich ging sie zur Toilette, um ihm Zeit zu geben, sich zu beruhigen.

»Und als Sie von der Toilette zurückkommen?«, fragte Polochek. »Was passiert in dem Film? Was sehen Sie?«

»Andrew ist ruhiger. Nicht mehr so wütend. Er sagt, er versteht meinen Standpunkt. Er lächelt mich an, während er sein Bier austrinkt.«

»Er lächelt?«

»Eigenartig. Ein sehr eigenartiges Lächeln. So wie das, mit dem er mich im Krankenhaus angeschaut hatte …«

Moore konnte hören, wie ihr Atem sich beschleunigte. Selbst als distanzierte Beobachterin, die eine Szene in einem imaginären Film sah, war sie nicht immun gegen das herannahende Grauen.

»Was passiert dann?«

»Ich schlafe ein.«

»Sehen Sie das auf der Leinwand?«

»Ja.«

»Und dann?«

»Ich sehe nichts mehr. Die Leinwand ist leer.«

Das Rohypnol. Sie hat keine Erinnerungen an diese Phase.

»Also gut«, sagte Polochek. »Überspringen wir die schwarze Stelle im Film. Gehen wir weiter zur nächsten Szene. Zum nächsten Bild, das auf der Leinwand erscheint.«

Catherine atmete immer schneller; sie war sichtlich erregt.

»Was sehen Sie?«

»Ich – ich liege auf meinem Bett. In meinem Zimmer. Ich kann meine Arme und Beine nicht bewegen.«

»Warum nicht?«

»Ich bin ans Bett gefesselt. Meine Kleider sind verschwunden, und er liegt auf mir. Er ist in mir drin. Er bewegt sich in mir …«

»Andrew Capra?«

»Ja. Ja …« Sie atmete jetzt stoßweise, die Angst schnürte ihr die Kehle zu.

Moores Hände ballten sich zu Fäusten, und sein eigener Atem ging schneller und schneller. Er musste gegen die Versuchung ankämpfen, an das Fenster zu hämmern und die Sache augenblicklich zu beenden. Er konnte es kaum noch ertragen, weiter zuzuhören. Sie durften sie nicht zwingen, die Vergewaltigung noch einmal zu durchleben.

Aber Polochek war sich der Gefahr bereits bewusst, und er beeilte sich, sie von der qualvollen Erinnerung an diese Tortur wegzuführen.

»Sie sitzen immer noch in diesem Sessel, Catherine«, sagte er. »Sie sind in Sicherheit, dort in diesem Zimmer mit der Kinoleinwand. Es ist nur ein Film, Catherine. Es ist eine andere Frau, der das zustößt. Sie selbst sind in Sicherheit. Außer Gefahr. Sie haben alles im Griff.«

Ihr Atem wurde wieder ruhiger, verlangsamte sich auf einen stetigen Rhythmus. Auch Moore beruhigte sich.

»Gut. Lassen Sie uns den Film ansehen. Achten Sie besonders darauf, was Sie *selbst* tun. Nicht Andrew. Erzählen Sie mir, was als Nächstes passiert.«

»Die Leinwand ist wieder schwarz. Ich sehe gar nichts.«

Das Rohypnol wirkt immer noch.

»Spulen Sie vor, überspringen Sie diese schwarze Passage. Gehen Sie bis zum nächsten Bild, das Sie sehen können. Was ist es?«

»Licht. Ich sehe Licht …«

Polochek war einen Moment lang still. »Ich möchte, dass Sie den Zoom aufziehen, Catherine. Ich möchte, dass Sie ein Stück zurückgehen, um einen größeren Ausschnitt des Zimmers zu sehen. Was ist da auf der Leinwand?«

»Da liegen Sachen. Auf dem Nachttisch.«

»Was für Sachen?«

»Instrumente. Ein Skalpell. Ich sehe ein Skalpell.«

»Wo ist Andrew?«

»Ich weiß es nicht.«

»Er ist nicht im Zimmer?«

»Er ist weggegangen. Ich höre Wasser laufen.«

»Was geschieht als Nächstes?«

Sie atmete wieder schneller, ihre Stimme klang gehetzt. »Ich zerre an den Fesseln. Versuche mich zu befreien. Ich kann meine Füße nicht bewegen. Aber meine rechte Hand – das Seil um mein Handgelenk ist gelockert. Ich ziehe. Ich ziehe und zerre. Mein Handgelenk blutet.«

»Andrew ist noch nicht zurückgekommen?«

»Nein. Ich höre ihn lachen. Ich höre seine Stimme. Aber sie kommt von irgendwo anders im Haus.«

»Was passiert jetzt mit dem Seil?«

»Es löst sich. Das Blut hat es schlüpfrig gemacht, und meine Hand gleitet heraus …«

»Was tun Sie dann?«

»Ich greife nach dem Skalpell. Ich schneide das Seil an meinem anderen Handgelenk durch. Alles dauert so lange.

Mir ist furchtbar schlecht. Meine Hände funktionieren nicht richtig. Sie sind so langsam, und das Zimmer wird immer abwechselnd dunkel und hell und wieder dunkel. Ich kann immer noch seine Stimme hören. Er redet. Ich beuge mich vor und schneide mein rechtes Fußgelenk los. Jetzt höre ich seine Schritte. Ich versuche aus dem Bett aufzustehen, aber mein linkes Fußgelenk ist immer noch gefesselt. Ich rolle über die Bettkante und falle auf den Boden. Aufs Gesicht.«

»Und dann?«

»Andrew steht da. In der Tür. Er sieht überrascht aus. Ich greife unter das Bett. Und ich fühle die Pistole.«

»Unter dem Bett ist eine Pistole?«

»Ja. Die Pistole meines Vaters. Aber meine Hand ist so unbeholfen, ich kann die Waffe kaum fassen. Und langsam wird alles wieder schwarz.«

»Wo ist Andrew?«

»Er geht auf mich zu…«

»Und was passiert dann, Catherine?«

»Ich halte die Pistole in der Hand. Und da ist ein Geräusch. Ein lauter Knall.«

»Die Pistole ist losgegangen?«

»Ja.«

»Haben Sie sie abgefeuert?«

»Ja.«

»Was macht Andrew?«

»Er fällt. Er hält sich den Bauch. Blut sickert durch seine Finger.«

»Und was passiert dann?«

Eine lange Pause.

»Catherine? Was sehen Sie auf der Kinoleinwand?«

»Schwarz. Die Leinwand ist wieder schwarz.«

»Und wann erscheint das nächste Bild auf der Leinwand?«

»Menschen. So viele Menschen im Zimmer.«

»Was für Menschen?«

»Polizisten…«

Moore hätte vor Enttäuschung fast laut aufgestöhnt. Das war die entscheidende Lücke in ihrer Erinnerung. Das Rohypnol in Verbindung mit den Nachwirkungen des Schlags gegen den Kopf hatte sie wieder das Bewusstsein verlieren lassen. Catherine konnte sich nicht erinnern, den zweiten Schuss abgefeuert zu haben. Sie wussten immer noch nicht, wie Andrew Capra zu der Kugel in seinem Gehirn gekommen war.

Polochek blickte fragend zum Fenster hin. Waren sie zufrieden?

Zu Moores Verblüffung öffnete Rizzoli plötzlich die Tür und winkte Polochek heran. Er kam zu ihnen ins Nebenzimmer und ließ Catherine allein zurück. Als er die Tür hinter sich zugemacht hatte, sagte Rizzoli:

»Lassen Sie sie noch einmal zurückgehen zu dem Zeitpunkt, bevor sie auf ihn schießt. Als sie auf dem Bett liegt. Ich will, dass Sie sich darauf konzentrieren, was sie aus dem anderen Zimmer hört. Das fließende Wasser. Capras Lachen. Ich will genau wissen, welche Geräusche sie hört.«

»Gibt es einen bestimmten Grund?«

»Tun Sie's ganz einfach.«

Polochek nickte und ging zurück in das Vernehmungszimmer. Catherine hatte sich nicht gerührt; sie saß vollkommen still, so als hätte Polocheks Abwesenheit sie in einen scheintoten Zustand versetzt.

»Catherine«, sagte er mit sanfter Stimme. »Ich möchte, dass Sie den Film zurückspulen. Wir werden vor den Schuss zurückgehen. Bevor Sie Ihre Hände befreien konnten und auf den Boden gerollt sind. Wir sind an der Stelle im Film, als Sie noch auf dem Bett liegen und Andrew nicht im Zimmer ist. Sie sagten, Sie hörten Wasser laufen«

»Ja.«

»Sagen Sie mir alles, was Sie hören.«

»Wasser. Ich höre es in den Leitungsrohren. Das Zischen. Und ich höre es im Abfluss gurgeln.«

»Er lässt Wasser in ein Waschbecken laufen?«

»Ja.«

»Und Sie sagten, Sie hörten Lachen?«

»Andrew lacht.«

»Spricht er?«

Eine Pause. »Ja.«

»Was sagte er?«

»Ich weiß es nicht. Er ist zu weit weg.«

»Sind Sie sicher, dass es Andrew ist? Könnte es auch der Fernseher sein?«

»Nein, er ist es. Es ist Andrew.«

»Gut. Lassen Sie den Film langsamer laufen. Sekunde für Sekunde. Sagen Sie mir, was Sie hören.«

»Wasser. Es läuft immer noch. Andrew sagt ›kinderleicht‹. Das Wort ›kinderleicht‹.«

»Das ist alles?«

»Er sagt: ›Wenn du gut aufgepasst hast, müsstest du es schon können.‹«

»›Wenn du gut aufgepasst hast, müsstest du es schon können‹? Das sagt er?«

»Ja.«

»Und was sind die nächsten Worte, die Sie hören?«

»›Ich bin dran, Capra.‹«

»Das sagt *Andrew*?«

»Nein. Nicht Andrew.«

Moore erstarrte, seine Augen auf die reglose Frau auf dem Stuhl geheftet.

Polocheks Blick schoss zum Fenster. Sein Gesichtsausdruck verriet Verblüffung. Er wandte sich wieder zu Catherine um.

»Wer sagt diese Worte?«, fragte Polochek. »Wer sagt: ›Ich bin dran, Capra‹?«

»Ich weiß es nicht. Ich kenne seine Stimme nicht.«

Moore und Rizzoli starrten einander an.

Da war noch jemand im Haus.

15

Er ist jetzt gerade bei ihr.

Rizzoli machte mit dem Messer eine ungeschickte Bewegung auf dem Schneidbrett, und einige Zwiebelwürfel sprangen über die Tischkante und fielen auf den Boden. Im Nebenzimmer saßen ihr Vater und ihre beiden Brüder vor dem plärrenden Fernseher. Der Fernseher plärrte ständig in diesem Haus, und folglich mussten alle schreien, um sich verständlich zu machen. Wenn man in Frank Rizzolis Haus nicht schrie, dann wurde man nicht gehört, und schon ein ganz normales Familiengespräch klang wie ein Streit. Sie strich die Zwiebelwürfel mit dem Messer in eine Schüssel und nahm sich den Knoblauch vor. Ihre Augen brannten, und sie wurde das verstörende Bild von Moore und Cordell einfach nicht los.

Nach der Sitzung mit Dr. Polochek war es Moore gewesen, der Cordell nach Hause gebracht hatte. Rizzoli hatte ihnen nachgeblickt, als sie zusammen zum Aufzug gegangen waren, und sie hatte gesehen, wie Moore den Arm um Cordells Schulter gelegt hatte – in ihren Augen mehr als nur eine beschützende Geste. Sie sah, wie er Cordell anschaute, sah den Ausdruck auf seinem Gesicht, das Funkeln in seinen Augen. Er war nicht mehr der Polizist, der eine Staatsbürgerin beschützte, er war ein Mann, der drauf und dran war, sich zu verlieben.

Rizzoli löste die Knoblauchzehen aus der Knolle, zerdrückte sie einzeln mit der flachen Seite der Klinge und zog die Schale ab. Die Klinge schlug heftig gegen das Brett, und Rizzolis Mutter, die am Herd stand, warf ihr einen Blick zu, sagte aber nichts.

Er ist jetzt gerade bei ihr. In ihrer Wohnung. Vielleicht in ihrem Bett.

Sie ließ ein wenig von ihrem aufgestauten Frust ab, indem sie auf die Knoblauchzehen einhämmerte, *zack-zack-zack*. Sie konnte nicht sagen, warum der Gedanke an Moore und Cordell sie so aus der Fassung brachte. Vielleicht lag es daran, dass es so wenige Heilige auf der Welt gab, so wenige Menschen, die sich streng an die Regeln hielten, und sie geglaubt hatte, Moore sei einer von ihnen. Er hatte in ihr die Hoffnung geweckt, dass nicht die gesamte Menschheit unvollkommen war, und jetzt hatte er sie enttäuscht.

Vielleicht lag es auch daran, dass sie darin eine Gefährdung der Ermittlungsarbeit sah. Ein Mann, für den persönlich so viel auf dem Spiel steht, kann nicht logisch denken oder handeln.

Oder vielleicht liegt es daran, dass du eifersüchtig auf sie bist. Eifersüchtig auf eine Frau, die einem Mann mit einem Blick den Kopf verdrehen kann. Wie erschreckend leicht die Männer doch auf eine hilfsbedürftige Frau hereinfielen.

Im Nebenzimmer johlten ihr Vater und ihre Brüder laut über irgendetwas im Fernsehen. Sie sehnte sich nach ihrer ruhigen Wohnung zurück und begann sich schon Ausreden zurechtzulegen, um etwas früher gehen zu können. Sie würde mindestens bis nach dem Abendessen bleiben müssen. Wie ihre Mutter nicht müde wurde zu betonen, kam Frankie jr. nur sehr selten nach Hause, und Janie *musste* sich doch wünschen, mehr Zeit mit ihrem Bruder zu verbringen. Sie würde einen Abend mit Frankies Anekdoten aus dem Ausbildungslager über sich ergehen lassen müssen. Wie erbärmlich die neuen Rekruten dieses Jahr waren, wie die amerikanische Jugend immer mehr verweichlichte und wie er diesen Schlappschwänzen immer fester in den Hintern treten musste, um sie über die Hindernisbahn zu schleifen. Mom und Dad hingen gebannt an seinen Lippen. Was Rizzoli auf die Palme brachte, war, dass ihre Familie so wenig nach *ihrer* Arbeit fragte. In seiner bisherigen Laufbahn hatte Frankie, der Macho-Elitesoldat, immer nur Krieg *gespielt*. Sie musste jeden Tag in die Schlacht ziehen, gegen wirkliche Menschen, gegen wirkliche Killer.

Frankie kam in die Küche geschlendert und holte sich ein Bier aus dem Kühlschrank. »Wann gibt's denn was zu essen?«, fragte er und riss den Ringverschluss ab. Man hätte glauben können, sie sei bloß das Küchenmädchen.

»In einer Stunde«, sagte ihre Mutter.

»Herrgott, Ma, es ist schon halb acht! Ich bin am Verhungern.«

»Du sollst nicht fluchen, Frankie.«

»Weißt du«, sagte Rizzoli, »wir könnten viel früher essen, wenn die Männer uns bloß ein bisschen zur Hand gehen würden.«

»Ich kann warten«, sagte Frankie und wandte sich ab, um wieder ins Fernsehzimmer zu gehen. An der Tür blieb er plötzlich stehen. »Ach übrigens, das hätte ich fast vergessen. Da ist 'ne Nachricht für dich.«

»Was?«

»Dein Handy hat geläutet. Irgendein Typ namens Frosty.«

»Meinst du Barry Frost?«

»Ja, so hieß er. Er will, dass du ihn zurückrufst.«

»Wann war das?«

»Du warst gerade draußen und hast die Autos geparkt.«

»Verdammt noch mal, Frankie, das war vor einer Stunde!«

»Janie!«, mahnte ihre Mutter.

Rizzoli band ihre Schürze auf und warf sie auf den Tisch. »Das ist mein *Job*, Ma! Warum zum Teufel fällt es euch so schwer, das anzuerkennen?« Sie schnappte den Telefonhörer von der Küchenwand und hämmerte Barry Frosts Handynummer in die Tasten.

Er meldete sich nach dem ersten Läuten.

»Ich bin's«, sagte sie. »Ich habe gerade erst die Nachricht bekommen, dass ich zurückrufen soll.«

»Du wirst den Zugriff verpassen.«

»Was?«

»Wir haben einen Treffer bei der DNS aus dem Peyton-Fall.«

»Du meinst das Sperma? Die DNS ist in CODIS registriert?«

»Sie passt auf einen Täter namens Karl Pacheco. Verhaftet 1997, angeklagt wegen sexueller Nötigung, aber freigesprochen. Er behauptete, es sei einvernehmlich gewesen. Die Geschworenen haben ihm geglaubt.«

»Er hat Nina Peyton vergewaltigt?«

»Und wir haben die DNS als Beweis.«

Sie stieß triumphierend die Faust in die Luft. »Wie ist die Adresse?«

»4578 Columbus Avenue. Das Team ist schon fast vollzählig dort versammelt.«

»Ich bin unterwegs.«

Sie stürmte schon aus der Küche, als ihre Mutter rief: »Janie! Was ist denn mit dem Essen?«

»Muss los, Ma.«

»Aber heute ist Frankies letzter Abend!«

»Wir müssen jemanden verhaften.«

»Können die denn nicht ohne dich auskommen?«

Rizzoli verharrte mit der Hand an der Türklinke. Sie kochte innerlich, stand bedenklich kurz vor der Explosion. Und zugleich erkannte sie eines mit verblüffender Klarheit: Ganz gleich, was sie erreichen mochte oder wie glänzend ihre Karriere verlief, dieser eine Moment würde immer ihre Wirklichkeit darstellen: Janie, die unbedeutende Schwester. Das *Mädchen.*

Wortlos verließ sie die Küche und schlug die Tür hinter sich zu.

Die Columbus Avenue lag am nördlichen Ende von Roxbury, mitten im Jagdgebiet des Chirurgen. Weiter südlich war Jamaica Plain, wo Nina Peyton gelebt hatte. Elena Ortiz' Wohnung lag im Südosten, und im Nordosten die Back Bay mit den Wohnungen von Diana Sterling und Catherine Cordell. Im Vorbeifahren erblickte Rizzoli Straßen mit Alleebäumen, die Backsteinhäuser eines Viertels, das von den Studierenden und dem Personal der nahe gelegenen Northeastern University bevölkert war. Jede Menge Studentinnen.

Jede Menge lohnende Beute.

Die Ampel vor ihr sprang auf Gelb. Das Adrenalin schoss durch ihre Adern, während sie das Gaspedal bis zum Boden durchdrückte und über die Kreuzung raste. Die Ehre dieser Festnahme gebührte ihr. Wochenlang hatte Rizzoli nur in Gedanken an den Chirurgen gelebt und geatmet, hatte sogar von ihm geträumt. Er hatte jeden Augenblick ihres Lebens durchdrungen, im Wachen wie im Schlaf. Niemand hatte härter daran gearbeitet, ihn zu fassen, und jetzt fand sie sich in einem Wettlauf um den Lohn ihrer Mühen.

Einen Block vor Karl Pachecos Adresse hielt sie mit quietschenden Reifen hinter einem Streifenwagen. Vier weitere Einsatzfahrzeuge parkten kreuz und quer entlang der Straße.

Zu spät, dachte sie, als sie auf das Gebäude zurannte. Sie sind schon drin.

Aus dem Haus hörte sie Schritte und die Rufe von Männern, die im Treppenhaus hallten. Sie folgte dem Lärm bis in den ersten Stock und betrat Karl Pachecos Wohnung.

Dort bot sich ihr ein chaotischer Anblick. Holzsplitter von der aufgebrochenen Tür lagen über der Schwelle verstreut. Stühle waren umgestoßen worden, eine Lampe lag in Scherben; es sah aus, als sei eine Horde wilder Bullen durch die Wohnung getrampelt und habe eine Schneise der Verwüstung hinterlassen. Die Luft war wie mit Testosteron verseucht, ausgeströmt von wildwütigen Polizisten auf der Hatz nach einem Verbrecher, der vor wenigen Tagen einen der ihren abgeschlachtet hatte.

Auf dem Boden lag ein Mann mit dem Gesicht nach unten. Er war schwarz – nicht der Chirurg. Crowe drückte dem Farbigen brutal die Schuhsohle in den Nacken.

»Ich habe dich was gefragt, du Schwein!«, brüllte Crowe. »Wo ist Pacheco?«

Der Mann winselte und machte den Fehler, den Kopf heben zu wollen. Crowe stieß mit dem Absatz zu, und das Kinn des Mannes krachte auf den Fußboden. Er stieß einen erstickten Laut aus und begann um sich zu schlagen.

»Lass ihn los!«, schrie Rizzoli.

»Er will einfach nicht stillhalten!«

»Geh von ihm runter, dann redet er vielleicht mit dir!« Rizzoli stieß Crowe zur Seite. Der Festgenommene rollte auf den Rücken und schnappte wie ein gestrandeter Fisch.

»Wo ist Pacheco?«, schrie Crowe.

»Ich – ich weiß es nicht ...«

»Sie sind doch in seiner Wohnung!«

»Weg. Er ist weggegangen ...«

»Wann?«

Der Mann fing an zu husten, tief und stoßweise; es klang, als müsse es seine Lungen zerreißen. Die anderen Polizisten hatten sich im Kreis um ihn versammelt und starrten den auf dem Boden liegenden Gefangenen mit unverhohlenem Hass an. Den Freund eines Polizistenmörders.

Angewidert wandte Rizzoli sich ab und ging durch den Flur zum Schlafzimmer. Die Tür des Kleiderschranks stand offen, die Kleiderbügel lagen verstreut am Boden. Die Wohnung war gründlich und mit roher Gewalt durchsucht worden; jede Tür aufgerissen, jedes mögliche Versteck offen gelegt. Sie zog sich Handschuhe über und begann die Schubladen der Kommode und sämtliche Taschen zu durchwühlen auf der Suche nach einem Kalender, einem Adressbuch, irgendetwas, das ihnen verraten hätte, wohin Pacheco geflüchtet sein könnte.

Sie hob den Kopf, als Moore das Zimmer betrat. »Sind Sie verantwortlich für dieses Durcheinander?«, fragte sie.

Er schüttelte den Kopf. »Marquette hat sein Okay gegeben. Wir hatten die Information bekommen, dass Pacheco im Haus ist.«

»Aber wo ist er dann?« Sie stieß die Schublade zu und ging zum Schlafzimmerfenster. Es war geschlossen, aber nicht verriegelt. Die Feuerleiter war unmittelbar dahinter. Sie öffnete das Fenster und streckte den Kopf heraus. Unten in der Seitenstraße stand ein Einsatzwagen. Das Funkgerät quäkte, und sie erblickte einen Streifenpolizisten, der mit seiner Taschenlampe in einen Müllcontainer leuchtete.

Sie wollte eben den Kopf zurückziehen, als sie einen leichten Schlag am Hinterkopf verspürte und das leise Geräusch von Schotter hörte, der über die Feuertreppe rieselte. Aufgeschreckt sah sie nach oben. Der Nachthimmel war von den Lichtern der Großstadt überflutet, die Sterne waren kaum zu erkennen. Sie starrte einen Augenblick lang nach oben und suchte mit den Augen die Dachkante vor dem Hintergrund des kränklich blassen Himmels ab, doch nichts rührte sich.

Sie stieg durchs Fenster auf die Feuertreppe und kletterte die Leiter zum zweiten Stock hoch. Auf dem nächsten Absatz blieb sie stehen, um das Fenster der Wohnung über der von Pacheco zu inspizieren. Das Fliegengitter war festgenagelt, dahinter war alles dunkel.

Wieder blickte sie zum Dach hoch. Sie konnte nichts erkennen, hörte auch kein Geräusch von oben, aber dennoch stellten sich ihr die Nackenhaare auf.

»Rizzoli?«, rief Moore aus dem Fenster. Sie antwortete nicht, sondern deutete nur nach oben, um ihm lautlos ihre Absicht anzuzeigen.

Nachdem sie sich die verschwitzten Hände an der Hose abgewischt hatte, begann sie geräuschlos die Leiter zum Dach emporzusteigen. Auf der letzten Sprosse hielt sie inne, holte einmal tief Luft und hob dann ganz, ganz langsam den Kopf über die Dachkante.

Die Dachterrasse lag wie ein Wald von Schatten unter

dem mondlosen Himmel. Sie erkannte die Silhouetten eines Tisches und einiger Stühle, ein Gewirr gebogener Äste. Ein Dachgarten. Sie kletterte über die Kante, landete leichtfüßig auf den Asphaltschindeln und zog ihre Waffe. Zwei Schritte, dann stieß sie mit dem Schuh gegen ein Hindernis, das scheppernd davonrollte. Sie atmete den durchdringenden Duft von Geranien ein. Es dämmerte ihr, dass sie in einem Wald von Topfpflanzen stand. Eine Hindernisbahn breitete sich zu ihren Füßen aus.

Links von ihr, in einiger Entfernung, bewegte sich etwas.

Sie spähte angestrengt in die Dunkelheit und versuchte die menschliche Gestalt in dem Chaos von Schatten auszumachen. Dann sah sie ihn, ein zusammengekauertes Etwas.

Sie hob die Waffe und rief: »Keine Bewegung!«

Sie sah nicht, was er in der Hand hielt. Was er hochhielt, um es nach ihr zu schleudern.

Einen Sekundenbruchteil, bevor die Pflanzschaufel ihr Gesicht traf, spürte sie den Luftzug, der wie ein Unheil bringender Wind aus der Dunkelheit auf sie einströmte. Der Schlag traf sie mit solcher Wucht an der linken Wange, dass vor ihren Augen Lichtblitze auftauchten.

Sie fiel auf die Knie, und eine Woge von Schmerz überflutete ihre Synapsen, so heftig, dass es ihr den Atem verschlug.

»*Rizzoli?*« Es war Moore. Sie hatte gar nicht gehört, wie er von der Brüstung aufs Dach gesprungen war.

»Ich bin okay. Ich bin okay …« Sie spähte blinzelnd zu der Stelle hin, wo die Gestalt gekauert hatte. Sie war verschwunden. »Er ist hier«, flüsterte sie. »Ich will den Scheißkerl zu fassen kriegen.«

Moore rückte vorsichtig in die Dunkelheit vor. Sie hielt sich den Kopf und wartete, bis das Schwindelgefühl nachließ, während sie ihre Unvorsichtigkeit verfluchte. Mühsam rappelte sie sich auf, zwang sich mit aller Kraft, klar zu denken. Die Wut war ein wirkungsvoller Antrieb, sie half ihr, einen festen Stand zu finden und die Waffe sicher zu fassen.

Moore war ein paar Meter rechts von ihr; sie konnte seine Silhouette gerade eben erkennen. Er schlich sich um den Tisch und die Stühle herum.

Sie orientierte sich nach links und begann die Dachterrasse in der entgegengesetzten Richtung zu umkreisen. Jedes Pochen in ihrer Wange, jeder Schmerz, der ihr Gesicht wie ein glühender Feuerhaken durchbohrte, erinnerte sie aufs Neue daran, dass sie versagt hatte. *Nicht noch einmal.* Ihr Blick schweifte über die verschwommenen Schatten von Sträuchern und Topfpflanzen.

Ein schepperndes Geräusch ließ sie rechtsherum wirbeln. Sie hörte schnelle Schritte, sah einen Schatten über die Dachterrasse schießen, direkt auf sie zu.

Moore schrie: »Stehen bleiben! Polizei!«

Der Mann rannte weiter.

Rizzoli ging in die Hocke, die Waffe im Anschlag. Das Pochen in ihrem Gesicht steigerte sich zu Explosionen von höllischen Schmerzen. All die Erniedrigungen, die sie hatte erdulden müssen, die täglichen Brüskierungen, die Beleidigungen, die unaufhörlichen Quälereien, ausgeteilt von den Darren Crowes dieser Welt, all das schien sich in einer geballten Ladung rasender Wut zu konzentrieren.

Jetzt gehörst du mir, du Schwein. Als der Mann plötzlich vor ihr stehen blieb, die Hände zum Himmel gehoben, war die Entscheidung schon unumkehrbar.

Sie drückte den Abzug.

Der Mann zuckte zusammen. Taumelte rückwärts.

Sie schoss ein zweites, ein drittes Mal, und bei jedem Schuss fühlte sie mit Befriedigung, wie der Griff gegen ihre Handfläche schlug.

»*Rizzoli! Feuer einstellen!*«

Endlich durchdrang Moores Schrei das Dröhnen in ihren Ohren. Sie erstarrte, die Waffe noch immer auf das Ziel gerichtet. Ihre Armmuskeln waren angespannt und schmerzten.

Der Mann lag am Boden und rührte sich nicht. Sie richtete sich auf und trat langsam auf die zusammengesunkene Gestalt zu. Mit jedem Schritt wuchs ihr Entsetzen über das, was sie gerade getan hatte.

Moore kniete schon neben dem Mann und tastete nach einem Puls. Er blickte zu ihr auf, und obwohl sie seinen Gesichtsausdruck auf dieser finsteren Dachterrasse nicht erkennen konnte, wusste sie, dass es ein anklagender Blick war.

»Er ist tot, Rizzoli.«

»Er hatte etwas – in der Hand...«

»Da war nichts.«

»Ich habe es gesehen. Ich weiß es genau!«

»Er hatte die Hände erhoben.«

»Verdammt noch mal, Moore! Es war ein berechtigter Schusswaffengebrauch. Sie *müssen* mir Rückendeckung geben!«

Plötzlich waren andere Stimmen zu hören. Mehrere Polizisten waren auf das Dach geklettert und kamen auf sie zu. Moore und Rizzoli wechselten kein weiteres Wort.

Crowe leuchtete den Mann mit seiner Taschenlampe an. Rizzoli hatte eine albtraumhafte Vision von aufgerissenen Augen, einem blutdurchtränkten Hemd.

»Hey, das ist Pacheco!«, sagte Crowe. »Wer hat ihn erledigt?«

Mit tonloser Stimme antwortete Rizzoli: »Das war ich.«

Irgendjemand gab ihr einen Klaps auf den Rücken. »Lady-Cop landet Volltreffer.«

»Halt die Klappe«, sagte Rizzoli. »Halt ganz einfach die Klappe, ja?« Mit steifen Schritten ging sie zur Feuerleiter, stieg herunter bis zur Straße und verkroch sich benommen in ihrem Wagen. Dort saß sie zusammengesunken hinter dem Lenkrad, während die Schmerzen allmählich nachließen und durch ein Gefühl der Übelkeit ersetzt wurden. Immer wieder ging sie im Kopf die Szene durch, die sich auf der Dachterrasse abgespielt hatte. Was Pacheco getan hatte, was sie getan hatte. Sie sah ihn laufen, ein bloßer Schatten, der auf sie zuhuschte. Sie sah, wie er stehen blieb. Ja, stehen blieb. Sie sah, wie er sie anschaute.

Eine Waffe. Lieber Gott, mach, dass da eine Waffe war.

Aber sie hatte keine Waffe gesehen. In dem Sekundenbruchteil, bevor sie geschossen hatte, hatte das Bild sich in ihr Gehirn eingebrannt. Ein Mann, der reglos dastand. Ein Mann, der die Hände erhoben hatte zum Zeichen, dass er sich ergeben wollte.

Jemand klopfte an das Wagenfenster. Barry Frost. Sie drehte die Scheibe herunter.

»Marquette sucht Sie«, sagte er.

»Okay.«

»Stimmt was nicht? Rizzoli, ist alles klar mit Ihnen?«

»Ich fühle mich, als wäre mir ein Sattelschlepper übers Gesicht gefahren.«

Frost steckte den Kopf durchs Fenster und inspizierte ihre geschwollene Wange. »O Mann. Das Schwein hat's aber wirklich nicht besser verdient.«

Genau das wollte Rizzoli auch glauben: dass Pacheco den Tod verdient hatte. Ja, so war es; sie quälte sich völlig grundlos. War ihr Gesicht nicht der deutlichste Beweis? Er hatte sie angegriffen. Er war ein Monster, und indem sie ihn erschossen hatte, hatte sie auf rasche und unkomplizierte Weise für Gerechtigkeit gesorgt. Elena Ortiz, Diana Sterling und Nina Peyton hätten ihr gewiss applaudiert. Niemand weint dem Abschaum dieser Erde eine Träne nach.

Sie stieg aus dem Wagen. Frosts Mitgefühl hatte sie bereits ein wenig aufgemuntert. Sie fühlte sich wieder stärker. Sie ging auf das Haus zu und sah Marquette in der Nähe des Eingangs stehen. Er unterhielt sich mit Moore.

Die beiden Männer drehten sich zu ihr um, als sie näher trat. Ihr fiel auf, dass Moore es vermied, ihr in die Augen zu schauen, und stattdessen ins Leere blickte. Er sah mitgenommen aus.

Marquette sagte: »Ich brauche Ihre Waffe, Rizzoli.«

»Ich habe in Notwehr geschossen. Der Verdächtige hat mich angegriffen.«

»Das verstehe ich ja. Aber Sie kennen doch die Vorschriften.«

Sie sah Moore an. *Ich habe dich gemocht. Ich habe dir vertraut.* Sie schnallte ihr Halfter ab und drückte es Marquette mit einer ungehaltenen Bewegung in die Hand. »Verdammte Scheiße, wer ist denn hier eigentlich der Feind?«, sagte sie. »Das frage ich mich manchmal wirklich.« Und sie machte auf dem Absatz kehrt und ging zu ihrem Wagen zurück.

Moore starrte in Karl Pachecos Kleiderschrank und dachte: Hier stimmt einfach überhaupt nichts. Auf dem Boden lagen ein halbes Dutzend Paar Schuhe, Größe 46, extra breit. In den Regalen fand er eingestaubte Pullover, einen Schuhkarton mit alten Batterien und Kleingeld sowie einen Stapel Penthouse-Magazine.

Hinter sich hörte er, wie eine Schublade aufgezogen wurde. Er drehte sich um und erblickte Frost, dessen behandschuhte Finger Pachecos Sockenschublade durchstöberten.

»Schon was gefunden?«, fragte Moore.

»Keine Skalpelle, kein Chloroform. Nicht einmal eine Rolle Klebeband.«

»Klingeling«, verkündete Crowe vom Badezimmer her. Dann kam er herausgeschlendert und schwenkte eine Plastiktüte voller Glasfläschchen, die eine bräunliche Flüssigkeit enthielten. »Frisch aus dem sonnigen Mexiko, dem pharmazeutischen Schlaraffenland.«

»Rohypnol?«, fragte Frost.

Moore warf einen Blick auf das Etikett, das eine spanische Aufschrift trug. »Gamma-Hydroxybutyrat. Selbe Wirkung.«

Crowe schüttelte die Tüte. »Da stecken mindestens hundert Vergewaltigungen drin. Muss einen äußerst aktiven Schwanz gehabt haben, unser Pacheco.« Er lachte.

Der Ton war Moore zuwider. Er dachte an diesen aktiven Schwanz und den Schaden, den er angerichtet hatte. Nicht nur die physischen, auch die psychischen Verletzungen. Die Seelen, die er zerrissen hatte. Er erinnerte sich an Catherines Worte: dass das Leben jedes Vergewaltigungsopfers in ein *Vorher* und ein *Nachher* zerfiel. Eine Vergewaltigung verwandelt die Welt für die betroffene Frau in eine öde, fremde Landschaft, in der jedes Lächeln, jeder heitere Moment das Gift der Verzweiflung in sich tragen. Vor einigen Wochen wäre ihm Crowes zynisches Lachen noch kaum aufgefallen. Heute Abend hörte er es nur zu gut, und er erkannte, wie hässlich es war.

Er ging ins Wohnzimmer, wo der Farbige von Detective Sleeper verhört wurde.

»Ich sag Ihnen doch, wir haben nur so rumgehangen.«

»Haben Sie immer sechshundert Dollar in der Tasche, wenn Sie nur so rumhängen?«

»Ich hab halt gern ein bisschen was Bares dabei, Mann.«

»Weshalb waren Sie hier? Was wollten Sie kaufen?«

»Nix.«

»Woher kennen Sie Pacheco?«

»Einfach so.«

»Oh, ein wirklich *guter* Freund. Was hat er verkauft?«

GHB, dachte Moore. Die Vergewaltiger-Droge. Das hatte er kaufen wollen. Noch so ein aktiver Schwanz.

Er trat hinaus in die Nacht. Die pulsierenden Lichter der Streifenwagen verwirrten ihn. Rizzolis Wagen war verschwunden. Er starrte auf den leeren Fleck, wo er gestanden hatte, und die Last dessen, was er getan hatte, wozu er sich gezwungen gesehen hatte, drückte plötzlich so schwer auf seine Schultern, dass er sich nicht von der Stelle rühren konnte. Noch nie in seiner Laufbahn hatte er vor einer so schwierigen Entscheidung gestanden, und obwohl er in seinem Innersten davon überzeugt war, dass er das Richtige getan hatte, quälte ihn das Gewissen. Er versuchte den Respekt, den er für Rizzoli empfand, mit dem in Einklang zu bringen, was er sie dort oben auf dem Dach hatte tun sehen. Es war zu spät, seine Aussage gegenüber Marquette zurückzuziehen. Es *war* dunkel gewesen dort oben, eine unübersichtliche Situation; vielleicht hatte Rizzoli wirklich geglaubt, Pacheco habe eine Waffe in der Hand. Vielleicht hatte sie irgendeine Geste, eine Bewegung gesehen, die Moore entgangen war. Aber so sehr er sich auch mühte, er konnte in seiner Erinnerung nichts finden, was ihre Handlungsweise gerechtfertigt hätte. Die Tat, deren Zeuge er geworden war, konnte er beim besten Willen nur als kaltblütige Hinrichtung interpretieren.

Als er sie das nächste Mal sah, saß sie vornübergebeugt an ihrem Schreibtisch und hielt sich einen Eisbeutel an die Wange. Es war nach Mitternacht, und sie war nicht in gesprächiger Stimmung. Aber sie hob die Augen, als er vorbeiging, und ihr Blick ließ ihn zur Salzsäule erstarren.

»Was haben Sie Marquette erzählt?«, fragte sie.

»Das, was er wissen wollte. Wie Pacheco zu Tode gekommen ist. Ich habe ihn nicht angelogen.«

»Sie Ratte.«

»Meinen Sie, es hat mir Spaß gemacht, ihm die Wahrheit zu sagen?«

»Sie hatten die Wahl.«

»Die hatten Sie auch, dort oben auf dem Dach. Sie haben sich für das Falsche entschieden.«

»Und Sie treffen nie eine falsche Entscheidung, was? Sie machen *nie* einen Fehler.«

»Wenn, dann stehe ich auch dazu.«

»Ach ja, natürlich. Der ach so heilige Thomas.«

Er trat an ihren Schreibtisch und sah ihr direkt in die Augen. »Sie gehören zu den besten Polizisten, mit denen ich je gearbeitet habe. Aber heute Abend haben Sie einen Mann kaltblütig erschossen, und ich habe es gesehen.«

»Sie mussten es nicht sehen.«

»Aber ich *habe* es gesehen.«

»Was haben wir denn da oben wirklich gesehen, Moore? Jede Menge Schatten, undeutliche Bewegungen. Zwischen einer richtigen und einer falschen Entscheidung liegt gerade mal *so* viel.« Sie hielt zwei Finger hoch, die sich fast berührten. »Und wir kalkulieren das ein. Wir gestehen einander einen gewissen Spielraum des Zweifels ein.«

»Das habe ich versucht.«

»Aber nicht ernsthaft genug.«

»Ich lüge nicht für einen anderen Polizisten. Selbst, wenn ich mit ihm oder ihr befreundet bin.«

»Vergessen wir doch nicht, wer hier die Schurken sind, verdammt noch mal. *Wir* sind es nicht.«

»Wenn wir uns auf Lügen einlassen, wie können wir dann noch zwischen *ihnen* und *uns* differenzieren?«

Sie nahm den Eisbeutel aus dem Gesicht und deutete auf ihre Wange. Ein Auge war zugeschwollen, und ihre ganze linke Gesichtshälfte war aufgequollen wie ein fleckiger Luftballon. Der brutale Anblick ihrer Verletzung schockierte ihn. »Das hat Pacheco mir angetan. Nicht gerade ein freundschaftlicher Klaps, oder? Sie reden von *denen* und *uns.* Auf welcher Seite hat *er* gestanden? Ich habe der Welt einen Gefallen getan, als ich ihn weggepustet habe. Niemand wird den Chirurgen vermissen.«

»Karl Pacheco war nicht der Chirurg. Sie haben den Falschen weggepustet.«

Sie starrte ihn entgeistert an. Ihr lädiertes Gesicht sah aus wie ein grellbunter Picasso, halb grotesk entstellt, halb normal. »Wir hatten einen positiven DNS-Test! Er war derjenige …«

»… der Nina Peyton vergewaltigt hat, ja. Aber nichts an ihm passt auf den Chirurgen.« Er ließ den Laborbericht über die Haar- und Faseruntersuchung auf ihren Schreibtisch fallen.

»Was ist das?«

»Die mikroskopische Analyse von Pachecos Kopfhaaren. Andere Farbe, andere Lockenkrümmung, andere Dichte des Kutikulums als bei dem Haar aus Elena Ortiz' Wunde. Keine Anzeichen von Bambushaar.«

Sie saß reglos da und starrte auf den Laborbericht. »Ich verstehe nicht.«

»Pacheco hat Nina Peyton vergewaltigt. Das ist alles, was wir mit Sicherheit über ihn sagen können.«

»Sterling und Ortiz wurden beide vergewaltigt …«

»Wir können nicht beweisen, dass Pacheco es getan hat. Jetzt, da er tot ist, werden wir es nie herausfinden.«

Sie sah zu ihm auf, die unversehrte Hälfte ihres Gesichts war wutverzerrt. »Er *muss* es gewesen sein. Wählen Sie willkürlich drei Frauen in dieser Stadt aus – wie groß ist die Wahrscheinlichkeit, dass sie alle vergewaltigt wurden? Das hat der Chirurg hingekriegt. Drei Versuche, drei Treffer. Wenn er es nicht ist, der sie vergewaltigt, woher weiß er dann, welche er aussuchen soll, welche er abschlachten soll? Wenn es nicht Pacheco ist, dann ist es ein Komplize, ein Partner von ihm. Irgendein beschissener Geier, der sich an dem Aas weidet, das Pacheco zurücklässt.« Sie drückte ihm den Laborbericht wieder in die Hand. »Vielleicht habe ich nicht den Chirurgen erschossen. Aber der Mann, den ich erschossen *habe*, war Abschaum. Das scheinen alle zu vergessen. *Pacheco war ein Stück Dreck*. Und bekomme ich jetzt etwa eine Auszeichnung?« Sie stand auf und schob ihren Stuhl so heftig vor, dass er gegen den Schreibtisch stieß. »Verwaltungsarbeit. Marquette hat mich zu einem Sesselpupser degradiert. Vielen Dank auch.«

Sie ging, und er sah ihr schweigend nach. Er wusste nicht, was er sagen sollte, wie er den Riss zwischen ihnen wieder kitten sollte.

Er ging zu seinem eigenen Schreibtisch und ließ sich auf den Sessel sinken. Ich bin ein Dinosaurier, dachte er, und tappe unbeholfen durch eine Welt, in der man dafür verachtet wird, dass man die Wahrheit sagt. Er konnte jetzt nicht über Rizzoli nachdenken. Die Anklage gegen Pacheco war in sich zusammengefallen, und sie waren wieder dort, wo sie angefangen hatten: auf der Jagd nach einem namenlosen Killer.

Drei vergewaltigte Frauen. Darauf kamen sie immer wieder zurück. Wie fand der Chirurg sie? Nur Nina Peyton hatte ihre Vergewaltigung der Polizei gemeldet. Elena Ortiz und Diana Sterling hatten das nicht getan. Ihr Trauma war eine Privatangelegenheit geblieben, von der nur die Vergewaltiger, die Opfer und das behandelnde medizinische Personal wussten. Aber die drei Frauen hatten an unterschiedlichen Stellen medizinischen Beistand gesucht: Sterling in einer gynäkologischen Praxis in der Back Bay, Ortiz in der Notaufnahme des Pilgrim Hospital, und Nina Peyton in der Frauenklinik Forest Hills. Es gab keinerlei Überschneidungen beim Personal, keinen Arzt, keine Krankenschwester und keine Empfangssekretärin, der oder die mit mehr als einer dieser drei Frauen in Kontakt gekommen wäre.

Irgendwie wusste der Chirurg, dass diesen Frauen etwas angetan worden war, und ihr Schmerz lockte ihn an. Sexualmörder suchen sich ihre Opfer unter den verwundbarsten Mitgliedern der Gesellschaft aus. Sie suchen nach Frauen, die sie beherrschen können, Frauen, die sie erniedrigen können, Frauen, die für sie keine Bedrohung darstellen. Und wer ist verletzlicher als eine Frau, der Gewalt angetan worden ist?

Bein Hinausgehen blieb sein Blick an der Wand haften, wo die Fotos von Sterling, Ortiz und Peyton aufgehängt waren. Drei Frauen, drei Vergewaltigungen.

Und eine vierte. Catherine war in Savannah vergewaltigt worden.

Er blinzelte verwirrt, als das Bild ihres Gesichts plötzlich vor seinem geistigen Auge auftauchte. Ein Bild, das er unwillkürlich dieser Galerie der Opfer an der Wand hinzufügen musste.

Irgendwie geht alles auf die Ereignisse in jener Nacht in Savannah zurück. Es geht alles auf Andrew Capra zurück.

16

Im Herzen von Mexico City floss das Blut einst in Strömen. Unter den Fundamenten der modernen Metropole liegen die Ruinen des Templo Mayor, der großen aztekischen Tempelanlage, die das antike Tenochtitlan beherrschte. Hier wurden Zehntausende von Unglücklichen den Göttern geopfert.

An dem Tag, als ich die Tempelruinen besichtigte, bemerkte ich mit einer gewissen Erheiterung, dass ganz in der Nähe eine Kathedrale aufragte, in der die Katholiken Kerzen anzünden und flüsternd ihre Gebete an einen gnädigen Gott im Himmel richten. Sie knien nicht weit von der Stelle, wo die Steine einst glitschig vom Blut waren. Ich kam an einem Sonntag, ohne zu wissen, dass sonntags der Eintritt frei ist; entsprechend wimmelte es im Museum des Templo Mayor von Kindern, deren helle Stimmen in den Sälen widerhallten. Ich mache mir nichts aus Kindern, und schon gar nichts aus dem Chaos, das sie anrichten; sollte ich jemals wieder nach Mexico City kommen, werde ich daran denken, sonntags alle Museen zu meiden.

Aber es war mein letzter Tag in der Stadt, also ließ ich den irritierenden Regen von Lärmsplittern über mich ergehen. Ich wollte die Ausgrabungen sehen, und ich wollte einen Rundgang durch den Saal Nr. 2 machen. Den Saal der Riten und Opferzeremonien.

Die Azteken glaubten, dass der Tod notwendig ist, um das Leben zu erhalten. Um die heilige Energie der Welt zu bewahren, um Katastrophen abzuwehren und sicherzustellen, dass die Sonne weiterhin aufgeht, müssen die Götter mit Menschenherzen gefüttert werden. Ich stand im Saal der Riten und sah in einer Vitrine das Opfermesser, mit dem das Fleisch durchschnitten worden war. Es hatte einen Namen: Tecpatl Ixcuaha. *Das Messer mit der breiten Stirn. Die Klinge war aus Feuerstein, und der Griff hatte die Form eines knienden Mannes.*

Wie stellt man es an, so fragte ich mich, ein menschliches Herz aus der Brust zu schneiden, wenn man nichts als ein Feuersteinmesser zur Verfügung hat?

Diese Frage nahm mich ganz und gar in Anspruch, während ich später am selben Nachmittag über die Alameda Central spazierte und die ungewaschenen Straßenkinder ignorierte, die im Pulk hinter mir herliefen und mich um Münzen anbettelten. Nach einer Weile sahen sie ein, dass sie mich nicht mit ihren braunen Augen und ihrem Zahnlückenlächeln verführen konnten, und ließen von mir ab. Endlich war mir ein gewisses Maß an Ruhe und Frieden vergönnt – wenn so etwas in der Kakophonie von Mexico City überhaupt möglich ist. Ich fand ein Café und setzte mich an einen Tisch im Freien, wo ich einen starken Kaffee trank. Ich war der einzige Gast, der es in dieser Hitze vorzog, draußen zu sitzen. Ich kann gar nicht genug Hitze bekommen; sie ist gut für meine rissige Haut. Ich suche sie, wie ein Reptil einen warmen Felsen sucht. Und so saß ich an diesem drückend heißen Tag da, trank meinen Kaffee und dachte über den menschlichen Brustkorb nach, und ich rätselte, wie man wohl am besten an den pulsierenden Schatz in seinem Inneren herankommen könnte.

Den alten Schilderungen zufolge vollzog sich das aztekische Ritual schnell und mit einem Minimum an Qualen für das Opfer. Hier liegt das Problem. Ich weiß, dass es ein schweres Stück Arbeit ist, in den Brustkorb einzudringen, das Brustbein zu durchtrennen, das wie ein Schutzschild über dem Herzen liegt. Die Herzchirurgen machen einen vertikalen Einschnitt in der Mitte der Brust und zerteilen dann das Brustbein mit einer Säge. Sie haben Assistenten, die ihnen helfen, die Knochenhälften auseinander zu zie-

hen, und sie benutzen die verschiedensten hochkomplizierten Instrumente, sämtlich aus glänzendem rostfreiem Stahl, um das Operationsfeld zu erweitern.

Ein aztekischer Priester, der nur mit einem Feuersteinmesser ausgestattet war, hätte mit einer solchen Vorgehensweise seine Probleme gehabt. Er hätte das Brustbein mit einem Meißel bearbeiten müssen, um es der Länge nach zu spalten, und es hätte mit Sicherheit einen heftigen Kampf gegeben. Und viel Geschrei.

Nein, es musste einen anderen Weg geben, an das Herz zu gelangen.

Ein horizontaler Schnitt an der Seite des Rumpfs, zwischen zwei Rippen? Auch hier stößt man auf Schwierigkeiten. Das menschliche Skelett ist solide gebaut, und um zwei Rippen so weit auseinander zu spreizen, dass man mit der Hand hindurchgreifen kann, bedarf es einer großen Kraftanstrengung und spezieller Instrumente. Wäre es vielleicht sinnvoller, sich von unten zu nähern? Mit einem raschen Schnitt konnte man die Bauchhöhle öffnen, und dann müsste der Priester nichts weiter tun, als das Zwerchfell zu durchschneiden und die Hand hindurchzustecken, um nach dem Herzen zu greifen. Gewiss, aber das wäre eine sehr unsaubere Methode; die Gedärme würden dabei hervorquellen und auf den Altar fallen. Nirgendwo auf den aztekischen Reliefs finden sich Darstellungen von rituellen Opferungen, bei denen dem Geopferten Darmschlingen aus dem Bauch heraushängen.

Bücher sind etwas Wunderbares; sie sagen einem alles, was man wissen will, sogar, wie man mit möglichst wenig Aufwand ein Herz mit einem Feuersteinmesser herausschneidet. Ich fand meine Antwort in einem Lehrwerk mit dem Titel Menschenopfer und Kriegführung, *verfasst von einem Akademiker (was sind die Universitäten doch heutzutage für interessante Orte), einem Mann namens Sherwood Clarke, den ich sehr gerne einmal kennen lernen würde.*

Ich glaube, wir könnten eine Menge voneinander lernen.

Die Azteken, so Mr. Clarke, bedienten sich der transversalen Thorakotomie, um das Herz herauszuschneiden. Der Schnitt wird seitlich zwischen der zweiten und dritten Rippe angesetzt und verläuft quer über das Brustbein hinweg bis auf die andere Seite. Der Knochen wird in Schrägrichtung gespalten, wahrscheinlich durch einen kurzen, heftigen Schlag mit einem Meißel. Das Ergebnis ist ein klaffendes Loch. Die Lungen kollabieren augenblicklich, sobald sie der Außenluft ausgesetzt sind. Das Opfer verliert rasch das Bewusstsein. Und während das Herz noch schlägt, greift der Priester in den Brustkorb und durchtrennt die Arterien und Venen. Er fasst den immer noch pulsierenden Muskel, hebt ihn aus seinem blutigen Bett und hält ihn in den Himmel.

Und so wurde das Ritual in Bernardino Sahagúns Codex Florentio *beschrieben, der* Allgemeinen Geschichte des neuen Spanien:

> *Ein Opferpriester trug den Adlerstab, senkte ihn in die Brust des Gefangenen, dort, wo das Herz gewesen war, befleckte ihn mit Blut, ja, tauchte ihn gar in das Blut ein. Dann hob er auch das Blut als Opfergabe zur Sonne empor. Man sagte: »So gibt er der Sonne zu trinken.« Der Sieger sammelte sodann das Blut seines Gefangenen in einer grünen Schüssel mit federbesetztem Rand. Die Opferpriester gossen es für ihn hinein, auch der hohle Stab, der ebenso mit Federn geschmückt war, wurde hineingelegt, und dann zog der Sieger davon, den Dämonen Nahrung zu geben.*

Nahrung für die Dämonen.

Welch eine gewaltige Bedeutung doch in diesem Wort liegt – Blut.

Dieser Gedanke kommt mir, als ich zusehe, wie ein dünner Strahl davon in eine nadelfeine Pipette gezogen wird.

Um mich herum ist alles voller Gestelle mit Reagenzgläsern, und in der Luft liegt das Summen von Maschinen. Die Alten sahen im Blut einen heiligen Stoff, Bewahrer des Lebens, Nahrung für Ungeheuer; und ich teile ihre Faszination, obwohl ich einsehe, dass es lediglich eine Körperflüssigkeit ist, eine Suspension von Zellen in Plasma. Das Material, mit dem ich täglich arbeite.

Der durchschnittliche menschliche Körper von siebzig Kilo Gewicht enthält nur fünf Liter Blut. Davon sind 45 Prozent Zellen, der Rest ist Plasma, eine chemische Suppe, die zu 95 Prozent aus Wasser und im Übrigen aus Proteinen, Elektrolyten und Nährstoffen besteht. Manche würden sagen, dass man das Blut seiner göttlichen Natur beraubt, wenn man es auf seine biologischen Bausteine reduziert, doch ich bin anderer Meinung. Erst wenn man die einzelnen Bausteine betrachtet, erkennt man seine wundersamen Eigenschaften.

Die Maschine piepst zum Zeichen, dass die Analyse abgeschlossen ist, und der Drucker spuckt einen Bericht aus. Ich reiße das Blatt ab und studiere die Resultate.

Mit einem einzigen Blick erfahre ich eine Menge über Mrs. Susan Carmichael, der ich nie begegnet bin. Ihr Hämatokrit ist niedrig – nur achtundzwanzig bei einem Normalwert von vierzig. Sie leidet unter Blutarmut, das heißt, dass sie zu wenig rote Blutkörperchen hat, die den Sauerstoff durch die Adern transportieren. Es ist das Protein Hämoglobin, mit dem diese scheibenförmigen Zellen voll gepackt sind, das unserem Blut die rote Farbe gibt, das unsere Nagelbetten rosa färbt und einem jungen Mädchen seine hübschen rosigen Wangen verleiht. Mrs. Carmichaels Nagelbetten sind fahl, und wenn man ihr Augenlid zurückzöge, würde die Bindehaut darunter nur eine ganz blasse Rosafärbung aufweisen. Weil sie anämisch ist, muss ihr Herz um so schneller arbeiten, um das verdünnte Blut durch ihre Arterien zu pumpen. Deshalb bleibt sie auf jedem Treppenab-

satz stehen, um Atem zu holen und ihren rasenden Puls zu beruhigen. Ich sehe sie vornübergebeugt dastehen, die Hand an den Hals gelegt, während ihre Brust sich hebt und senkt wie ein Blasebalg. Jeder, der ihr im Treppenhaus begegnet, kann sehen, dass sie nicht gesund ist.

Ich kann es allein an diesem Blatt Papier erkennen.

Das ist aber noch nicht alles. Ihr Gaumen ist mit Petechien übersät – kleinen roten Flecken an Stellen, wo das Blut durch die Kapillargefäße gedrungen ist und sich in der Schleimhaut festgesetzt hat. Vielleicht hat sie diese Blutungen von der Größe eines Stecknadelkopfs noch gar nicht bemerkt. Vielleicht hat sie sie an anderen Stellen ihres Körpers entdeckt, unter ihren Fingernägeln oder an den Schienbeinen. Vielleicht findet sie unerklärliche Blutergüsse, erschreckende blaue Inseln auf ihren Armen und Oberschenkeln, und sie überlegt krampfhaft, wann sie sich verletzt haben könnte. Ist sie gegen die Autotür gestoßen? War es das Kind, das sich mit seinen kräftigen Händchen an ihr festgeklammert hat? Sie sucht nach externen Erklärungen, dabei lauert der wahre Grund in ihrem Blutkreislauf.

Ihre Thrombozyten liegen bei zwanzigtausend; der Wert sollte zehnmal höher sein. Ohne Thrombozyten, die winzigen Zellen, die bei der Gerinnung helfen, kann schon der kleinste Stoß einen Bluterguss hinterlassen.

Doch dieses unscheinbare Blatt Papier gibt noch mehr her.

Ich sehe mir ihr Differentialblutbild an und erkenne den Grund für ihre Leiden. Der Apparat hat das Vorhandensein von Myeloblasten festgestellt, primitiven Vorstufen der weißen Blutkörperchen, die im Blutkreislauf nichts zu suchen haben. Susan Carmichael leidet unter akuter Myeloblastenleukämie.

Ich stelle mir vor, wie ihr Leben in den kommenden Monaten verlaufen wird. Ich sehe sie ausgestreckt auf einem

Behandlungstisch liegen, die Augen im Schmerz zusammengekniffen, während die Knochenmarkskanüle in ihre Hüfte eindringt.

Ich sehe ihr Haar in Büscheln ausfallen, so lange, bis sie sich in das Unvermeidliche fügt und zum elektrischen Rasierer greift.

Ich sehe, wie sie sich morgens über die Toilettenschüssel beugt, und wie sie tagelang nur an die Decke starrt, gefangen in einem Universum, dessen Grenzen die vier Wände ihres Schlafzimmers sind.

Blut ist der Quell des Lebens, die magische Flüssigkeit, die uns erhält. Doch Susan Carmichaels Blut hat sich gegen sie gewandt, es durchströmt ihre Adern wie ein Gift.

All diese intimen Details über sie kenne ich, ohne ihr jemals begegnet zu sein.

Ich übermittle die Laborwerte per Fax an ihre Ärztin, lege den Bericht in den Korb für Ausgänge und greife nach der nächsten Probe. Ein neuer Patient, ein neues Blutröhrchen.

Die Verbindung zwischen Blut und Leben ist seit den frühesten Tagen der Menschheit bekannt. Die Alten wussten nicht, dass das Blut im Knochenmark produziert wird oder dass es zum größten Teil aus Wasser besteht, aber in Ritualen und Opferzeremonien zollten sie seiner Macht Tribut. Die Azteken verwendeten Knochenbohrer und Agavennadeln, um ihre eigene Haut zu durchstechen, bis das Blut floss. Sie bohrten sich Löcher in die Lippen, in die Zunge oder in die Brust, und das Blut, das daraus hervortrat, war ihre persönliche Opfergabe an die Götter. Heute würde man solche Selbstverstümmelung als krankhaft und grotesk bezeichnen, als Anzeichen von Geisteskrankheit.

Ich frage mich, was die Azteken von uns denken würden.

Hier sitze ich, in meiner sterilen Umgebung, in Weiß gehüllt, mit Handschuhen, die meine Hände davor schützen sollen, versehentlich bespritzt zu werden. Wie weit haben wir uns doch von unserer angeborenen Natur entfernt. Beim bloßen Anblick von Blut fallen manche Männer in Ohnmacht, und die Leute beeilen sich, der Öffentlichkeit Schreckensbilder zu ersparen, indem sie die Bürgersteige mit dem Schlauch abspritzen, wenn Blut geflossen ist, oder den Kindern die Augen zuhalten, wenn die Gewalt auf dem Fernsehschirm explodiert. Die Menschen haben vergessen, wer und was sie in Wahrheit sind.

Bis auf einige wenige.

Wir bewegen uns unter den anderen, sind in jeder Beziehung normal. Vielleicht sind wir sogar normaler als alle anderen, weil wir uns nicht wie Mumien in die sterilen Bandagen der Zivilisation haben einhüllen lassen. Wir sehen Blut und wenden uns nicht ab. Wir erkennen seine strahlende Schönheit, wir spüren seine primitive Anziehungskraft.

Jeder, der an einem Unfallort vorbeifährt und den Blick nicht von dem Blut wenden kann, versteht das. Unter dem Ekel, dem Wunsch, sich abzuwenden, pulsiert eine stärkere Kraft. Ein ganz besonderer Reiz.

Wir wollen alle hinsehen. Aber nicht jeder von uns will es sich eingestehen.

Die Einsamkeit ist groß, wenn man nur von abgestumpften Ignoranten umgeben ist. Ich spaziere durch die Stadt und atme Luft, die so dick ist, dass ich sie fast sehen kann. Sie wärmt meine Lungen wie heißer Sirup. Ich lese in den Gesichtern der Passanten und frage mich, wer von ihnen mein geliebter Blutsbruder ist, so wie du es einmal warst. Gibt es irgendjemanden, der die uralte Kraft noch spürt, die uns alle durchfließt? Ich frage mich, ob wir uns wohl erkennen würden, wenn wir uns zufällig begegneten, und ich fürchte, dass die Antwort Nein ist. So tief haben wir uns in diesen Mantel verkrochen, der sich Normalität schimpft.

Und so gehe ich allein meiner Wege. Und ich denke an dich, den Einzigen, der je verstanden hat.

17

Als Ärztin war Catherine dem Tod schon so oft begegnet, dass sein Antlitz ihr wohl vertraut war. Sie hatte in das Gesicht eines Patienten gestarrt und zugesehen, wie das Leben aus den Augen gewichen war und sie leer und glasig zurückgelassen hatte. Sie hatte gesehen, wie die Haut eine graue Färbung annahm, während die Seele aus dem Körper entwich und davonsickerte wie Blut. In der medizinischen Praxis geht es ebenso sehr um den Tod wie um das Leben, und Catherine hatte schon vor langer Zeit seine Bekanntschaft gemacht, als sie ihm über die erkaltenden Überreste eines Patienten hinweg ins Auge blickte. Sie hatte keine Angst vor Leichen.

Und doch – als Moore in die Albany Street einbog und sie das gepflegte Backsteingebäude erblickte, in dem das Büro des amtlichen Leichenbeschauers untergebracht war, da waren ihre Hände plötzlich feucht von Schweiß.

Er parkte den Wagen im Hinterhof des Gebäudes, direkt neben einem weißen Lieferwagen mit der Aufschrift *Regierung von Massachusetts, Rechtsmedizinisches Institut.* Sie wäre am liebsten im Wagen geblieben; erst als er herüberkam, um ihr die Tür zu öffnen, stieg sie endlich aus.

»Sind Sie bereit?«, fragte er.

»Ich platze nicht gerade vor Vorfreude«, gab sie zu. »Aber bringen wir es hinter uns.«

Obwohl sie schon bei Dutzenden von Autopsien zugesehen hatte, war sie nicht gänzlich auf den Geruch von Blut und durchbrochenen Gedärmen vorbereitet, der ihnen im Labor entgegenschlug. Zum ersten Mal in ihrer medizinischen Laufbahn hatte sie das Gefühl, dass ihr beim Anblick einer Leiche schlecht werden könnte.

Ein älterer Herr, dessen Augen von einem Kunststoffvisier geschützt wurden, drehte sich zu ihnen um. Sie erkannte den amtlichen Leichenbeschauer, Dr. Ashford Tierney, den sie vor sechs Monaten bei einer Konferenz über forensische Pathologie kennen gelernt hatte. Es waren oft die Fehler von Unfallchirurgen, die auf Dr. Tierneys Autopsietisch landeten; und zuletzt hatte sie ihn vor gerade mal einem Monat gesprochen, als es um die unklaren Begleitumstände im Fall eines Kindes gegangen war, das an einem Milzriss verstorben war.

Dr. Tierneys mildes Lächeln bildete einen auffallenden Kontrast zu den blutbeschmierten Handschuhen, die er trug. »Dr. Cordell. Nett, Sie wieder zu sehen.« Er hielt inne, als ihm die Ironie dieser Feststellung aufging. »Die Umstände hätten durchaus angenehmer sein können.«

»Sie haben schon angefangen zu schneiden«, stellte Moore verärgert fest.

»Lieutenant Marquette will schnelle Antworten«, sagte Tierney. »Bei jedem Schusswaffengebrauch durch Polizeibeamte hat er gleich die Presse am Hals.«

»Aber ich hatte extra angerufen, um den Termin für diese Identifizierung zu arrangieren.«

»Dr. Cordell hat schon bei Autopsien zugesehen. Für sie ist das nichts Neues. Lassen Sie mich nur rasch diese Exzision abschließen, und dann kann sie sich das Gesicht anschauen.«

Tierney wandte seine Aufmerksamkeit dem Abdomen des Toten zu. Mit dem Skalpell trennte er den Dünndarm gänzlich ab, zog die verschlungenen Gedärme heraus und legte sie in eine Stahlschüssel. Dann trat er vom Tisch zurück und nickte Moore zu. »Bitte sehr.«

Moore berührte Catherines Arm. Widerstrebend trat sie an den Leichnam heran. Zuerst fiel ihr Blick auf die klaffende Wunde. Ein offenes Abdomen war vertrautes Gelände für sie, die Organe unpersönliche anatomische Orientierungspunkte, Gewebeklumpen, die zu jedem beliebigen Fremden gehören konnten. Organe besaßen keine emotionale Bedeutung, trugen nicht den Stempel der individuellen Persönlichkeit. Sie konnte sie mit dem kühlen Blick der Expertin betrachten, und das tat sie nun auch. Sie registrierte, dass der Magen, die Bauchspeicheldrüse und die Leber noch an Ort und Stelle waren; sie würden später en bloc herausgenommen werden. Der Y-Schnitt, der vom Hals bis zum Schambein reichte, legte sowohl den Brustkorb als auch die Bauchhöhle frei. Herz und Lunge waren bereits entfernt worden, sodass der Thorax nur noch eine leere Höhle war. In der Brustwand waren zwei Schusswunden zu erkennen; die eine Kugel war unmittelbar oberhalb der linken Brustwarze eingedrungen, die zweite ein paar Rippen weiter unten. Beide Geschosse mussten in den Thorax eingetreten sein, wo sie das Herz oder die Lunge durchbohrt hatten. Im linken oberen Bauchbereich fand sich ein weiteres Einschussloch; der Schusskanal verlief mitten durch die Stelle, wo die Milz gewesen war. Eine weitere katastrophale Verletzung. Wer auch immer auf Karl Pacheco geschossen hatte, hatte seinen Tod gewollt.

»Catherine?«, sagte Moore, und sie merkte, dass sie zu lange geschwiegen hatte.

Sie holte tief Luft, atmete den Geruch von Blut und erkaltetem Fleisch ein. Inzwischen war sie mit Karl Pachecos innerer Pathologie ausreichend vertraut; es war Zeit, sich dem Gesicht zuzuwenden.

Sie sah schwarze Haare. Ein schmales Gesicht, die Nase scharfkantig wie eine Klinge. Schlaffe Kiefermuskeln, der Mund weit offen. Gerade Zähne. Zuletzt wandte sie sich den Augen zu. Moore hatte ihr so gut wie nichts über diesen Mann erzählt, nur seinen Namen, und dass er von der Polizei erschossen worden sei, als er sich seiner Verhaftung widersetzt habe. *Bist du der Chirurg?*

Die Augen, deren Hornhäute der Tod schon getrübt hatte,

weckten keine Erinnerungen. Sie betrachtete sein Gesicht, versuchte eine Spur des Bösen zu entdecken, die Karl Pachecos Leiche noch anhaftete, doch sie empfand nichts. Diese sterbliche Hülle war leer, und von dem, der sie einst bewohnt hatte, war nichts übrig geblieben.

»Ich kenne diesen Mann nicht«, sagte sie und verließ den Raum.

Sie wartete schon draußen am Wagen, als Moore herauskam. Der Gestank des Autopsiesaales hatte ihre Lungen verpestet, und nun sog sie die sengend heiße Luft tief hinein, wie um sich von der Verseuchung reinzuwaschen. Obwohl sie inzwischen schwitzte, war die Kühle dieses klimatisierten Gebäudes ihr bis ins Mark gedrungen.

»Wer war Karl Pacheco?«, fragte sie.

Er blickte in die Richtung des Pilgrim Hospital, lauschte auf das anschwellende Sirenengeheul eines Rettungswagens. »Ein Sexualverbrecher«, sagte er. »Ein Mann, der Frauen jagte.«

»War er der Chirurg?«

Moore seufzte. »Anscheinend nicht.«

»Aber Sie hatten es für möglich gehalten.«

»Die DNS-Analyse bringt ihn mit Nina Peyton in Verbindung. Er hat sie vor zwei Monaten vergewaltigt. Aber wir haben keine Beweise, dass er etwas mit Elena Ortiz oder Diana Sterling zu tun hatte. Nichts, was ihn mit ihrem Leben verknüpft.«

»Oder mit meinem.«

»Sie sind sicher, dass Sie ihn noch nie gesehen haben?«

»Ich bin nur sicher, dass ich mich nicht an ihn erinnere.«

Die Sonne hatte den Wagen aufgeheizt wie einen Backofen. Sie öffneten die Türen und blieben noch eine Weile draußen stehen, bis der Innenraum sich abgekühlt hatte. Catherine betrachtete Moore über das Wagendach hinweg und sah, wie müde er war. Auf seinem Hemd waren Schwitzflecken. Eine feine Art und Weise, seinen Samstagnachmittag zu verbringen – eine Zeugin ins Leichenschauhaus zu fahren. In vielerlei Hinsicht führten Polizisten und Ärzte ein ähnliches Leben. Sie machten viele Überstunden; sie hatten Jobs, bei denen um fünf Uhr nicht einfach der Hammer fiel. Sie begegneten den Menschen in ihren dunkelsten, qualvollsten Stunden. Sie wurden Zeugen von Albträumen und lernten, mit den Bildern zu leben.

Welche Bilder er wohl mit sich herumtrug? Das fragte sie sich, während er sie nach Hause fuhr. Wie viele Gesichter von Opfern, wie viele Schauplätze von Morden waren in seinem Kopf gespeichert wie Fotografien in einer Kartei? Sie war nur ein Faktor in diesem Fall, und sie musste an all die anderen Frauen denken, ob lebend oder tot, die um seine Aufmerksamkeit gewetteifert hatten.

Er parkte vor ihrem Haus und machte den Motor aus. Sie blickte zum Fenster ihrer Wohnung hoch und stellte fest, dass sie nicht die geringste Lust verspürte auszusteigen, sich von ihm zu verabschieden. Sie hatten in den letzten Tagen so viel Zeit zusammen verbracht, dass sie schon begonnen hatte, sich wie selbstverständlich auf seine Stärke und Anteilnahme zu verlassen. Wären sie sich unter glücklicheren Umständen begegnet, dann wäre ihr allein sein gutes Aussehen ins Auge gefallen. Was für sie jetzt das Wichtigste war, das war nicht seine Attraktivität, auch nicht seine Intelligenz, sondern was er im Herzen trug. Dies war ein Mann, dem sie vertrauen konnte.

Sie überlegte sich ihre nächsten Worte und die möglichen Konsequenzen sehr sorgfältig – und kam zu dem Schluss, dass sie sich den Teufel um irgendwelche Konsequenzen scherte.

Leise fragte sie: »Möchten Sie noch auf einen Drink mit reinkommen?«

Er antwortete nicht sofort, und sie spürte, wie ihre Wangen rot anliefen, während sein Schweigen eine nahezu unerträgliche Bedeutungsschwere gewann. Er mühte sich, eine Entscheidung zu treffen; er begriff, was sich zwischen ihnen abspielte, und er war sich nicht sicher, wie er damit umgehen sollte.

Als er sie endlich anschaute und sagte: »Ja, ich würde gerne noch mit reinkommen«, da wussten sie beide, dass sie mehr als nur einen Drink im Sinn hatten.

Sie gingen auf die Eingangstür zu, und er legte den Arm um sie. Es war mehr als nur eine beschützende Geste. Seine Hand ruhte wie beiläufig auf ihrer Schulter, aber die Wärme seiner Berührung und ihre Reaktion darauf ließen ihre Hände zittern, als sie den Türcode eingab. Die Aufregung, die Erwartung machte sie langsam und unbeholfen. Oben schloss sie mit fahrigen Bewegungen ihre Wohnungstür auf, und sie tauchten in die köstliche Kühle ihres Apartments ein. Er ließ sich nur noch die Zeit, die Tür zu schließen und zu verriegeln, dann nahm er sie in die Arme.

Es war schon so lange her, dass sie irgendjemandem erlaubt hatte, sie zu halten. Es hatte eine Zeit gegeben, da hatte die bloße Vorstellung von Männerhänden auf ihrer Haut sie in Panik versetzt. Aber in Moores Umarmung lag ihr kein Gedanke ferner als der an Panik. Sie erwiderte seine Küsse mit einem hungrigen Verlangen, das sie beide überraschte. So lange schon hatte sie auf körperliche Liebe verzichten müssen, dass sie das Gefühl des Begehrens schon fast vergessen hatte. Erst jetzt, als jede Faser in ihrem Leib zum Leben erwachte, erinnerte sie sich wieder an die Empfindung der Lust, und ihre Lippen suchten die seinen mit der Gier einer Verhungernden. Sie war es, die ihn über den Flur zum Schlafzimmer zerrte und ihn dabei weiter mit Küssen übersäte. Sie war es, die sein Hemd aufknöpfte und seine Gürtelschnalle öffnete. Irgendwie wusste er, dass er nicht als Eroberer auftreten durfte, weil es ihr Angst machen würde. Dass sie jetzt, bei ihrem ersten Mal, die Führung übernehmen musste. Aber er konnte nicht verbergen, wie erregt er selbst war, und sie spürte es, als sie den Reißverschluss öffnete und seine Hose herabglitt.

Er begann ihre Bluse aufzuknöpfen und hielt inne, suchte ihren Blick. Die Art, wie sie ihn ansah, die Art, wie ihr Atem schneller und schneller ging, ließ keinen Zweifel daran, dass sie genau das wollte. Die Bluse öffnete sich langsam und glitt über ihre Schultern. Ihr BH fiel mit einem flüsternden Geräusch zu Boden. Die ganze Zeit war er überaus zärtlich; es war nicht so, als ob er sie ihres Schutzes beraubte, vielmehr schien es wie eine willkommene Befreiung. Sie schloss die Augen und seufzte vor Lust, als er sich bückte, um ihre Brust zu küssen. Kein Überfall, kein Angriff, sondern ein Akt der Ehrerbietung.

Und so gestattete Catherine zum ersten Mal seit zwei Jahren einem Mann, sie zu lieben. Keine Gedanken an Andrew Capra kamen störend dazwischen, als sie zusammen auf dem Bett lagen. Keine Panik blitzte in ihr auf, keine Furcht erregenden Erinnerungen suchten sie heim, als sie sich der letzten Kleidungsstücke entledigten und sein Gewicht sie auf die Matratze niederdrückte. Was ein anderer Mann ihr angetan hatte, war ein Akt von solcher Brutalität, dass er mit diesem Augenblick nichts gemein hatte, dass keine Verbindung zu diesem Körper zu bestehen schien, den sie bewohnte. Gewalt ist nicht Sex, und Sex ist etwas anderes als Liebe. Liebe war das, was sie empfand, als Moore in sie eindrang, als er ihr Gesicht in beiden Händen hielt und sein Blick auf ihr ruhte. Sie hatte vergessen, wie gut ein Mann sich anfühlen konnte, und sie erlebte die Lust, als sei es das allererste Mal.

Es war dunkel, als sie in seinen Armen erwachte. Sie fühlte, wie er sich regte, und hörte ihn fragen: »Wie viel Uhr ist es?«

»Viertel nach acht.«

»Puh.« Er lachte benommen und wälzte sich auf den Rücken. »Ich kann nicht glauben, dass wir den ganzen Nachmittag verschlafen haben. Ich hatte wohl doch eine ganze Menge nachzuholen.«

»Und dabei hast du gar nicht mal so viel Schlaf bekommen.«

»Wer braucht denn schon Schlaf?«

»Du redest ganz wie ein Arzt.«

»Das ist etwas, was wir gemeinsam haben«, sagte er, während seine Hand langsam die Konturen ihres Körpers erforschte. »Wir haben beide zu lange drauf verzichten müssen …«

Sie lagen einen Augenblick lang da, ohne sich zu rühren. Dann fragte er leise: »Wie war es?«

»Willst du wissen, wie gut du als Liebhaber bist?«

»Nein, ich wüsste gerne, wie es für *dich* war. Von mir berührt zu werden.«

Sie lächelte. »Es war gut.«

»Ich habe nichts Falsches gemacht? Ich habe dir keine Angst gemacht?«

»Bei dir fühle ich mich sicher. Das ist es, was ich am meisten brauche. Ich glaube, du bist der einzige Mann, der das je begriffen hat. Der einzige Mann, dem ich je vertrauen konnte.«

»Manche Männer sind es wert, dass man ihnen vertraut.«

»Ja, aber welche? Das kann ich nie sagen.«

»Das wirst du auch nicht wissen können, bis es hart auf hart kommt. Dann wird er derjenige sein, der immer noch an deiner Seite steht.«

»Dann muss ich wohl annehmen, dass ich ihn nie gefunden habe. Ich habe andere Frauen sagen hören, dass die Männer, sobald man ihnen erzählt, was einem zugestoßen ist – sobald man das Wort ›Vergewaltigung‹ ausspricht –, die Flucht ergreifen. Als ob wir Ausschussware wären. Die Männer wollen nichts davon wissen. Sie ziehen das Schweigen dem Geständnis vor. Aber das Schweigen breitet sich aus. Es wächst und wuchert, bis man am Ende über gar nichts mehr sprechen kann. Das ganze Leben wird zu einem Tabuthema.«

»So kann kein Mensch leben.«

»Nur so können die anderen unsere Nähe ertragen. Wenn wir über alles schweigen. Aber selbst wenn wir nicht darüber reden, ist es immer *da*.«

Er küsste sie, und diese schlichte Handlung war intimer, als irgendein Liebesakt je sein konnte, denn sie folgte unmittelbar auf eine Beichte.

»Bleibst du heute Nacht bei mir?«, flüsterte sie.

Sie spürte seinen warmen Atem in ihren Haaren. »Wenn du dich von mir zum Essen entführen lässt.«

»Oh. Das Essen hatte ich völlig vergessen.«

»Das ist der Unterschied zwischen Männern und Frauen. Ein Mann würde nie das Essen vergessen.«

Lächelnd setzte sie sich auf. »Dann mach uns schon mal die Drinks. Und ich füttere dich.«

Er mixte zwei Martinis, und sie tranken sie, während Catherine den Salat anmachte und Steaks auf den Grill legte. Machofutter, dachte sie amüsiert. Rotes Fleisch für den neuen Mann in ihrem Leben. Der Akt des Kochens war ihr noch nie so sinnlich erschienen wie an diesem Abend. Moore lächelte sie an, als er ihr Salz und Pfeffer reichte, und der Gin machte sie angenehm schwindlig. Sie konnte sich auch nicht erinnern, wann ihr das Essen zuletzt so gut geschmeckt hatte. Es war, als ob sie die ganze Zeit unter Verschluss gewesen wäre und nun Geschmäcke und Düfte zum ersten Mal in all ihrer lebendigen Fülle erlebte.

Sie aßen am Küchentisch und tranken dazu Wein. Ihre Küche mit den weißen Kacheln und weißen Schränken schien ihr plötzlich wie ein Meer von Farben. Der rubinrote Wein, der knackige grüne Salat, das blaue Karomuster der Tuchservietten. Und Moore, der ihr gegenübersaß. Einst war er ihr farblos vorgekommen, wie all die anderen gesichtslosen Männer, an denen man auf der Straße vorübergeht wie an groben Skizzen auf einer flachen Leinwand. Erst jetzt sah sie ihn wirklich, sah die warme Röte seiner Haut, das Netz von Lachfalten um seine Augen. All die liebenswerten Unvollkommenheiten eines Gesichts, in dem das Leben seine Spuren hinterlassen hat.

Wir haben die ganze Nacht für uns allein, dachte sie, und die Aussicht auf das, was vor ihnen lag, zauberte ein Lächeln auf ihre Lippen. Sie stand auf und hielt ihm die Hand hin.

Dr. Zucker hielt das Video der Sitzung mit Dr. Polochek an und wandte sich an Moore und Marquette. »Es könnte sich um eine verfälschte Erinnerung handeln. Cordell hat möglicherweise eine Stimme heraufbeschworen, die gar nicht existierte. Sehen Sie, das ist genau das Problem mit der Hypnose. Die Erinnerung ist etwas Fließendes. Sie kann verändert werden, sie kann so umgeschrieben werden, dass sie unseren Erwartungen entspricht. Cordell ist mit der Überzeugung in diese Sitzung hineingegangen, dass Capra einen Partner hatte. Und hast du nicht gesehen – schon ist auch die Erinnerung da! Eine zweite Stimme. Ein zweiter Mann im Haus.« Zucker schüttelte den Kopf. »Das ist keine verlässliche Aussage.«

»Es ist nicht nur ihre Erinnerung, die für einen zweiten Täter spricht«, wandte Moore ein. »Unser unbekannter Täter hat ihr Haare geschickt, die ihr nur in Savannah abgeschnitten worden sein können.«

»Sie *behauptet*, die Haare seien ihr in Savannah abgeschnitten worden«, korrigierte Marquette.

»Sie glauben ihr auch nicht?«

»Der Einwand des Lieutenants ist berechtigt«, sagte Zucker. »Wir haben es hier mit einer emotional instabilen Frau zu tun. Auch zwei Jahre nach dem Überfall ist sie möglicherweise noch nicht vollkommen gefestigt.«

»Sie ist Unfallchirurgin.«

»Ja, und an ihrem Arbeitsplatz funktioniert sie auch einwandfrei. Aber sie *ist* geschädigt. Das wissen Sie. Die Vergewaltigung hat ihre Spuren hinterlassen.«

Moore schwieg. Er dachte an seine erste Begegnung mit Catherine. Wie präzise und beherrscht ihre Bewegungen gewesen waren. Ein ganz anderer Mensch als dieses unbekümmerte junge Mädchen, das in der Hypnose zum Vorschein gekommen war, die junge Catherine, die vor der Hütte ihrer Großeltern in der Sonne gebadet hatte. Und letzte Nacht war diese junge Catherine in seinen Armen wieder zum Leben erwacht. Sie war die ganze Zeit dort gewesen, gefangen in dieser starren Hülle, und hatte nur auf ihre Befreiung gewartet.

»Was sollen wir denn nun von dieser Hypnosesitzung halten?«, fragte Marquette.

»Ich behaupte ja nicht, dass sie es selbst nicht glaubt«, erwiderte Zucker. »Dass sie sich nicht lebhaft daran erinnert. Das ist so, wie wenn man einem Kind sagt, im Garten sei ein Elefant. Nach einer gewissen Zeit glaubt das Kind so fest daran, dass es den Rüssel des Elefanten beschreiben kann, die Strohhalme auf seinem Rücken, den abgebrochenen Stoßzahn. Die Erinnerung wird zur Realität. Selbst wenn es sich in Wirklichkeit nie so zugetragen hat.«

»Wir können die Erinnerung nicht ganz und gar als Fantasie abtun«, sagte Moore. »Sie glauben vielleicht nicht, dass Cordells Aussagen verlässlich sind, aber sie *steht* nun einmal im Mittelpunkt des Interesses unseres unbekannten Täters. Was Capra begonnen hat – die Überfälle, die Morde –, ist noch nicht zu Ende. Es ist ihr bis hierher gefolgt.«

»Ein Nachahmungstäter?«, meinte Marquette.

»Oder ein Partner«, sagte Moore. »Es gibt Präzedenzfälle.«

Zucker nickte. »Partnerschaften unter Mördern sind gar nicht so selten. Wir stellen uns Serientäter immer als einsame Wölfe vor, aber bis zu einem Viertel aller Serienmorde werden tatsächlich mit Hilfe von Partnern begangen. Henry Lee Lucas hatte einen. Kenneth Bianchi hatte einen. Das erleichtert den Tätern die Arbeit enorm. Die Entführung, die Bewachung des Opfers. Das ist Jagen im Verbund, um den Erfolg zu garantieren.«

»Wölfe jagen im Rudel«, bemerkte Moore. »Vielleicht hat Capra das Gleiche getan.«

Marquette griff nach der Fernbedienung des Videorekorders. Er spulte zurück und drückte dann auf Start. Auf dem Bildschirm war Catherine zu sehen; sie saß mit geschlossenen Augen da, ihre Arme hingen schlaff herab.

Wer spricht diese Worte, Catherine? Wer sagt: »Ich bin dran, Capra?«

Ich weiß es nicht. Ich kenne seine Stimme nicht.

Marquette drückte auf Pause, und Catherines Gesicht erstarrte auf dem Bildschirm. Er sah Moore an. »Es ist über zwei Jahre her, dass sie in Savannah überfallen wurde. Wenn es sich um Capras Partner handelt, warum hat er dann so lange gewartet, bis er sich an sie herangemacht hat? Warum passiert das erst jetzt?«

Moore nickte. »Das habe ich mich auch gefragt. Ich denke, ich kenne die Antwort.« Er schlug die Mappe auf, die er zu der Besprechung mitgebracht hatte, und entnahm ihr einen Zeitungsausschnitt aus dem *Boston Globe*. »Dieser Artikel ist siebzehn Tage vor dem Mord an Elena Ortiz erschienen. Darin geht es um Chirurginnen, die in Boston arbeiten. Ein Drittel des Artikels ist Cordell gewidmet. Ihrer Karriere, ihren Erfolgen. Und dazu gibt es noch ein Farbfoto von ihr.« Er reichte das Blatt an Zucker weiter.

»Das ist ja höchst interessant«, meinte dieser. »Was sehen Sie, wenn Sie sich dieses Foto anschauen, Detective Moore?«

»Eine attraktive Frau.«

»Und außerdem? Was sagen Ihnen ihre Körperhaltung und ihr Gesichtsausdruck?«

»Sie drücken Selbstvertrauen aus.« Moore zögerte. »Distanziertheit.«

»Genau das sehe ich auch. Eine Frau, die auf ihrem Gebiet unschlagbar ist. Eine Frau, der niemand etwas anhaben kann. Arme verschränkt, Kinn in die Höhe gereckt. Für die meisten Sterblichen unerreichbar.«

»Worauf wollen Sie hinaus?«, fragte Marquette.

»Denken Sie doch einmal darüber nach, was unseren Täter anmacht. Verletzte Frauen; Frauen, die durch eine Vergewaltigung befleckt sind. Frauen, die symbolisch vernichtet wurden. Und hier ist nun Catherine Cordell, die Frau, die seinen Partner Andrew Capra getötet hat. Sie sieht nicht verletzt aus. Sie sieht nicht aus wie ein Opfer. Nein, auf diesem Foto sieht sie aus wie eine Eroberin. Was er wohl empfunden hat, als er das hier erblickte?« Zucker sah Moore an.

»Wut.«

»Nicht bloß Wut, Detective. Schiere, unkontrollierbare Rage. Nachdem sie aus Savannah weggegangen ist, folgt er ihr nach Boston, aber er kommt nicht an sie heran, weil sie sich entsprechend schützt. In seinen Augen ist Cordell wahrscheinlich eine traumatisierte Frau. Nur noch ein halber Mensch – ein Wesen, das nur darauf wartet, auf die Schlachtbank geführt zu werden. Und dann schlägt er eines Tages die Zeitung auf und sieht sich Auge in Auge – nicht etwa mit einem Opfer, sondern mit dieser verdammten Überfliegerin.« Zucker gab Moore den Artikel zurück. »Unser Bursche versucht sie von ihrem hohen Ross zu holen. Und deswegen terrorisiert er sie.«

»Und was wäre letztlich sein Ziel?«, fragte Marquette.

»Sie auf eine Ebene zu reduzieren, auf der er mit ihr fertig werden kann. Er vergeht sich nur an Frauen, die sich wie Opfer verhalten. Frauen, die so verletzt und gedemütigt sind, dass er sich von ihnen nicht bedroht fühlen muss. Und wenn Andrew Capra tatsächlich sein Partner war, dann hat er noch ein weiteres Motiv. Rache – für das, was sie zerstört hat.«

Marquette sagte: »Was fangen wir denn nun mit dieser Theorie des geheimnisvollen Partners an?«

»Wenn Capra einen Partner hatte«, antwortete Moore, »dann führt uns das schnurstracks nach Savannah zurück. Hier stehen wir bis jetzt mit leeren Händen da. Wir haben fast tausend Vernehmungen durchgeführt und immer noch keine brauchbaren Verdächtigen aufgetrieben. Ich denke, es wird Zeit, dass wir uns alle Personen vornehmen, die irgendetwas mit Capra zu tun hatten, um zu sehen, ob einer dieser Namen irgendwann hier in Boston aufgetaucht ist. Frost hat schon mit Detective Singer telefoniert, der in Savannah die Ermittlungen geleitet hat. Er kann runterfliegen und sich noch einmal die Beweislage anschauen.«

»Warum Frost?«

»Warum nicht?«

Marquette sah Zucker an. »Jagen wir vielleicht einem Phantom hinterher?«

»Manchmal kommt es vor, dass man so ein Phantom tatsächlich schnappt.«

Marquette nickte. »Also gut. Das mit Savannah geht klar.«

Moore stand auf und wollte gehen, hielt aber inne, als Marquette sagte: »Können Sie noch einen Moment hier bleiben? Ich muss mit Ihnen reden.« Sie warteten, bis Zucker das Büro verlassen hatte, dann schloss Marquette die Tür und sagte: »Ich will nicht, dass Frost nach Savannah fliegt.«

»Dürfte ich fragen, wieso?«

»Weil ich möchte, dass Sie fliegen.«

»Frost steht schon in den Startlöchern. Er ist auf den Auftrag vorbereitet.«

»Es geht hier nicht um Frost. Es geht um Sie. Sie müssen etwas Abstand von dem Fall bekommen.«

Moore verstummte. Er wusste, worauf das Gespräch hinauslief.

»Sie haben viel Zeit mit Catherine Cordell verbracht«, sagte Marquette.

»Sie ist der Schlüssel zu diesem Fall.«

»Zu viele Abende in ihrer Gesellschaft. Am Dienstag waren Sie um Mitternacht noch mit ihr zusammen.«

Rizzoli. Rizzoli hat das gewusst.

»Und am Samstag sind Sie die ganze Nacht bei ihr geblieben. Was genau geht da vor sich?«

Moore sagte nichts. Was hätte er auch sagen können? *Ja, ich bin zu weit gegangen. Aber ich konnte nicht anders.*

Marquette ließ sich auf seinen Sessel sinken; seine Miene drückte tiefe Enttäuschung aus. »Ich kann gar nicht glauben, dass ich mit *Ihnen* über so etwas sprechen muss. Ausgerechnet mit Ihnen.« Er seufzte. »Es wird Zeit, dass Sie einen Rückzieher machen. Wir werden jemand anderen auf sie ansetzen.«

»Aber sie vertraut mir.«

»Ist das alles, was Sie beide verbindet? *Vertrauen?* Was mir zu Ohren gekommen ist, geht weit darüber hinaus. Ich muss Ihnen nicht sagen, wie unangemessen das ist. Wir haben das doch beide schon bei anderen Beamten erlebt. Es funktioniert nie. Es wird auch diesmal nicht funktionieren. Im Moment braucht sie einen Mann wie Sie, und Sie sind nun einmal zufällig greifbar. Ein paar Wochen lang geht zwischen Ihnen die Post ab, vielleicht einen Monat lang. Dann wachen Sie beide eines Morgens auf, und zack! – ist es schon wieder vorbei. Entweder leidet die Frau darunter, oder Sie leiden darunter. Und beiden tut es Leid, dass es je dazu gekommen ist.« Marquette brach ab und wartete auf Moores Erwiderung. Moore hatte nichts zu erwidern.

»Abgesehen von den persönlichen Aspekten«, fuhr Marquette fort, »behindert diese Affäre die Ermittlungen. Und sie ist verdammt peinlich für die gesamte Abteilung.« Er deutete mit einer brüsken Geste zur Tür. »Los, ab nach Savannah mit Ihnen. Und lassen Sie bloß die Finger von Cordell.«

»Ich muss ihr erklären …«

»Anrufen sollen Sie sie auch nicht. Wir werden es sie schon irgendwie wissen lassen. Ich werde Crowe auf Ihren Posten setzen.«

»*Nicht* Crowe!«, entgegnete Moore heftig.

»Wen denn?«

»Frost.« Moore seufzte. »Lassen Sie Frost das machen.«

»Also gut, dann eben Frost. Und jetzt sehen Sie zu, dass Sie einen Flug bekommen. Sie müssen unbedingt raus aus der Stadt, das wird Ihnen helfen, wieder zur Besinnung zu kommen. Im Moment sind Sie vermutlich stinksauer auf mich. Aber Sie wissen genau, dass ich nur von Ihnen verlange, sich korrekt zu verhalten.«

Moore wusste es in der Tat, und es war eine schmerzliche Erfahrung, so den Spiegel vorgehalten zu bekommen. Was er in diesem Spiegel erblickte, war Sankt Thomas, der Gefallene – von seiner eigenen Begehrlichkeit zu Fall gebracht. Und die Wahrheit machte ihn wütend, gerade weil er nicht dagegen wettern konnte. Er konnte sie nicht leugnen. Es gelang ihm, sich so lange zu beherrschen, bis er Marquettes Büro verlassen hatte, doch als er Rizzoli an ihrem Schreibtisch sitzen sah, konnte er seine Wut nicht länger im Zaum halten.

»Herzlichen Glückwunsch«, sagte er. »Jetzt haben Sie mir's aber heimgezahlt. Ist ein gutes Gefühl, wenn man das Blut fließen sieht, was?«

»Habe ich das geschafft?«

»Sie haben Marquette alles erzählt.«

»Na, und wenn schon. Ich wäre ja nicht der erste Polizist, der seinen Partner verpfeift.«

Es war eine giftige Retourkutsche, und sie hatte den gewünschten Effekt. In kaltem Schweigen wandte er sich ab und ging hinaus.

Bevor er das Gebäude verließ, blieb er kurz im Durchgang stehen. Der Gedanke, dass er Catherine an diesem Abend nicht sehen würde, bedrückte ihn. Und doch hatte Marquette Recht. Es musste so sein. So, wie es von Anfang an hätte sein sollen: eine strikte Trennung von Dienstlichem und Persönlichem, die jede gegenseitige Anziehung ignorierte. Aber sie war verletzlich gewesen, und er war Narr genug gewesen, sich davon angezogen zu fühlen. Jahrelang war er aufrecht und unbeirrt seinen Weg gegangen, und nun fand er sich plötzlich in unbekanntem Gelände, an einem verstörenden Ort, wo nicht die Logik, sondern die Leidenschaft herrschte. Er fühlte sich nicht zu Hause in dieser neuen Welt. Und er wusste nicht, wie er wieder aus ihr herausfinden sollte.

Catherine saß in ihrem Wagen und versuchte genügend Mut aufzubringen, um das Haus am Schroeder Plaza zu betreten. Den Nachmittag über hatte sie sich in der Klinik durch eine Reihe von Terminen gearbeitet und die üblichen Nettigkeiten von sich gegeben, während sie Patienten untersucht, sich mit Kollegen beraten und sich mit den üblichen mittelgroßen Katastrophen herumgeschlagen hatte, die regelmäßig im Lauf eines Arbeitstages passierten. Doch ihr Lächeln war eine leere Maske gewesen, und hinter der freundlichen Fassade hatte sich ein Abgrund tiefster Verzweiflung verborgen. Moore reagierte nicht auf ihre Anrufe, und sie wusste nicht, warum. Erst eine einzige Nacht hatten sie gemeinsam verbracht, und schon lief irgendetwas schief in ihrer Beziehung.

Endlich stieg sie aus und betrat das Bostoner Polizeipräsidium.

Sie war zwar schon einmal hier gewesen, zu der Sitzung mit Dr. Polochek, doch das Gebäude wirkte auf sie immer noch wie eine abweisende Festung, ein Ort, an dem sie nichts verloren hatte. Der Eindruck wurde noch durch den uniformierten Beamten verstärkt, der sie von der Empfangstheke aus beäugte.

»Kann ich Ihnen behilflich sein?« Weder freundlich noch unfreundlich.

»Ich möchte zu Detective Thomas Moore von der Mordkommission.«

»Ich werde mal oben anrufen. Ihr Name bitte?«

»Catherine Cordell.«

Während er telefonierte, wartete sie in der Eingangshalle.

Die Masse von poliertem Granit empfand sie als einschüchternd, ebenso wie die Männer in Uniform und in Zivil, die ihr im Vorübergehen neugierige Blicke zuwarfen. Das hier war Moores Welt, und sie war fremd an diesem Ort, ein Eindringling in diesem Revier, wo harte Männer sie anstarrten und glänzende Schusswaffen aus Halftern hervorlugten. Plötzlich wurde ihr klar, dass sie einen Fehler gemacht hatte, dass sie nie hätte herkommen sollen, und sie machte sich auf den Weg zum Ausgang. Als sie gerade die Tür erreicht hatte, rief eine Stimme:

»Dr. Cordell?«

Sie drehte sich um und erkannte den blonden Mann mit dem sanften, freundlichen Gesicht, der soeben aus dem Fahrstuhl getreten war. Es war Detective Frost.

»Fahren wir doch nach oben, ja?«, sagte er.

»Ich bin gekommen, um mit Moore zu sprechen.«

»Ja, ich weiß. Ich bin runtergekommen, um Sie abzuholen.« Er deutete auf den Fahrstuhl. »Kommen Sie?«

Im ersten Stock führte er sie den Flur entlang zu den Räumen der Mordkommission. Sie war noch nie in diesem Teil des Gebäudes gewesen, und es überraschte sie, wie sehr alles nach einem ganz gewöhnlichen Büro aussah, mit den Computerterminals und den in Gruppen arrangierten Schreibtischen. Er führte sie zu einem Stuhl und bedeutete ihr, Platz zu nehmen. Er konnte sehen, dass sie sich nicht wohl fühlte an diesem unvertrauten Ort, und er war bemüht, es ihr so angenehm wie möglich zu machen.

»Möchten Sie eine Tasse Kaffee?«, fragte er.

»Nein, danke.«

»Kann ich Ihnen irgendetwas anderes bringen? Eine Limonade? Ein Glas Wasser?«

»Danke, ich habe keinen Durst.«

Jetzt setzte er sich auch. »Also. Worum geht es denn, Dr. Cordell?«

»Ich hatte gehofft, Detective Moore anzutreffen. Ich war

den ganzen Vormittag im OP, und ich dachte, er hätte vielleicht versucht, mich zu erreichen …«

»Nun ja …« Frost zögerte; das Unbehagen war ihm an den Augen abzulesen. »Ich habe in Ihrem Büro eine Nachricht hinterlassen, so gegen Mittag. Von jetzt an sollten Sie sich mit allen Anliegen an mich wenden. Und nicht mehr an Detective Moore.«

»Ja, die Nachricht habe ich erhalten. Ich wüsste nur gerne …« Sie kämpfte mit den Tränen. »Ich wüsste nur gerne, was der Grund für diese Änderung ist.«

»Es dient dazu, hm … die Ermittlungen effizienter zu gestalten.«

»Was soll das heißen?«

»Moore muss sich auf andere Aspekte des Falles konzentrieren.«

»Wer hat das bestimmt?«

Frost wirkte zunehmend unglücklich. »Das weiß ich nicht so genau, Dr. Cordell.«

»War es Moore?«

Wieder eine Pause. »Nein.«

»Es ist also nicht so, dass er mich nicht sehen will.«

»Ich bin sicher, dass das nicht der Fall ist.«

Sie wusste nicht, ob er ihr die Wahrheit sagte oder sie nur zu beschwichtigen suchte. Sie merkte, dass zwei Detectives sie von einem anderen Teil des Büros aus anstarrten, und plötzlich stieg Zorn in ihr auf. Kannten alle außer ihr die Wahrheit? War das Mitleid, was sie in ihren Augen sah? Den ganzen Morgen über hatte sie von den Erinnerungen an die letzte Nacht gezehrt. Sie hatte auf Moores Anruf gewartet, hatte sich danach gesehnt, seine Stimme zu hören, zu hören, dass er an sie dachte. Aber er hatte nicht angerufen.

Und mittags hatte sie dann Frosts telefonische Nachricht erhalten, dass sie sich in Zukunft mit allen Fragen an ihn zu wenden habe.

Es bereitete ihr größte Mühe, den Kopf hochzuhalten und

die Tränen zu unterdrücken, als sie ihn nun fragte: »Gibt es einen bestimmten Grund, weshalb ich nicht mit ihm sprechen darf?«

»Ich fürchte, er ist zur Zeit gar nicht in der Stadt. Er ist heute Nachmittag abgereist.«

»Ich verstehe.« Ohne dass er es ausdrücklich sagen musste, begriff sie, dass er ihr nicht mehr verraten würde. Sie fragte nicht, wohin Moore gereist war, und auch nicht, wie er zu erreichen sei. Sie hatte sich bereits blamiert, indem sie überhaupt hergekommen war, und jetzt gewann ihr Stolz die Oberhand. Die letzten zwei Jahre war es hauptsächlich ihr Stolz gewesen, aus dem sie die nötige Kraft bezogen hatte. Er hatte sie unbeirrt voranschreiten lassen, Tag für Tag, ohne dass sie sich unter dem Schutzmantel ihres Opferstatus verkrochen hätte. Andere sahen in ihr nur kühle Professionalität und emotionale Distanziertheit, denn das war alles, was sie ihnen zu sehen gestattete.

Nur Moore hat mich so gesehen, wie ich wirklich bin. Verwundet und verwundbar. Und das ist jetzt das Ergebnis. Das ist der Grund, weshalb ich nie wieder schwach sein darf.

Als sie aufstand, um zu gehen, war ihr Rücken gerade aufgerichtet, ihr Blick fest und unbeirrt. Beim Hinausgehen kam sie an Moores Schreibtisch vorbei; sie erkannte ihn an dem Namensschild. Sie blieb gerade lange genug stehen, um das Foto auf dem Schreibtisch zu betrachten. Es zeigte eine lächelnde Frau, in deren Haaren Sonnenstrahlen spielten.

Sie verließ das Gebäude, ließ Moores Welt hinter sich und kehrte niedergeschlagen in ihre eigene zurück.

18

Moore hatte geglaubt, die Hitze in Boston sei unerträglich; auf das, was ihn in Savannah erwartete, war er absolut nicht vorbereitet. An diesem Spätnachmittag aus dem Flughafengebäude ins Freie zu treten war so, als ob man in ein heißes Bad eintauchte. Er hatte das Gefühl, durch eine zähe Flüssigkeit zu waten, als er zum Mietwagenparkplatz weiterging, wo die heiße Luft über dem Asphalt kleine Wellen zu schlagen schien. Als er in seinem Hotel eincheckte, war sein Hemd bereits von Schweiß durchtränkt. Im Zimmer riss er sich die Kleider vom Leib und legte sich aufs Bett, um ein paar Minuten zu ruhen. Am Ende hatte er den ganzen Nachmittag verschlafen.

Als er aufwachte, war es dunkel, und er zitterte in dem allzu gut klimatisierten Zimmer. Er setzte sich auf die Bettkante. Sein Schädel dröhnte.

Er nahm ein frisches Hemd aus seinem Koffer, zog sich an und verließ das Hotel.

Selbst in der Nacht war die Luft noch wie heißer Dampf, doch er fuhr mit offenem Fenster, atmete die feuchten Gerüche des Südens ein. Obwohl er noch nie in Savannah gewesen war, hatte er von seinem besonderen Charme gehört, von seinen prächtigen alten Häusern, seinen schmiedeeisernen Bänken, der Kulisse des Films *Mitternacht im Garten von Gut und Böse.* Doch an diesem Abend war er nicht auf der Suche nach touristischen Sehenswürdigkeiten. Er war unterwegs zu einer bestimmten Adresse im Nordosten der Stadt. Es war ein attraktives Viertel, das überwiegend aus kleinen, aber gepflegten Einfamilienhäusern mit Veranden, eingezäunten Vorgärten und Bäumen mit weit ausladenden

Ästen bestand. Schließlich hatte er die Ronda Street gefunden und hielt vor dem Haus an.

Drinnen brannte Licht, und er konnte das blaue Schimmern eines Fernsehschirms erkennen.

Er fragte sich, wer dort jetzt wohnte und ob die jetzigen Bewohner die Geschichte ihres Hauses kannten. Wenn sie abends das Licht löschten und ins Bett gingen, dachten sie dann je über das nach, was in eben diesem Zimmer geschehen war? Wenn sie in der Dunkelheit lagen, lauschten sie dann auf die Echos des Schreckens, die in diesen Mauern noch immer widerhallten?

Eine Silhouette ging am Fenster vorbei – es war eine Frau, schlank und mit langen Haaren. Ganz wie Catherine.

Jetzt sah er die Szene vor seinem geistigen Auge. Den jungen Mann, der auf der Veranda stand und an die Haustür klopfte. Die Tür wurde geöffnet, und goldenes Licht ergoss sich nach draußen in die Dunkelheit. Catherine stand in der Tür, umringt von einem Kranz dieses Lichts, und sie bat den jungen Kollegen herein, den sie aus dem Krankenhaus kannte. Sie hatte nicht die leiseste Ahnung, welche entsetzlichen Dinge er mit ihr vorhatte.

Und die zweite Stimme, der zweite Mann – wie passt er ins Bild?

Moore saß lange dort im Wagen und beobachtete das Haus, betrachtete eingehend die Fenster und das Strauchwerk. Er stieg aus und ging ein Stück den Gehsteig entlang, um einen Blick hinter das Haus zu werfen. Die Hecke war üppig und dicht, und er konnte nicht bis zum Garten hinter dem Haus sehen.

Auf der anderen Straßenseite wurde eine Außenbeleuchtung eingeschaltet.

Er drehte sich um und sah eine kräftige Frau hinter einem Fenster stehen, die ihn unverwandt anstarrte. Sie hielt einen Telefonhörer in der Hand.

Er stieg wieder in seinen Wagen und fuhr davon. Da war

noch eine andere Adresse, die er aufsuchen wollte. Sie lag in der Nähe des State College, einige Kilometer weiter südlich. Er fragte sich, wie oft Catherine wohl genau diese Straße entlanggefahren war und ob dieser kleine Pizzaservice auf der linken Seite oder diese chemische Reinigung auf der rechten sie zu ihren Kunden gezählt hatten. Wo er auch hinschaute, überall glaubte er ihr Gesicht zu sehen, und das beunruhigte ihn. Er wusste, was das bedeutete: Er hatte es nicht geschafft, seine Gefühle aus den Ermittlungen herauszuhalten, und das gereichte keinem der Beteiligten zum Vorteil.

Er erreichte die Straße, nach der er gesucht hatte. Nach einigen Häuserblocks hielt er an der Stelle an, wo das Haus hätte sein sollen. Was er fand, war nur ein unbebautes, von Unkraut überwuchertes Grundstück. Er hatte erwartet, hier ein Gebäude vorzufinden, das einer Mrs. Stella Poole, einer 58-jährigen Witwe, gehörte. Vor drei Jahren hatte Mrs. Poole die oberen Räume ihres Hauses an einen angehenden Chirurgen namens Andrew Capra vermietet, einen ruhigen jungen Mann, der seine Miete stets pünktlich bezahlt hatte.

Er stieg aus und blieb auf dem Gehsteig stehen, über den Andrew Capra mit Sicherheit gegangen war. Er blickte die Straße auf und ab, in der Capra gewohnt hatte. Sie war nur ein paar Häuserblocks vom State College entfernt, und er nahm an, dass in dieser Straße viele Wohnungen an Studenten vermietet waren – Mieter auf Zeit, die vielleicht gar nichts von der Geschichte ihres berüchtigten Nachbarn wussten.

Ein Windstoß wirbelte die Waschküchenluft durcheinander, und die Düfte, die ihm nun in die Nase stiegen, gefielen ihm gar nicht. Es war der feuchte Geruch der Fäulnis. Er blickte zu einem Baum in Andrew Capras ehemaligem Vorgarten auf und sah ein Büschel Louisiana-Moos von einem Ast herabhängen. Er erschauerte und dachte: *Was für ein merkwürdiges Gewächs.* Er erinnerte sich an ein bizarres Halloween-Erlebnis aus seiner Kindheit, als ein Nachbar die glorreiche Idee gehabt hatte, die von Tür zu Tür ziehenden

Kinder abzuschrecken, indem er einer Vogelscheuche einen Strick um den Hals legte und sie an einem Baum aufhängte. Moores Vater war fuchsteufelswild geworden, als er es gesehen hatte. Sofort war er nach nebenan gestürmt und hatte, ohne auf die wütenden Proteste des Nachbarn zu hören, die Vogelscheuche heruntergeschnitten.

Jetzt verspürte Moore den gleichen Drang, auf den Baum zu klettern und das baumelnde Moosgewächs abzuschneiden.

Stattdessen stieg er wieder in seinen Wagen und fuhr zurück zum Hotel.

Detective Mark Singer stellte einen Pappkarton auf den Tisch und klopfte sich den Staub von den Händen. »Das ist der letzte. Hat uns ein ganzes Wochenende gekostet, sie alle aufzutreiben, aber da haben Sie die komplette Sammlung.«

Moore betrachtete die zwölf Kartons voller Beweismaterial, die auf dem Tisch aufgereiht standen, und meinte: »Ich sollte mir wohl einen Schlafsack besorgen und mich hier häuslich einrichten.«

Singer lachte: »Wäre gar keine schlechte Idee, wenn Sie wirklich vorhaben, jedes Fitzelchen Papier in diesen Kartons unter die Lupe zu nehmen. Nichts verlässt das Haus, klar? Der Kopierer steht drüben am Ende des Korridors; geben Sie einfach Ihren Namen und Ihre Dienststelle ein. Toilette – diese Richtung. Im Kommandoraum gibt's normalerweise Kaffee und Donuts. Falls Sie sich bei den Donuts bedienen, würden sich die Jungs sicher freuen, wenn Sie ein paar Kröten in das Glas werfen würden.« Das alles war von einem Lächeln begleitet, aber Moore hörte dennoch die verborgene Botschaft aus diesem weichen, gedehnten Südstaaten-Akzent heraus: *Wir haben hier unsere Hausregeln, und ihr Großstadtbullen aus Boston müsst euch genauso daran halten wie jeder andere.*

Catherine hatte diesen Polizisten nicht gemocht, und

Moore begriff jetzt, warum. Singer war jünger, als er erwartet hatte, noch keine vierzig; ein muskelbepackter Überflieger, der Kritik nicht ausstehen konnte. In jedem Rudel konnte es nur ein Alphatier geben, und für den Moment würde Moore Singer diese Rolle überlassen.

»In diesen vier Kartons sind die Ermittlungsprotokolle«, sagte Singer. »Vielleicht fangen Sie am besten mit denen an. Die Kartei mit den Querverweisen ist in diesem Karton hier, und die Einsatzprotokolle finden Sie hier drin.« Er ging am Tisch entlang und klopfte auf die Kartons, während er sprach. »Und hier drin ist die Akte Dora Ciccone von den Kollegen aus Atlanta. Das sind bloß Kopien.«

»Die Originale befinden sich also in Atlanta?«

Singer nickte. »Das erste Opfer, und das Einzige, das er dort ermordet hat.«

»Da es sich ja um Kopien handelt, dürfte ich den Karton vielleicht mitnehmen, um mir die Unterlagen im Hotel anzusehen?«

»Wenn Sie ihn nur wieder zurückbringen.« Singer seufzte und ließ den Blick über die Kartons schweifen. »Also, ich weiß ja nicht so recht, wonach Sie eigentlich suchen. Der Fall ist so abgeschlossen wie nur was. Bei jedem der Morde haben wir Capras DNS sichergestellt. Wir haben Fasern, die ihn überführen. Wir haben die Zeitschiene. Capra wohnt in Atlanta, dann wird Dora Ciccone in Atlanta ermordet. Er zieht nach Savannah, und schon vermehren sich bei uns die toten Ladys. Er war immer zur richtigen Zeit am richtigen Ort.«

»Ich bezweifle nicht für eine Sekunde, dass Capra Ihr Mann war.«

»Und wieso wollen Sie dann jetzt diesen Krempel durchwühlen? Manche von den Sachen sind drei, vier Jahre alt.«

Moore hörte die abwehrende Haltung aus Singers Stimme heraus, und er wusste, dass diplomatisches Geschick hier das A und O war. Die kleinste Andeutung, dass Singer im Fall Capra Fehler gemacht haben könnte, dass ihm das entscheidende Detail, dass nämlich Capra einen Partner gehabt hatte, entgangen war, würde das Ende jeder Hoffnung auf Unterstützung durch die Kollegen aus Savannah bedeuten.

Moore wählte eine Antwort, die jegliche Schuldzuweisung vermied. »Wir haben da eine Theorie, dass es sich um einen Nachahmungstäter handeln könnte«, sagte er. »Unser Täter in Boston scheint ein Bewunderer von Capra zu sein. Er imitiert seine Verbrechen bis ins kleinste Detail.«

»Woher sollte er denn über die Details Bescheid wissen?«

»Sie standen vielleicht miteinander in Kontakt, als Capra noch lebte.«

Singer schien sich zu entspannen. Jetzt lachte er sogar. »Ein Perverso-Fanclub, was? Na prima.«

»Da unser Täter mit Capras Vorgehensweise bestens vertraut ist, muss ich es ebenfalls sein.«

Singer deutete auf den Tisch. »Dann mal ran an die Buletten.«

Nachdem Singer den Raum verlassen hatte, las Moore die Aufschriften auf den Kartons mit den Akten und Beweismitteln. Er öffnete den mit dem Etikett »EP Nr. 1«. Die Protokolle der Ermittlung in Savannah. Darin fand er drei Faltordner, alle randvoll mit Material. Und das war nur der erste von vier Kartons. Der erste Ordner enthielt die Berichte über die ersten drei Überfälle in Savannah, dazu Zeugenaussagen und Protokolle von durchgeführten Hausdurchsuchungen. Im zweiten Ordner fand er die Akten von Verdächtigen, Auszüge aus Vorstrafenregistern und Laborberichte. Allein in diesem ersten Karton war genug Lektüre für einen ganzen Tag enthalten.

Und es gab noch elf weitere Kartons.

Als Erstes nahm er sich Singers Abschlussbericht vor. Wieder einmal fiel ihm auf, wie wasserdicht die Beweislage gegen Andrew Capra war. Insgesamt waren fünf Überfälle registriert, vier davon mit Todesfolge. Das erste Opfer war Dora Ciccone, ermordet in Atlanta. Ein Jahr darauf setzte die Mordserie in Savannah ein. Drei Frauen in einem Jahr: Lisa Fox, Ruth Voorhees und Jennifer Torregrossa.

Die Serie endete, als Capra in Catherine Cordells Schlafzimmer erschossen wurde.

In jedem der Fälle war Sperma im Scheidengewölbe des Opfers gefunden worden, dessen DNS mit der Capras übereinstimmte. Haare, die an den Tatorten der Morde an Fox und Torregrossa gefunden worden waren, hatte man als von Capra stammend identifiziert. Das erste Opfer, Ciccone, war in Atlanta im selben Jahr ermordet worden, als Capra sein Medizinstudium an der dortigen Emory University abgeschlossen hatte.

Die Morde waren Capra nach Savannah gefolgt.

Die einzelnen Fäden der Ermittlung verknüpften sich zu einem festen, scheinbar unzerreißbaren Gewebe. Aber Moore war klar, dass er lediglich einen zusammenfassenden Fallbericht vor sich hatte, der genau die Faktoren in den Vordergrund stellte, die zu Singers Schlussfolgerungen passten. Widersprüchliche Details waren möglicherweise ausgelassen worden. Aber genau diese Details, diese kleinen, aber bedeutsamen Unstimmigkeiten, hoffte er bei seiner Wühlarbeit in den Aktenkartons zutage zu fördern. Irgendwo hier drin, so dachte er, hat der Chirurg seine Spuren hinterlassen.

Er schlug den ersten Ordner auf und begann zu lesen.

Als er sich drei Stunden später endlich von seinem Stuhl erhob und seine verkrampften Rückenmuskeln streckte, war es bereits Mittag, und er hatte gerade erst begonnen, den Papierberg zu erklimmen. Nirgendwo hatte er auch nur den Hauch einer Witterung des Chirurgen aufnehmen können. Er ging um den Tisch herum und ließ den Blick über die Etiketten der noch nicht geöffneten Kartons schweifen. Auf einem las er: »Nr. 12 Fox/Torregrossa/Voorhees/Cordell. Presseartikel, Videos, Diverses.«

Er öffnete den Karton und fand ein halbes Dutzend Videokassetten, die auf einem dicken Stapel Aktenordner lagen.

Er nahm das Video mit der Aufschrift »Wohnung Capra« heraus. Es trug das Datum 16. Juni. Der Tag nach dem Überfall auf Catherine.

Er traf Singer an seinem Schreibtisch an, wo dieser gerade ein Sandwich verspeiste, offenbar aus dem Delikatessengeschäft, dick mit Roastbeef belegt. Der Schreibtisch selbst verriet ihm eine Menge über Singer. Er war extrem sorgfältig aufgeräumt, alle Papiere exakt Ecke auf Ecke übereinandergelegt. Ein Polizist, der großen Wert auf Details legte – und der als Kollege vermutlich unausstehlich war.

»Gibt es hier einen Videorekorder, den ich benutzen könnte?«

»Den halten wir unter Verschluss.«

Moore wartete. Es war so offensichtlich, worum er Singer bat, dass er sich nicht die Mühe machte, die Bitte auszusprechen. Mit einem theatralischen Seufzer griff Singer in seine Schublade, nahm die Schlüssel heraus und erhob sich. »Schätze, Sie brauchen ihn sofort, hab ich Recht?«

Singer rollte den Wagen mit dem Videorekorder und dem Fernseher aus dem Materialraum heraus und schob ihn in das Zimmer, in dem Moore gearbeitet hatte. Er steckte die Kabel ein, schaltete die Geräte ein und grunzte zufrieden, als er feststellte, dass alles funktionierte.

»Danke«, sagte Moore. »Ich werde ihn vermutlich für ein paar Tage brauchen.«

»Schon irgendwelche sensationellen Entdeckungen gemacht?« Der Sarkasmus in Singers Stimme war unüberhörbar.

»Ich fange ja gerade erst an.«

»Ich sehe, Sie haben das Capra-Video.« Singer schüttelte den Kopf. »Mann, was in dem Haus für krankes Zeug abgelaufen ist.«

»Ich bin dort gestern vorbeigefahren. Da ist nur noch ein leeres Grundstück.«

»Ist vor ungefähr einem Jahr abgebrannt. Nach der Sache

mit Capra konnte die Besitzerin die obere Wohnung nicht mehr vermieten. Also hat sie angefangen, Geld für Besichtigungen zu kassieren, und ob Sie's glauben oder nicht, das Geschäft lief glänzend. Sie wissen schon, die ganzen perversen Anne-Rice-Horrorfans, die kamen gleich angelaufen, um in der Höhle des Monsters auf die Knie zu fallen. Na ja, die Wirtin war ja selber ein bisschen meschugge.«

»Ich werde mit ihr reden müssen.«

»Das dürfte kaum möglich sein, es sei denn, sie können mit Toten kommunizieren.«

»Ist sie bei dem Brand ums Leben gekommen?«

»Knusprig geröstet.« Singer lachte. »Rauchen schadet der Gesundheit. Das hat sie überzeugend bewiesen.«

Moore wartete, bis Singer den Raum verlassen hatte. Dann schob er die Kassette mit der Aufschrift »Wohnung Capra« in den Rekorder.

Die ersten Bilder waren Außenaufnahmen der Vorderseite des Hauses, in dem Capra gewohnt hatte, bei Tageslicht gedreht. Moore erkannte den Baum mit dem Louisiana-Moos im Vorgarten. Das Haus selbst war ein zweistöckiger Kasten ohne jeden Reiz, der dringend einen neuen Anstrich nötig hatte. Der Mann an der Kamera kommentierte die Szenen und nannte zunächst das Datum, die Uhrzeit und die Adresse. Er stellte sich als Detective Spiro Pataki von der Kripo Savannah vor. An der Qualität des Tageslichts erkannte Moore, dass die Aufnahmen am frühen Morgen gemacht worden waren. Die Kamera schwenkte zur Straße, und er sah einen Jogger vorbeilaufen, das Gesicht neugierig zur Kamera gedreht. Es herrschte starker Verkehr (die morgendliche Rushhour?), und einige Nachbarn standen auf dem Gehsteig und starrten den Kameramann an.

Jetzt hielt er wieder auf das Haus, und das Bild wurde wacklig, als er auf die Haustür zuging. Drinnen zeigte Detective Pataki zunächst in einem Schwenk das Erdgeschoss, wo die Zimmerwirtin Mrs. Poole wohnte. Moore erhaschte flüchtige Blicke auf abgetretene Teppiche, dunkle Möbel, einen überquellenden Aschenbecher. Die fatale Sucht einer Frau, die als knusprig geröstete Leiche enden sollte. Der Kameramann ging eine enge Treppe hoch und trat durch eine Tür mit einem schweren Sicherheitsschloss in Andrew Capras Wohnung im ersten Stock.

Moore bekam schon vom bloßen Hinsehen Platzangst. Das Obergeschoss war in viele kleine Räume aufgeteilt worden, und wer immer diese »Renovierung« durchgeführt hatte, musste irgendwo ein Sonderangebot für Holzverkleidungen aufgetan haben. Sämtliche Wände waren mit dunklem Furnier bedeckt. Die Kamera fuhr einen Flur entlang, der so eng war, dass man den Eindruck hatte, durch einen Tunnel zu kriechen. »Schlafzimmer rechts«, sagte Pataki ins Mikrofon der Videokamera, während er das Objektiv zur offenen Tür hin schwenkte und auf ein schmales, ordentlich gemachtes Bett, einen Nachttisch und eine Kommode hielt. Mehr Möbel hätten in die düstere kleine Höhle ohnehin nicht gepasst.

»Ich gehe weiter zum Wohnbereich im hinteren Teil«, sagte Pataki, als die Kamera ihre verwackelte Fahrt durch den Tunnel fortsetzte. Dieser mündete in ein größeres Zimmer, in dem einige Leute herumstanden und finster dreinblickten. Moore erkannte Singer, der vor einem Wandschrank stand. Hier wurde es interessant.

Die Kamera nahm Singer ins Visier. »Diese Tür war mit einem Vorhängeschloss gesichert«, sagte Singer und zeigte auf das aufgebrochene Schloss. »Wir mussten sie aufbrechen. Das da haben wir drinnen gefunden.« Er öffnete die Tür des Wandschranks und zog an einer Schnur, um das Licht im Schrank einzuschalten.

Das Bild wurde plötzlich unscharf, dann wieder scharf, und die Aufnahme füllte den Bildschirm mit verblüffender Klarheit. Es war ein Schwarzweißfoto des Gesichts einer Frau. Ihre Augen waren weit offen und leblos, der Hals so tief durchschnitten, dass das Knorpelgewebe des Kehlkopfs zu sehen war.

»Ich glaube, dass es sich hier um Dora Ciccone handelt«, sagte Singer. »Okay, halten Sie jetzt auf das hier.«

Die Kamera schwenkte nach rechts. Ein weiteres Foto, wieder von einer Frau.

»Es scheint sich um Aufnahmen zu handeln, die von den vier Opfern nach ihrem Tod gemacht wurden. Ich gehe davon aus, dass wir hier die Leichenfotos von Dora Ciccone, Lisa Fox, Ruth Voorhees und Jennifer Torregrossa vor uns haben.«

Es war Andrew Capras private Fotogalerie. Ein Schlupfwinkel, in dem er seine Mordtaten immer wieder aufs Neue genießen konnte. Was Moore als noch verstörender empfand als die Fotos selbst, waren die verbliebene freie Wandfläche und die kleine Packung Reißnägel, die auf dem Regal lag. Reichlich Platz für weitere Fotos.

Die Kamera entfernte sich mit einem Schwindel erregenden Schwenk von dem Wandschrank und zeigte wieder das größere Zimmer. Pataki drehte sich langsam im Kreis und filmte eine Couch, einen Fernseher, einen Schreibtisch, ein Telefon. Bücherregale voller medizinischer Lehrbücher. Der Schwenk setzte sich fort, bis der Küchenbereich ins Bild kam. Die Kamera richtete sich auf den Kühlschrank.

Moore rückte näher an den Bildschirm; sein Hals war plötzlich ganz trocken. Er wusste schon, was sich in diesem Kühlschrank verbarg, und doch spürte er, wie sein Puls sich beschleunigte, wie sich ihm vor Entsetzen der Magen umdrehte, als er Singer auf den Kühlschrank zugehen sah. Singer blieb stehen und blickte in die Kamera.

»Das haben wir hier drin gefunden«, sagte er und öffnete die Kühlschranktür.

19

Er machte einen Spaziergang um den Block, und diesmal bemerkte er die Hitze kaum, so sehr hatten ihm die Videobilder das Blut in den Adern gefrieren lassen. Er empfand es schon als Erleichterung, aus dem Besprechungsraum herauszukommen, der für ihn jetzt untrennbar mit dem Entsetzen verknüpft war. Savannah selbst, mit seiner Luft wie zäher Sirup und seinem weichen grünen Licht, bereitete ihm Unbehagen. Boston hatte scharfe Konturen und schrille Geräusche, und jedes Gebäude, jedes finster dreinblickende Gesicht hob sich schroff von seinem Hintergrund ab. In Boston wusste man, dass man am Leben war, und sei es nur, weil man so gereizt war. Hier schien dagegen alles verschwommen. Er sah Savannah wie durch einen Gazevorhang, eine Stadt höflich lächelnder Gesichter und schläfriger Stimmen, und er fragte sich, welche dunklen Geheimnisse seinen Blicken wohl verborgen blieben.

Als er in das Bereitschaftszimmer zurückkam, fand er Singer damit beschäftigt, etwas auf einem Laptop zu schreiben. »Einen Augenblick«, sagte Singer und aktivierte die Rechtschreibprüfung. In *seinen* Berichten durfte es doch keine Fehler geben, Gott bewahre. Befriedigt blickte er zu Moore auf. »Ja?«

»Haben Sie je Capras Adressbuch gefunden?«

»Was für ein Adressbuch?«

»Die meisten Leute haben ein Adressbuch, das sie in der Nähe des Telefons aufbewahren. Auf dem Video von seiner Wohnung habe ich keines entdeckt, und in der Aufstellung der persönlichen Gegenstände konnte ich auch nichts dergleichen finden.«

»Das war schließlich vor über zwei Jahren. Und wenn es nicht auf unserer Liste war, dann hatte er eben keins.«

»Oder es wurde aus seiner Wohnung entfernt, bevor Sie dort eintrafen.«

»Worauf sind Sie eigentlich aus? Ich dachte, Sie seien gekommen, um Capras Technik zu studieren, nicht um den Fall neu aufzurollen.«

»Ich interessiere mich für Capras Freunde. Alle, die ihn gut gekannt haben.«

»Mann, niemand hat ihn gut gekannt. Wir haben mit den Ärzten und den Krankenschwestern gesprochen, mit denen er gearbeitet hat. Mit seiner Vermieterin, mit den Nachbarn. Ich bin sogar nach Atlanta gefahren, um mit seiner Tante zu reden. Seiner einzigen lebenden Verwandten.«

»Ja, ich habe die Vernehmungsprotokolle gelesen.«

»Dann wissen Sie auch, dass er sie alle an der Nase rumgeführt hat. Immer wieder habe ich die gleichen Kommentare zu hören bekommen: ›So ein einfühlsamer Arzt! So ein *höflicher* junger Mann!‹« Singer schnaubte verächtlich.

»Sie hatten alle keine Ahnung, wer Capra wirklich war.«

Singer drehte sich wieder zu seinem Laptop um. »Verdammt, das weiß doch niemand vorher, wer die Monster in Wirklichkeit sind.«

Es war Zeit, sich das letzte Videoband vorzunehmen. Moore hatte es bis zum Schluss aufgeschoben, weil er es nicht über sich gebracht hatte, sich den Bildern auszusetzen. Die anderen hatte er mit objektiver Distanz betrachten können; er hatte sich Notizen gemacht, während er sich die Schlafzimmer von Lisa Fox, Jennifer Torregrossa und Ruth Voorhees genau angesehen hatte. Wieder und wieder hatte er sich das Muster der Blutspritzer, die Knoten in der Nylonschnur, mit der die Handgelenke der Opfer gefesselt waren, den glasigen Blick des Todes in ihren Augen vorgeführt. Er konnte diese Aufnahmen mit einem Minimum an emotionaler Anteilnahme betrachten, weil er die Frauen nicht gekannt hatte und weil er in seiner Erinnerung kein Echo ihrer Stimmen vernahm. Sein Augenmerk galt nicht den Opfern, sondern der unheilvollen Präsenz, die in ihren Wohnungen ihre Spuren hinterlassen hatte. Er nahm das Band mit den Aufnahmen vom Tatort des Voorhees-Mordes aus dem Rekorder und legte es auf den Tisch. Widerstrebend griff er nach der letzten verbliebenen Kassette. Auf dem Etikett waren das Datum und die Fallnummer vermerkt, dazu die Worte: »Wohnung Catherine Cordell.«

Er spielte mit dem Gedanken, es noch weiter aufzuschieben und bis zum nächsten Morgen zu warten, wenn er frisch und ausgeruht sein würde. Es war jetzt neun Uhr, und er hatte fast den ganzen Tag in diesem Zimmer verbracht. Nun saß er mit der Kassette in der Hand da und überlegte, was er tun sollte.

Es dauerte eine Weile, bis er merkte, dass Singer in der Tür stand und ihn beobachtete.

»Mann, Sie sind ja immer noch hier«, sagte Singer.

»Ich habe eine Menge Material zu sichten.«

»Sie haben sich die ganzen Videos angesehen?«

»Alle bis auf das hier.«

Singer warf einen Blick auf das Etikett. »Cordell.«

»Mmh.«

»Na los, schieben Sie es rein. Vielleicht kann ich das eine oder andere ergänzen.«

Moore schob die Kassette in den Rekorder und drückte die Abspieltaste.

Sie sahen die Front von Catherines Haus. Es war Nacht. Die Veranda war beleuchtet, und auch drinnen brannten alle Lichter. Er hörte, wie der Mann an der Kamera das Datum und die Uhrzeit nannte – zwei Uhr früh – und sich vorstellte. Wieder war es Spiro Pataki. Er schien als Kameramann äußerst begehrt zu sein. Moore hörte auch jede Menge Hintergrundgeräusche – Stimmen, leiser werdendes Sirenengeheul.

Pataki machte seinen routinemäßigen Schwenk, um die Umgebung zu zeigen, und Moore erblickte eine Versammlung grimmig dreinschauender Nachbarn, die hinter dem Absperrband standen, ihre Gesichter angestrahlt von den Scheinwerfern und Blaulichtern der diversen Streifenwagen, die auf der Straße parkten. Angesichts der späten Stunde überraschte ihn das. Es musste einen ziemlichen Lärm gegeben haben, wenn so viele Nachbarn davon aufgewacht waren.

Pataki schwenkte zum Haus zurück und ging auf die Tür zu.

»Schüsse«, sagte Singer. »Das war die erste Meldung, die wir reinkriegten. Die Frau von gegenüber hörte den ersten Schuss, dann lange Zeit nichts und dann einen zweiten Schuss. Da hat sie den Notruf angewählt. Der erste Streifenbeamte war sieben Minuten später am Tatort. Zwei Minuten später wurde der Notarzt gerufen.«

Moore erinnerte sich an die Frau von der anderen Straßenseite, die ihn von ihrem Fenster aus angestarrt hatte.

»Ich habe die Aussage der Nachbarin gelesen«, sagte Moore. »Sie sagte, sie habe niemanden aus der Haustür herauskommen sehen.«

»Stimmt. Sie hat bloß die zwei Schüsse gehört. Nach dem ersten ist sie aus dem Bett aufgestanden und hat aus dem Fenster geschaut. Und dann, vielleicht fünf Minuten später, hörte sie den zweiten Schuss.«

Fünf Minuten, dachte Moore. Wie war die lange Pause zu erklären?

Auf dem Bildschirm setzte die Kamera nun ihre Fahrt fort und hielt kurz hinter der Haustür inne. Moore erblickte einen Wandschrank, dessen Tür offen stand. Ein paar Mäntel an Kleiderbügeln waren zu sehen, ein Regenschirm, ein Staubsauger. Dann änderte sich der Blickwinkel, und nach einem Schwenk wurde das Wohnzimmer sichtbar. Auf dem Couchtisch standen zwei Gläser, von denen eines noch einen Rest einer Flüssigkeit enthielt, die wie Bier aussah.

»Cordell hatte ihn hereingebeten«, sagte Singer. »Sie tranken etwas zusammen. Sie ging ins Bad, kam zurück und trank ihr Bier aus. Nach einer Stunde begann das Rohypnol zu wirken.«

Die Couch war pfirsichfarben mit einem dezenten Blumenmuster. Moore schätzte Catherine nicht als die Art von Frau ein, die Blumenmuster bevorzugt, aber es war nicht zu übersehen. Blumen auf den Vorhängen, auf den Kissenbezügen des Sessels. Farben. In Savannah hatte sie sich mit einer Fülle von Farben umgeben. Er sah sie mit Andrew Capra auf dieser Couch sitzen und aufmerksam seinen Klagen über seine Arbeitsbedingungen lauschen, während das Rohypnol langsam durch ihren Magen in ihren Blutkreislauf sickerte. Während die Moleküle der Droge unaufhaltsam in Richtung Gehirn geschwemmt wurden. Und Capras Stimme schwächer und schwächer wurde.

Der Rundgang, der ihnen jeden Raum so zeigte, wie ihn die Polizisten um zwei Uhr an jenem Samstagmorgen vorgefunden hatten, wurde jetzt in die Küche fortgesetzt. In der Spüle stand ein einzelnes Wasserglas.

Plötzlich beugte Moore sich vor. »Dieses Glas da – haben Sie die DNS des Speichels analysieren lassen?«

»Warum sollten wir?«

»Sie wissen nicht, wer daraus getrunken hat?«

»Es waren nur zwei Personen im Haus, als der erste Beamte auf den Anruf hin am Tatort eintraf. Capra und Cordell.«

»Auf dem Couchtisch standen zwei Gläser. Wer hat aus diesem dritten Glas getrunken?«

»Mein Gott, es hat vielleicht schon den ganzen Tag dort im Spülbecken gestanden. Es war nicht relevant für die Situation, wie wir sie vorfanden.«

Der Kameramann hatte seinen Schwenk durch die Küche beendet und ging nun den Flur entlang.

Moore schnappte die Fernbedienung und drückte auf

Rücklauf. Er spulte das Band bis zum Anfang der Küchenszene zurück.

»Was ist denn?«, fragte Singer.

Moore antwortete nicht. Er rückte noch näher heran und sah gebannt hin, während die Bilder ein zweites Mal über den Schirm liefen. Der Kühlschrank, übersät mit kleinen, bunten Magneten in Fruchtform. Die Mehl- und Zuckerbehälter auf dem Küchentresen. Das Spülbecken mit dem einzelnen Wasserglas. Dann schwenkte die Kamera an der Küchentür vorbei in Richtung Flur.

Moore drückte erneut auf Rücklauf.

»Was wollen Sie denn da erkennen?«, fragte Singer.

Das Band zeigte wieder das Bild des Wasserglases. Die Kamera begann Richtung Flur zu schwenken. Moore drückte die Pausetaste. »Da«, sagte er. »Die Küchentür. Wohin führt die?«

»Hm – in den Garten. Da ist ein Rasen dahinter.«

»Und was ist hinter dem Garten?«

»Der Nachbargarten. Eine weitere Häuserreihe.«

»Haben Sie mit dem Besitzer des angrenzenden Gartens gesprochen? Hat er oder sie die Schüsse gehört?«

»Was macht das für einen Unterschied?«

Moore stand auf und trat auf den Fernseher zu. »Die Küchentür«, sagte er, indem er mit dem Finger auf den Bildschirm tippte. »Da ist eine Kette. Und die ist nicht vorgelegt.«

Singer war einen Moment still. »Aber die Tür ist verschlossen. Sehen Sie die Position von diesem Türknauf?«

»Genau. Das ist so ein Hebel, den man von innen aufdrücken kann. Wenn man die Tür dann hinter sich zumacht, ist sie verschlossen.«

»Und worauf wollen Sie hinaus?«

»Warum sollte sie die Tür mit dem Hebel verschließen, ohne die Kette vorzulegen? Wer abends die Türen und Fenster dicht macht, der erledigt beides auf einmal. Zuerst die

Tür verriegeln, dann die Kette vorlegen. Sie hat den zweiten Schritt ausgelassen.«

»Vielleicht hat sie es bloß vergessen.«

»In Savannah waren schon drei Frauen ermordet worden. Sie war so besorgt, dass sie eine Waffe unter dem Bett liegen hatte. Ich glaube nicht, dass sie so etwas vergessen hätte.« Er sah Singer an. »Vielleicht ist irgendjemand durch diese Küchentür *hinausgegangen.*«

»Es waren nur zwei Personen im Haus. Cordell und Capra.«

Moore überlegte, was er als Nächstes sagen sollte. Ob er mehr zu gewinnen oder zu verlieren hatte, wenn er die Karten offen auf den Tisch legte.

Doch Singer ahnte schon, worauf das Gespräch hinauslief. »Sie behaupten, Capra hätte einen Partner gehabt.«

»Ja.«

»Das ist aber eine gewaltige Schlussfolgerung, die Sie da auf einer einzigen nicht vorgelegten Kette aufbauen.«

Moore holte einmal kräftig Luft. »Das ist noch nicht alles. An dem Abend, als sie überfallen wurde, hat Catherine Cordell noch eine andere Stimme in ihrem Haus gehört. Einen Mann, der sich mit Capra unterhielt.«

»Das hat sie mir nie erzählt.«

»Es kam bei einer Sitzung mit einem forensischen Hypnotiseur heraus.«

Singer brach in schallendes Gelächter aus. »Sie haben einen Psychofritzen engagiert, um Ihre These zu stützen? Also, damit würden Sie mich aber hundertprozentig überzeugen.«

»Es erklärt, wieso der Chirurg so genau über Capras Methoden Bescheid weiß. Die beiden Männer waren Partner. Und der Chirurg setzt ihre gemeinsame Sache fort, wobei er so weit geht, ihr einziges überlebendes Opfer zu terrorisieren.«

»Die Welt ist voll von Frauen. Warum hat er es ausgerechnet auf sie abgesehen?«

»Eine offene Rechnung.«

»So? Also, ich habe da eine bessere Theorie.« Singer erhob sich von seinem Stuhl. »Cordell hat vergessen, die Kette an der Küchentür vorzulegen. Euer Knabe in Boston macht nur nach, was er in den Zeitungen gelesen hat. Und euer forensischer Hypnotiseur hat eine falsche Erinnerung aus ihrem Unterbewusstsein hervorgezaubert.« Kopfschüttelnd ging er zur Tür. Und ließ Moore mit einer letzten sarkastischen Bemerkung allein: »Sagen Sie mir Bescheid, wenn Sie den *wahren* Mörder gefasst haben.«

Moore schluckte seinen Ärger über den Wortwechsel rasch hinunter. Er wusste, dass Singer nur seine eigene Arbeit an dem Fall verteidigte, und er konnte ihm seine Skepsis nicht verdenken. Er begann allmählich seine eigenen Instinkte in Frage zu stellen. Er war eigens den weiten Weg nach Savannah gereist, um die Partnertheorie entweder zu beweisen oder zu widerlegen, und bisher hatte er noch nichts gefunden, was sie gestützt hätte.

Er wandte seine Aufmerksamkeit wieder dem Bildschirm zu und drückte die Abspieltaste.

Die Kamera verließ die Küche und bewegte sich den Flur entlang. Sie hielt kurz inne, um einen Blick ins Badezimmer zu gestatten – pinkfarbene Handtücher, ein Duschvorhang mit bunten Fischmotiven. Moores Hände schwitzten. Alles in ihm sträubte sich gegen das, was nun kommen würde, doch er konnte den Blick nicht vom Fernsehbildschirm losreißen. Die Kamera wandte sich vom Badezimmer ab und fuhr weiter den Flur entlang, vorbei an einem Aquarell mit rosafarbenen Pfingstrosen, das an der Wand hing. Die blutigen Fußspuren auf dem Boden waren von den ersten am Tatort eingetroffenen Beamten zertrampelt und verschmiert worden, später auch von den hektisch hereinstürzenden Sanitätern. Zurückgeblieben war ein verwirrendes abstraktes Gemälde in Rot. Im Hintergrund tauchte eine offene Tür auf. Das verwackelte Bild verriet eine unruhige Hand.

Jetzt erfasste die Kamera das Innere des Schlafzimmers.

Moore spürte, wie sich ihm der Magen umdrehte – nicht etwa, weil das, was er sah, schockierender gewesen wäre als all die Tatorte, die er bisher gesehen hatte. Nein, diese Schreckensbilder gingen ihm an die Nieren wie nichts sonst, weil er die Frau, die hier gelitten hatte, kannte und sie ihm sehr viel bedeutete. Er hatte die Fotos von diesem Raum studiert, doch sie waren nicht von der gleichen grausigen Intensität wie der Videofilm. Auch wenn Catherine nirgends zu sehen war – sie war zu diesem Zeitpunkt bereits ins Krankenhaus gebracht worden –, sprangen ihm die sichtbaren Spuren ihres Martyriums überdeutlich in die Augen. Er sah die Nylonschnur, mit der sie an Hand- und Fußgelenken gefesselt worden war, und die immer noch an den vier Bettpfosten hing. Er sah chirurgische Instrumente – ein Skalpell und Wundhaken –, die der Täter auf dem Nachttisch zurückgelassen hatte. All das sah er, und die Wirkung war so überwältigend, dass er tatsächlich auf seinem Stuhl zurückzuckte, als habe ihn ein Faustschlag getroffen.

Als die Kameralinse sich zuletzt auf den tot am Boden liegenden Andrew Capra richtete, empfand er kaum eine Gefühlsregung; er war schon ganz betäubt von dem, was er vorher gesehen hatte. Capras Bauchwunde hatte stark geblutet, und unter seinem Rumpf hatte sich bereits eine große Lache gebildet. Die zweite Kugel, die ihn ins Auge getroffen hatte, hatte die tödliche Verletzung verursacht. Er dachte wieder an die Lücke von fünf Minuten zwischen den beiden Schüssen. Das Bild, das er vor sich sah, bestätigte den Zeitablauf, wie er in den Akten stand. Nach der Menge von Blut zu urteilen, hatte Capra noch wenigstens ein paar Minuten blutend am Boden gelegen, bevor der Tod eingetreten war.

Das Videoband war zu Ende.

Er stierte den leeren Bildschirm an, dann riss er sich aus seiner lähmenden Starre und schaltete den Rekorder aus. Er fühlte sich so ausgelaugt, dass er sich nicht von seinem

Stuhl erheben konnte. Als er es schließlich doch tat, trieb ihn nur der Wunsch, diesen Ort zu verlassen. Er hob den Karton mit den Kopien der Ermittlungsakten von Atlanta auf. Da es sich nicht um die Originale handelte, konnte er sie auch anderswo durchsehen.

Im Hotel duschte er und aß einen Hamburger und Pommes frites, die er beim Zimmerservice bestellt hatte. Dann gönnte er sich eine Stunde vor dem Fernseher, um seine Nerven zu beruhigen. Aber die ganze Zeit, während er zwischen den Kanälen hin und her schaltete, juckte es ihm in den Fingern, Catherine anzurufen. Dieses letzte Tatortvideo hatte ihm mehr als deutlich gemacht, welch ein Monster in diesem Moment hinter ihr her war. Das ließ ihm keine Ruhe.

Zweimal griff er nach dem Hörer und legte ihn gleich wieder hin. Dann hob er ihn noch einmal auf, und diesmal bewegten sich seine Finger, als führten sie ein Eigenleben, und tippten die Nummer ein, die er so gut kannte. Es klingelte viermal, dann hatte er Catherines Anrufbeantworter dran.

Er legte auf, ohne eine Nachricht zu hinterlassen.

Dann starrte er das Telefon an. Es beschämte ihn, wie rasch und widerstandslos er seinen Vorsatz wieder aufgegeben hatte. Er hatte sich selbst versprochen, dass er durchhalten würde, hatte Marquettes Forderung zugestimmt, dass er sich für die Dauer der Ermittlungen von Catherine fern halten würde. *Wenn das hier ausgestanden ist, werde ich dafür sorgen, dass zwischen uns alles wieder ins Lot kommt.*

Er blickte auf den Stapel Akten aus Atlanta auf seinem Schreibtisch. Es war elf Uhr abends, und er hatte noch nicht einmal angefangen. Mit einem Seufzer schlug er den ersten Aktenordner auf.

Die Akten im Fall von Dora Ciccone, Andrew Capras erstem Opfer, bildeten keine besonders appetitliche Lektüre. Er kannte bereits die wichtigsten Fakten; sie waren in Singers Abschlussbericht zusammengefasst. Aber Moore hatte die ursprünglichen Berichte aus Atlanta noch nicht gelesen, und jetzt machte er einen Zeitsprung in die Vergangenheit und nahm die früheste Arbeit von Andrew Capra unter die Lupe. Dort, in Atlanta, hatte alles angefangen.

Er las den Bericht über den Tathergang und arbeitete sich dann durch die Vernehmungsprotokolle. Er las die Aussagen der Nachbarn Ciccones, des Barkeepers der Kneipe, in der sie zuletzt lebend gesehen worden war, und der Freundin, die die Leiche entdeckt hatte. Er fand auch eine Liste von Verdächtigen mit den dazugehörigen Fotos; Capra war nicht darunter.

Dora Ciccone war zweiundzwanzig Jahre alt gewesen und hatte an der Emory University studiert. Am Abend ihres Todes war sie zuletzt gegen Mitternacht gesehen worden, als sie im La Cantina eine Margarita getrunken hatte. Vierzig Stunden später war ihre Leiche in ihrer Wohnung entdeckt worden, nackt und mit einer Nylonschnur ans Bett gefesselt. Ihr Uterus war entfernt worden, und man hatte ihr die Kehle durchgeschnitten.

Er fand die von der Polizei erstellte Zeitschiene. Es war eigentlich nur ein grober Entwurf in einer kaum leserlichen Handschrift. Es schien, als habe der ermittelnde Detective in Atlanta sie nur angefertigt, um den Job auf irgendeiner internen Checkliste abhaken zu können. Er konnte fast den Geruch des Scheiterns riechen, der aus diesen Seiten aufstieg, konnte die depressive Stimmung aus der abfallenden Schrift des Detective herauslesen. Er hatte es am eigenen Leib erfahren, dieses lastende Gefühl in der Brust, wenn die ersten vierundzwanzig Stunden ergebnislos verstreichen, dann eine ganze Woche, dann ein Monat, und man immer noch keine greifbaren Hinweise hat. Genau das hatte der Detective in Atlanta gehabt: gar nichts. Dora Ciccones Mörder war ein unbekanntes Subjekt geblieben.

Er schlug den Autopsiebericht auf.

Beim Abschlachten von Dora Ciccone war es weder so schnell noch so professionell zugegangen wie bei Capras späteren Morden. Die gezackten Wundränder verrieten, dass Capra zu unsicher gewesen war, um einen einzigen sauberen Schnitt quer über das Abdomen zu führen. Stattdessen hatte er gezögert, hatte mehrmals neu angesetzt und dabei die Haut eingerissen. Nachdem er endlich die Bauchhöhle geöffnet hatte, war die Operation zu einem amateurhaften Gestochere ausgeartet, und beim Herausschneiden seiner Trophäe hatte er sowohl die Blase als auch den Darm mit seinem Skalpell tief eingeritzt. Bei diesem seinem ersten Opfer hatte er keinerlei Nahtmaterial benutzt, um irgendwelche Arterien abzubinden. Es war sehr viel Blut geflossen, und Capra musste schließlich blind gearbeitet haben, nachdem alle anatomischen Orientierungspunkte in einem immer tiefer werdenden roten See versunken waren.

Nur der Gnadenstreich war einigermaßen geschickt vollführt worden – ein einziger sauberer Schnitt von links nach rechts. Es schien, als hätte er sich nun, nachdem sein Hunger gestillt war und seine Raserei sich gelegt hatte, wieder so weit unter Kontrolle gehabt, dass er den Job kühl und effizient zu Ende führen konnte.

Moore legte den Autopsiebericht beiseite, und dabei fiel sein Blick auf die Reste seines Abendessens, das auf einem Tablett neben ihm stand. Plötzlich wurde ihm komisch im Magen, und er trug das Tablett zur Tür und stellte es draußen im Flur auf den Boden. Dann kehrte er zum Schreibtisch zurück und schlug den nächsten Ordner auf, der die Laborberichte enthielt.

Zuerst stieß er auf die Ergebnisse der mikroskopischen Untersuchung: *Vaginalabstrich des Opfers wies Spermatozoen auf.*

Er wusste, dass die DNS-Analyse später bestätigt hatte, dass es sich um Capras Sperma handelte. Er hatte Dora Ciccone vergewaltigt, bevor er sie getötet hatte.

Moore blätterte um und stieß auf diverse Haar- und Faseranalysen. Der Schambereich des Opfers war ausgekämmt worden, und man hatte die gefundenen Haare analysiert. Darunter hatte sich auch ein rotbraunes Schamhaar befunden, das als von Capra stammend identifiziert wurde. Er überflog die nächsten paar Seiten mit Laborberichten, in denen es um verschiedene am Tatort gefundene Haare ging. Die meisten, ob Scham- oder Kopfhaare, stammten vom Opfer selbst. Auf dem Teppich hatte man auch ein kurzes blondes Haar gefunden, das später aufgrund der komplexen Strukturen der Zellen im Markstrang als nicht menschlich erkannt worden war. In einer handgeschriebenen Notiz hieß es: »Mutter des Opfers hat einen Golden Retriever. Ähnliche Haare im Wagen des Opfers auf dem Rücksitz gefunden.«

Er wandte sich der letzten Seite des Haar- und Faserberichts zu und hielt inne. Hier war die Analyse eines weiteren Haares, diesmal von einem Menschen stammend, das jedoch nicht identifiziert worden war. Es war auf dem Kopfkissen gefunden worden. In jedem Haushalt findet sich eine ganze Palette von ausgefallenen Haaren. Der Mensch verliert jeden Tag Dutzende von Haaren, und je nachdem, wie sehr man auf Reinlichkeit achtet und wie oft man Staub saugt, kann sich auf Decken, Teppichen und Sofas eine mikroskopisch kleine Kartei sämtlicher Besucher ansammeln, die sich irgendwann über einen gewissen Zeitraum in dem betreffenden Haus aufgehalten haben. Dieses einzelne Haar, das auf dem Kopfkissen gefunden worden war, hätte von einem Liebhaber stammen können, von einem Gast, der im Haus übernachtet hatte, oder von einem Verwandten. Jedenfalls gehörte es nicht Andrew Capra.

Einzelnes menschliches Kopfhaar, hellbraun. A0 (geschwungen), Schaftlänge 5 cm. Telogenphase. Trichorrhexis invaginata festgestellt. Herkunft unbekannt.

Trichorrhexis invaginata. Bambushaar.

Der Chirurg war dort gewesen.

Moore sank wie vom Donner gerührt in seinen Stuhl zurück. Früher am Tag hatte er die Berichte des Labors von Savannah über die Fälle Fox, Voorhees, Torregrossa und Cordell gelesen. An keinem diese Tatorte war ein Haar mit *Trichorrhexis invaginata* gefunden worden.

Aber Capras Partner war die ganze Zeit dort gewesen. Er war unsichtbar geblieben, hatte kein Sperma, keine DNS hinterlassen. Der einzige Hinweis auf seine Anwesenheit war dieses eine Haar – und Catherines verschüttete Erinnerung an seine Stimme.

Ihre Partnerschaft hat schon mit dem ersten Mord begonnen. In Atlanta.

20

Peter Falcos Arme steckten bis zu den Ellenbogen im Blut. Er sah kurz vom Tisch auf, als Catherine in den Schockraum gestürmt kam. Die Spannungen, die zwischen ihnen entstanden waren, das Unbehagen, das sie in Peters Gegenwart empfand – all das war augenblicklich vergessen. Ihre Rollen waren jetzt wieder die von zwei routinierten Profis, die in der Hitze der Schlacht Seite an Seite kämpften.

»Es kommt noch einer rein!«, sagte Peter. »Das macht dann vier. Sie sind noch dabei, ihn aus dem Wagen rauszuschneiden.«

Blut spritzte aus der Wunde. Er schnappte sich eine Gefäßklemme vom Tablett und setzte sie flugs in die offene Bauchhöhle ein.

»Ich werde assistieren«, sagte Catherine und riss den Klebeverschluss eines sterilen Kittels auf.

»Nein, ich komme hier schon klar. Kimball braucht dich in Raum 2.«

Wie um seine Aussage zu bekräftigen, begann das Kreischen einer Sirene das Stimmengewirr im Raum zu übertönen.

»Der da gehört dir«, sagte Falco. »Viel Spaß.«

Catherine rannte hinaus zur Einfahrt. Draußen warteten Dr. Kimball und zwei Schwestern bereits auf die Ambulanz, die soeben zurücksetzte. Noch bevor Kimball die Hecktür aufgerissen hatte, konnten sie den Patienten schreien hören.

Es war ein junger Mann; seine Arme und Schultern waren von Tätowierungen überzogen. Er schlug wild um sich und fluchte, während das Team seine Trage herauszog. Catherine warf einen Blick auf das blutgetränkte Tuch, das seine unteren Extremitäten bedeckte, und wusste, warum er schrie.

»Wir haben ihn schon am Unfallort mit Morphium vollgepumpt«, sagte einer der Sanitäter, als sie ihn in den Schockraum 2 schoben. »Schien überhaupt keine Wirkung zu haben.«

»Wie viel?«, fragte Catherine.

»Vierzig, fünfundvierzig Milligramm i.v. Wir haben aufgehört, als sein Blutdruck in den Keller ging.«

»Auf mein Kommando rüberheben!«, sagte eine Schwester. »Eins, zwei, drei!«

»Verdammte *Scheisse! Das tut weh!*«

»Ich weiß, Schätzchen, ich weiß.«

»*Gar nichts* wissen Sie, Mensch!«

»Gleich wird es dir schon besser gehen. Wie heißt du denn, mein Sohn?«

»Rick … O Mann, mein Bein …«

»Rick und weiter?«

»Roland!«

»Hast du irgendwelche Allergien, Rick?«

»Was ist den los mit euch, ihr *Knallköpfe*?!«

»Haben wir Messwerte?«, unterbrach Catherine, während sie sich Handschuhe überzog.

»Blutdruck hundertzwei zu sechzig. Puls hundertdreißig.«

»Zehn Milligramm Morphium i.v. im Schuss«, sagte Kimball.

»Scheiße! Gebt mir HUNDERT!«

Während der Rest des Teams hektisch umherwuselte, Blutproben abnahm und Infusionsbeutel aufhängte, zog Catherine das blutgetränkte Laken zurück und hielt die Luft an, als sie den Stauverband an einem Bein erblickte, das kaum noch als solches zu erkennen war. Der rechte Unterschenkel hing nur noch an ein paar Hautstreifen. Die nahezu abgetrennte Extremität war nur noch eine zerquetschte rote Masse; der Fuß war um fast 180 Grad verdreht.

Sie fasste die Zehen an; sie waren eiskalt. Einen Puls konnte es natürlich nicht geben.

»Sie haben gesagt, es sei nur so aus der Arterie rausgeschossen«, sagte der Sanitäter. »Der erste Polizist, der am Unfallort eingetroffen ist, hat den Stauverband angelegt.«

»Der Polizist hat ihm das Leben gerettet.«

»Morphium ist drin!«

Catherine leuchtete die Wunde an. »Anscheinend sind sowohl der Nerv als auch die Arterie in der Kniekehle durchtrennt. Die Gefäßverbindung zu seinem Unterschenkel ist unterbrochen.« Sie sah Kimball an, und sie wussten beide, was zu tun war.

»Bringen wir ihn in den OP«, sagte Catherine. »Er ist stabil genug für den Transport. Dann haben wir diesen Raum frei.«

»Gerade rechtzeitig«, bemerkte Kimball, als das Geräusch einer weiteren Sirene sich näherte. Er wandte sich zum Gehen.

»Hey. *Hey!*« Der Patient packte Kimball am Arm. »Sind Sie nicht der Doktor? Das tut *sauweh*! Sagen Sie diesen blöden Tussis, dass sie irgendwas *tun* sollen!«

Kimball warf Catherine einen ironischen Blick zu. »Seien Sie nett zu ihnen, Kumpel. Diese Tussis schmeißen den Laden hier.«

Catherine hätte sich nie leichtfertig zu einer Amputation entschlossen. Wenn ein Glied gerettet werden konnte, tat sie alles in ihrer Macht Stehende, um es wieder anzunähen. Aber als sie eine halbe Stunde später mit dem Skalpell in der Hand im OP stand und auf die kläglichen Überreste des rechten Beins ihres Patienten herabblickte, stand die Entscheidung fest. Die Wade war zu Brei zerquetscht, Schien- und Wadenbein völlig zersplittert. Nach dem unverletzten linken Bein zu urteilen, war auch das rechte einmal wohlgeformt, muskulös und zu einem tiefen Bronzeton gebräunt gewesen. Auf dem nackten Fuß – der trotz seiner entsetzlich verdrehten Position erstaunlich unversehrt war – hatten Sandalenriemen helle Streifen hinterlassen, und unter den Zehennägeln war Sand. Sie mochte diesen Patienten nicht, und seine Flüche und die Beleidigungen, die er in seinem Schmerz den anderen Frauen vom Krankenhausteam entgegengeschleudert hatte, waren ihr gegen den Strich gegangen; doch als ihr Skalpell durch sein Fleisch fuhr und einen hinteren Hautlappen formte und als sie dann die scharfen Kanten von Schien- und Wadenbein absägte, da überkam sie ein Gefühl tiefer Traurigkeit.

Die OP-Schwester nahm das abgetrennte Bein vom Tisch und hüllte es in ein Tuch. Ein Fuß, der noch vor kurzem die Wärme des Sandes am Strand gefühlt hatte, würde nun bald nur noch ein Haufen Asche sein, verbrannt wie all die anderen geopferten Organe und Gliedmaßen, die den Weg in die Pathologie des Krankenhauses nahmen.

Nach der Operation fühlte sie sich niedergeschlagen und ausgelaugt. Als sie endlich die Handschuhe und den Kittel abgestreift hatte und den OP verließ, war sie nicht gerade in der Stimmung für eine Begegnung mit Jane Rizzoli, die sie draußen erwartete.

Sie ging zum Waschbecken, um sich den Geruch von Talkumpuder und Latex von den Händen zu waschen. »Es ist Mitternacht, Detective. Schlafen Sie eigentlich nie?«

»Wahrscheinlich so viel wie Sie. Ich habe ein paar Fragen an Sie.«

»Ich dachte, Sie sind den Fall los.«

»Diesen Fall wird man mir nicht wegnehmen, ganz gleich, was irgendwer sagt.«

Catherine trocknete sich die Hände ab und wandte sich zu Rizzoli um. »Sie können mich nicht besonders gut leiden, habe ich Recht?«

»Ob ich Sie mag oder nicht, ist unwichtig.«

»Hab ich irgendetwas Falsches gesagt? Oder getan?«

»Sind Sie hier nun fertig für heute oder was?«

»Es ist wegen Moore, nicht wahr? Deshalb sind Sie gegen mich aufgebracht.«

Rizzolis Züge verhärteten sich. »Detective Moores Privatleben ist seine Sache.«

»Aber Sie haben etwas dagegen.«

»Er hat mich nie nach meiner Meinung gefragt.«

»Ihre Meinung ist nun wirklich kein Geheimnis.«

Rizzolis Blick drückte unverhohlene Abneigung aus. »Ich habe Moore immer bewundert. Ich dachte, er sei eine strahlende Ausnahme. Ein Polizist, der sich nie einen Fehltritt leistet. Es hat sich herausgestellt, dass er keinen Deut besser ist als die anderen. Es fällt mir allerdings schwer, zu begreifen, dass eine Frau der Grund dafür ist, dass er sich in diesen Schlamassel manövriert hat.«

Catherine nahm ihre OP-Haube ab und warf sie in den Abfalleimer. »Er weiß, dass es ein Fehler war«, sagte sie. Dann stieß sie die Tür des OP-Trakts auf und trat hinaus auf den Flur.

Rizzoli blieb ihr auf den Fersen. »Seit wann?«

»Seit er ohne ein Wort aus der Stadt abgereist ist. Ich schätze, es war nicht mehr als eine vorübergehende Verirrung.«

»War er das auch für Sie? Eine Verirrung?«

Catherine stand im Flur und kämpfte gegen die Tränen an. *Ich weiß es nicht. Ich weiß nicht, was ich denken soll.*

»Sie scheinen immer und überall im Mittelpunkt zu stehen, Dr. Cordell. Die Bühne gehört Ihnen, und alle Augen sind auf Sie gerichtet. Das gilt für Moore. Und für den Chirurgen.«

Catherine wirbelte herum und funkelte Rizzoli wütend an. »Denken Sie etwa, das gefällt mir? Ich habe mich nie darum gerissen, ein Opfer zu sein.«

»Aber es passiert Ihnen immer wieder, nicht wahr? Es gibt

da irgendeine seltsame Verbindung zwischen Ihnen und dem Chirurgen. Am Anfang habe ich das nicht erkannt. Ich dachte, er hätte all die anderen Frauen getötet, um seine kranken Fantasien ausleben zu können. Jetzt glaube ich allmählich, dass es immer nur um Sie ging. Er ist wie ein Kater, der Vögel tötet und sie seinem Frauchen ins Haus bringt, um zu beweisen, was für ein guter Jäger er ist. Diese Opfer waren alle nur Geschenke, mit denen er Sie beeindrucken wollte. Je mehr Angst Sie bekommen, desto mehr fühlt er sich bestätigt. Deswegen hat er Nina Peyton erst getötet, als sie hier im Krankenhaus unter Ihrer Obhut war. Er wollte, dass Sie sein außerordentliches Geschick aus nächster Nähe bewundern können. Er ist von Ihnen besessen. Und ich wüsste gerne, wieso.«

»Er ist der Einzige, der diese Frage beantworten kann.«

»Sie haben keine Ahnung?«

»Wie sollte ich? Ich weiß ja nicht einmal, wer er ist.«

»Er war mit Andrew Capra in Ihrem Haus. Wenn das, was Sie unter Hypnose ausgesagt haben, die Wahrheit ist.«

»Andrew war der einzige Mensch, den ich an jenem Abend gesehen habe. Andrew ist der einzige …« Sie hielt inne. »Vielleicht ist er ja gar nicht von *mir* besessen, Detective. Haben Sie schon einmal darüber nachgedacht? Vielleicht ist er von *Andrew* besessen.«

Rizzoli runzelte die Stirn. Was Catherine gerade gesagt hatte, schien sie zu beeindrucken. Und Catherine wurde plötzlich klar, dass sie auf die Wahrheit gestoßen war. Im Zentrum der Welt des Chirurgen stand nicht sie, sondern Andrew Capra. Der Mann, dem er nachgeeifert, den er vielleicht wie einen Gott verehrt hatte. Der Partner, den Catherine ihm entrissen hatte.

Sie blickte auf, als ihr Name über die Sprechanlage ausgerufen wurde.

»Dr. Cordell, bitte sofort in die Notaufnahme! Dr. Cordell, sofort in die Notaufnahme!«

Mein Gott, werden die mich denn nie in Ruhe lassen?

Sie drückte den Abwärtsknopf am Fahrstuhl.

»Dr. Cordell?«

»Ich habe jetzt keine Zeit für Ihre Fragen. Ich muss mich um meine Patienten kümmern.«

»Wann werden Sie Zeit haben?«

Die Tür glitt auf, und Catherine betrat die Kabine; eine erschöpfte Soldatin, die an die Front zurückgerufen wurde. »Meine Nacht hat eben erst begonnen.«

An ihrem Blute will ich sie erkennen.

Ich lasse den Blick über die Gestelle mit den Blutproben schweifen, so wie man lüstern eine Schachtel Pralinen beäugt und sich fragt, welche wohl am köstlichsten schmecken mag. Unser Blut ist so einmalig wie wir selbst, und schon mit bloßem Auge kann ich verschiedene Rottöne unterscheiden, von hellem Scharlachrot bis hin zum satten Farbton der Schwarzkirsche. Mir ist wohl bewusst, welchem Stoff wir diese breite Farbpalette zu verdanken haben; ich weiß, dass das Hämoglobin in verschiedenen Stadien der Oxygenation für die rote Färbung verantwortlich ist. Es ist nichts weiter als Chemie – o ja, aber diese Chemie hat die Macht, Schrecken und Entsetzen zu verbreiten. Der Anblick von Blut geht uns allen nahe.

Auch wenn ich es jeden Tag sehe, verliert es doch nie seinen ganz besonderen Reiz für mich.

Meine gierigen Blicke verschlingen die Proben. Sie kommen aus dem gesamten Großraum Boston; aus Arztpraxen und Kliniken werden sie hierher geschleust, und auch aus dem Krankenhaus gleich nebenan. Wir sind das größte diagnostische Labor der Stadt. Wo auch immer Sie in Boston den Arm entblößen, um sich Blut abzapfen zu lassen; die Chance, dass es den Weg hierher finden wird, ist groß. Hierher zu mir.

Ich logge den ersten Satz Proben ein. Jedes Röhrchen ist

mit einem Etikett versehen, auf dem der Name des Patienten, der Name des Arztes und das Datum vermerkt sind. Neben dem Gestell liegt der Stapel der begleitenden Anforderungsformulare. Nach diesen Formularen greife ich jetzt und blättere sie durch, überfliege die Namen.

Mitten im Stapel halte ich plötzlich inne. Ich habe eine Anforderung für eine Patientin namens Karen Sobel vor mir. Sie ist 25, ihre Adresse lautet 7536 Clark Road, Brookline. Sie ist weiß und unverheiratet. All das weiß ich, weil es zusammen mit ihrer Sozialversicherungsnummer, dem Namen ihres Arbeitgebers und dem des Versicherungsträgers auf dem Formular erscheint.

Der Arzt hat zwei Tests angefordert: einen auf HIV und einen zweiten auf Syphilis.

In dem Feld »Diagnose« hat er vermerkt: »Vergewaltigung«.

Im Gestell finde ich das Röhrchen mit Karen Sobels Blut. Es ist von einem tiefen, trüben Dunkelrot – das Blut eines waidwunden Wilds. Ich halte es in der Hand, und während es sich durch meine Berührung erwärmt, sehe ich sie vor mir, ich spüre sie, diese Frau, die Karen heißt. Gebrochen irrt sie umher. Wartet nur darauf, von einem Räuber gerissen zu werden.

Dann schreckt mich eine Stimme auf, und ich blicke mich um.

Catherine Cordell ist soeben hereingekommen.

Sie steht so dicht neben mir, dass ich fast die Hand nach ihr ausstrecken und sie berühren könnte. Ich bin verblüfft, sie zu sehen, zumal zu dieser vorgerückten Stunde zwischen der tiefsten Dunkelheit und der Morgendämmerung. Selten verirren sich Ärzte in unsere unterirdische Welt, und sie jetzt zu sehen ist so unerwartet, wie es erregend ist – so faszinierend wie der Anblick der Persephone bei ihrem Abstieg in den Hades.

Ich frage mich, was sie hierher geführt hat. Dann sehe

ich, wie sie dem Laboranten am Nebentisch mehrere Röhrchen mit einer strohgelben Flüssigkeit übergibt, und ich höre das Wort »Pleuraerguss«. Jetzt verstehe ich, weshalb sie sich zu einem Besuch bei uns herabgelassen hat. Wie viele andere Ärzte auch möchte sie gewisse kostbare Körperflüssigkeiten lieber nicht den Krankenhauskurieren anvertrauen, und deshalb ist sie selbst mit den Proben durch den Tunnel herübergekommen, der das Pilgrim Hospital mit dem Interpath-Labor verbindet.

Ich sehe ihr nach, als sie wieder geht. Sie kommt direkt an meinem Platz vorbei. Ihre Schultern hängen schlaff herab, sie schwankt, und ihre Knie zittern, als ob sie mühsam durch tiefen Schlamm watete. Die Erschöpfung und das fluoreszierende Licht lassen ihre Haut wie einen dünnen milchigweißen Überzug über den feinen Knochen ihres Gesichts erscheinen. Sie verschwindet durch die Tür, ohne zu ahnen, dass ich sie beobachtet habe.

Ich blicke auf das Röhrchen mit Karen Sobels Blut herab, das ich immer noch in der Hand halte, und es erscheint mir ganz plötzlich reizlos und ohne Leben. Sie ist eine Beute, die zu jagen sich nicht lohnt. Nicht, wenn man sie mit der vergleicht, die gerade an mir vorbeigegangen ist.

Ich habe Catherines Duft noch in der Nase.

Ich logge mich in den Computer ein, und bei »Name des Arztes« gebe ich »C. Cordell« ein. Auf dem Bildschirm erscheinen sämtliche Labortests, die sie in den vergangenen vierundzwanzig Stunden bestellt hat. Ich sehe, dass sie schon seit zehn Uhr abends im Krankenhaus ist. Jetzt ist es fünf Uhr dreißig, Freitagmorgen. Sie hat noch einen ganzen Tag in der Klinik vor sich.

Mein Arbeitstag neigt sich allmählich dem Ende zu.

Als ich das Gebäude verlasse, ist es sieben Uhr, und die schrägen Strahlen der Morgensonne scheinen mir direkt in die Augen. Schon jetzt ist es ein warmer Tag. Ich gehe zur Garage des Medical Center, nehme den Lift zur fünften

Etage und gehe an einer Reihe von Autos vorbei zum Stellplatz 541, wo ihr Wagen steht. Es ist ein zitronengelber Mercedes, das neueste Modell. Sie hält ihn blitzsauber in Schuss.

Ich nehme den Schlüsselring aus der Tasche, den Ring, den ich jetzt schon seit zwei Wochen aufgehoben habe, und stecke einen der Schlüssel in das Kofferraumschloss ihres Wagens.

Der Deckel springt auf.

Ich werfe einen Blick hinein und entdecke den Notöffnungshebel, eine hervorragende Sicherheitsvorrichtung, die verhindert, dass Kinder sich beim Spielen im Kofferraum einsperren.

Ein anderer Wagen kommt mit dröhnendem Motor die Auffahrt hochgefahren. Rasch schlage ich den Kofferraumdeckel des Mercedes zu und gehe weiter.

Zehn grausame Jahre lang tobte der Trojanische Krieg. Das jungfräuliche Blut der Iphigenie, vergossen auf dem Altar zu Aulis, hatte die tausend griechischen Schiffe mit einem günstigen Wind gen Troja segeln lassen, wo jedoch kein rascher Sieg die Griechen erwartete. Denn die Götter auf dem Olymp waren zerstritten. Auf Trojas Seite waren Aphrodite und Ares, Apollo und Artemis. Auf der griechischen Seite standen Hera und Athene und Poseidon. Das Schlachtenglück flatterte zwischen den beiden Lagern hin und her, unstet wie der Wind. Helden töteten und wurden getötet, und der Dichter Vergil berichtet, dass die Erde von Blut getränkt war.

Am Ende wurden die Troer nicht mit Gewalt, sondern mit einer List in die Knie gezwungen. Als Trojas letzter Tag anbrach, erwachten seine Soldaten und erblickten ein riesiges hölzernes Pferd, das verlassen am Skäischen Tor stand.

Wenn ich an das Trojanische Pferd denke, wundere ich

mich immer wieder über die Torheit der Soldaten Trojas. Als sie das Ungetüm in die Stadt rollten, wie konnten sie da nicht ahnen, dass in seinem Bauch der Feind lauerte? Warum brachten sie es überhaupt in die befestigte Stadt? Warum verbrachten sie diese Nacht mit einem wüsten Gelage und trübten ihre Sinne durch eine weinselige Siegesfeier? Ich bilde mir ein, dass ich nicht so arglos gewesen wäre.

Vielleicht waren es ihre undurchdringlichen Stadtmauern, die sie in so trügerischer Sicherheit wiegten. Wenn die Tore einmal geschlossen sind, wenn alle Barrikaden dicht sind, wie kann der Feind dann angreifen? Er ist doch ausgesperrt, jenseits dieser dicken Mauern.

Niemand kommt auf den Gedanken, dass der Feind schon innerhalb der Tore sein könnte. Dass er schon hier ist, direkt neben dir.

Ich denke an das hölzerne Pferd, während ich Milch und Zucker in meinen Kaffee rühre.

Ich greife nach dem Telefon.

»Chirurgische Ambulanz, Helen am Apparat«, meldet sich die Sekretärin.

»Könnte ich heute Nachmittag einen Termin bei Dr. Cordell bekommen?«

»Ist es ein Notfall?«

»Nicht wirklich. Ich habe da so einen weichen Knoten am Rücken. Es tut nicht weh, aber ich hätte gern, dass sie sich das mal ansieht.«

»In etwa zwei Wochen könnte ich Sie bei ihr unterbringen.«

»Kann ich sie nicht heute Nachmittag sprechen? Nach ihrem letzten Termin?«

»Tut mir Leid, Mr. – wie war noch Ihr Name?«

»Mr. Troy.«

»Mr. Troy. Aber Dr. Cordell ist bis fünf Uhr beschäftigt, und danach fährt sie gleich nach Hause. Zwei Wochen, eher geht's wirklich nicht.«

»Macht nichts. Dann versuche ich es eben bei einem anderen Arzt.«

Ich lege auf. Ich weiß jetzt, dass sie irgendwann kurz nach fünf ihr Büro verlassen wird. Sie ist müde, sicherlich wird sie gleich nach Hause fahren wollen.

Es ist jetzt neun Uhr früh. Es wird ein Tag des Wartens werden, ein Tag der Vorfreude.

Zehn blutige Jahre lang belagerten die Griechen Troja. Zehn Jahre lang harrten sie aus, rannten gegen die Mauern des Feindes an, während ihr Geschick sich mit der Gunst der Götter hin und her wendete.

Ich habe nur zwei Jahre auf meinen verdienten Lohn gewartet.

Lange genug.

21

Die Sekretärin im Büro für studentische Angelegenheiten der Medizinischen Fakultät an der Emory University sah Doris Day zum Verwechseln ähnlich; eine Blondine mit sonnigem Gemüt, die zu einer gütigen Südstaaten-Matrone gereift war. Winnie Bliss hatte immer eine Kanne mit dampfendem Kaffee neben den Postfächern der Studenten und eine Kristallschale mit Karamellbonbons auf ihrem Schreibtisch stehen, und Moore konnte sich lebhaft vorstellen, dass ein gestresster Medizinstudent in diesem Büro einen willkommenen Zufluchtsort finden würde. Winnie arbeitete hier schon seit zwanzig Jahren, und da sie selbst keine Kinder hatte, lebte sie ihre mütterlichen Instinkte bei den Studenten aus, die jeden Tag hierher kamen, um ihre Post zu holen. Sie fütterte sie mit Keksen, gab ihnen Wohnungstipps, stand ihnen mit Rat und Tat zur Seite, wenn sie Liebeskummer hatten oder wenn sie bei einer Prüfung durchgefallen waren. Und jedes Jahr, wenn die Abschlussfeier anstand, vergoss sie heiße Tränen, weil wieder einmal einhundertzehn ihrer Kinder sie verließen. All das erzählte sie Moore in einem weichen Georgia-Akzent, während sie ihn mit Plätzchen traktierte und ihm Kaffee nachschenkte, und er glaubte ihr aufs Wort. Winnie Bliss war ganz Magnolie, ohne jede Spur von Stahl.

»Ich konnte es gar nicht glauben, als die Polizei von Savannah vor zwei Jahren hier anrief«, sagte sie, während sie sich mit einer graziösen Bewegung auf ihren Stuhl niederließ. »Ich sagte ihnen, es müsse sich um einen Irrtum handeln. Ich sah Andrew Capra doch jeden Tag, wenn er zu mir ins Büro kam, um seine Post abzuholen, und er war ein so netter junger Mann, wie man ihn sich nur wünschen kann. Höflich war er, der Junge, nie kam ein böses Wort über seine Lippen. Ich schaue den Leuten immer in die Augen, Detective Moore, einfach nur, damit sie wissen, dass ich sie wirklich *sehe.* Und in Andrews Augen habe ich einen guten Jungen gesehen.«

Das zeigt nur, wie leicht das Böse uns in die Irre führen kann, dachte Moore.

»Erinnern Sie sich an irgendwelche engen Freundschaften, die Capra während seiner vier Jahre als Student hier hatte?«, fragte Moore.

»Sie meinen so was wie einen Schatz?«

»Ich interessiere mich mehr für seine männlichen Freunde. Ich habe mit seiner ehemaligen Vermieterin hier in Atlanta gesprochen. Sie sagte, da sei ein junger Mann gewesen, der Capra gelegentlich besucht habe. Sie meinte, er sei auch Medizinstudent gewesen.«

Winnie stand auf und ging zum Aktenschrank. Sie kam mit einem Computerausdruck zurück. »Das ist die Namensliste von Andrews Jahrgang. Es waren hundertzehn Studenten, die in jenem Jahr angefangen hatten. Ungefähr die Hälfte davon Männer.«

»Hatte er unter ihnen irgendwelche engen Freunde?«

Sie überflog die drei Seiten und schüttelte den Kopf. »Tut mir Leid. Ich kann mich einfach nicht erinnern, dass irgendjemand auf dieser Liste ihm besonders nahe gestanden hätte.«

»Wollen Sie damit sagen, dass er keine Freunde hatte?«

»Ich will nur sagen, dass ich keine Freunde von ihm *kenne.*«

»Darf ich die Liste mal sehen?«

Winnie reichte sie ihm. Er las die Liste von oben bis unten durch, stieß aber auf keinen Namen außer dem Capras, der ihm bekannt vorkam. »Wissen Sie, wo alle diese Studenten heute wohnen?«

»Ja. Ich aktualisiere die Adressenliste immer für das Rundschreiben an die Ehemaligen.«

»Wohnt irgendjemand von ihnen im Raum Boston?«

»Ich schaue mal nach.« Sie drehte ihren Stuhl zum Computer um, und ihre polierten pinkfarbenen Fingernägel begannen auf der Tastatur zu steppen. Winnie Bliss' Arglosigkeit ließ sie wie eine Frau aus einer vergangenen, kultivierteren Epoche erscheinen, und Moore fand es sonderbar, sie so geschickt mit dem Computer hantieren zu sehen. »Da ist jemand in Newton, Massachusetts. Ist das in der Nähe von Boston?«

»Ja.« Moore beugte sich vor; sein Puls ging plötzlich schneller. »Wie heißt er?«

»Es ist eine Sie. Latisha Green. Sehr nettes Mädchen. Sie hat mir immer diese Riesentüten mit Pekannüssen mitgebracht. Das war natürlich ganz schön unartig von ihr, wo sie doch wusste, wie ich auf meine Figur achte, aber ich glaube, es machte ihr einfach Spaß, Leute zu füttern. So war sie nun mal.«

»War sie verheiratet? Oder hatte sie einen Freund?«

»Oh, sie hat einen *wunderbaren* Mann! Der größte Mann, den ich je gesehen habe. Fast zwei Meter lang, und dann diese fantastische schwarze Haut.«

»Schwarz«, wiederholte er.

»Ja. Glänzend wie poliertes Leder.«

Moore seufzte und wandte sich wieder der Liste zu. »Und sonst wohnt Ihres Wissens niemand aus Capras Jahrgang in der Nähe von Boston?«

»Nach meiner Liste nicht.« Sie drehte sich zu ihm um. »Oh. Sie sehen enttäuscht aus.« Sie klang bekümmert, als ob sie sich persönlich die Schuld dafür gäbe, dass sie ihm nicht weiterhelfen konnte.

»Ich scheine heute nur Nieten zu ziehen«, gab er zu.

»Nehmen Sie sich doch ein Bonbon.«

»Nein, vielen Dank.«

»Sie müssen wohl auch auf Ihr Gewicht achten?«

»Ich mache mir einfach nichts aus Süßigkeiten.«

»Dann sind Sie hundertprozentig *kein* Südstaatler.«

Er konnte nicht anders, er musste einfach lachen. Winnie Bliss, mit ihren großen Augen und ihrer weichen Stimme, hatte ihn bezaubert, so wie sie sicherlich alle Studenten bezaubert hatte, die je ihr Büro betreten hatten, ob Männlein oder Weiblein. Sein Blick ging hinauf zu der Wand hinter ihr, wo eine Reihe von Gruppenfotos hingen. »Sind das die Jahrgänge der medizinischen Fakultät?«

Sie drehte sich zur Wand um. »Ich lasse meinen Mann bei jeder Abschlussfeier ein Foto machen. Ist gar nicht so einfach, diese Studenten auf ein Bild zu kriegen. Es ist schlimmer, als einen Sack Flöhe zu hüten, sagt mein Mann. Aber ich will nun mal mein Foto haben, und ich *kriege* es auch. Haben Sie schon mal so viele nette junge Menschen auf einem Haufen gesehen?«

»Welches ist Andrew Capras Abschlussklasse?«

»Ich zeige Ihnen das Jahrbuch. Da stehen auch die Namen drin.« Sie stand auf und ging zu einem Bücherschrank mit Glastüren. Ehrfurchtsvoll zog sie einen schmalen Band aus dem Regal und strich leicht mit der Hand über den Einband, wie um den nicht vorhandenen Staub abzuwischen. »Das ist das Jahr, in dem Andrew seinen Abschluss gemacht hat. Darin sind Fotos von allen seinen Kommilitonen, und da können Sie auch nachlesen, wer wo als AiP eingestellt wurde.« Sie zögerte kurz und hielt ihm dann das Buch hin. »Das ist mein einziges Exemplar. Wenn Sie es sich also bitte hier anschauen könnten, anstatt es mitzunehmen?«

»Ich werde mich dort in die Ecke setzen, wo ich Ihnen nicht im Weg bin. Da haben Sie mich auch immer im Auge. Was halten Sie von dem Vorschlag?«

»Oh, ich sage doch nicht, dass ich Ihnen nicht vertraue!«

»Na, das sollten Sie auch nicht«, erwiderte er mit einem Augenzwinkern. Sie errötete wie ein Schulmädchen.

Er nahm das Buch mit zu der kleinen Sitzecke, wo die Kaffeekanne und die Keksschale standen. Dort ließ er sich in einen abgewetzten Sessel sinken und schlug das Jahrbuch der Medizinischen Fakultät von Emory auf. Es ging auf Mittag zu, und einige milchgesichtige Studenten in weißen Kitteln kamen hereingeschneit, um nach ihrer Post zu sehen. Seit wann konnten denn Kinder Ärzte werden? Er konnte sich nicht vorstellen, seinen in Würde gereiften Körper der Obhut dieser Jungspunde anzuvertrauen. Er sah ihre neugierigen Blicke und hörte Winnie Bliss flüstern: »Er ist ein Detective aus Boston, von der *Mordkommission.*« Ja, genau, dieser abgetakelte Alte, der dort in der Ecke hockte.

Moore verkroch sich noch tiefer in seinen Sessel und wandte sich den Fotos zu. Neben jedem stand der Name des Studenten oder der Studentin, seine oder ihre Heimatstadt sowie das Krankenhaus, in dem er oder sie zur Facharztausbildung angenommen worden war. Als er zu Capras Foto kam, hielt er inne. Capra schaute unverwandt in die Kamera, ein lächelnder junger Mann mit ernsten Augen, die nichts zu verbergen schienen. Das war es, was Moore am erschreckendsten fand – dass die Raubtiere sich unerkannt inmitten ihrer Opfer bewegten.

Neben Capras Foto war sein Facharztprogramm verzeichnet: *Chirurgie, Riverland Medical Center, Savannah, Georgia.*

Er fragte sich, wer sonst noch aus Capras Jahrgang eine Facharztausbildung in Savannah aufgenommen hatte; wer sonst noch in dieser Stadt gewohnt hatte, während Capra begonnen hatte, Frauen abzuschlachten. Er blätterte das Buch durch und überflog die aufgelisteten Kliniken; dabei stellte er fest, dass drei weitere Medizinstudenten im Großraum Savannah in Facharztprogramme aufgenommen worden waren. Zwei davon waren Frauen; der dritte war asiatischer Herkunft.

Wieder eine Sackgasse.

Entmutigt ließ er sich zurücksinken. Das Buch blätterte sich in seinem Schoß auf, und sein Blick fiel auf das Foto des Dekans der Medizinischen Fakultät, der ihn anlächelte. Darunter war sein Grußwort zur Abschlussfeier abgedruckt: *Die Welt zu heilen.*

Am heutigen Tage legen einhundertacht tüchtige junge Menschen einen feierlichen Eid ab, der am Ende einer langen und mühevollen Reise steht. Dieser Eid, der für alle Ärzte und Heilkundigen gilt, darf nicht auf die leichte Schulter genommen werden, denn er soll ein Leben lang gelten…

Moore setzte sich kerzengerade auf und las die Botschaft des Dekans noch einmal.

Am heutigen Tage legen einhundertacht tüchtige junge Menschen…

Er stand auf und ging auf Winnies Schreibtisch zu. »Mrs. Bliss?«

»Ja, Detective?«

»Sie sagten, in Andrews erstem Semester seien hundertzehn Studenten gewesen.«

»Wir lassen jedes Jahr genau hundertzehn zu.«

»Aber hier in der Rede des Dekans heißt es, dass nur hundertacht ihren Abschluss gemacht haben. Was ist aus den anderen zwei geworden?«

Winnie schüttelte betrübt den Kopf. »Ich bin immer noch nicht drüber weg, was mit dem armen Mädchen passiert ist.«

»Mit welchem Mädchen?«

»Laura Hutchinson. Sie hat in einer Klinik auf Haiti gearbeitet. Das ist ein Wahlprogramm, das bei uns angeboten wird. Die Straßen dort, na ja, die sind ziemlich katastrophal, wie man so hört. Der Laster ist in den Graben gefahren und hat sie unter sich begraben.«

»Es war also ein Unfall.«

»Sie war hinten auf dem Laster mitgefahren. Es hat zehn Stunden gedauert, bis sie sie da rausholen konnten.«

»Was ist mit dem anderen Studenten? Da war noch einer aus dem Jahrgang, der keinen Abschluss gemacht hat.«

Winnie senkte den Blick, und er konnte sehen, dass sie keine große Lust hatte, über dieses Thema zu sprechen.

»Mrs. Bliss?«

»Das kommt halt immer mal wieder vor«, sagte sie. »Dass einer das Studium abbricht. Wir versuchen, ihnen gut zuzureden, damit sie weitermachen, aber, na ja, manche haben *wirklich* so ihre Probleme mit dem Stoff.«

»Und dieser Student – wie war sein Name?«

»Warren Hoyt.«

»Er hat das Studium abgebrochen?«

»Ja, so könnte man es nennen.«

»Hatte er Probleme mit dem Studium?«

»Nun ja …« Sie blickte sich um, als suche sie vergeblich nach Hilfe. »Vielleicht könnten Sie sich mit einem unserer Professoren unterhalten, mit Dr. Kahn. Er wird Ihnen Ihre Fragen beantworten können.«

»Sie kennen die Antwort nicht?«

»Es ist eher … eine Privatangelegenheit. Es ist besser, wenn Dr. Kahn es Ihnen sagt.«

Moore sah auf seine Uhr. Er hatte noch an diesem Abend nach Savannah zurückfliegen wollen, doch es sah nicht so aus, also ob er es schaffen würde. »Wo kann ich Dr. Kahn finden?«

»Im Anatomielabor.«

Er konnte das Formalin schon vom Flur aus riechen. Moore blieb vor der Tür mit der Aufschrift ANATOMIE stehen und machte sich innerlich auf das gefasst, was ihn dahinter erwartete. Er glaubte vorbereitet zu sein, doch als er eintrat, war er trotz allem einen Augenblick lang überwältigt von dem Anblick. Achtundzwanzig Tische, in vier Reihen angeordnet, füllten die gesamte Länge des Saales aus. Auf den Tischen lagen Leichen in verschiedenen Stadien der Zerlegung und Präparierung. Anders als die Leichen, die Moore im Labor der Rechtsmedizin zu sehen gewohnt war, wirkten diese Körper künstlich; ihre Haut war zäh wie Leder, die freigelegten und präparierten Blutgefäße leuchtend rot und blau gefärbt. Heute war der Kopf an der Reihe, und die Studenten waren damit beschäftigt, das Netzwerk der Gesichtsmuskeln zu entwirren. Je vier Studenten waren einer Leiche zugeteilt, und der Saal war von einem vielstimmigen Gemurmel erfüllt. Passagen aus Lehrbüchern wurden laut vorgelesen, Fragen und Ratschläge ausgetauscht. Wären da nicht die grausigen Untersuchungsgegenstände auf den Tischen gewesen, es hätte sich bei diesen Studenten ebenso gut um Fabrikarbeiter handeln können, die mit irgendwelchen Maschinenteilen beschäftigt waren.

Eine junge Frau blickte neugierig zu Moore auf, dem Fremden im Straßenanzug, der sich in ihren Saal verirrt hatte. »Suchen Sie jemanden?«, fragte sie, während ihr Skalpell zum Einschnitt bereit über der Wange einer Leiche schwebte.

»Dr. Kahn.«

»Er ist am anderen Ende des Saals. Sehen Sie den großen Mann dort mit dem weißen Bart?«

»Ich sehe ihn, danke.« Er ging an der langen Reihe von Tischen vorbei, und jede Leiche zog unausweichlich seine Blicke auf sich. Die Frau mit den ausgezehrten Gliedmaßen, die wie vertrocknete Zweige auf dem Stahltisch lagen. Der Farbige, in dessen Haut eine tiefe Wunde klaffte, durch die man die kräftigen Muskeln seines Oberschenkels erkennen konnte. Am Ende der Tischreihe lauschte eine Gruppe von Studenten aufmerksam einem Mann, der wie ein Weihnachtsmann im weißen Kittel wirkte und gerade auf die feinen Fasern des Gesichtsnervs deutete.

»Dr. Kahn?«, sagte Moore.

Kahn blickte auf, und sofort war jede Ähnlichkeit mit dem Weihnachtsmann verschwunden. Dieser Mann hatte dunkle, durchdringende Augen, in denen keine Spur von Humor zu erkennen war. »Ja?«

»Ich bin Detective Moore. Mrs. Bliss vom Büro für studentische Angelegenheiten hat mich zu Ihnen geschickt.«

Kahn richtete sich zu voller Länge auf, und plötzlich sah Moore sich einem Berg von einem Mann gegenüber. Das Skalpell wirkte in seiner Pranke fast lächerlich klein und zerbrechlich. Er legte das Instrument hin und zog die Handschuhe aus. Als er sich umdrehte, um sich die Hände in einem Waschbecken zu waschen, sah Moore, dass Kahn sein weißes Haar zu einem Pferdeschwanz gebunden hatte.

»Also, worum geht's denn nun?«, fragte Kahn, während er nach einem Papierhandtuch griff.

»Ich habe ein paar Fragen zu einem Medizinstudenten im ersten Semester, den Sie vor sieben Jahren hier ausgebildet haben. Warren Hoyt.«

Kahn wandte ihm den Rücken zu, doch Moore konnte erkennen, wie der kräftige, vor Wasser triefende Arm über dem Waschbecken plötzlich erstarrte. Dann riss Kahn das Handtuch mit einem kräftigen Ruck aus dem Spender und trocknete sich schweigend die Hände.

»Erinnern Sie sich an ihn?«, fragte Moore.

»Ja.«

»Gut?«

»Er war ein Student, den man nicht so leicht vergisst.«

»Können Sie mir mehr dazu sagen?«

»Eher nicht.« Kahn warf das zusammengeknüllte Handtuch in den Mülleimer.

»Es handelt sich hier um eine kriminalpolizeiliche Ermittlung, Dr. Kahn.«

Inzwischen wurden sie von mehreren Studenten angestarrt, deren Interesse durch das Wort »kriminalpolizeilich« geweckt worden war.

»Gehen wir in mein Büro.«

Moore folgte ihm in ein Nebenzimmer. Durch die gläserne Trennwand hatten sie das Labor und alle 28 Tische im Blick. Eine kleine Totenstadt.

Kahn schloss die Tür und wandte sich zu Moore um. »Warum fragen Sie nach Warren? Was hat er getan?«

»Gar nichts, soweit wir wissen. Ich muss nur etwas über seine Beziehung zu Andrew Capra in Erfahrung bringen.«

»Andrew Capra?« Kahn prustete verächtlich. »Unser berühmtester Absolvent. Das ist doch etwas, womit sich jede medizinische Fakultät gerne schmückt. Einem gefährlichen Psychopathen beigebracht zu haben, wie man ein Skalpell führt.«

»Hielten Sie Capra für geistesgestört?«

»Ich weiß nicht, ob es eine psychiatrische Diagnose gibt, die auf Capra gepasst hätte.«

»Und was hatten Sie für einen Eindruck von ihm?«

»Ich habe nichts Außergewöhnliches an ihm bemerkt. Andrew erschien mir vollkommen normal.«

Eine Beschreibung, die Moore mit jeder Wiederholung noch beängstigender vorkam.

»Und was ist mit Warren Hoyt?«

»Warum fragen Sie nach Warren?«

»Ich muss wissen, ob er und Capra befreundet waren.«

Kahn überlegte. »Ich weiß es nicht. Ich kann Ihnen nicht sagen, was außerhalb dieses Labors vor sich geht. Alles, was ich sehe, spielt sich in diesem Saal ab. Das sind Studenten, die sich nach Kräften bemühen, eine enorme Menge von Informationen in ihre überarbeiteten Gehirne hineinzustopfen. Nicht alle sind in der Lage, mit dem Stress umzugehen.«

»Ist es das, was mit Warren passiert ist? Hat er deswegen sein Medizinstudium abgebrochen?«

Kahn wandte sich zu der Glaswand um und blickte in das Anatomielabor. »Haben Sie sich je gefragt, wo diese Leichen eigentlich herkommen?«

»Wie bitte?«

»Wie die Universitätsinstitute an sie herankommen? Wie sie auf diesen Tischen landen, wo sie dann zerschnippelt werden?«

»Ich nehme an, es gibt Leute, die ihren Körper der Wissenschaft zur Verfügung stellen.«

»Genau. Jede dieser Leichen war einmal ein Mensch, der eine zutiefst großmütige Entscheidung fällte. Sie haben uns ihre Körper vermacht. Anstatt zuzulassen, dass ihre Körper die Zeit bis zum Jüngsten Gericht in einem Rosenholzsarg verbringen, haben sie sich entschlossen, mit ihren Überresten etwas Nützliches anzustellen. An ihnen lernt unsere nächste Generation von Ärzten. Das geht nicht ohne echte Leichen. Die Studenten müssen alle Ausprägungen der menschlichen Anatomie in ihrer dreidimensionalen Anordnung kennen lernen. Sie müssen mit einem Skalpell die Verzweigungen der Halsschlagader und die Muskeln des Gesichts erforschen. Gewiss, manches davon kann man an einem Computer lernen, aber es ist nicht dasselbe, wie wenn man tatsächlich die Haut aufschneidet, um einen feinen Nervenstrang zu isolieren. Dazu braucht es einen Menschen aus Fleisch und Blut. Man braucht Leute, die so viel Großzügigkeit und guten Willen besitzen, dass sie das Individuellste hergeben, was sie besitzen – ihren eigenen Körper. Ich bin überzeugt, dass jede dieser Leichen einmal ein ganz außergewöhnlicher Mensch war. Und so behandle ich sie auch, und ich erwarte von meinen Studenten, dass auch sie darauf Rücksicht nehmen. In diesem Saal wird nicht rumgealbert, hier werden keine blöden Witze gerissen. Sie sollen diese Leichen und alle Leichenteile mit Respekt behandeln. Wenn die Sektionen abgeschlossen sind, werden die Überreste verbrannt und mit Würde beigesetzt.« Er drehte sich um und sah Moore in die Augen. »So wird das in meinem Labor gehandhabt.«

»Und was hat das alles mit Warren Hoyt zu tun?«

»Sehr viel.«

»Der Grund für seinen Studienabbruch?«

»Ja.« Kahn wandte sich wieder zum Fenster.

Moore wartete, den Blick auf den Rücken des Professors geheftet. Er wollte ihm Zeit geben, die passenden Worte zu finden.

»Eine Sektion«, sagte Kahn, »ist ein langwieriger Prozess. Manche Studenten werden innerhalb der vorgegebenen Zeit nicht mit den Aufgaben fertig. Manche brauchen zusätzlich Zeit, um sich komplizierte anatomische Zusammenhänge noch einmal vor Augen zu führen. Deshalb gewähre ich ihnen jederzeit Zugang zum Labor. Sie haben alle einen Schlüssel zu diesem Gebäude, und sie können, wenn sie wollen, auch mitten in der Nacht hierher kommen, um zu arbeiten. Manche tun das tatsächlich.«

»Hat Warren das auch getan?«

Eine Pause. »Ja.«

Ein schrecklicher Verdacht beschlich Moore, und seine Nackenhaare begannen sich zu sträuben.

Kahn ging zu einem Aktenschrank, öffnete eine Schublade und begann die dicht gepackten Akten zu durchsuchen. »Es war an einem Sonntag. Ich war übers Wochenende weggefahren, und an jenem Abend war ich noch ins Labor gekommen, um ein Musterexemplar für den Unterricht am Montag zu präparieren. Sie müssen wissen, dass manche von diesen jungen Leuten sich beim Sezieren sehr ungeschickt anstellen und regelrecht Hackfleisch aus ihren Objekten machen. Ich versuche also immer eine gute Sektion zu Demonstrationszwecken bereitzuhalten, um ihnen die anatomischen Details zeigen zu können, die sie bei ihren eigenen Leichen vielleicht schon zerstört haben. Wir nahmen gerade das System der Fortpflanzungsorgane durch, und die

Studenten hatten bereits damit begonnen, diesen Bereich zu sezieren. Ich weiß noch, dass es sehr spät war, als ich zum Campus fuhr; schon nach Mitternacht. Ich sah Licht im Labor und dachte, es sei wohl nur ein übereifriger Student, der sich hier die Nacht um die Ohren schlug, um gegenüber seinen Kommilitonen einen Vorsprung zu haben. Ich betrat das Gebäude, ging den Flur entlang und öffnete die Tür zum Labor.«

»Warren Hoyt war hier«, riet Moore.

»Ja.« Kahn hatte gefunden, was er in der Aktenschublade gesucht hatte. Er nahm die Mappe heraus und wandte sich zu Moore. »Als ich sah, was er da tat, da – nun ja, da verlor ich einfach die Beherrschung. Ich packte ihn am Hemdkragen und stieß ihn gegen das Waschbecken. Ich ging nicht eben sanft mit ihm um, das gebe ich zu, aber ich war so wütend, dass ich einfach nicht anders konnte. Ich werde immer noch wütend, wenn ich nur daran denke.« Er atmete tief aus, doch selbst heute, nach fast sieben Jahren, gelang es ihm noch kaum, sich zu beruhigen. »Nachdem – nachdem ich ordentlich auf ihn eingeschrien hatte, zerrte ich ihn hier in mein Büro. Ich befahl ihm, sich hinzusetzen und eine Erklärung zu unterschreiben, wonach er mit Wirkung von acht Uhr am folgenden Tag aus diesem Institut ausscheiden würde. Ich würde nicht von ihm verlangen, irgendwelche Gründe anzugeben, doch wenn er nicht unterschriebe, würde ich mit meinem Bericht über das, was ich im Labor gesehen hatte, an die Öffentlichkeit gehen. Natürlich war er einverstanden. Er hatte keine Wahl. Er nahm das Ganze auch erstaunlich gelassen hin. Das schien mir überhaupt das Merkwürdigste an ihm – nichts brachte ihn aus der Fassung. Er ging völlig ruhig und rational damit um. Aber so war Warren. Sehr vernunftgesteuert. Nie regte er sich über irgendetwas auf. Er war fast …« Kahn zögerte. »Fast wie eine Maschine.«

»Und was genau haben Sie gesehen? Was hat er hier im Labor gemacht?«

Kahn reichte Moore die Aktenmappe. »Es ist alles hier drin niedergeschrieben. Ich habe es all die Jahre bei den Akten behalten, für den Fall, dass Warren irgendwann rechtliche Schritte einleiten würde. Wissen Sie, heutzutage können die Studenten einen ja für alles Mögliche verklagen. Ich wollte meine Erwiderung parat haben, falls er je versuchen sollte, wieder an dieser Fakultät zugelassen zu werden.«

Moore nahm die Mappe. Auf dem Deckel stand einfach nur »Hoyt, Warren«. Sie enthielt drei maschinengeschriebene Bogen.

»Warren hatte eine weibliche Leiche zugewiesen bekommen«, sagte Kahn. »Er und seine Laborpartner hatten mit der Beckensektion begonnen und die Blase sowie den Uterus freigelegt. Die Organe sollten nicht entfernt, sondern nur bloßgelegt werden. An diesem Sonntagabend war Warren gekommen, um die Arbeit zu vollenden. Aber aus einer sorgfältigen Sektion wurde eine wüste Verstümmelung. Er legte die Organe nicht nur frei, sondern er schnitt sie heraus. Zuerst trennte er die Blase heraus und ließ sie zwischen den Beinen der Leiche liegen. Dann riss er die Gebärmutter heraus. Er tat das alles ohne Handschuhe, als wollte er die Organe auf seiner Haut *spüren*. Und so habe ich ihn angetroffen. In der einen Hand hielt er das triefende Organ. Und mit der anderen Hand…« Kahn war so angewidert, dass ihm die Stimme versagte.

Was Kahn nicht über die Lippen bringen konnte, stand schwarz auf weiß auf der Seite, die Moore jetzt las. Moore beendete den Satz für ihn. »… masturbierte er.«

Kahn ging zu seinem Schreibtisch und ließ sich auf den Sessel sinken. »Das ist der Grund, weshalb ich nicht zulassen konnte, dass er seinen Abschluss machte. Mein Gott, was für ein Arzt wäre denn aus ihm geworden? Wenn er einer Leiche so etwas antun konnte, was würde er dann erst mit lebenden Patientinnen anstellen?«

Ich weiß, was er anstellt. Ich habe sein Werk mit eigenen Augen gesehen.

Moore wandte sich der dritten Seite von Hoyts Akte zu und las den letzten Absatz von Dr. Kahns Memorandum.

Mr. Hoyt willigt ein, freiwillig aus der medizinischen Fakultät auszuscheiden, und zwar mit Wirkung von morgen früh acht Uhr. Im Gegenzug werde ich über diesen Vorfall Stillschweigen bewahren. Aufgrund der Verstümmelung des Leichnams werden seine Laborpartner von Tisch 19 für diese Phase der Sektion anderen Teams zugewiesen.

Laborpartner.

Moore sah Kahn an. »Wie viele Laborpartner hatte Warren?«

»An jedem Tisch arbeiten vier Studenten.«

»Und wer waren die anderen drei?«

Kahn runzelte die Stirn. »Das weiß ich nicht mehr. Es ist schließlich sieben Jahre her.«

»Sie führen darüber nicht Buch?«

»Nein.« Er überlegte kurz. »Ich erinnere mich allerdings an eine junge Frau, die seine Laborpartnerin war.« Er drehte sich zu seinem Computer um und rief die Dateien mit den Immatrikulationslisten auf. Warren Hoyts Erstsemesterjahrgang erschien auf dem Monitor. Kahn überflog die Namensliste und sagte dann:

»Da ist sie. Emily Johnstone. An die erinnere ich mich noch.«

»Warum?«

»Nun ja, zunächst einmal, weil sie wirklich entzückend aussah. Eine Meg-Ryan-Doppelgängerin. Und außerdem wollte sie wissen, wieso Warren sein Studium abgebrochen hatte. Ich mochte ihr den Grund nicht sagen, und da rückte sie mit der Sprache heraus und fragte, ob es irgendetwas mit

Frauen zu tun habe. Anscheinend war er Emily auf dem Campus nachgestiegen, und es war ihr allmählich nicht mehr geheuer. Versteht sich, dass sie erleichtert war, als er aus der Fakultät ausschied.«

»Halten Sie es für denkbar, dass sie sich an ihre beiden anderen Laborpartner erinnert?«

»Möglich wär's.« Kahn griff nach dem Telefon und rief im Büro für studentische Angelegenheiten an. »Hallo, Winnie. Haben Sie die aktuelle Telefonnummer von Emily Johnstone?« Er nahm einen Stift, notierte sich die Nummer und legte auf. »Sie arbeitet in einer Praxis in Houston«, sagte er, während er erneut wählte. »Dort ist es jetzt elf Uhr, da dürfte sie in der Praxis sein... Hallo, Emily? Hier spricht eine Stimme aus Ihrer Vergangenheit. Dr. Kahn von der Emory University. Genau, das Anatomielabor. Graue Vorzeit, was?«

Moore beugte sich vor. Sein Puls begann zu rasen.

Als Kahn schließlich auflegte und ihn anschaute, konnte Moore die Antwort an seinen Augen ablesen.

»Sie erinnert sich tatsächlich an ihre beiden anderen Laborpartner«, sagte Kahn. »Die eine war eine Studentin namens Barb Lippman. Und der andere...«

»Capra?«

Kahn nickte. »Der vierte Laborpartner war Andrew Capra.«

22

Catherine blieb in der Tür von Peters Büro stehen. Er saß an seinem Schreibtisch und merkte nicht, dass sie ihn beobachtete, während sein Füllfederhalter über das Papier eines Krankenblatts kratzte. Sie hatte sich nie wirklich die Zeit genommen, ihn in Ruhe zu betrachten, und als sie es jetzt tat, musste sie trotz allem lächeln. Er war voll auf seine Arbeit konzentriert, das Musterbild des engagierten Arztes – bis auf ein einziges merkwürdiges Detail: den Papierflieger auf dem Fußboden. Peter und seine verrückten fliegenden Kisten.

Sie klopfte an den Türrahmen. Er drehte sich um und blinzelte sie überrascht über den Brillenrand hinweg an.

»Kann ich dich kurz sprechen?«, fragte sie.

»Natürlich. Komm rein.«

Sie setzte sich ihm gegenüber an den Schreibtisch. Er sagte nichts und wartete geduldig, bis sie das Wort ergriff. Sie hatte den Eindruck, dass er nicht von der Stelle gewichen wäre, ganz gleich, wie viel Zeit sie sich gelassen hätte. Er hätte auf sie gewartet.

»Zwischen uns hat es… einige Spannungen gegeben«, sagte sie.

Er nickte.

»Ich weiß, dass es dir genauso viel ausmacht wie mir. Und es macht mir sehr viel aus. Weil ich dich immer gemocht habe, Peter. Es hat vielleicht nicht den Anschein, aber es ist so.« Sie holte Luft, während sie nach den richtigen Worten suchte. »Diese Probleme zwischen uns, die haben gar nichts mit dir zu tun. Es liegt alles nur an mir. In meinem Leben herrscht zur Zeit ein solches Chaos. Es ist schwer zu erklären.«

»Das musst du auch nicht.«

»Es ist bloß – ich merke, dass wir auseinander driften. Nicht nur als Kollegen, auch als Freunde. Es ist schon komisch, dass ich diese Freundschaft zwischen uns nie so richtig wahrgenommen habe. Ich wusste nicht, wie viel sie mir bedeutet, bis ich plötzlich das Gefühl hatte, dass sie mir entgleitet.« Sie stand auf. »Also, es tut mir jedenfalls Leid. Das wollte ich nur gesagt haben.«

Sie ging auf die Tür zu.

»Catherine«, sagte er leise. »Ich weiß Bescheid über Savannah.«

Sie fuhr herum und starrte ihn an. Er sah ihr fest in die Augen.

»Detective Crowe hat es mir gesagt«, fügte er hinzu.

»Wann?«

»Vor ein paar Tagen, als ich mich mit ihm über den Einbruch in unserer Praxis unterhielt. Er nahm an, ich wüsste es schon.«

»Du hast nichts davon gesagt.«

»Es stand mir nicht zu, das Thema anzuschneiden. Ich wollte, dass du es mir aus freien Stücken erzählst. Ich wusste, du brauchst Zeit, und ich war bereit, so lange zu warten, bis du das Gefühl hattest, mir vertrauen zu können.«

Sie stieß einen Seufzer aus. »Na schön. Dann weißt du also jetzt das Schlimmste von mir.«

»Nein, Catherine.« Er stand auf und blickte sie unverwandt an. »Ich weiß das *Beste* von dir! Ich weiß, wie stark du bist, wie tapfer. Die ganze Zeit hatte ich doch keine Ahnung, womit du fertig werden musstest. Du hättest es mir sagen können. Du hättest dich mir anvertrauen können.«

»Ich dachte, es würde alles zwischen uns verändern.«

»Wie kommst du denn darauf?«

»Ich will nicht, dass du Mitleid mit mir hast. Ich will niemals von irgendjemand bedauert werden.«

»Wofür denn auch? Dafür, dass du dich gewehrt hast? Dass du so gut wie keine Chance gehabt und sie trotzdem genutzt und überlebt hast? Warum zum Henker sollte ich Mitleid mit dir haben?«

Sie kämpfte gegen die Tränen an. »Andere Männer würden so reagieren.«

»Dann kennen sie dich nicht wirklich. Nicht so wie ich dich kenne.« Er ging um seinen Schreibtisch herum und trat auf sie zu. »Erinnerst du dich noch an den Tag, als wir uns das erste Mal begegnet sind?«

»Als ich zu meinem Vorstellungsgespräch kam?«

»Woran erinnerst du dich?«

Sie schüttelte verwirrt den Kopf. »Wir haben uns über die Praxis unterhalten. Darüber, wie ich mich hier zurechtfinden würde.«

»Du hast unser Treffen also nur als eine dienstliche Besprechung in Erinnerung?«

»Das war es ja auch.«

»Komisch. Ich denke ganz anders darüber. Ich kann mich kaum noch erinnern, was für Fragen ich dir gestellt habe, oder was du *mich* gefragt hast. Was ich noch weiß, ist, wie ich von meinem Schreibtisch hochschaute und dich hereinkommen sah. Und ich war von den Socken. Mir wollte nichts einfallen, was nicht entweder banal oder albern oder einfach hundsgewöhnlich geklungen hätte. Ich wollte kein hundsgewöhnlicher Typ sein, nicht in deinen Augen. Ich dachte: Das ist eine Frau, die alles hat. Sie ist klug und sie ist schön. Und sie steht direkt vor mir.«

»Ach Gott, da hast du aber schwer danebengelegen. Ich hatte überhaupt nicht alles.« Wieder blinzelte sie, weil ihr die Tränen in die Augen stiegen. »Das hatte ich noch nie. Im Gegenteil, ich schaffe es gerade mal, nicht im Chaos zu versinken …«

Wortlos nahm er sie in die Arme. Es war eine vollkommen natürliche, unkomplizierte Geste, ohne die übliche Verlegenheit und Unbeholfenheit einer ersten Umarmung. Er hielt sie ganz einfach im Arm, ohne irgendetwas von ihr zu fordern. Ein Freund, der eine Freundin tröstete.

»Sag mir, wie ich dir helfen kann«, sagte er. »Ganz egal, was es ist.«

Sie seufzte. »Ich bin so müde, Peter. Könntest du einfach nur mit mir zu meinem Wagen gehen?«

»Ist das alles?«

»Das ist alles, was ich im Moment wirklich brauche. Dass jemand, dem ich vertrauen kann, mich begleitet.«

Er trat einen Schritt zurück und lächelte. »Dann bin ich hundertprozentig der Richtige.«

Die fünfte Etage der Parkgarage war menschenleer, und der Widerhall ihrer Schritte auf dem Beton klang, als ob eine Schar gespenstischer Verfolger ihnen auf den Fersen sei. Wäre sie allein gewesen, dann hätte sie sich die ganze Zeit nervös umgeschaut. Aber Peter war an ihrer Seite, und sie hatte keine Angst. Er ging mit ihr zu ihrem Mercedes. Er wartete, bis sie sich hinter das Steuer gesetzt hatte. Dann schlug er die Fahrertür zu und deutete auf das Schloss.

Sie nickte und drückte auf den Knopf der Zentralverriegelung. Ein beruhigendes Klicken, und sämtliche Türen waren gesichert.

»Ich ruf dich später an«, sagte er.

Als sie davonfuhr, konnte sie ihn im Rückspiegel sehen. Er winkte ihr nach. Dann verschwand er aus ihrem Gesichtsfeld, als sie um die Ecke bog und die Rampe herunterfuhr.

Auf dem Nachhauseweg in die Back Bay konnte sie sich das Lächeln nicht verkneifen.

Manche Männer sind es wert, dass man ihnen vertraut, hatte Moore zu ihr gesagt.

Aber welche?

Das wirst du nicht wissen können, bis es hart auf hart

kommt. Dann wird er derjenige sein, der immer noch an deiner Seite steht.

Ob als Freund oder als Liebhaber, Peter würde immer einer dieser Männer sein.

Als sie die Commonwealth Avenue erreicht hatte, verlangsamte sie die Fahrt, bog in die Einfahrt zu ihrem Gebäude ein und drückte auf den Knopf der Garagen-Fernbedienung. Rumpelnd öffnete sich das Sicherheitstor, und sie fuhr hindurch. Im Rückspiegel beobachtete sie, wie das Tor sich wieder schloss. Erst jetzt parkte sie auf ihrem Stellplatz ein. Solche Vorsichtsmaßnahmen waren ihr schon in Fleisch und Blut übergegangen, und nie ließ sie eines dieser Rituale ausfallen. Sie warf einen prüfenden Blick in den Fahrstuhl, bevor sie eintrat; ließ den Blick durch den Flur schweifen, bevor sie die Kabine wieder verließ. Kaum hatte sie ihre Wohnung betreten, da verriegelte sie sämtliche Schlösser. Die Festung war gesichert. Erst jetzt konnte sie sich endgültig entspannen.

Sie stand an ihrem Fenster, nippte an einem Eistee und genoss die kühle Luft ihres Apartments, während sie auf die Straße herabblickte, wo die Menschen mit schweißglänzenden Gesichtern vorübereilten. In den vergangenen sechsunddreißig Stunden hatte sie drei Stunden Schlaf bekommen. Ich habe mir diese kleine Wohltat redlich verdient, dachte sie, als sie sich das eiskalte Glas an die Wange hielt. Ich habe es verdient, heute Abend früh ins Bett zu gehen und das Wochenende mit ausgiebigem Nichtstun zu verbringen. Sie würde nicht an Moore denken. Sie würde den Schmerz nicht an sich heranlassen. Noch nicht.

Sie leerte ihr Glas und hatte es gerade in der Küche abgestellt, als ihr Piepser losging. Ein Anruf aus dem Krankenhaus war das Allerletzte, womit sie sich jetzt herumschlagen wollte. Als sie in der Telefonzentrale des Pilgrim Hospital zurückrief, konnte sie die Verärgerung in ihrer Stimme nicht verbergen.

»Hier spricht Dr. Cordell. Ich weiß, dass Sie mich gerade angerufen haben, aber ich habe heute Abend keinen Dienst. Wissen Sie was, ich werde meinen Piepser jetzt einfach ausschalten.«

»Tut mir Leid, Sie zu belästigen, Dr. Cordell, aber der Sohn eines gewissen Herman Gwadowski hat angerufen. Er besteht darauf, sich heute Nachmittag mit Ihnen zu treffen.«

»Unmöglich. Ich bin schon zu Hause.«

»Ja, ich sagte ihm auch, dass Sie schon ins Wochenende gegangen sind. Aber er sagt, er sei nur noch heute in der Stadt. Er will Sie sprechen, bevor er einen Anwalt einschaltet.«

Einen Anwalt?

Catherine ließ sich gegen den Küchentresen sinken. O Gott – für so etwas hatte sie einfach nicht die Kraft. Nicht jetzt. Nicht, solange sie so müde war, dass sie kaum noch einen klaren Gedanken fassen konnte.

»Dr. Cordell?«

»Hat Mr. Gwadowski gesagt, wann er sich mit mir treffen will?«

»Er sagte, er würde bis sechs in der Cafeteria des Krankenhauses warten.«

»Danke.« Catherine legte auf und starrte benommen auf die glänzenden Kacheln. Wie peinlich sie darauf achtete, diese Kacheln sauber zu halten! Aber ganz gleich, wie viel sie schrubbte und putzte und wie gründlich sie ihr Leben in allen Einzelheiten durchorganisierte, gegen die Ivan Gwadowskis dieser Welt war sie dennoch nicht gefeit.

Sie nahm ihre Handtasche und die Autoschlüssel und verließ erneut die schützende Zuflucht ihrer Wohnung.

Im Aufzug blickte sie auf ihre Armbanduhr und sah mit Schrecken, dass es bereits Viertel vor sechs war. Sie würde nicht rechtzeitig im Krankenhaus ankommen, und Mr. Gwadowski würde glauben, sie habe ihn versetzt.

Sobald sie in ihrem Mercedes saß, griff sie nach dem Autotelefon und rief erneut in der Telefonzentrale des Pilgrim an.

»Hier ist noch mal Dr. Cordell. Ich muss Mr. Gwadowski erreichen, um ihm zu sagen, dass ich später kommen werde. Wissen Sie zufällig, von welchem Apparat aus er angerufen hat?«

»Ich sehe mal im Protokoll nach.... Da haben wir's. Der Anruf kam nicht aus dem Krankenhaus.«

»Also ein Handy?«

Es war einen Moment still. »Also, das ist ja merkwürdig.«

»Was, bitte?«

»Er hat von dem Anschluss aus angerufen, den Sie gerade benutzen.«

Catherine erstarrte. Die Angst jagte ihr wie ein kalter Windstoß den Rücken hoch. *Mein Wagen. Der Anruf kam aus meinem Wagen.*

»Dr. Cordell?«

Und jetzt sah sie ihn – wie eine Kobra tauchte er hinter ihr im Rückspiegel auf. Sie holte Luft, wollte schreien – doch da drang bereits der beißende Dunst des Chloroforms in ihre Kehle.

Der Hörer fiel ihr aus der Hand.

Jerry Sleeper wartete vor dem Ausgang des Flughafens mit dem Wagen auf ihn. Moore warf sein Handgepäck auf den Rücksitz, stieg ein und schlug die Tür mit einem lauten Knall zu.

»Habt ihr sie gefunden?«, war seine erste Frage.

»Noch nicht«, antwortete Sleeper, während er den Wagen startete und anfuhr. »Ihr Mercedes ist verschwunden, und ihre Wohnung weist keine Spuren eines gewaltsamen Eindringens auf. Was auch immer passiert ist, es ging jedenfalls sehr schnell, und es spielte sich entweder in ihrem Wagen oder in der Nähe ab. Der Letzte, der sie gesehen hat, ist Peter Falco; das war gegen siebzehn Uhr fünfzehn in der Parkgarage des Krankenhauses. Etwa eine halbe Stunde später hat die Telefonistin des Krankenhauses Cordell angepiepst und mit ihr telefoniert. Dann hat Cordell noch einmal von ihrem Wagen aus zurückgerufen. Dieses Gespräch wurde abrupt abgebrochen. Die Telefonistin behauptet, es sei Herman Gwadowskis Sohn gewesen, der sie ursprünglich habe anrufen lassen.«

»Bestätigung?«

»Ivan Gwadowski ist um zwölf Uhr mittags nach Kalifornien geflogen. Er war nicht der Anrufer.«

Sie mussten nicht aussprechen, wer tatsächlich hinter dem Anruf steckte. Sie wussten es beide. Moore starrte unruhig auf die lange Reihe von Rücklichtern, die in der Dunkelheit wie eine dichte Kette leuchtend roter Perlen schimmerten.

Sie ist seit sechs Uhr in seiner Gewalt. Was hat er in diesen vier Stunden mit ihr gemacht?

»Ich möchte mir Warren Hoyts Wohnung ansehen«, sagte Moore.

»Da fahren wir gerade hin. Wir wissen, dass seine Schicht im Interpath-Labor heute Morgen gegen sieben Uhr zu Ende war. Um zehn hat er seinen Vorgesetzten angerufen und gesagt, er könne wegen einer Familienangelegenheit mindestens eine Woche lang nicht zur Arbeit kommen. Seitdem hat ihn niemand mehr gesehen oder gesprochen. Weder in seiner Wohnung noch im Labor.«

»Und die Familienangelegenheit?«

»Er hat keine Familie. Seine einzige Tante ist im Februar gestorben.«

Die Reihe von Rücklichtern verschwamm zu einem roten Streifen. Moore blinzelte und wandte sich ab, damit Sleeper seine Tränen nicht sehen konnte.

Warren Hoyt wohnte im North End, einem pittoresken Viertel mit einem Labyrinth enger Sträßchen und roten Backsteinhäusern; einem der ältesten Stadtteile von Boston. Die Gegend galt als relativ sicher, vor allem dank der wachsamen Augen der italienischen Anwohner, denen viele der

Geschäfte gehörten. Hier, in einer Straße, durch die Touristen und Anwohner spazierten, ohne sich allzu sehr vor Verbrechern zu fürchten, hatte ein Monster gelebt.

Hoyts Wohnung war im zweiten Stock eines kleinen Backsteinhauses ohne Fahrstuhl. Schon vor Stunden hatte das Team der Kripo sie nach Spuren durchsucht, und als Moore nun eintrat und die kargen Möbel sah, die fast leeren Regale, da hatte er das Gefühl, in einem Zimmer zu stehen, das bereits seiner Seele beraubt war. Dass er nichts finden würde, was ihm verraten würde, wer – oder was – Warren Hoyt in Wirklichkeit war.

Dr. Zucker kam aus dem Schlafzimmer und sagte zu Moore: »Hier stimmt irgendetwas nicht.«

»Ist Hoyt unser Täter oder nicht?«

»Ich weiß es nicht.«

»Was haben wir denn überhaupt?« Moore blickte zu Crowe, der sie an der Tür in Empfang genommen hatte.

»Wir haben einen Volltreffer bei der Schuhgröße. 42 – passt auf die Abdrücke am Ortiz-Tatort. Wir haben Haare auf dem Kopfkissen gefunden – kurz, hellbraun. Sieht auch nach einem Treffer aus. Und wir haben ein langes schwarzes Haar auf dem Badezimmerboden entdeckt. Schulterlang.«

Moore runzelte die Stirn. »Eine Frau war hier?«

»Vielleicht eine Freundin.«

»Oder ein weiteres Opfer«, sagte Zucker. »Eine, von der wir noch nichts wissen.«

»Ich habe mit der Vermieterin gesprochen, die im Erdgeschoss wohnt«, sagte Crowe. »Sie hat Hoyt zuletzt heute Morgen gesehen, als er von der Arbeit nach Hause kam. Sie hat keine Ahnung, wo er sich jetzt aufhält. Ist nicht schwer zu erraten, was sie über ihn gesagt hat. *Guter Mieter. Ruhiger Mann, hat noch nie Ärger gemacht.*«

Moore sah Zucker an. »Was meinten Sie, als Sie sagten, hier stimmt etwas nicht?«

»Es gibt hier keine Mordwerkzeuge. Keine Instrumente.

Sein Auto steht direkt vor der Tür, und da ist auch kein Werkzeug drin.« Zucker deutete auf das fast leere Wohnzimmer. »Diese Wohnung sieht nicht wirklich bewohnt aus. Im Kühlschrank sind nur einige wenige Sachen. Im Bad finden sich nur Seife, Zahnbürste und Rasierer. Es ist wie ein Hotelzimmer. Eine Übernachtungsmöglichkeit, mehr nicht. Das ist nicht der Ort, wo er seine Fantasien am Leben hält.«

»Er *wohnt* aber hier«, wandte Crowe ein. »Seine Post kommt hierher, seine Klamotten sind hier.«

»Aber das Allerwichtigste fehlt«, sagte Zucker. »Seine Trophäen. Hier sind keine Trophäen.«

Lähmende Angst fuhr Moore durch sämtliche Glieder. Zucker hatte Recht. Aus jedem seiner Opfer hatte der Chirurg eine anatomische Trophäe herausgeschnitten; er würde sie behalten haben, als ständige Erinnerung an seine Mordtaten. Um ihm zu helfen, die Zeit zwischen seinen Beutezügen zu überbrücken.

»Wir haben hier nicht das ganze Bild vor uns«, meinte Zucker. »Ich muss Hoyts Arbeitsplatz sehen. Sein Labor.«

Barry Frost setzte sich an den Computer und gab den Namen Nina Peyton ein. Ein neuer Bildschirm baute sich auf, randvoll mit Daten.

»Dieser Computer ist sein Fischteich«, sagte Frost. »Hier angelt er sich seine Opfer.«

Moore starrte verblüfft auf den Monitor. Ringsumher im Labor surrten Maschinen und klingelten Telefone; Laboranten hantierten mit Reagenzgläsern, und die Gestelle mit Blutproben ratterten in ihren Apparaturen. Hier in dieser antiseptischen Welt des rostfreien Stahls und der weißen Kittel, in einer Welt, in der alles der Heilkunst diente, hatte der Chirurg sich in aller Ruhe seine Beute gesucht. An diesem Computer hatte er die Namen sämtlicher Frauen aufrufen können, deren Blut oder Körperflüssigkeiten jemals im Interpath-Labor analysiert worden waren.

»Das hier ist das größte diagnostische Labor der Stadt«, sagte Frost. »Wenn Sie sich irgendwo in Boston in einer Arztpraxis oder einer Ambulanz Blut abnehmen lassen, wird die Probe mit großer Wahrscheinlichkeit zur Analyse in dieses Labor geschickt.«

Hierher, zu Warren Hoyt.

»Er hatte ihre Adresse«, sagte Moore, der die Informationen über Nina Peyton vom Monitor ablas. »Den Namen ihres Arbeitgebers, ihr Alter, ihren Familienstand...«

»Und ihre Diagnose«, warf Zucker ein. Er deutete auf den Bildschirm, auf das Wort *Vergewaltigung.* »Genau das ist es, worauf der Chirurg Jagd macht. Das ist es, was ihn anmacht. Emotional geschädigte Frauen. Frauen, die durch sexuelle Gewalt gezeichnet sind.«

Moore hörte die Erregung in Zuckers Stimme. Es war das Spiel, das ihn faszinierte, der intellektuelle Wettstreit. Endlich konnte er sehen, wie sein Widersacher arbeitete, und ermessen, welche geistige Leistung dahinter stand.

»Hier hat er gesessen«, sagte Zucker, »und mit ihrem Blut hantiert. Er kannte ihre beschämendsten Geheimnisse.« Jetzt richtete er sich gerade auf und blickte sich im Labor um, als sehe er es zum ersten Mal. »Haben Sie sich eigentlich jemals überlegt, was so ein medizinisches Labor alles über Sie weiß?«, fragte er. »Die ganzen persönlichen Informationen, die Sie preisgeben, wenn Sie den Arm freimachen und sich mit einer Nadel pieksen lassen? Ihr Blut verrät Ihre intimsten Geheimnisse. Werden Sie an Leukämie oder an Aids sterben? Haben Sie in den letzten paar Stunden eine Zigarette geraucht oder ein Glas Wein getrunken? Nehmen Sie Prozac, weil Sie an Depressionen leiden, oder Viagra, weil Sie keinen mehr hochkriegen? Er hielt das *innerste Wesen* dieser Frauen in seinen Händen. Er konnte ihr Blut untersuchen, es berühren, daran riechen. Und sie hatten keine Ahnung. Sie wussten nicht, dass ein Teil ihres eigenen Körpers von einem Fremden befingert wurde.«

»Die Opfer kannten ihn nicht«, sagte Moore. »Sie sind ihm nie begegnet.«

»Aber der Chirurg kannte *sie.* Und zwar bis ins intimste Detail.« Zuckers Augen leuchteten wie im Fieber. »Der Chirurg jagt seine Opfer anders als jeder andere Serienmörder, der mir je untergekommen ist. Er ist einmalig. Er hält sich im Verborgenen, denn er ist in der Lage, seine Opfer blind auszuwählen.« Bewundernd ruhte sein Blick auf einem Gestell mit Blutproben auf der Arbeitsfläche. »Dieser Labor ist sein Jagdrevier. Auf diese Weise macht er sie ausfindig. Ihr Blut, ihr Leiden führt ihn auf ihre Spur.«

Als Moore den Krankenhauskomplex verließ, war die Luft so kühl und frisch wie seit Wochen nicht mehr. In der großen Stadt Boston würden in dieser Nacht weniger Fenster offen bleiben, und weniger Frauen würden ungeschützt vor Überfällen in ihren Betten liegen.

Aber heute Nacht wird der Chirurg nicht auf Beutezug gehen. Heute Nacht wird er sich mit seinem neuesten Fang vergnügen.

Unvermittelt blieb Moore neben seinem Wagen stehen. Die schiere Verzweiflung lähmte seine Glieder. Jetzt, in diesem Augenblick, griff Warren Hoyt vielleicht nach dem Skalpell. In diesem Augenblick …

Schritte näherten sich. Er nahm alle Kraft zusammen, um den Kopf zu heben und den Mann anzusehen, der in einigen Schritten Entfernung im Halbdunkel stand.

»Er hat sie in seiner Gewalt, nicht wahr?«, sagte Peter Falco.

Moore nickte.

»O Gott. O mein Gott.« Falco blickte mit schmerzverzerrter Miene zum Nachthimmel auf. »Ich bin mit ihr zu ihrem Wagen gegangen. Sie war *hier* mit mir, und ich habe sie nach Hause fahren lassen. Ich habe sie allein fahren lassen …«

»Wir setzen alle Hebel in Bewegung, um sie zu finden.« Es

war die Standardphrase in solchen Fällen. Noch während er die Worte aussprach, erkannte Moore, wie hohl sie klangen. Es war das, was einem einfiel, wenn die Lage verzweifelt war, wenn man wusste, dass auch die größten Anstrengungen höchstwahrscheinlich im Sande verlaufen würden.

»Was *ist* es denn, was Sie tun?«

»Wir wissen, wer er ist.«

»Aber Sie wissen nicht, wohin er sie verschleppt hat.«

»Es wird eine gewisse Zeit dauern, bis wir ihn aufgespürt haben.«

»Sagen Sie mir, was ich tun kann. Egal, was es ist.«

Moore gab sich alle Mühe, seine Stimme ruhig zu halten, seine eigenen Ängste, seine Panik zu verbergen. »Ich weiß, wie schwer es ist, an den Rand des Geschehens verbannt zu sein und anderen die Arbeit zu überlassen. Aber schließlich sind wir für diese Arbeit ausgebildet.«

»Ja, natürlich, *Sie* sind echte Profis! Und was ist dann bitte schief gelaufen?«

Moore wusste keine Antwort.

In seiner heftigen Erregung trat Falco auf Moore zu und blieb unter der Parkplatzbeleuchtung stehen. Das Licht fiel auf sein gramverzehrtes Gesicht. »Ich weiß nicht, was zwischen Ihnen und ihr gelaufen ist«, sagte er. »Aber ich weiß, dass sie Ihnen vertraut hat. Ich hoffe bei Gott, dass Ihnen das irgendetwas bedeutet. Ich hoffe, sie ist mehr für Sie als nur irgendein Fall. Irgendein Name auf einer Liste.«

»Das ist sie«, antwortete Moore.

Die beiden Männer starrten einander an. Schweigend gestanden sie sich ein, was sie beide wussten. Was sie beide fühlten.

»Sie bedeutet mir mehr, als Sie je ahnen können«, sagte Moore.

Und Falco erwiderte leise: »Mir auch.«

23

»Er wird sie eine Zeit lang am Leben lassen«, sagte Dr. Zucker. »So wie er auch Nina Peyton einen ganzen Tag am Leben gelassen hat. Er hat die Situation jetzt vollkommen im Griff. Er hat alle Zeit der Welt.«

Ein Schauder durchfuhr Rizzoli, als sie überlegte, was das eigentlich bedeutete: *Alle Zeit der Welt.* Sie dachte darüber nach, wie viele empfindliche Nervenendungen der menschliche Körper besaß, und sie fragte sich, wie viel Schmerz ein Körper wohl erdulden musste, bevor der Tod ein Einsehen hatte. Sie blickte zum Tisch hinüber und sah, wie Moore den Kopf in die Hände sinken ließ. Er sah krank aus, erschöpft. Es war schon nach Mitternacht, und alle Gesichter, die sie um den Tisch herum erblickte, waren fahl, die Mienen mutlos. Rizzoli stand außerhalb dieses Kreises, mit dem Rücken an die Wand gelehnt. Die unsichtbare Frau, die niemand wahrnahm, der man gestattete zuzuhören, nicht aber teilzunehmen. Zu Verwaltungsarbeit verdonnert, ihrer Dienstwaffe beraubt, war sie wenig mehr als eine passive Beobachterin – und das bei einem Fall, mit dem sie vertrauter war als irgendjemand an diesem Tisch.

Moore hob den Kopf und blickte in ihre Richtung, doch er schaute sie nicht an – sein Blick ging durch sie hindurch. Als ob er ihr nicht in die Augen sehen *wollte.*

Dr. Zucker fasste zusammen, was sie über Warren Hoyt in Erfahrung gebracht hatten. Über den Chirurgen.

»Er hat lange auf dieses eine Ziel hingearbeitet«, sagte Zucker. »Jetzt, da er es erreicht hat, wird er sein Vergnügen so lange wie möglich ausdehnen wollen.«

»Dann war also Cordell von Anfang an sein Ziel?«,

fragte Frost. »Und mit den anderen Opfern – hat er nur geübt?«

»Nein, sie haben ihm auch Lust verschafft. Sie haben ihm geholfen, die Wartezeit zu überstehen, sich sexuelle Erleichterung zu verschaffen, während er an seinem großen Coup arbeitete. Jedes Raubtier empfindet eine umso größere Erregung, je schwieriger die Beute zu fangen ist, der er nachstellt. Und Cordell war wahrscheinlich die eine Frau, an die er nicht so leicht herankam. Sie war immer auf der Hut, hielt sich stets strikt an die Vorsichtsmaßnahmen. Sie verbarrikadierte sich hinter Sicherheitsschlössern und Alarmanlagen. Sie vermied enge Beziehungen. Sie ging selten abends aus, außer wenn sie zur Arbeit ins Krankenhaus musste. Sie war die schwierigste Beute, die er verfolgen konnte, und zugleich die, die er am meisten begehrte. Er machte seine Jagd selbst noch schwieriger, indem er sie *wissen* ließ, dass sie seine Beute war. Terror und Einschüchterung waren Teil seines Spiels. Er wollte sie spüren lassen, wie er immer näher rückte. Die anderen Frauen waren für ihn nur Vorgeplänkel. Cordell war das Hauptereignis.«

»*Ist*«, sagte Moore mit wutverzerrter Stimme. »Noch ist sie nicht tot.«

Es war plötzlich ganz still im Raum. Niemand sah Moore an.

Zucker nickte. Nichts konnte seine eisige Gelassenheit erschüttern. »Danke für die Berichtigung.«

Marquette meldete sich zu Wort. »Haben Sie seine Akte gelesen?«

»Ja«, sagte Zucker. »Warren war ein Einzelkind. Anscheinend ein sehr verhätscheltes Kind. Geboren in Houston, Vater Raketenwissenschaftler – das ist kein Witz. Seine Mutter entstammte einer alten Öldynastie. Sie leben beide nicht mehr. Warren war also mit gescheiten Genen *und* geerbtem Geld gesegnet. Es gibt keine Vorstrafen aus seiner Jugendzeit. Keine Festnahmen, keine Protokolle, nichts, was irgendwelche Alarmsignale ausgelöst hätte. Bis auf diesen einen Vorfall an der Universität, im Anatomielabor, kann ich keinerlei Warnzeichen entdecken. Keine Hinweise, die darauf deuten, dass er zum Mörder bestimmt war. Allen Berichten zufolge war er ein vollkommen normaler Junge. Höflich und zuverlässig.«

»Durchschnittlich«, sagte Moore leise. »Gewöhnlich.«

Zucker nickte. »Das ist ein Junge, der nie auffällig geworden ist, der nie Anlass zur Beunruhigung gegeben hat. Und das ist die erschreckendste Erscheinungsform des Killers überhaupt, denn es gibt keinen pathologischen Befund, keine psychiatrische Diagnose. Er ist wie Ted Bundy. Intelligent, in geordneten Verhältnissen lebend, und von außen betrachtet ein perfekt funktionierendes Mitglied der Gesellschaft. Nur eine Schrulle hat er: Es macht ihm Spaß, Frauen zu quälen. Er ist ein Mensch, dem Sie vielleicht jeden Tag auf der Arbeit begegnen. Und wenn er Sie anschaut, Sie anlächelt, würden Sie nie ahnen, dass er gerade über eine neue, kreative Methode nachdenkt, Ihnen die Eingeweide aus dem Leib zu reißen.«

Der zischende Klang seiner Stimme ließ Rizzoli erbeben. Sie blickte sich im Raum um. *Es ist wahr, was er sagt. Ich sehe Barry Frost jeden Tag. Er scheint ein netter Kerl zu sein. Glücklich verheiratet. Immer gut drauf. Aber ich habe keine Ahnung, was in seinem Kopf wirklich vor sich geht.*

Frost merkte, dass sie ihn anschaute, und lief rot an.

Zucker fuhr fort. »Nach dem Vorfall an der Universität war Hoyt gezwungen, sein Medizinstudium abzubrechen. Er begann eine medizinisch-technische Ausbildung und folgte Andrew Capra nach Savannah. Es scheint, als habe ihre Partnerschaft über mehrere Jahre Bestand gehabt. Unterlagen über Flugtickets und Kreditkartenabrechnungen belegen, dass sie häufig zusammen reisten. Nach Griechenland und Italien. Nach Mexiko, wo sie beide als Freiwillige in einem Dorfkrankenhaus arbeiteten. Es war eine Allianz zweier Jäger. Blutsbrüder, die die gleichen Gewaltfantasien teilten.«

»Die Katgutnaht«, sagte Rizzoli.

Zucker sah sie fragend an. »Was?«

»In Ländern der Dritten Welt wird Katgut immer noch als Nahtmaterial verwendet. So ist er an seinen Vorrat gekommen.«

Marquette nickte. »Sie könnte Recht haben.«

Ich *habe* Recht, dachte Rizzoli mit mühsam unterdrücktem Groll.

»Als Cordell Andrew Capra tötete«, sagte Zucker, »zerstörte sie damit ein perfektes Team von Mördern. Sie nahm Hoyt den Menschen, der ihm am nächsten gestanden hatte. Und deshalb wurde sie das Ziel seines ganzen Strebens. Sein ultimatives Opfer.«

»Wenn Hoyt in der Nacht, als Capra erschossen wurde, im Haus war, wieso hat er sie dann nicht getötet?«, fragte Marquette.

»Ich weiß es nicht. Vieles, was diese Nacht damals in Savannah betrifft, weiß nur Hoyt allein. Was wir wissen, ist, dass er vor zwei Jahren nach Boston gezogen ist, kurz nachdem Catherine Cordell hierher gekommen war. Dann dauerte es kein Jahr, bis Diana Sterling tot war.«

Endlich ergriff Moore das Wort. Seine Stimme klang gehetzt. »Wie können wir ihn finden?«

»Sie können seine Wohnung überwachen lassen, aber ich glaube kaum, dass er in der nächsten Zeit dorthin zurückkehren wird. Das ist nicht seine Mordhöhle. Das ist nicht der Ort, wo er seinen Fantasien frönt.« Zucker lehnte sich zurück; sein Blick war leer. Er versuchte alles, was er über Warren Hoyt wusste, in Worte und Bilder zu fassen. »Sein wirkliches Versteck dürfte ein Ort sein, den er strikt von seinem täglichen Leben isoliert hält. Ein Ort, an den er sich unerkannt zurückzieht, möglicherweise in einiger Entfernung von seiner Wohnung. Vielleicht hat er sich dort unter einem falschen Namen eingemietet.«

»Wenn man sich irgendwo einmietet, muss man auch Miete zahlen«, meinte Frost. »Wir folgen einfach der Spur des Geldes.«

Zucker nickte. »Sie werden wissen, dass Sie sein Versteck gefunden haben, wenn Sie es sehen. Denn seine Trophäen werden dort sein. Die Souvenirs, die er seinen Opfern abgenommen hat. Es ist sogar möglich, dass er dieses Versteck so eingerichtet hat, dass er seine Opfer dorthin verschleppen kann. Die perfekte Folterkammer. Es ist ein vollkommen abgeschiedener Ort, wo ihn niemand stören kann. Ein frei stehendes Gebäude. Oder eine Wohnung mit guter Schallisolierung.«

So kann niemand Cordells Schreie hören, dachte Rizzoli.

»An diesem Ort kann er sein wahres Wesen zeigen. Er kann sich entspannen, alle Hemmungen ablegen. Er hat nie an irgendeinem der Tatorte Sperma hinterlassen, was mir verrät, dass er in der Lage ist, die sexuelle Befriedigung aufzuschieben, bis er an einem sicheren Ort ist. Dieser sichere Ort ist sein Versteck. Vermutlich sucht er ihn von Zeit zu Zeit auf, um das erregende Gefühl der Bluttat wieder aufleben zu lassen. Um seinem Trieb auch zwischen den Morden Nahrung zu geben.« Zucker ließ den Blick in die Runde schweifen. »Dorthin hat er Catherine Cordell gebracht.«

Die Griechen nennen es dere, *die Bezeichnung für die Vorderseite des Halses oder die Kehle, und es ist der schönste wie auch der verwundbarste Teil der weiblichen Anatomie. In der Kehle pulsiert das Leben, der Atem, und unter Iphigenies milchweißer Haut müssen bläuliche Adern gezittert haben, als ihr Vater seine Klinge auf sie herabsenkte. Als Iphigenie auf dem Altar ausgestreckt lag, hat Agamemnon da innegehalten, um die fein geschwungenen Linien des Halses seiner Tochter zu bewundern? Oder hat er nur auf die anatomischen Merkmale geachtet, um die Stelle zu bestimmen, an der die Klinge am wirkungsvollsten ihre Haut durchbohren würde? So qualvoll dieses Opfer für ihn auch war, empfand er nicht doch ein ganz leises Kribbeln in den Lenden, ein Aufblitzen sexueller Lust, als er das Messer in ihr Fleisch senkte?*

Nicht einmal bei den alten Griechen mit ihren fürchterlichen Geschichten von Eltern, die ihren Nachwuchs verschlingen, und Söhnen, die sich mit ihren Müttern paaren, finden sich irgendwelche Erwähnungen derartiger moralischer Verworfenheit. Es war auch nicht nötig; es ist eine jener geheimen Wahrheiten, die wir alle auch ohne die Hilfe der Sprache verstehen. Wie viele von den Kriegern, die mit versteinerten Gesichtern und verhärteten Herzen um die schreiende Jungfrau herumstanden, wie viele von denen, die zusahen, wie Iphigenie entkleidet, wie ihr Schwanenhals für den tödlichen Schnitt entblößt wurde – wie viele dieser Soldaten fühlten, wie plötzlich die unerwartete Hitze der Lust in ihre Lenden strömte? Fühlten, wie ihre Schwänze steif wurden?

Wie viele von ihnen würden je wieder einen Frauenhals anschauen können, ohne den Drang zu verspüren, ihn zu durchschneiden?

Ihre Kehle ist so bleich, wie es die Iphigenies gewesen sein muss. Sie hat sich vor der Sonne geschützt, wie es alle Rothaarigen tun sollten, und nur ein paar Sommersprossen stören das Bild ihrer durchscheinenden Alabasterhaut. In diesen zwei Jahren hat sie ihren Hals für mich makellos gehalten. Das weiß ich zu schätzen.

Ich habe geduldig gewartet, bis sie das Bewusstsein wiedererlangt hat. Ich weiß, dass sie jetzt wach ist und mich wahrnimmt, denn ihr Puls hat sich beschleunigt. Ich berühre ihren Hals, an der kleinen Grube gleich oberhalb des Brustbeins, und sie zieht die Luft durch die Zähne ein. Und hält sie an, während ich mit den Fingern über die Seite ihres Halses streiche, entlang der Halsschlagader. Ihr Puls hämmert, lässt die Haut rhythmisch erbeben. Ich fühle ihren Schweiß unter meinen Fingern. Wie ein Nebel hat er sich auf ihre Haut gelegt, und ihr Gesicht glänzt davon. Als meine Finger über die Kante ihres Unterkiefers fahren, lässt sie die Luft endlich aus ihren Lungen entweichen; es klingt wie ein Wimmern, gedämpft durch das Klebeband über ihrem Mund. So kenne ich meine Catherine ja gar nicht. Die anderen waren alle törichte Gazellen, aber Catherine ist eine Tigerin; die Einzige, die je zurückgeschlagen und mit ihren Krallen das Blut zum Fließen gebracht hat.

Sie schlägt die Augen auf und schaut mich an. Und ich sehe, dass sie verstanden hat. Ich habe endlich gesiegt. Sie, die Würdigste von allen, ist erobert.

Ich lege meine Instrumente bereit. Das metallische Scheppern ist Musik in meinen Ohren, als ich sie auf dem Tablett neben dem Bett arrangiere. Ich spüre, dass sie mich beobachtet, und ich weiß, dass ihr Blick von dem hellen Glanz des rostfreien Stahls angezogen wird. Sie kennt die Funktion jedes einzelnen Instruments, denn gewiss hat sie schon oft damit gearbeitet. Der Wundhaken dient dazu, die Ränder eines Einschnitts auseinander zu ziehen. Die Gefäßklemme wird benutzt, um Blutungen aus verletzten Gefäßen zu unterbinden. Und das Skalpell – nun, wir wissen beide, wozu man ein Skalpell benutzt.

Ich stelle das Tablett neben ihrem Kopf ab, damit sie alles genau sehen und sich ausmalen kann, was als Nächstes kommt. Ich muss kein Wort sagen; die schimmernden Instrumente sprechen eine deutliche Sprache.

Ich berühre ihren nackten Bauch, und sofort ziehen ihre Muskeln sich krampfhaft zusammen. Es ist ein jungfräulicher Bauch, keine Narben verunstalten seine glatte Oberfläche. Die Klinge wird durch ihr Fleisch gleiten wie durch Butter.

Ich greife nach dem Skalpell und drücke ihr die Spitze auf den Bauch. Sie schnappt nach Luft, und ihre Augen weiten sich.

Irgendwo habe ich einmal ein Foto eines Zebras gesehen, aufgenommen genau in dem Moment, als die Reißzähne des Löwen sich in seine Kehle senkten. In Todesangst verdreht das Zebra die Augen. Es ist ein Bild, das ich nie vergessen werde. Das ist der Blick, den ich jetzt in Catherines Augen sehe.

O Gott, o Gott, o Gott.

Das Geräusch ihres eigenen Atems dröhnte in Catherines Ohren, als sie den Stich der Skalpellspitze auf ihrer Haut spürte. Schweißüberströmt schloss sie die Augen, in panischer Angst vor den Schmerzen, die sie erwarteten. Ein Schluchzen blieb ihr in der Kehle stecken, ein Schrei zum Himmel um Gnade, um einen schnellen Tod, alles, nur nicht dies. Nicht das Aufschlitzen des Fleisches.

Und dann wurde das Skalpell weggenommen.

Sie schlug die Augen auf und sah ihm ins Gesicht. Es war so gewöhnlich – ein Gesicht, das man gleich wieder vergaß. Er war ein Mann, den sie Dutzende Male gesehen haben mochte, ohne ihn wirklich wahrzunehmen. Und doch kannte er *sie.* Er hatte am Rande ihrer Welt gelauert, hatte sie in das strahlende Zentrum seines Universums gerückt, während er sie, unerkannt in der Dunkelheit, umkreist hatte.

Und ich habe nie gewusst, dass er da war.

Er legte das Skalpell auf das Tablett. Und lächelnd sagte er: »Noch nicht.«

Erst als er das Zimmer verließ, wusste sie, dass ihr Martyrium aufgeschoben war. Sie stieß einen tiefen Seufzer der Erleichterung aus.

Das also war sein Spiel. Den Schrecken zu verlängern, das Vergnügen auszudehnen. Vorläufig würde er sie am Leben lassen und ihr Zeit geben, sich seine nächsten Schritte auszumalen.

Jede Minute, die ich lebe, ist eine neue Chance, zu fliehen.

Die Wirkung des Chloroforms war verflogen, und sie war jetzt hellwach; ihr Verstand arbeitete auf Hochtouren, angetrieben von schierer Panik. Sie lag mit ausgestreckten Armen und Beinen auf einem Bett mit Metallrahmen. Sie war nackt ausgezogen und an Händen und Füßen mit Klebeband an das Bettgestell gefesselt. Sie konnte an ihren Fesseln reißen und zerren, bis ihre Muskeln vor Erschöpfung zitterten, doch befreien konnte sie sich nicht. Vor zwei Jahren, in Savannah, hatte Capra eine Nylonschnur benutzt, um ihre Handgelenke zu fesseln, und es war ihr gelungen, eine Hand aus der Schlinge zu ziehen. Der Chirurg würde diesen Fehler nicht wiederholen.

Nass geschwitzt und zu müde, um sich weiter zu wehren, konzentrierte sie sich nun auf ihre Umgebung.

Über dem Bett hing eine einzelne nackte Glühbirne. Der Geruch nach Erde und feuchtem Mauerwerk verriet ihr, dass sie sich in einem Keller befand. Wenn sie den Kopf drehte, konnte sie am äußersten Rand des Lichtkegels der Glühbirne gerade eben die raue Oberfläche des gemauerten Fundaments erkennen.

Über ihr knarrten Schritte, und sie hörte das Schleifen von Stuhlbeinen. Ein Holzfußboden. Ein altes Haus. Oben wurde ein Fernseher eingeschaltet. Sie konnte sich nicht erinnern, wie sie in dieses Zimmer gelangt war oder wie lange die Fahrt gedauert hatte. Sie waren möglicherweise viele Kilometer von Boston entfernt, an einem Ort, wo niemand nach ihr suchen würde.

Das Schimmern des Tabletts zog ihre Blicke an. Sie starrte auf das Sortiment von Instrumenten, die sorgfältig für die bevorstehende Prozedur zurechtgelegt worden waren. Unzählige Male hatte sie selbst solche Instrumente geführt, hatte in ihnen Werkzeuge der Heilung gesehen. Mit Skalpellen und Klemmen hatte sie Krebsgeschwüre und Geschosse herausgeschnitten, hatte Blutungen aus gerissenen Arterien gestillt und in Blut schwimmende Brusthöhlen trockengelegt. Jetzt blickte sie auf die Instrumente, die sie zur Rettung von Leben verwendet hatte, und sah die Werkzeuge ihres eigenen Todes. Er hatte sie direkt neben das Bett gelegt, damit sie sie in Ruhe betrachten konnte, damit sie über die rasiermesserscharfe Klinge des Skalpells, über die stählernen Zähne der Gefäßklemme nachsinnen konnte.

Keine Panik. Denk nach. Denk nach.

Sie schloss die Augen. Die Angst war wie eine lebendige Kreatur, die ihre Fangarme um ihren Hals schlang.

Du hast sie schon einmal besiegt. Du kannst es wieder schaffen.

Sie spürte, wie ein Tropfen an ihrer Brust herabrann und in die bereits schweißgetränkte Matratze sickerte. Es gab einen Ausweg. Es musste einen Ausweg geben, eine Möglichkeit, sich zu wehren. Die Alternative war so furchtbar, dass sie gar nicht daran denken durfte.

Sie öffnete die Augen, starrte die Glühbirne über dem Bett an und konzentrierte ihren Verstand, scharf wie ein Skalpell, auf den nächsten Schritt. Sie erinnerte sich an das, was Moore ihr gesagt hatte: dass der Chirurg von der Angst seiner Opfer lebte. Er griff Frauen an, die geschädigt waren, die bereits Opfer waren. Frauen, denen er sich überlegen fühlte.

Er wird mich erst töten, wenn er mich besiegt hat.

Sie holte tief Luft. Jetzt begriff sie, welches Spiel er spielte. *Kämpfe gegen die Angst an. Lass deiner Wut freien Lauf. Zeig ihm, dass du dich nicht besiegen lässt, ganz gleich, was er tut.*

Auch nicht im Angesicht des Todes.

24

Rizzoli schreckte aus dem Schlaf hoch, und der Schmerz fuhr ihr wie ein Messerstich in den Nacken. O Gott, nicht schon wieder ein gezerrter Muskel, dachte sie, während sie vorsichtig den Kopf hob und in das Sonnenlicht blinzelte, das durch das Bürofenster fiel. Alle anderen Computerarbeitsplätze um sie herum waren verlassen. Irgendwann gegen sechs Uhr hatte sie erschöpft den Kopf auf den Tisch sinken lassen und sich geschworen, dass sie nur ein kurzes Nickerchen machen würde. Jetzt war es halb zehn. Der Stapel Computerausdrucke, den sie als Kopfkissen benutzt hatte, war feucht von Speichel.

Sie warf einen Blick auf Frosts Arbeitsplatz und sah, dass seine Jacke über der Stuhllehne hing. Auf Crowes Schreibtisch stand eine Donut-Tüte. Ihre Kollegen waren also hereingekommen, während sie geschlafen hatte, und hatten sie sicherlich mit offenem Mund und sabbernd daliegen sehen. Musste ein äußerst erheiternder Anblick gewesen sein.

Sie stand auf, streckte sich und versuchte ihren steifen Hals gerade zu biegen, doch sie wusste, dass es vergeblich war. Nun, dann würde sie ihren Arbeitstag eben mit schiefem Kopf durchstehen müssen.

»Hallo, Rizzoli. Haben Sie Ihren Schönheitsschlaf bekommen?«

Sie drehte sich um und sah einen Detective von einem der anderen Teams, der sie über die Trennwand hinweg angrinste.

»Sieht man das nicht?«, grummelte sie. »Wo sind denn die anderen abgeblieben?«

»Ihr Team sitzt seit acht in einer Besprechung.«

»Was?«

»Ich glaube, sie ist gerade zu Ende gegangen.«

»Natürlich hat niemand sich die Mühe gemacht, *mir* Bescheid zu sagen.« Sie stürmte den Flur entlang. Die Wut hatte auch die letzten Spinnweben des Schlafs weggeputzt. Sie wusste sehr wohl, was da ablief. So drängte man jemanden aus dem Team – nicht durch einen Frontalangriff, sondern durch den steten Tropfen der Demütigung. Indem man sie aus Besprechungen ausschloss, sie nicht auf dem Laufenden hielt. Sie zur Ahnungslosigkeit verdonnerte.

Sie platzte in das Besprechungszimmer. Dort fand sie nur Barry Frost vor, der damit beschäftigt war, die Papiere vom Tisch einzusammeln. Er blickte auf, und eine dezente Röte breitete sich in seinem Gesicht aus, als er sie erkannte.

»Nett, dass Sie mir rechtzeitig von der Besprechung erzählt haben. Vielen Dank«, sagte sie.

»Sie haben so fertig ausgesehen. Ich dachte mir, ich könnte Ihnen später erzählen, was gelaufen ist.«

»Wann denn, nächste Woche vielleicht?«

Frost vermied es, sie anzusehen, und senkte den Blick. Sie hatten schon zu lange als Partner zusammengearbeitet, als dass der schuldbewusste Ausdruck auf seinem Gesicht ihr hätte entgehen können.

»Ich bin also kaltgestellt«, sagte sie. »War das Marquettes Entscheidung?«

Frost nickte unglücklich. »Ich habe mich dagegen ausgesprochen. Ich habe ihm gesagt, wir brauchen Sie. Aber er meinte, dass Sie wegen der Schießerei und so …«

»Was meinte er?«

Widerwillig vollendete Frost den Satz: »Dass Sie für das Team nicht mehr tragbar seien.«

Nicht mehr tragbar. Mit anderen Worten: Ihre Karriere war im Eimer.

Frost verließ den Raum. Hunger und Schlafmangel machten sie plötzlich schwindlig, und sie ließ sich auf einen Stuhl sinken. Dort saß sie und starrte den leeren Tisch an. Für einen Augenblick tauchte das Bild der neunjährigen Jane aus ihrer Erinnerung auf, das Bild des verachteten Mädchens, das sich nichts sehnlicher wünschte, als von den Jungs in ihren Kreis aufgenommen zu werden. Aber die Jungs hatten sie zurückgewiesen, wie sie es immer schon getan hatten. Sie wusste, dass Pachecos Tod nicht der wahre Grund war, weshalb man sie ausgeschlossen hatte. Unbedachter Schusswaffengebrauch hatte für andere Polizisten auch nicht das Ende ihrer Karriere bedeutet. Aber wenn man eine Frau war und besser als alle anderen und wenn man auch noch die Frechheit besaß, damit nicht hinter dem Berg zu halten, dann genügte ein einziger Fehler, wie die Sache mit Pacheco, und die Sache war gelaufen.

Als sie an ihren Schreibtisch zurückkehrte, fand sie das Büro verlassen. Frosts Jacke hing nicht mehr am Stuhl, und Crowes Donut-Tüte war auch verschwunden. Zeit, dass sie selbst auch die Fliege machte. Eigentlich konnte sie auch gleich ihren Schreibtisch räumen, da sie hier sowieso keine Zukunft mehr hatte.

Sie öffnete die Schublade, um ihre Handtasche herauszunehmen, und hielt inne. Aus einem wirren Haufen Papiere starrte ihr ein Autopsiefoto von Elena Ortiz entgegen. *Ich bin auch eines seiner Opfer*, dachte sie. Bei aller berechtigten Wut auf ihre Kollegen verlor sie dennoch nicht die Tatsache aus dem Auge, dass der Chirurg für ihren Absturz verantwortlich war. Es war der Chirurg, der sie gedemütigt hatte.

Sie schloss die Schublade mit einem Knall. *Noch nicht. Noch bin ich nicht bereit aufzugeben.*

Sie warf einen Blick auf Frosts Schreibtisch und den Stapel Papiere, die er vom Konferenztisch eingesammelt hatte. Sie blickte sich um, bis sie sicher war, dass niemand sie beobachtete. Nur am anderen Ende des Großraumbüros arbeiteten ein paar Detectives an ihren Computern.

Sie schnappte sich die Papiere von Frosts Schreibtisch, setzte sich damit an ihren Platz und begann zu lesen.

Es handelte sich um die Aufzeichnungen von Warren Hoyts finanziellen Transaktionen. Das also war inzwischen aus dem Fall geworden: eine Schnitzeljagd. Man geht dem Geld nach, und schon findet man Hoyt. Sie sah Kreditkartenabrechnungen, Schecks, Einzahlungen und Abhebungen. Jede Menge große Zahlen. Der Tod von Hoyts Eltern hatte ihn zu einem wohlhabenden jungen Mann gemacht, und jeden Winter hatte er sich ausgedehnte Reisen in die Karibik oder nach Mexiko gegönnt. Sie fand keinen Hinweis auf eine Zweitwohnung, keine Mietrechnungen, keine Daueraufträge.

Natürlich nicht. Er war ja nicht dumm. Wenn er sich ein Versteck hielt, würde er bar dafür bezahlen.

Bargeld. Man weiß nie, wann einem vielleicht das Bargeld ausgeht. Abhebungen von Geldautomaten waren oft spontane, ungeplante Transaktionen.

Sie blätterte die Kontoauszüge durch und notierte sämtliche Abhebungen von Geldautomaten auf einem getrennten Blatt. Meist hatte er Automaten in der Nähe seiner Wohnung oder des Medical Center benutzt, also im Radius seiner normalen täglichen Aktivitäten. Es war aber das Ungewöhnliche, wonach sie suchte, es waren die Transaktionen, die nicht in sein Bewegungsmuster passten.

Sie fand zwei. Eine in einer Bank in Nashua, New Hampshire, am 26. Juni. Die andere Abhebung war am 13. Mai an einem Geldautomaten in Hobbs' Supermarkt in Lithia, Massachusetts, erfolgt.

Sie lehnte sich zurück und fragte sich, ob Moore wohl schon diese beiden Lokalitäten ins Visier genommen hatte. Bei all den anderen Details, denen sie nachzugehen hatten, bei all den Vernehmungen von Hoyts Laborkollegen, war es durchaus denkbar, dass zwei Abhebungen an Geldautomaten auf der Prioritätenliste des Teams nicht ganz oben standen.

Sie hörte Schritte und sah erschrocken auf. Sie fürchtete schon, beim Lesen von Frosts Papieren ertappt worden zu sein, doch es war nur ein Mitarbeiter des kriminaltechnischen Labors. Er lächelte Rizzoli an, warf eine Mappe auf Moores Schreibtisch und ging wieder hinaus.

Rizzoli wartete einen Augenblick, dann stand sie auf und ging zu Moores Schreibtisch, um einen Blick in die Mappe zu riskieren. Die erste Seite war ein Laborbericht, eine Analyse der hellbraunen Haare, die auf Warren Hoyts Kopfkissen gefunden worden waren.

Trichorrhexis invaginata, übereinstimmend mit dem in der Wunde des Opfers Elena Ortiz gefundenen Haar. Volltreffer. Das bewies, dass Warren Hoyt tatsächlich ihr Kandidat war.

Sie schlug die nächste Seite auf. Auch dies war eine Haaranalyse. Es ging um ein Haar, das auf Hoyts Badezimmerboden gefunden worden war. Dieser Fund ergab keinen Sinn. Er passte nicht ins Bild.

Sie klappte die Mappe zu und machte sich auf den Weg zum Labor.

Erin Volchko saß vor dem Elektronenmikroskop und sah einen Stapel Mikrofotografien durch. Als Rizzoli das Labor betrat, hielt Erin eine Aufnahme hoch und forderte sie auf: »Schnell! Was ist das?«

Rizzoli betrachtete stirnrunzelnd das Schwarzweißfoto eines schuppigen Bandes. »Ganz schön hässlich.«

»Ja, aber was *ist* es?«

»Wahrscheinlich irgendwas Ekliges. Das Bein einer Kakerlake zum Beispiel.«

»Es ist ein Haar von einem Hirsch. Cool, was? Sieht einem Menschenhaar kein bisschen ähnlich.«

»Apropos Menschenhaare.« Rizzoli drückte ihr den Bericht in die Hand, den sie gerade gelesen hatte. »Können Sie mir mehr darüber sagen?«

»Die Haare aus Warren Hoyts Wohnung?«

»Genau.«

»Die kurzen braunen Haare auf Hoyts Kopfkissen weisen *Trichorrhexis invaginata* auf. Er scheint tatsächlich Ihr gesuchter Täter zu sein.«

»Nein, ich meine das andere Haar. Das schwarze von seinem Badezimmerboden.«

»Ich zeige Ihnen mal das Foto.«

Erin griff nach einem anderen Stapel Mikrofotografien. Sie begann sie durchzugehen und zog schließlich eine Aufnahme heraus. »Das ist das Haar aus dem Badezimmer. Sehen Sie die Zahlenreihen hier?«

Rizzoli betrachtete das Foto und las die Aufschrift in Erins säuberlicher Handschrift. *A00-B00-C05-D33.* »Ja. Was immer das heißen soll.«

»Die ersten zwei Werte, A00 und B00, verraten Ihnen, dass das Haar gerade und schwarz ist. Unter dem Verbundmikroskop können Sie noch weitere Einzelheiten erkennen.« Sie reichte Rizzoli das Foto. »Sehen Sie sich den Schaft genau an. Er ist überdurchschnittlich dick. Und beachten Sie auch, dass der Querschnitt nahezu kreisförmig ist.«

»Und das bedeutet?«

»Es ist ein Merkmal, das uns hilft, zwischen den verschiedenen Rassen zu unterscheiden. Ein Schaft von einem afrikanischen Subjekt ist zum Beispiel fast ganz platt, wie ein Band. Jetzt betrachten Sie mal die Pigmentierung, und Sie werden feststellen, dass sie sehr dicht ist. Sehen Sie die dicke Kutikula? All das führt zu ein und derselben Schlussfolgerung.« Erin sah Rizzoli an. »Dieses Haar ist charakteristisch für eine Person ostasiatischer Abstammung.«

»Was genau meinen Sie mit ostasiatisch?«

»Chinesisch oder japanisch. Der indische Subkontinent. Möglicherweise aber auch die nordamerikanische Urbevölkerung.«

»Gibt es dafür eine Bestätigung? Reicht die Haarwurzel für eine DNS-Analyse aus?«

»Leider nein. Offenbar ist es nicht auf natürliche Weise ausgefallen, sondern es wurde abgeschnitten. Dieses Haar weist kein follikuläres Gewebe auf. Aber ich bin mir sicher, dass es von einer Person stammt, die weder europäischer noch afrikanischer Abstammung ist.«

Eine asiatische Frau, dachte Rizzoli, als sie ins Morddezernat zurückging. Wie passt das zu diesem Fall? In dem verglasten Durchgang zum Nordflügel blieb sie stehen und blinzelte mit müden Augen in die Sonne, über das Stadtviertel Roxbury hinweg. Gab es da ein Opfer, dessen Leiche sie noch nicht gefunden hatten? Hatte Hoyt ihr Haare als Souvenir abgeschnitten, so wie er es bei Catherine Cordell gemacht hatte?

Sie drehte sich um und erblickte zu ihrer Überraschung Moore, der direkt an ihr vorbeiging, unterwegs zum Südflügel. Er hätte sie vielleicht überhaupt nicht zur Kenntnis genommen, wenn sie ihm nicht nachgerufen hätte.

Er blieb stehen und drehte sich unwillig zu ihr um.

»Dieses lange schwarze Haar auf Hoyts Badezimmerfußboden«, sagte sie. »Das Labor meint, es sei ostasiatisch. Es gibt vielleicht noch ein Opfer, das wir übersehen haben.«

»Wir haben über diese Möglichkeit gesprochen.«

»Wann?«

»Heute Morgen, in der Besprechung.«

»Verflucht noch mal, Moore! Ich will vielleicht auch mitkriegen, was hier läuft!«

Sein eisiges Schweigen ließ ihren Ausbruch nur um so hysterischer klingen.

»Ich will ihn doch auch schnappen«, sagte sie. Langsam und unbeirrbar ging sie auf ihn zu, bis sie ihm Auge in Auge gegenüberstand. »Ich will ihn genauso sehr wie Sie. Lassen Sie mich wieder mitmachen.«

»Das ist nicht meine Entscheidung. Sondern Marquettes.« Er wandte sich zum Gehen.

»Moore?«

Resigniert blieb er stehen.

»Ich kann das nicht länger aushalten«, sagte sie. »Diese Fehde zwischen uns.«

»Das ist nicht der richtige Zeitpunkt, um darüber zu reden.«

»Hören Sie, es tut mir *Leid.* Ich war sauer auf Sie wegen Pacheco. Ich weiß, das ist eine lausige Entschuldigung für das, was ich getan habe. Dafür, dass ich Marquette von Ihnen und Cordell erzählt habe.«

Er wandte sich zu ihr um. »Warum haben Sie das getan?«

»Das habe ich Ihnen doch gerade gesagt. Ich war sauer auf Sie.«

»Nein, das war nicht nur wegen Pacheco. Es ging um Catherine, nicht wahr? Sie konnten sie von Anfang an nicht ausstehen. Sie konnten die Tatsache nicht ertragen ...«

»Dass Sie sich in sie verliebt hatten?«

Beide schwiegen lange.

Als Rizzoli wieder das Wort ergriff, konnte sie den Sarkasmus in ihrer Stimme nicht unterdrücken. »Wissen Sie was, Moore, Sie können noch so edel daherreden, dass Sie an einer Frau ihren *Verstand* schätzen, dass Sie bewundern, was Frauen alles *leisten*, aber am Ende fahren Sie doch auf dasselbe ab wie alle anderen Männer. Nämlich auf Titten und Ärsche.«

Er wurde bleich vor Wut. »Sie hassen sie also wegen ihres Aussehens. Und Sie sind stinksauer auf mich, weil ich darauf abfahre. Aber wissen Sie was, Rizzoli? Sie sollten sich mal fragen, welcher Mann denn eigentlich auf Sie abfahren soll, wenn Sie sich nicht einmal selber ausstehen können.«

Er ging, und sie starrte ihm voller Bitterkeit nach. Noch vor einigen Wochen hatte sie geglaubt, dass Moore der letzte Mensch wäre, der etwas so Grausames sagen würde. Seine

Worte schmerzten mehr, als wenn sie von irgendeinem anderen gekommen wären.

Dass er vielleicht die Wahrheit gesagt hatte, mochte sie gar nicht erst in Betracht ziehen.

Unten in der Eingangshalle blieb sie vor der Gedenktafel für die im Dienst getöteten Polizisten des Boston Police Department stehen. Die Namen der Toten waren in chronologischer Reihenfolge in der Wand eingraviert, beginnend mit Ezekiel Hodson im Jahre 1854. Eine Blumenvase stand als Zeichen der Ehrerbietung auf dem Granitboden vor der Mauer. Man musste sich nur in Erfüllung seiner Pflicht über den Haufen schießen lassen, und schon war man ein Held. Wie einfach, wie unumstößlich. Sie wusste nichts über diese Männer, deren Namen hier verewigt waren. Es hätte sie nicht sonderlich überrascht, wenn manche von ihnen korrupte Polizisten gewesen wären, doch der Tod hatte ihre Namen und ihren Ruf unantastbar gemacht. Wie sie so vor dieser Wand stand, beneidete sie fast die Toten.

Sie ging hinaus zu ihrem Wagen. Nachdem sie eine Weile in ihrem Handschuhfach herumgewühlt hatte, förderte sie eine Karte von New England zutage. Sie breitete sie auf dem Beifahrersitz aus und sah sich ihre alternativen Ziele an: Nashua in New Hampshire oder Lithia im Westen von Massachusetts. Warren Hoyt hatte an beiden Orten einen Geldautomaten benutzt. Es lief auf ein reines Ratespiel hinaus. Sie konnte ebenso gut eine Münze werfen.

Sie ließ den Motor an. Es war halb elf; die Stadt Lithia erreichte sie erst gegen Mittag.

Wasser. Das war alles, woran Catherine denken konnte – an den kühlen, reinen Geschmack der köstlichen Flüssigkeit in ihrem Mund. Sie dachte an all die Trinkwasserbrunnen, aus denen sie je getrunken hatte, an die Wasserspender aus rostfreiem Stahl in Krankenhausfluren, aus denen eiskaltes Wasser strömte und ihre Lippen, ihr Kinn benetzte. Sie dachte an zerstoßenes Eis und daran, wie Patienten nach der OP die Hälse reckten und ihre ausgetrockneten Münder aufsperrten wie Vogelkinder im Nest, nur um ein paar kostbare Stückchen davon zu ergattern.

Und sie dachte an Nina Peyton, wie sie gefesselt in einem Schlafzimmer lag. Sie hatte gewusst, dass sie sterben musste, und hatte doch nur an ihren fürchterlichen Durst denken können.

So foltert er uns. So zwingt er uns in die Knie. Er will, dass wir um Wasser betteln, um unser Leben. Er will uns komplett beherrschen. Er will, dass wir seine Macht über uns anerkennen.

Die ganze Nacht hatte sie dagelegen und die einsame Glühbirne angestarrt. Mehrmals war sie eingenickt, nur um kurz darauf wieder hochzuschrecken, weil die Panik in ihren Eingeweiden wühlte. Aber Panik kann kein Dauerzustand sein, und als die Stunden verstrichen und es ihr trotz aller Anstrengungen nicht gelang, ihre Fesseln zu lockern, da schien ihr Körper in eine Art scheintoter Starre zu verfallen. Im albtraumhaften Zwielicht zwischen Leugnung und Realität war ihr ganzes Denken nur auf eines gerichtet – ihre Gier nach Wasser.

Schritte waren zu hören. Eine Tür öffnete sich quietschend.

Mit einem Schlag war sie hellwach. Ihr Herz hämmerte plötzlich wie ein wildes Tier, das aus ihrer Brust ausbrechen wollte. Sie sog die dumpfige Luft ein, die kühle Kellerluft, die nach Erde und feuchten Steinen roch. Ihr Atem ging schneller und schneller, während die Schritte auf der Treppe näher kamen, und dann war *er* da, er stand am Bett und blickte auf sie herab. Das Licht der Glühbirne ließ einen Schatten auf sein Gesicht fallen und verwandelte es in einen grinsenden Totenschädel mit leeren Augenhöhlen.

»Du würdest gerne was trinken, nicht wahr?«, sagte er. So eine ruhige Stimme. So eine vernünftige Stimme.

Sie konnte nicht sprechen, weil ihr Mund zugeklebt war, doch er konnte die Antwort von ihren fiebrigen Augen ablesen.

»Sieh mal, was ich hier habe, Catherine.« Er hielt ein Wasserglas hoch, und sie hörte das köstliche Klirren von Eiswürfeln, sah die glitzernden Wasserperlen auf der kühlen Oberfläche des Glases. »Möchtest du einen Schluck?«

Sie nickte; ihr Blick war nicht auf ihn gerichtet, sondern auf das Glas. Der Durst raubte ihr fast den Verstand, doch sie dachte bereits weiter, über diesen ersten herrlichen Schluck Wasser hinaus. Plante ihre Schritte, wog ihre Chancen ab.

Er schwenkte das Wasser im Glas, und die Eiswürfel klangen wie Glöckchen. »Nur wenn du brav bist.«

Das bin ich, versprachen ihm ihre Augen.

Das Klebeband brannte auf ihrer Haut, als er es abzog. Sie lag vollkommen passiv da und ließ sich von ihm einen Strohhalm zwischen die Lippen stecken. Sie nahm einen gierigen Schluck, doch die paar Tropfen schienen sogleich im wütenden Feuer ihres Durstes zu verdampfen. Sie trank erneut und begann sofort zu husten. Das kostbare Wasser tropfte aus ihrem Mund.

»Ich – ich kann nicht im Liegen trinken«, keuchte sie. »Bitte lassen Sie mich aufsitzen. Bitte.«

Er stellte das Glas ab und musterte sie, seine Augen wie zwei tiefe schwarze Seen. Er sah eine Frau, die jeden Moment ohnmächtig zu werden drohte. Eine Frau, die wiederbelebt werden musste, wenn er ihre Angst und ihre Qualen voll auskosten wollte.

Er begann das Klebeband zu durchschneiden, mit dem ihr rechtes Handgelenk an den Bettpfosten gefesselt war.

Ihr Herz pochte heftig, und sie dachte, er müsse bestimmt sehen, wie es gegen ihre Rippen schlug. Die Fessel auf der rechten Seite löste sich, und ihre Hand fiel schlaff herab. Sie rührte sich nicht, spannte nicht einen Muskel an.

Eine halbe Ewigkeit lang war es still. *Komm schon. Schneid meine linke Hand los! Mach schon!*

Zu spät fiel ihr auf, dass sie die Luft angehalten hatte. Und er hatte es bemerkt. Voller Verzweiflung hörte sie das ratschende Geräusch des Klebebands, als er einen neuen Streifen von der Rolle abzog.

Jetzt oder nie.

Blindlings griff sie nach dem Tablett mit den Instrumenten, und das Wasserglas flog herunter, die Eiswürfel kullerten geräuschvoll über den Boden. Ihre Finger schlossen sich um einen stählernen Gegenstand. Das Skalpell!

Er stürzte sich auf sie, doch im gleichen Moment schwang sie das Skalpell und spürte, wie die Klinge auf einen Widerstand stieß.

Mit einem Schmerzensschrei wich er zurück und hielt sich die Hand.

Sie warf sich zur Seite und schnitt mit dem Skalpell das Klebeband durch, mit dem ihr linkes Handgelenk gefesselt war. Jetzt hatte sie beide Hände frei!

Blitzartig richtete sie sich im Bett auf, und plötzlich wurde ihr schwarz vor Augen. Ein ganzer Tag ohne Wasser hatte sie geschwächt. Sie kämpfte gegen das Schwindelgefühl an und versuchte den Blick auf ihr rechtes Fußgelenk zu richten, um mit dem Skalpell das Band durchschneiden zu können. Halb blind fuhr sie mit der Klinge darüber und spürte einen stechenden Schmerz. Ein kräftiger Ruck, und das Gelenk war frei.

Sie streckte sich nach der letzten Fessel.

Der schwere Wundhaken krachte gegen ihre Schläfe, ein so brutaler Schlag, dass Lichtblitze vor ihren Augen zuckten.

Der zweite Schlag traf sie an der Wange. Sie hörte den Knochen splittern.

Sie bekam nicht mehr mit, dass ihr das Skalpell aus der Hand fiel.

Als sie aus der Bewusstlosigkeit auftauchte, pochte das Blut in ihrem Gesicht, und mit dem rechten Auge konnte sie nichts sehen. Sie versuchte ihre Arme und Beine zu bewegen und musste feststellen, dass sie wieder an Hand- und Fußgelenken an das Bettgestell gefesselt war. Aber ihren Mund hatte er noch nicht zugeklebt. Noch hatte er sie nicht zum Schweigen gebracht.

Er stand am Fuß des Bettes und blickte auf sie herab. Sie sah die Flecken auf seinem Hemd. *Sein* Blut, dachte sie mit einem Gefühl primitiver Befriedigung. Seine Beute hatte zurückgeschlagen und ihm eine blutende Wunde beigebracht. *Mich besiegt man nicht so leicht. Angst ist sein Lebenselixier; ich werde ihm keine zeigen.*

Er nahm ein Skalpell vom Tablett und trat auf sie zu. Ihr Herz hämmerte gegen ihre Brust, doch sie lag reglos da, den Blick fest auf ihn gerichtet. Trotzig, herausfordernd. Sie wusste jetzt, dass ihr Tod unvermeidlich war, und dieses Eingeständnis war wie eine Befreiung. Es verlieh ihr den Mut der zum Tode Verurteilten. Zwei Jahre lang hatte sie wie ein verwundetes Tier in ihrem Versteck gekauert. Zwei Jahre lang hatte sie Andrew Capras Geist über ihr Leben bestimmen lassen. Damit war jetzt Schluss.

Los doch, schlitz mich auf. Aber du wirst nicht gewinnen. Du wirst es nicht erleben, dass ich geschlagen in den Tod gehe.

Er berührte ihren Bauch mit der Skalpellspitze. Unwillkürlich spannten sich ihre Muskeln an. Er wartete darauf, dass die Angst sich in ihrem Gesicht zeigte.

Doch sie ließ ihn nur ihren Trotz spüren. »Du kannst es nicht ohne Andrew, was?«, sagte sie. »Ohne ihn kriegst du noch nicht mal einen hoch. Andrew musste das Vögeln übernehmen. Du konntest ihm nur dabei zuschauen.«

Er drückte zu, und die Spitze bohrte sich in ihre Haut. Noch in ihrem Schmerz, noch während die ersten Blutstropfen hervorquollen, hielt sie den Blick unverwandt auf ihn gerichtet. Sie ließ keine Angst erkennen, verweigerte ihm jede Befriedigung.

»Du kannst gar keine Frau vögeln, hab ich Recht? Nein, dein Held Andrew musste das erledigen. Und er war auch ein Loser.«

Die Hand mit dem Skalpell hielt inne. Hob sich ein Stück. Sie sah sie dort in dem fahlen Licht über ihr schweben.

Andrew. Andrew ist der Schlüssel, der Mann, den er vergöttert. Sein Idol.

»Ein Loser, ja. Andrew war ein Loser«, sagte sie. »Du weißt doch, weshalb er damals zu mir gekommen ist, nicht wahr? Er kam, um zu betteln.«

»Nein.« Ein kaum hörbares Flüstern.

»Er hat mich gebeten, ihn nicht zu feuern. Er hat mich angefleht.« Sie lachte; ein raues, hämisches Lachen, das seltsam fehl am Platz wirkte in dieser düsteren Höhle des Todes. »Es war eine jämmerliche Vorstellung. So war er, dein Held Andrew. *Mich* hat er angebettelt, ihm zu helfen.«

Die Hand schloss sich fester um das Skalpell. Die Klinge schnitt wieder in ihren Bauch, und wieder sickerte Blut hervor und rann an ihrer Seite herab. Wild entschlossen unterdrückte sie den Instinkt, zurückzuzucken und aufzuschreien. Stattdessen redete sie immer weiter, und ihre Stimme klang so fest und sicher, als sei *sie* diejenige, die das Skalpell führte.

»Er hat mir von dir erzählt. Das wusstest du nicht, oder? Er sagte, du hättest es nicht mal fertig gebracht, eine Frau *anzusprechen*, so feige wärst du. *Er* musste sie für sich auftreiben.«

»Lügnerin.«

»Du hast ihm gar nichts bedeutet. Du warst nichts als ein Parasit, ein elender Wurm.«

»Lügnerin!«

Die Klinge senkte sich in ihr Fleisch, und so sehr sie auch dagegen ankämpfte, sie konnte nicht verhindern, dass ein erstickter Schrei ihrer Kehle entwich. *Du wirst nicht gewinnen, du Bastard. Denn ich habe keine Angst mehr vor dir. Ich habe vor nichts mehr Angst.*

Sie starrte ihn an, und in ihren Augen loderte der Trotz der zum Untergang Verdammten, als er den nächsten Schnitt tat.

25

Rizzoli stand vor dem Regal, beäugte kritisch die Reihe von Backmischungen und fragte sich, wie viele der Packungen wohl mit Mehlwürmern verseucht waren. Hobbs' Supermarkt war die Art von Laden, wo man mit so etwas rechnen musste – düster und muffig, ein richtiger Tante-Emma-Laden, aber nur, wenn man sich Tante Emma als eine knauserige alte Schachtel vorstellte, die Schulkindern verdorbene Milch andrehte. Die hiesige Tante Emma war ein Mann und hieß Dean Hobbs, ein alter Yankee mit misstrauischen Augen, der jede Münze zweimal umdrehte, bevor er sie als Zahlungsmittel akzeptierte. Widerwillig gab er Rizzoli ihre zwei Cent Wechselgeld heraus und knallte die Registrierkasse zu.

»Ich pass doch nicht auf, wer alles dieses Gelddings benutzt«, sagte er. »Die Bank hat das hier aufgestellt als Service für meine Kunden. Ich hab nichts damit zu tun.«

»Das Geld wurde im Mai abgehoben. Zweihundert Dollar. Ich habe ein Foto des Mannes, der …«

»Wie ich schon zu dem Typen von der Staatspolizei gesagt hab – das war im Mai, und jetzt haben wir August. Denken Sie, ich kann mich nach so langer Zeit noch an einen Kunden erinnern?«

»Die Staatspolizei war hier?«

»Heute Morgen, und die haben dieselben Fragen gestellt wie Sie. Redet ihr Bullen denn nicht miteinander?«

Sie waren der Transaktion also bereits nachgegangen – nicht die Kollegen aus Boston, sondern die Staatspolizei. Mist, hier vergeudete sie nur ihre Zeit.

Mr. Hobbs' Blick heftete sich plötzlich auf einen Teenager, der die Süßwarenauslagen studierte. »He du, hast du auch vor, für diesen Snickers-Riegel zu bezahlen?«

»Äh … ja.«

»Dann hol ihn doch besser mal raus aus der Hosentasche, wie wär's?«

Der Junge legte den Schokoriegel ins Regal zurück und schlich sich aus dem Laden.

Dean Hobbs gab ein mürrisches Grunzen von sich. »Der da macht immer nur Ärger.«

»Sie kennen den Jungen?«, fragte Rizzoli.

»Kenne seine Familie.«

»Was ist mit Ihren anderen Kunden? Kennen Sie die meisten von ihnen?«

»Haben Sie sich die Stadt schon angesehen?«

»Ja, ich habe mich kurz mal umgeschaut.«

»Na ja, das reicht auch vollkommen aus für Lithia. Zwölfhundert Einwohner. Gibt nicht viel zu sehen hier.«

Rizzoli nahm das Bild von Warren Hoyt aus der Tasche. Es war ein zwei Jahre altes Führerscheinfoto. Etwas Besseres hatten sie nicht auftreiben können. Hoyt blickte direkt in die Kamera, ein schmalgesichtiger junger Mann mit Kurzhaarschnitt und einem seltsam unverbindlichen Lächeln. Dean Hobbs hatte es zwar schon gesehen, aber sie hielt es ihm dennoch hin. »Sein Name ist Warren Hoyt.«

»Ja, hab ich schon gesehen. Die Staatspolizei hat's mir gezeigt.«

»Erkennen Sie ihn?«

»Hab ihn heute Morgen nicht erkannt. Und jetzt erkenn ich ihn auch nicht.«

»Sind Sie sicher?«

»Höre ich mich etwa unsicher an?«

Allerdings nicht. Er klang wie ein Mann, der nie seine Meinung änderte.

Die Ladentür öffnete sich mit Glockengebimmel, und zwei weibliche Teenager kamen herein, zwei sonnige Blondinen mit Hotpants und langen, braun gebrannten Beinen. Dean Hobbs ließ sich für einen Moment ablenken, als sie kichernd vorüberschlenderten und im Halbdunkel der hinteren Regalreihen verschwanden.

»Mann, sind die groß geworden«, murmelte er erstaunt.

»Mr. Hobbs.«

»Hä?«

»Wenn Sie den Mann auf dem Foto sehen, rufen Sie mich bitte sofort an.« Sie reichte ihm ihre Karte. »Ich bin rund um die Uhr zu erreichen. Über den Piepser oder das Handy.«

»Ja, ja, schon klar.«

Die Mädels, jetzt beladen mit einer Tüte Kartoffelchips und einem Sechserpack Diät-Cola, kamen zur Kasse zurück. Sie standen da in all ihrer jugendlichen, BH-losen Pracht, mit ihren ärmellosen T-Shirts, unter denen sich die Brustwarzen abzeichneten. Dean Hobbs weidete sich ausgiebig an dem Anblick, und Rizzoli fragte sich, ob er sie schon völlig vergessen hatte.

Die Geschichte meines Lebens. Ein hübsches Ding kommt rein, und schon bin ich unsichtbar.

Sie verließ den Supermarkt und ging zu ihrem Wagen zurück. In der kurzen Zeit, die er in der Sonne gestanden hatte, war das Wageninnere bereits zum Backofen geworden. Sie öffnete die Tür und wartete, bis es sich etwas abgekühlt hatte. Auf Lithias Hauptstraße rührte sich nichts. Sie sah eine Tankstelle, eine Eisenwarenhandlung und ein Café, aber keine Menschen. Die Hitze hatte alle in ihre Häuser getrieben, und von allen Seiten konnte sie das Rattern von Klimaanlagen hören. Selbst im kleinstädtischen Amerika saß niemand mehr draußen im Schaukelstuhl und fächelte sich Luft zu. Das Wunder der Elektrizität hatte die Veranda überflüssig gemacht.

Sie hörte, wie sich die Tür des Ladens mit Gebimmel schloss, und sah die beiden Teenager träge im Sonnenschein davonschlendern; die einzigen Lebewesen, die sich ringsum rührten. Während sie die Straße entlanggingen, sah Rizzoli, wie an einem Fenster die Gardinen beiseite geschoben wurden. In einer kleinen Stadt blieb nichts unbemerkt. Schon gar nicht zwei hübsche junge Frauen.

Wäre es den Leuten aufgefallen, wenn eine verschwunden wäre?

Sie schlug die Wagentür wieder zu und ging zurück zum Supermarkt.

Mr. Hobbs war in der Obst- und Gemüseabteilung, wo er geschickt die frischen Salatköpfe in die hinterste Ecke des Kühlregals verfrachtete und die verwelkten nach vorne holte.

»Mr. Hobbs?«

Er drehte sich um. »Sie schon wieder?«

»Noch eine Frage.«

»Das heißt noch nicht, dass Sie 'ne Antwort kriegen.«

»Wohnen in dieser Stadt irgendwelche Asiatinnen?«

Das war eine Frage, mit der er nicht gerechnet hatte, und er konnte sie nur perplex anglotzen. »Was?«

»Eine Chinesin oder eine Japanerin. Oder vielleicht eine Indianerin.«

»Wir haben hier ein, zwei schwarze Familien«, meinte er, als ob die es zur Not auch tun würden.

»Möglicherweise wird eine Frau vermisst. Lange schwarze Haare, sehr glatt, bis über die Schultern.«

»Und Sie sagen, sie ist 'ne Orientalin?«

»Oder vielleicht auch eine amerikanische Ureinwohnerin.«

Er lachte. »Nee, das glaub ich nicht, dass die eine von denen ist.«

Rizzoli war plötzlich hellwach. Er hatte sich wieder dem Gemüse zugewandt und begann alte Zucchini auf die frische Lieferung zu stapeln.

»Wer ist *die*, Mr. Hobbs?«

»Keine Orientalin, das ist mal sicher. Und auch keine Indianerin.«

»Sie kennen sie?«

»Hab sie ein-, zweimal hier gesehen. Hat die alte Sturdee-Farm für den Sommer gemietet. Großes Mädchen. Nicht besonders hübsch.«

Ja, das Letztere dürfte ihm kaum entgangen sein.

»Wann haben Sie sie das letzte Mal gesehen?«

Er drehte sich um und brüllte: »He, Margaret!«

Die Tür zu einem Hinterzimmer ging auf, und Mrs. Hobbs kam heraus. »Was ist denn?«

»Hast du nicht letzte Woche 'ne Lieferung zur Sturdee-Farm gefahren?«

»Ja.«

»Hattest du den Eindruck, dass mit dem Mädchen da draußen alles in Ordnung ist?«

»Sie hat bezahlt.«

Rizzoli fragte: »Haben Sie sie seither noch einmal gesehen, Mrs. Hobbs?«

»Gab keinen Grund.«

»Wo ist diese Sturdee-Farm?«

»Draußen an der West Fork. Letztes Haus an der Straße.«

Rizzoli blickte nach unten, als ihr Piepser sich meldete. »Dürfte ich mal Ihr Telefon benutzen?«, fragte sie. »Bei meinem Handy ist der Akku leer.«

»Ist aber kein Ferngespräch, oder?«

»Boston.«

Er grunzte und wandte sich wieder seiner Zucchini-Auslage zu. »Draußen ist 'n Münztelefon.«

Mit einem unterdrückten Fluch auf den Lippen stapfte Rizzoli hinaus in die Hitze, ging zu dem Fernsprecher und schob ein paar Münzen in den Schlitz.

»Detective Frost.«

»Sie haben mich gerade angepiepst.«

»Rizzoli? Was machen Sie denn in West-Massachusetts?«

Zu ihrer Verärgerung musste sie feststellen, dass er ihren Standort kannte … dank der Anruferkennung. »Ich habe eine kleine Tour gemacht.«

»Sie arbeiten immer noch an dem Fall, nicht wahr?«

»Ich stelle nur ein paar Fragen. Nichts Besonderes.«

»Scheiße, wenn…« Frost senkte abrupt die Stimme. »Wenn Marquette das spitzkriegt…«

»Sie werden es ihm doch nicht sagen, oder?«

»Natürlich nicht. Aber kommen Sie wieder zurück. Er sucht Sie und ist schon ganz stinkig.«

»Ich muss mir hier noch was anschauen.«

»Hören Sie mal gut zu, Rizzoli. *Lassen Sie die Finger davon*, sonst versauen Sie sich noch Ihre letzte Chance in dieser Einheit.«

»Begreifen Sie denn nicht? Ich habe mir doch schon alles versaut. Ich bin schon längst geliefert!« Sie kämpfte mit den Tränen, als sie sich umdrehte und auf die menschenleere Straße hinausblickte, über die Staubwolken wie heiße Asche hinwegzogen. »Er ist alles, was ich noch habe. Der Chirurg. Ich habe nur noch eine einzige Chance – ich muss ihn schnappen.«

»Die Staatspolizei war schon da draußen. Sie ist mit leeren Händen zurückgekommen.«

»Ich weiß.«

»Und was wollen *Sie* dann noch da?«

»Ich stelle die Fragen, die die anderen nicht gestellt haben.« Sie legte auf.

Dann stieg sie in ihren Wagen und fuhr los, um nach der schwarzhaarigen Frau zu suchen.

26

Die Sturdee-Farm war das einzige Haus am Ende einer langen ungeteerten Straße. Es war ein altes zweistöckiges Landhaus mit steilem Giebel und Kamin, abblätterndem weißem Anstrich und einer Veranda, die unter der Last eines Stapels Brennholz in der Mitte durchhing.

Rizzoli blieb noch einen Moment im Wagen sitzen. Sie war zu müde zum Aussteigen, zu entmutigt durch den Gedanken, was aus ihrer einst so viel versprechenden Karriere geworden war: Hier saß sie nun allein in ihrem Wagen auf einer einsamen Straße und grübelte über die Sinnlosigkeit ihres Unterfangens nach. Warum sollte sie überhaupt diese Stufen hochgehen und an diese Tür klopfen? Um mit irgendeiner verblüfften Frau zu reden, die zufällig schwarze Haare hatte? Sie dachte an Ed Geiger, einen anderen Bostoner Polizisten, der auch eines Tages seinen Wagen an einer einsamen Landstraße abgestellt und im Alter von neunundvierzig Jahren beschlossen hatte, dass sein Weg hier tatsächlich zu Ende war. Rizzoli war als Erste von ihrem Team am Ort des Geschehens eingetroffen. Die anderen Polizisten hatten um den Wagen mit der blutbespritzten Windschutzscheibe herumgestanden, den Kopf geschüttelt und mit gedämpften Stimmen irgendetwas über den armen Ed gemurmelt, doch Rizzoli hatte nur wenig Mitgefühl für einen Polizisten aufbringen können, der so tief gesunken war, dass er sich eine Kugel durch den Kopf gejagt hatte.

Es ist so einfach, dachte sie, und plötzlich spürte sie die Waffe an ihrer Seite. Nicht ihre Dienstpistole – die hatte sie Marquette ausgehändigt –, sondern ihre eigene von zu Hause. Eine Pistole konnte dein bester Freund oder dein schlimmster Feind sein. Manchmal beides gleichzeitig.

Aber sie war kein Ed Geiger; sie war kein Loser, der sich den Pistolenlauf in den Mund steckte. Sie machte den Motor aus und stieg widerwillig aus dem Wagen, um ihren Job zu erledigen.

Rizzoli hatte ihr ganzes Leben in der Stadt verbracht, und die Stille an diesem Ort empfand sie als unheimlich. Als sie die Verandastufen hochging, klang jedes Knarren der Holzplanken wie künstlich verstärkt. Fliegen surrten um ihren Kopf herum. Sie klopfte an die Tür und wartete. Drehte probehalber am Türknauf und fand die Tür verschlossen. Sie klopfte erneut, dann rief sie »Hallo?« Sie war überrascht, wie laut ihre Stimme hallte.

Inzwischen hatten die Stechmücken sie entdeckt. Sie klatschte sich auf die Wange und sah eine dunkle Blutspur auf ihrer Handfläche. Zum Teufel mit dem Landleben. In der Stadt gingen die Blutsauger wenigstens auf zwei Beinen, und man konnte sie von weitem kommen sehen.

Sie pochte noch ein paarmal laut an die Tür, erschlug noch ein paar Mücken und gab dann auf. Offenbar war niemand zu Hause.

Sie ging um das Haus herum und suchte es nach Anzeichen für ein gewaltsames Eindringen ab, doch die Fenster waren alle geschlossen, die Fliegengitter fest montiert. Die Fenster waren zu hoch, als dass man ohne Leiter hätte einsteigen können, denn das Haus war auf einem steinernen Fundament erbaut.

Jetzt nahm sie den Hof in Augenschein. Es gab dort eine alte Scheune und einen Teich, der ganz mit grünem Schleim bedeckt war. Eine einsame Stockente paddelte lustlos im Wasser umher, vermutlich ausgestoßen von ihren Artgenossen. So etwas wie ein Garten war nicht einmal ansatzweise zu erkennen – nur kniehohes Unkraut und Gras und noch mehr Stechmücken. Jede Menge davon.

Reifenspuren führten zur Scheune. Ein Streifen Gras war vor nicht allzu langer Zeit von einem Fahrzeug plattgedrückt worden.

Eine letzte Stelle, wo sie noch nachsehen konnte.

Sie stapfte über die zerdrückte Grasbahn auf die Scheune zu und hielt inne. Sie hatte keinen Durchsuchungsbefehl, aber wer würde je davon erfahren? Sie würde nur einen kurzen Blick hineinwerfen, um sich zu vergewissern, dass kein Wagen da war.

Sie packte die Handgriffe und zog die schweren Türen auf.

Das einfallende Sonnenlicht trieb einen schrägen Lichtkeil durch das Halbdunkel der Scheune. Staubkörnchen wirbelten in dem plötzlichen Luftzug umher. Rizzoli stand stocksteif da und starrte den Wagen an, der in der Scheune geparkt war.

Es war ein gelber Mercedes.

Eiskalter Schweiß rann ihr über das Gesicht. Es war so still – bis auf das Summen einer Fliege irgendwo im Schatten war es hier einfach viel zu still.

Sie erinnerte sich nicht mehr, dass sie ihr Halfter aufgeknöpft und nach ihrer Waffe gegriffen hatte. Aber da war sie urplötzlich in ihrer Hand, als sie langsam auf den Wagen zuging. Sie warf einen kurzen Blick durch das Fahrerfenster und sah, dass niemand drinsaß. Dann schaute sie sich den Innenraum noch einmal etwas gründlicher an, und ihr Blick fiel auf einen dunklen Gegenstand, der auf dem Beifahrersitz lag. Eine Perücke.

Wo kommen die Haare für Perücken überwiegend her? Aus dem Fernen Osten.

Die schwarzhaarige Frau.

Sie erinnerte sich an das Überwachungsvideo aus dem Krankenhaus von dem Tag, als Nina Peyton ermordet wurde. Auf keinem der Bänder hatten sie Warren Hoyt in der Station 5 West ankommen sehen.

Weil er die Chirurgie als Frau betreten und als Mann wieder verlassen hatte.

Ein Schrei.

Sie fuhr herum, blickte mit pochendem Herzen zum Haus. *Cordell?*

Wie der Blitz schoss sie aus der Scheune heraus, rannte durch das hohe Gras direkt auf die Hintertür des Hauses zu.

Sie war verschlossen.

Ihre Lungen arbeiteten wie Blasebälge, als sie ein paar Schritte rückwärts ging und die Tür, den Rahmen musterte. Eine Tür einzutreten hatte mehr mit Adrenalin als mit Muskelkraft zu tun. Als junge, unerfahrene Polizistin und als einzige Frau im Team war Rizzoli einmal aufgefordert worden, die Wohnungstür eines Verdächtigen einzutreten. Es war ein Test, und die Kollegen hatten alle erwartet, ja vielleicht gehofft, dass sie versagen würde. Doch Rizzoli hatte all ihren Ärger, all ihre Wut auf diese Tür konzentriert. Mit nur zwei Tritten hatte sie das Holz zersplittert und war wie ein Wirbelwind hineingestürmt.

Und so wie damals rauschte auch jetzt das Adrenalin durch ihre Adern, als sie den Rahmen ins Visier nahm und kurz hintereinander dreimal schoss. Dann trat sie mit dem Absatz krachend gegen die Tür. Das Holz splitterte. Sie trat noch einmal zu. Diesmal flog die Tür auf, und im nächsten Moment war sie drin und suchte in geduckter Haltung den Raum ab, die Waffe in den ausgestreckten Händen immer in Blickrichtung haltend. Es war eine Küche. Die Rollos waren geschlossen, doch das Licht reichte aus, um zu erkennen, dass niemand hier war. Schmutziges Geschirr in der Spüle. Der Kühlschrank brummte und gluckste.

Ist er hier? Lauert er im Nebenzimmer auf mich?

Verdammt, sie hätte eine kugelsichere Weste anziehen sollen. Aber mit so etwas hatte sie nicht gerechnet.

Schweißperlen rannen zwischen ihren Brüsten herab, wurden von ihrem Sport-BH aufgesogen. Sie erblickte ein Telefon an der Wand. Schlich sich hin und nahm den Hörer ab. Kein Amtszeichen. Keine Möglichkeit, Verstärkung zu rufen. Sie ließ den Hörer baumeln und rückte vorsichtig zur Tür vor. Spähte hindurch und erblickte ein Wohnzimmer mit einer abgewetzten Couch und ein paar Stühlen.

Wo war Hoyt? Wo?

Sie betrat das Wohnzimmer. Sie hatte es schon halb durchquert, als ihr Piepser zu vibrieren begann, was ihr einen kleinen Schreckenslaut entlockte. Mist. Sie stellte das Gerät aus und setzte ihren Weg durch das Wohnzimmer fort.

In der Diele blieb sie stehen und starrte ungläubig auf die Haustür.

Sie stand weit offen.

Er ist nicht mehr im Haus.

Sie trat hinaus auf die Veranda. Mücken surrten um ihren Kopf herum, während sie den Blick über die ungeteerte Einfahrt schweifen ließ, wo ihr Wagen stand, und weiter über das hohe Gras bis zu dem nahen Waldstück mit den wild über den Rand hinaus sprießenden Schößlingen. Da draußen gab es zu viele Verstecke. Während sie wie ein hirnloses Rindvieh gegen die Hintertür angerannt war, war er zur Haustür rausgeschlichen und hatte sich in den Wald geflüchtet.

Cordell ist im Haus. Du musst sie finden.

Sie ging wieder hinein und eilte die Treppe hoch. Im Obergeschoss war es heiß und stickig, und der Schweiß strömte ihr nur so aus den Poren, während sie eilig die drei Schlafzimmer, das Bad und die Wandschränke durchsuchte. Keine Spur von Cordell.

Gütiger Himmel, sie würde hier drin noch ersticken.

Sie ging wieder die Treppe hinunter. Im Haus herrschte eine solche Totenstille, dass sich ihr die Nackenhaare sträubten. Mit einem Mal wurde ihr klar, dass Cordell tot sein musste. Was sie von der Scheune aus gehört hatte, musste ein Todesschrei gewesen sein, der letzte Laut aus einer sterbenden Kehle.

Sie ging in die Küche zurück. Durch das Fenster über der Spüle konnte sie die Scheune deutlich sehen.

Er hat mich durch das Gras zur Scheune gehen sehen. Er hat mich dort hineingehen sehen. Er wusste, dass ich den Mercedes finden würde. Er wusste, dass seine Zeit abgelaufen war.

Also hat er dem Ganzen ein Ende gemacht. Und ist davongerannt.

Der Kühlschrank rumpelte ein paarmal und verstummte dann. Sie hörte ihr eigenes Herz schlagen, wie der rasende Wirbel einer kleinen Trommel.

Als sie sich umdrehte, erblickte sie die Tür zum Keller. Dem einzigen Ort, den sie noch nicht durchsucht hatte.

Sie öffnete die Tür und sah ein gähnendes dunkles Loch. Verdammt, wie sie es hasste, in die Finsternis einzutauchen und diese Treppe hinunterzugehen, nur um dort unten ein Bild des Grauens vorzufinden. Sie wollte es nicht tun, aber sie wusste, dass Cordell dort unten sein musste.

Rizzoli griff in die Tasche und tastete nach ihrer Mini-Taschenlampe. Sie richtete den dünnen Lichtstrahl auf die Treppe und stieg die erste Stufe hinunter, dann die zweite. Die Luft roch kühler, feuchter.

Sie witterte Blut.

Etwas streifte ihr Gesicht, und sie zuckte erschrocken zurück. Dann stieß sie einen Seufzer der Erleichterung aus, als sie erkannte, das es nur die herabhängende Schnur einer Lampe war. Sie zog einmal daran. Nichts geschah.

Sie würde sich mit der Taschenlampe zurechtfinden müssen.

Wieder richtete sie den Strahl auf die Stufen und ging weiter, die Waffe immer dicht am Körper. Nach der erstickenden Hitze in den oberen Räumen kam ihr die Luft hier unten fast frostig vor. Der Schweiß auf ihrer Haut fühlte sich eiskalt an.

Sie erreichte das Ende der Treppe, und ihre Sohlen traten auf festgestampfte Erde. Hier war es noch etwas kühler, und der Blutgeruch war stärker. Die Luft abgestanden und feucht. Still, so still; totenstill. Das lauteste Geräusch war das Rauschen ihres eigenen Atems.

Sie ließ den Lichtstrahl kreisen und hätte fast laut aufgeschrien, als ihr eigenes Spiegelbild sie plötzlich anstarrte. Mit pochendem Herzen stand sie da, die Waffe im Anschlag, und dann sah sie, was das Licht der Lampe reflektiert hatte.

Gläser. Große Apothekergläser, aufgereiht auf einem Regal. Sie musste die Objekte, die in diesen Gläsern schwammen, gar nicht erst anschauen, um zu wissen, um was es sich handelte.

Seine Souvenirs.

Es waren sechs Gläser, jedes mit einem Namensetikett versehen. Mehr Opfer, als sie alle geahnt hatten.

Das letzte Glas war leer, doch der Name stand schon auf dem Etikett; der Behälter wartete nur darauf, die Trophäe aufzunehmen. Die wertvollste Trophäe von allen.

Catherine Cordell.

Rizzoli wirbelte herum; der Strahl ihrer Taschenlampe zuckte wild umher, flatterte an massiven Stützpfeilern und Fundamenten vorbei und erstarrte dann abrupt, als er in die gegenüberliegende Ecke fiel. Da waren schwarze Spritzer an der Wand.

Blut.

Sie senkte den Lichtstrahl, und er fiel direkt auf Cordells Körper. Sie lag auf einem Bett, Hand- und Fußgelenke mit Klebeband an das Gestell gefesselt. Frisches Blut schimmerte auf ihrem Rumpf. Auf einem weißen Oberschenkel leuchtete ein hellroter Handabdruck, dort, wo der Chirurg seinen Handschuh auf ihre Haut gepresst hatte, wie um ihr sein Siegel aufzudrücken. Das Tablett mit den chirurgischen Instrumenten stand noch neben dem Bett; ein Sortiment von Folterwerkzeugen.

O Gott. Ich war so nahe dran, dich zu retten.

Krank vor Zorn ließ sie den Lichtstrahl an Cordells blutverschmiertem Rumpf emporgleiten, bis sie am Hals innehielt. Da war keine klaffende Wunde, kein Gnadenstreich.

Der Lichtstrahl erzitterte plötzlich. Nein, nicht das Licht. Cordells Brust hatte sich bewegt!

Sie atmet noch.

Rizzoli riss das Klebeband von Cordells Mund und fühlte den warmen Atem auf ihrer Hand, sah Cordells Augenlider zucken.

Ja!

Ein Triumphgefühl durchfuhr sie, jedoch vermischt mit einer quälenden Ahnung, dass hier irgendetwas ganz und gar nicht stimmte. Keine Zeit, darüber nachzudenken. Sie musste Cordell hier rausbringen.

Sie steckte sich die Taschenlampe zwischen die Zähne, schnitt rasch Cordells Fesseln durch und tastete nach dem Puls. Sie fühlte ihn – er war schwach, aber er war eindeutig da.

Immer noch konnte sie das Gefühl nicht abschütteln, dass etwas nicht stimmte. Die ganze Zeit, während sie das Klebeband an Cordells rechtem Fußgelenk durchschnitt, während sie anschließend nach dem linken Fuß griff, läuteten unentwegt die Alarmglocken in ihrem Kopf. Und dann wusste sie, wieso.

Dieser Schrei. Sie hatte Cordell bis in die Scheune schreien gehört.

Aber sie hatte sie mit zugeklebtem Mund vorgefunden.

Er hatte das Band abgerissen. Er wollte, dass sie schreit. Er wollte, dass ich den Schrei höre.

Eine Falle.

Augenblicklich streckte sie die Hand nach der Pistole aus, die sie auf dem Bett abgelegt hatte. Sie schaffte es nicht mehr.

Das Kantholz krachte gegen ihre Schläfe. So gewaltig war der Schlag, dass sie mit dem Gesicht nach unten auf den festgestampften Boden fiel und alle viere von sich streckte. Mit aller Kraft versuchte sie sich aufzurichten.

Wieder sauste das Kantholz auf sie herab und traf sie mit voller Wucht in die Seite. Sie hörte ihre Rippen knacken, und die Luft entwich zischend aus ihren Lungen. Sie rollte auf den Rücken. Der Schmerz war so fürchterlich, dass es ihr den Atem verschlug.

Ein Licht leuchtete auf; eine einzelne Glühbirne, die hoch über ihr baumelte.

Er stand da und sah auf sie herab, sein Gesicht ein schwarzes Oval vor dem Hintergrund des Lichtkegels. Der Chirurg, der seine neueste Eroberung begutachtete.

Sie wälzte sich auf die unverletzte Seite und versuchte sich vom Boden abzustoßen.

Er trat ihr den Arm weg, und sie fiel wieder auf den Rücken; der Aufprall zuckte wie ein Blitz durch ihren verletzten Brustkorb. Sie stieß einen wilden Schmerzensschrei aus. Sie konnte sich nicht rühren. Auch nicht, als er näher trat, als sie das Kantholz über ihrem Kopf schweben sah.

Sein Stiefel senkte sich auf ihr Handgelenk, drückte es gegen den Boden.

Sie schrie.

Er streckte die Hand nach dem Tablett aus und ergriff eines der Skalpelle.

Nein. O Gott, nein.

Er ging in die Hocke, den Stiefel immer noch auf ihrem Handgelenk, und hob das Skalpell. Und ließ es mit einem einzigen unbarmherzigen Schwung auf ihre offene Hand herabfahren.

Wieder entwich ihr ein schriller Schrei, als der Stahl ihr Fleisch durchbohrte und tief in die Erde drang. Ihre Hand war am Boden festgenagelt.

Er nahm ein zweites Skalpell vom Tablett, packte ihre rechte Hand und zog an ihr, bis ihr Arm gerade ausgestreckt war. Er trat fest mit dem Stiefel darauf, sodass sie sich nicht mehr rühren konnte. Wieder hob er das Skalpell. Wieder senkte er es herab, stieß es durch ihr Fleisch in die Erde.

Der Schrei war diesmal schon schwächer. Resigniert.

Er stand auf und blickte einen Moment auf sie herab, so wie ein Sammler einen neuen bunten Schmetterling bewundert, den er soeben an das Brett gesteckt hat.

Er ging zum Tablett und nahm ein drittes Skalpell. Rizzoli, die Arme ausgestreckt und die Hände an den Boden genagelt, konnte nur zusehen und auf den letzten Akt warten. Er ging um sie herum und kniete hinter ihrem Kopf nieder, packte ihre Haare und riss daran, ein heftiger Ruck. Ihr Hals lag offen da. Sie starrte ihm direkt ins Gesicht, doch es war immer noch kaum mehr als ein dunkles Oval. Ein schwarzes Loch, das alles Licht verschluckte. Sie konnte das Hämmern in ihren Halsschlagadern fühlen, ihr Pulsieren im Rhythmus des Herzschlags. Ihr Blut, das war ihr Leben, das durch Arterien und Venen strömte. Sie fragte sich, wie lange sie noch bei Bewusstsein bleiben würde, nachdem die Klinge ihr Werk getan hatte. Ob der Tod ein allmähliches Versinken in völlige Schwärze sein würde. Sie erkannte seine Unvermeidlichkeit. Ihr ganzes Leben lang war sie eine Kämpferin gewesen, ihr ganzes Leben lang hatte sie sich mit wilder Entschlossenheit gegen jede Niederlage gestemmt, doch hier und jetzt war sie besiegt. Ihre Kehle war entblößt, ihr Kopf nach hinten gebogen. Sie sah das Aufblitzen der Klinge und schloss die Augen, als sie ihre Haut berührte.

O Gott, lass es schnell gehen.

Sie hörte, wie er noch einmal Luft holte, spürte, wie seine Hand die Haarsträhne fester packte.

Der Schuss ließ sie zusammenfahren.

Sie riss die Augen auf. Er hockte immer noch hinter ihr, aber er hatte ihre Haare losgelassen. Das Skalpell fiel ihm aus der Hand. Etwas Warmes tropfte ihr ins Gesicht. Blut.

Nicht ihres, seines.

Er fiel nach hinten und verschwand aus ihrem Gesichtsfeld.

Sie hatte sich schon mit ihrem eigenen Tod abgefunden, und jetzt lag sie wie benommen da und konnte kaum begreifen, dass sie noch lebte. Angestrengt versuchte sie, eine ganze Reihe von Details gleichzeitig zu registrieren. Sie sah die Glühbirne wie einen hellen Mond an einer Schnur baumeln. An der Wand tanzten Schatten. Sie drehte den Kopf und sah, wie Catherine Cordells Arm schlaff auf das Bett zurückfiel.

Sah, wie ihr die Pistole aus der Hand glitt und mit einem dumpfen Schlag auf die Erde fiel.

In der Ferne heulte eine Sirene.

27

Rizzoli saß aufrecht in ihrem Krankenhausbett und starrte finster auf den Fernsehbildschirm. Ihre Hände waren so dick verbunden, dass es aussah, als trüge sie Boxhandschuhe. Oberhalb ihrer Schläfe befand sich eine große kahl rasierte Fläche, wo die Ärzte eine Platzwunde hatten nähen müssen. Sie war so in ihren Kampf mit der Fernbedienung vertieft, dass sie Moore, der in der offenen Tür stand, zunächst gar nicht bemerkte. Dann klopfte er. Als sie sich zu ihm umwandte, sah er für den Bruchteil einer Sekunde einen Funken von Verletzlichkeit in ihren Augen. Dann traten ihre gewohnten Abwehrmechanismen wieder in Aktion, und sie war die alte Rizzoli, die mit misstrauischem Blick beobachtete, wie er das Zimmer betrat und auf dem Stuhl an ihrem Bett Platz nahm.

Aus dem Fernseher quäkte die nervtötende Titelmelodie einer Familienserie.

»Können Sie vielleicht mal diesen Mist ausschalten?«, platzte sie frustriert heraus, während sie mit einer verbundenen Tatze auf die Fernbedienung deutete. »Ich kann die Tasten nicht treffen. Die erwarten wohl, dass ich meine Nase dazu benutze oder was auch immer.«

Er nahm die Fernbedienung und drückte auf die AUS-Taste.

»*Vielen* Dank«, stieß sie betont dramatisch hervor – und fuhr gleich zusammen, als der Schmerz der drei gebrochenen Rippen sie durchzuckte.

Nachdem der Fernseher verstummt war, schwiegen sie beide zunächst ausgiebig. Durch die offene Tür hörten sie eine Lautsprecherdurchsage und das Rattern des Essenswagens, der durch den Flur geschoben wurde.

»Sind Sie hier auch gut versorgt?«, fragte er.

»Für ein Provinzkrankenhaus ist es ganz in Ordnung. Ist wahrscheinlich sogar besser, als wenn ich in der Stadt wäre.«

Während Catherine und Hoyt wegen ihrer ernsteren Verletzungen per Rettungshubschrauber nach Boston ins Pilgrim Medical Center gebracht worden waren, hatte ein Rettungswagen Rizzoli in dieses kleine Landkrankenhaus gefahren. Trotz der beträchtlichen Entfernung von der Stadt hatte schon fast die komplette Bostoner Mordkommission Rizzoli ihre Aufwartung gemacht.

Und alle hatten sie Blumen mitgebracht. Moores Rosenstrauß ging fast unter in der Masse der Gestecke und Arrangements, die den Nachttisch und die Beistelltische, ja sogar den Boden bedeckten.

»Wow«, stieß er hervor. »Sie haben ja einen Haufen Verehrer an Land gezogen.«

»Nicht wahr? Ob Sie's glauben oder nicht, sogar Crowe hat Blumen angeschleppt. Die Lilien da drüben. Ich glaube, er will mir irgendwas damit sagen. Sehen die nicht aus wie Friedhofsblumen? Sehen Sie die hübschen Orchideen dort? Die sind von Frost. Mensch, ich hätte *ihm* eher Blumen schicken sollen als Dank dafür, dass er mir das Leben gerettet hat.«

Es war Frost gewesen, der die Staatspolizei alarmiert hatte. Als Rizzoli auf seine Anrufe nicht reagiert hatte, hatte er sich mit Dean Hobbs vom Supermarkt in Verbindung gesetzt, um sie ausfindig zu machen, und hatte erfahren, dass sie zur Sturdee-Farm hinausgefahren war, um mit einer schwarzhaarigen Frau zu sprechen.

Rizzoli setzte ihre Inventur der Blumengeschenke fort. »Die riesige Vase da mit dem exotischen Zeugs drin ist von Elena Ortiz' Familie. Die Nelken sind von Marquette, dem alten Knauser. Und Sleepers Frau hat den Hibiskus dort mitgebracht.«

Moore schüttelte ungläubig den Kopf. »Das haben Sie sich alles gemerkt?«

»Na ja, sonst kriege ich doch nie Blumen geschenkt. Also habe ich mir dieses einmalige Ereignis besonders gut eingeprägt.«

Wieder erkannte er einen Anflug von Verletzlichkeit hinter der Maske der Tapferkeit. Und er sah noch etwas anderes, das ihm vorher nie aufgefallen war – ein Leuchten in ihren dunklen Augen. Sie war lädiert, in Bandagen verpackt, und auf ihrem Kopf prangte eine hässliche kahle Stelle. Aber wenn man über die unvorteilhaften Züge ihres Gesichts hinwegsah, den kantigen Unterkiefer, die breite, flache Stirn, dann erkannte man plötzlich, dass Jane Rizzoli wunderschöne Augen hatte.

»Ich habe vorhin mit Frost gesprochen. Er ist im Pilgrim«, sagte Moore. »Er sagt, Warren Hoyt wird durchkommen.«

Sie schwieg.

»Sie haben ihm heute Morgen den Sauerstoffschlauch aus dem Hals entfernt. Er hat immer noch einen Schlauch in der Brust, wegen der kollabierten Lunge. Aber er kann schon wieder selbst atmen.«

»Ist er bei Bewusstsein?«

»Ja.«

»Redet er?«

»Nicht mit uns. Nur mit seinem Anwalt.«

»Mann, wenn ich nur die Chance gehabt hätte, den Scheißkerl zu erledigen …«

»Sie hätten es nicht getan.«

»Glauben Sie nicht?«

»Ich glaube, Sie sind eine zu gute Polizistin, als dass Sie so einen Fehler ein zweites Mal begehen würden.«

Sie sah ihn unverwandt an. »Das werden Sie nie erfahren.«

Und du auch nicht. Wir können es nie genau wissen, bis der Teufel uns die Gelegenheit auf einem Silbertablett präsentiert.

»Ich hab mir nur gedacht, Sie sollten das wissen«, meinte er und stand auf, um zu gehen.

»He, Moore.«

»Ja?«

»Sie haben noch gar nichts von Cordell erzählt.«

Er hatte es in der Tat absichtlich vermieden, das Thema Catherine anzusprechen. Sie war die Hauptursache für den Konflikt zwischen Rizzoli und ihm, die schwärende Wunde, die ihre berufliche Partnerschaft lahm gelegt hatte.

»Ich habe gehört, es geht ihr einigermaßen«, sagte Rizzoli.

»Sie hat die Operation gut überstanden.«

»Hat er – hat Hoyt ...«

»Nein. Er ist nicht dazu gekommen, die Verstümmelung durchzuführen. Sie sind eingetroffen, bevor er es tun konnte.«

Sie sank in ihr Kissen zurück. Ihre Miene drückte Erleichterung aus.

»Ich fahre jetzt ins Pilgrim, um sie zu besuchen«, sagte er.

»Und was passiert dann?«

»Dann sehen wir zu, dass Sie wieder an Ihren Schreibtisch kommen, damit wir nicht ständig Ihre Anrufe für Sie annehmen müssen.«

»Nein, ich meine, was wird aus Ihnen und Cordell?«

Er zögerte. Sein Blick ging zum Fenster, wo das strahlende Sonnenlicht die Vase mit den Lilien überflutete und die Blütenblätter erglühen ließ. »Ich weiß es nicht.«

»Macht Marquette Ihnen immer noch die Hölle heiß wegen der Sache?«

»Er hat mich davor gewarnt, mich auf eine Beziehung mit ihr einzulassen. Und er hat Recht. Ich hätte es nicht tun sollen. Aber ich konnte einfach nicht anders. Manchmal denke ich ...«

»Dass Sie vielleicht doch nicht der heilige Thomas sind?«

Er lachte bekümmert und nickte.

»Es gibt nichts Langweiligeres als Vollkommenheit, Moore.«

Er seufzte. »Es gilt Entscheidungen zu treffen. Schwere Entscheidungen.«

»Die wichtigen Entscheidungen sind immer schwer.«

Er grübelte eine Weile darüber nach. »Vielleicht ist es ja gar nicht meine Entscheidung«, sagte er. »Sondern ihre.«

Als er zur Tür ging, rief Rizzoli ihm nach: »Wenn Sie Cordell sehen, dann richten Sie ihr etwas von mir aus, ja?«

»Was soll ich ihr sagen?«

»Das nächste Mal soll sie höher zielen.«

Ich weiß nicht, was uns erwartet.

Er fuhr nach Osten in Richtung Boston und hatte das Fenster heruntergedreht. Die Luft, die ihm ins Gesicht wehte, fühlte sich so kühl an wie seit Wochen nicht mehr. Über Nacht hatte sich von Kanada aus eine Kaltfront ausgebreitet, und an diesem frischen Morgen roch die Stadtluft mit einem Mal viel sauberer, ja fast rein. Er dachte an Mary, seine geliebte Mary, und an all das, was ihn für immer mit ihr verbinden würde. Fünfundzwanzig Jahre Ehe, mit all den unzähligen Erinnerungen. Das Liebesgeflüster am späten Abend, die kleinen Witze, die nur sie verstanden, ihre gemeinsame Geschichte. Ja, ihre Geschichte. Eine Ehe ist vielleicht nicht viel mehr als eine Aneinanderreihung scheinbar banaler Momente, einem angebrannten Essen hier, einem mitternächtlichen Bad im See dort, und doch sind es diese Kleinigkeiten, die zwei Menschenleben zu einem einzigen zusammenschweißen. Sie hatten ihre Jugend zusammen verbracht, und zusammen waren sie älter geworden. Seine Vergangenheit konnte immer nur Mary gehören.

Doch seine Zukunft war noch frei.

Ich weiß nicht, was uns erwartet. Aber ich weiß sehr wohl, was mich glücklich machen würde. Und ich glaube, dass es sie auch glücklich machen könnte. Welchen größeren Segen könnten wir uns in unserem Alter noch wünschen?

Mit jedem Kilometer, den er fuhr, fiel eine weitere Schicht der Ungewissheit von ihm ab. Als er schließlich aus dem Wagen stieg und das Pilgrim Hospital betrat, tat er es mit dem sicheren Schritt eines Mannes, der weiß, dass er die richtige Entscheidung getroffen hat.

Er fuhr mit dem Aufzug in den fünften Stock, meldete sich an der Stationszentrale an und ging den langen Korridor entlang zum Zimmer 523. Er klopfte leise an und trat ein.

Peter Falco saß an Catherines Bett.

Wie Rizzolis Zimmer war auch dieses von Blumenduft erfüllt. Die Morgensonne fiel durch Catherines Fenster und tauchte das Bett und die Frau, die darin lag, in ein goldenes Licht. Sie schlief. Über ihrem Bett hing ein Infusionsbeutel, und die Tropfen von Kochsalzlösung, die aus dem Beutel in den Schlauch fielen, schimmerten wie flüssige Diamanten.

Moore stand da und sah Falco über das Bett hinweg an. Lange Zeit sprachen die beiden Männer kein Wort.

Falco beugte sich vor und gab Catherine einen Kuss auf die Stirn. Dann stand er auf und erwiderte Moores Blick. »Passen Sie gut auf sie auf.«

»Ja, das werde ich.«

»Ich werde Sie beim Wort nehmen«, sagte Falco und verließ das Zimmer.

Moore setzte sich auf den Stuhl, den Falco frei gemacht hatte, und nahm Catherines Hand. Ehrfürchtig hob er sie an seine Lippen. Und wiederholte leise: »Ja, ganz bestimmt.«

Thomas Moore war ein Mann, der zu seinem Wort stand. Und auch dieses Versprechen würde er halten.

Epilog

Es ist kalt in meiner Zelle. Draußen wehen die rauen Februarstürme, und man hat mir gesagt, dass es wieder zu schneien begonnen hat. Ich sitze auf meiner Pritsche, eine Decke über die Schultern geworfen, und denke an die köstliche Hitze, die uns wie ein Mantel einhüllte an jenem Tag, als wir durch die Straßen von Livadia schlenderten. Im Norden dieser griechischen Stadt entspringen zwei Quellen, die im Altertum als Lethe und Mnemosyne bekannt waren. Das Vergessen und die Erinnerung. Wir haben aus beiden Quellen getrunken, du und ich, und dann sind wir im Halbschatten eines Olivenhains eingeschlafen.

Ich denke gerade jetzt daran zurück, denn ich mag diese Kälte nicht. Sie macht meine Haut trocken und rissig, und ich kann gar nicht so viel Creme draufklatschen, dass sie gegen die Verheerungen des Winters etwas ausrichten würde. Mein einziger Trost ist jetzt die kostbare Erinnerung an die Hitze und daran, wie wir beide durch Livadia spazierten und die sonnenwarmen Steine durch unsere Sandalen spürten.

Die Tage vergehen hier so langsam. Ich bin allein in meiner Zelle, dank meines Rufs von den anderen Gefangenen abgeschirmt. Nur die Psychiater reden mit mir, aber sie verlieren allmählich das Interesse, weil ich ihnen keine aufregenden pathologischen Einsichten liefern kann. Ich habe als Kind keine Tiere gequält, ich habe nicht gezündelt und war auch kein Bettnässer. Ich bin zur Kirche gegangen. Ich war höflich zu älteren Menschen.

Ich musste immer Sonnencreme benutzen.

Ich bin nicht verrückter als sie selbst, und das wissen sie auch.

Es sind nur meine Fantasien, die mich zu etwas Besonderem machen – und die mich in diese kalte Zelle gebracht haben, in dieser kalten Stadt, wo die windige Luft weiß vom Schnee ist.

Ich ziehe mir die Decke fester um die Schultern, und es fällt mir schwer zu glauben, dass es Orte auf dieser Welt gibt, wo in diesem Moment braun gebrannte, von Schweiß glänzende Körper im warmen Sand liegen, während Sonnenschirme in der Meeresbrise flattern. Aber genau an einen solchen Ort ist sie verreist.

Ich greife unter die Matratze und krame den Ausschnitt aus der Zeitung von heute hervor, die mir der Wärter freundlicherweise für eine kleine Gegenleistung zugesteckt hat.

Es ist eine Heiratsanzeige. Am 15. Februar um drei Uhr nachmittags gab Dr. Catherine Cordell Detective Thomas Moore das Jawort.

Die Braut wurde von ihrem Vater, Colonel Robert Cordell, zum Altar geführt. Sie trug ein mit Elfenbeinperlen besetztes Kleid mit hoher Taille im Empirestil. Der Bräutigam trug Schwarz.

Anschließend wurde zu einem Empfang im Copley Plaza Hotel in der Back Bay geladen. Nach einer längeren Hochzeitsreise in die Karibik wird das Paar in Boston seinen Wohnsitz nehmen.

Ich falte den Zeitungsausschnitt zusammen und stecke ihn unter meine Matratze, wo ihn niemand finden wird.

Eine längere Hochzeitsreise in die Karibik.

Sie ist jetzt dort.

Ich sehe sie vor mir, wie sie mit geschlossenen Augen am Strand liegt. Sandkörnchen funkeln auf ihrer Haut. Ihr Haar ergießt sich wie rote Seide über das Badetuch. Sie döst in der Sonne, vollkommen entspannt und gelöst.

Und dann, im nächsten Augenblick, erwacht sie mit einem Ruck. Sie reißt die Augen weit auf, ihr Herz hämmert wie wild. Die Angst treibt ihr den kalten Schweiß aus den Poren.

Sie denkt an mich. So wie ich an sie denke.

Wir sind für immer miteinander verbunden, sind uns so nahe wie zwei Liebende. Sie spürt es, wenn die Ranken meiner Fantasien sie umschlingen. Nie wird sie sich aus der Umklammerung befreien können.

Das Licht in meiner Zelle geht aus; die lange Nacht beginnt und mit ihr die Echos von Männern, die in Käfigen schlafen. Ihr Schnarchen, ihr Husten, ihr rasselnder Atem. Ihre im Traum gemurmelten Wortfetzen. Doch wenn endlich Stille einkehrt, ist es nicht Cordell, an die ich denke. Nein, du bist es – du, der Quell meines tiefsten Schmerzes.

Wie gerne würde ich aus Lethe trinken, dem Strom des Vergessens, könnte ich damit nur die Erinnerung an unseren letzten Abend in Savannah auslöschen. Den Abend, als ich dich zum letzten Mal lebend sah.

Jetzt tauchen die Bilder vor mir auf, drängen sich vor meine Netzhäute, während ich in die Finsternis meiner Zelle starre.

Ich blicke auf deine Schultern herab, bewundere den dunklen Glanz deiner Haut, die sich so deutlich von ihrer abhebt, und beobachte, wie die Muskeln in deinem Rücken sich zusammenziehen, während du wieder und wieder in sie hineinstößt. An diesem Abend sehe ich zu, wie du sie nimmst, so wie du vor ihr all die anderen genommen hast. Und als du fertig bist, als du deinen Samen in ihr vergossen hast, blickst du lächelnd zu mir auf.

Und du sagst: »So, jetzt ist sie bereit für dich.«

Aber die Wirkung des Medikaments hat noch nicht nachgelassen, und als ich die Spitze des Skalpells auf ihre Haut drücke, zuckt sie kaum zusammen.

Ohne Schmerz keine Lust.

»Wir haben noch die ganze Nacht«, sagst du. »Du musst nur abwarten.«

Mein Hals ist trocken, also gehen wir in die Küche, wo ich mir ein Glas Wasser hole. Die Nacht hat gerade erst begonnen, und meine Hände zittern vor Erregung. Der Gedanke an das, was als Nächstes kommt, hat mich ganz in seinen Bann geschlagen, und während ich von dem Wasser trinke, ermahne ich mich, das Vergnügen möglichst lange auszudehnen. Wir haben die ganze Nacht, und wir wollen sie bis zur Neige auskosten.

Wenn du gut aufgepasst hast, müsstest du es schon können, sagst du zu mir. Heute Nacht, so hast du mir versprochen, gehört das Skalpell mir.

Aber ich bin durstig, und deshalb bleibe ich noch ein wenig in der Küche, während du wieder hineingehst, um zu sehen, ob sie schon aufgewacht ist. Ich stehe immer noch am Spülbecken, als der Schuss fällt.

In diesem Moment bleibt die Zeit stehen. Ich erinnere mich an die Stille, die darauf eintrat. Das Ticken der Küchenuhr. Das Geräusch meines eigenen Herzschlags in meinen Ohren. Ich lausche, warte verzweifelt auf den Klang deiner Schritte. Auf den Klang deiner Stimme, die mir sagt, dass es Zeit ist, sich aus dem Staub zu machen, und zwar schnell. Ich wage nicht, mich zu rühren.

Endlich zwinge ich mich, hinauszugehen, den Flur entlang, in ihr Schlafzimmer. In der Tür bleibe ich stehen.

Es dauert einen Augenblick, bis ich die entsetzliche Wahrheit erfasse.

Sie hängt mit dem Oberkörper über der Bettkante und versucht verzweifelt, sich wieder auf die Matratze zu ziehen. Eine Pistole ist ihr aus der Hand gefallen. Ich gehe zum Bett, schnappe mir einen Wundhaken von dem Tablett auf dem Nachttisch und versetze ihr mit aller Kraft einen Schlag gegen die Schläfe. Sie sinkt zusammen und rührt sich nicht mehr.

Ich drehe mich um und schaue dich an.

Deine Augen sind offen, du liegst auf dem Rücken und starrst mich an. Eine Blutlache breitet sich unter dir aus. Deine Lippen bewegen sich, aber ich kann nichts verstehen. Deine Beine rühren sich nicht, und ich begreife, dass die Kugel dein Rückgrat verletzt hat. Wieder versuchst du zu sprechen, und diesmal verstehe ich, was du mir sagen willst:

Los doch. Mach ein Ende.

Du redest nicht von ihr, sondern von dir.

Ich schüttle den Kopf, entsetzt über das, was du von mir verlangst. Ich kann es nicht tun. Bitte, erwarte nicht, dass ich das tue! Ich bin gefangen zwischen deiner verzweifelten Bitte und meinem panischen Fluchtinstinkt.

Tu es jetzt, *flehen deine Augen mich an.* Bevor sie kommen.

Ich blicke auf deine Beine herab, nur noch nutzlose Anhängsel deines Körpers. Ich denke an die Hölle, die vor dir liegt, falls du überleben solltest. Ich könnte dir all das ersparen.

Bitte.

Ich drehe mich um und sehe die Frau an. Sie regt sich nicht, nimmt meine Anwesenheit nicht wahr. Ich würde am liebsten ihre Haare packen, ihren Kopf nach hinten zerren und die Klinge tief in ihren Hals stoßen, als Rache für das, was sie dir angetan hat. Doch sie müssen sie lebend finden. Nur wenn sie überlebt, kann ich der Verfolgung entgehen.

Meine Hände schwitzen in den Gummihandschuhen, und als ich die Pistole aufhebe, fühlt sie sich unförmig und fremd an in meiner Hand.

Ich stehe am Rand der Blutlache und blicke auf dich hinab. Ich denke an jenen verwunschenen Abend, als wir im Tempel der Artemis umherspazierten. Es war neblig, und ab und zu erhaschte ich zwischen den Bäumen einen flüchtigen Blick auf dich. Plötzlich bist du stehen geblieben und hast mich im Dämmerlicht angelächelt. Und unsere Blicke schienen sich über die tiefe Schlucht hinweg zu begegnen, die sich zwischen der Welt der Lebenden und der Welt der Toten erstreckt.

Jetzt blicke ich über diesen Abgrund hinweg, und ich spüre, wie deine Augen auf mir ruhen.

Ich tue es nur für dich, Andrew, denke ich. Ich tue es für dich.

Ich sehe die Dankbarkeit in deinen Augen. Ich sehe sie noch, als ich die Pistole mit zitternden Händen hochhebe. Als ich ziele und abdrücke.

Dein Blut spritzt mir ins Gesicht, warm wie Tränen.

Ich drehe mich zu der Frau um, die immer noch bewusstlos über der Bettkante hängt. Ich lege die Pistole neben ihre Hand. Ich packe ihre Haare und schneide über dem Nacken eine Strähne ab, dort, wo es nicht auffällt. Diese Locke wird mich an sie erinnern. Ihr Duft wird mich an ihre Angst erinnern, so berauschend wie der Geruch von Blut. Das wird mir die Zeit bis zu unserem Wiedersehen überstehen helfen.

Ich gehe zur Hintertür hinaus und tauche in die Nacht ein.

Ich besitze diese kostbare Locke nicht mehr. Aber ich brauche sie auch nicht mehr, denn ihr Geruch ist mir so vertraut wie mein eigener. Ich weiß, wie ihr Blut schmeckt. Ich kenne den seidigen Schimmer des Schweißes auf ihrer Haut. All das bewahre ich in meinen Träumen auf, wo die Lust mit der Stimme einer Frau schreit und blutige Fußspuren hinterlässt. Nicht alle Souvenirs kann man in der Hand halten, betasten und streicheln. Manche können wir nur in den tiefsten Tiefen unseres Gehirns bewahren, in unserem innersten, tierhaften Kern, der unser aller Ursprung ist.

Dem Teil von uns allen, den so viele gerne verleugnen.

Ich habe ihn nie verleugnet. Ich stehe zu meinem innersten Wesen, ich bekenne mich bereitwillig dazu. Ich bin so, wie Gott mich geschaffen hat, wie Gott uns alle geschaffen hat.

Wie das Lamm gesegnet ist, so auch der Löwe.

So auch der Jäger.

Danksagung

Den folgenden Personen bin ich zu ganz besonderem Dank verpflichtet:

Bruce Blake und Detective Wayne R. Rock vom Boston Police Department und Dr. med. Chris Michalakes für ihre Hilfe in technischen Fragen.

Jane Berkey, Don Cleary und Andrea Cirillo für ihre hilfreichen Kommentare zur ersten Fassung.

Meiner Lektorin Linda Marrow für ihre behutsame Anleitung.

Meinem Schutzengel Meg Ruley. (Jeder Autor und jede Autorin braucht eine Meg Ruley!)

Und schließlich meinem Mann Jacob. Wie immer.